VILAYET DE BITLIS

OSMANLI ARŞİVİ
YILDIZ TASNİFİ - ERMENİ MESELESİ
1

Prepared for publication by the
Historical Research Publishing Unit
under the supervision and general coortination of the
İstanbul Research Center

Editor
Ertuğrul Zekâi Ökte

Coordinator : Tülây Duran
Transcription : Rauf Tuncay
Turkish Text : Dr. Cengiz Kürşat
English Text : Doç. Dr. Cem Taylan

Assistant Coordinator : Fethi Kayalı
Proofreading : Robert Bragner
Consultants : Dr. Ömür Barış
Dr. Metin Selvi
Dr. Muhlis Kaya
Dr. Salih Yavuz

Research Services : İstanbul Research Center
(Menace Investigation Group)
Information Services : Hasibe Tokoğlu
Neslihan Erözbek
Aynur Zafer - Vahide Yener
Graphic Design and Layout : Zaman Tanıtım / Faik Cansız
Nesrin Cansız

Typesetting : Cengiz Seyhanoğlu
Hülya Kulunyar
Vedat Güngör
Color Seperation : Şan Grafik
Assembly : Laçin Repro
Printing : Alaş Ofset
Binding : Numune Ciltevi

ISBN 975-7555-01-0

ISBN 975-7555-01-0 Osmanlı Arşivi Yıldız Ermeni Belgeleri (Takım No)
ISBN 975-7555-02-9 Osmanlı Arşivi Yıldız Ermeni Belgeleri 1. Cilt.
ISBN 975-7555-03-7 Osmanlı Arşivi Yıldız Ermeni Belgeleri 2. Cilt.
ISBN 975-7555-04-5 Osmanlı Arşivi Yıldız Ermeni Belgeleri 3. Cilt.
ISBN 975-7555-05-3 Osmanlı Arşivi Yıldız Ermeni Belgeleri 4. Cilt.
ISBN 975-7555-06-1 Osmanlı Arşivi Yıldız Ermeni Belgeleri 5. Cilt.
ISBN 975-7555-07-x Osmanlı Arşivi Yıldız Ermeni Belgeleri 6. Cilt.
ISBN 975-7555-08-8 Osmanlı Arşivi Yıldız Ermeni Belgeleri 7. Cilt.
ISBN 975-7555-09-6 Osmanlı Arşivi Yıldız Ermeni Belgeleri 8. Cilt.
ISBN 975-7555-10-x Osmanlı Arşivi Yıldız Ermeni Belgeleri 9. Cilt.
ISBN 975-7555-11-8 Osmanlı Arşivi Yıldız Ermeni Belgeleri 10. Cilt.
ISBN 975-7555-12-6 Osmanlı Arşivi Yıldız Ermeni Belgeleri 11. Cilt.
ISBN 975-7555-13-4 Osmanlı Arşivi Yıldız Ermeni Belgeleri 12. Cilt.
ISBN 975-7555-14-2 Osmanlı Arşivi Yıldız Ermeni Belgeleri 13. Cilt.
ISBN 975-7555-15-0 Osmanlı Arşivi Yıldız Ermeni Belgeleri 14. Cilt.
ISBN 975-7555-16-9 Osmanlı Arşivi Yıldız Ermeni Belgeleri 15. Cilt.

İÇİNDEKİLER

CONTENTS

TARİHİ ARAŞTIRMALAR VE DOKÜMANTASYON MERKEZLERİ
KURMA VE GELİŞTİRME
VAKFI

OSMANLI ARŞİVİ
YILDIZ TASNİFİ
ERMENİ MESELESİ

OTTOMAN ARCHIVES
YILDIZ COLLECTION
THE ARMENIAN QUESTION

TALORİ OLAYLARI

TALORI INCIDENTS

The Historical Research Foundation
İstanbul Research Center

Sunuş

"Tarihi Araştırmalar ve Dokümantasyon Merkezleri Kurma ve Geliştirme Vakfı" arşivlerinde bulunan ve *"Yıldız Tasnifi - Ermeni Meselesi"* ile "Ermeni Belgeleri — 1331 (1915)" başlıkları altında iki grupta toplanmış olan kırk sekiz ciltlik belge koleksiyonunu yayınlamaya başlıyor.

Onbeş ayrı cilt içerisinde yayınlanacak bu belgeler 1860-1919 yılları arasında Osmanlı İmparatorluğu'nun vatandaşları olan ve devlet tarafından *"Millet-i Sadıka"* (Sadık vatandaşlar) şeklinde nitelendirilen Ermeni azınlık topluluklarının durumlarını, faaliyetlerini, meydana getirdikleri olayları, olayları yönlendiren ve yöneten fikir ve düşünceleri, devletin varlığını tehdit eden davranış ve hareketlerini ve bunlar karşısında izlenen politikaları, alınan önlemleri kapsıyor.

Vakıf, arşivlerinde bulundukları "Fotoğraf-Belge" şekil ve özelliklerini aynen koruyarak basılan belgeleri, transkripsiyonları, Türkçe işlemeleri ve İngilizce çevirileriyle okuyucuların hizmetine sunuyor.

Vakfın amacı; asılları devlet arşivlerinde bulunan bu belgeleri yayınlamak suretiyle, belirtilen tarihi süreç içerisinde meydana gelen olaylar ve hareketler hakkında, zamanımıza kadar çeşitli yaklaşımlar ve farklı beklentilerle yapılan gerçek dışı saptırmaların ve spekülasyonların sona ermesine yardımcı olmak, ilgili kamuoylarını aydınlatmaktır.

İçinde yaşadığımız ve gücünü yeni yeni keşfetmeye çalıştığımız Enformasyon çağında tarihi varlık alanında yer almış olayların insanları ve toplumları birbirlerine düşman edecek şekilde gerçek dışı yorumlarla tanıtmanın ve yaymanın uzun süre devam edemeyeceği anlaşılmıştır. Enformasyon devrimi insanlığa gerçeği bütün açıklığı ile bulma ve yayma imkanlarını hazırlamaktadır. Bu sebeple, artık tarihi olaylar husumetlere, dehşet ve cinayetlere değil, tam aksine insanları ve toplumları sevgiye, barışa, refaha ve huzura yönlendirecek kaynaklar ve deneyimler olarak kabul edilmeli, yorumlanmalı ve yayılmalıdır.

Bugün insanoğlunun eline geçirdiği imkân ve araçlarla sonsuz bilgi sağlama ve üretme şansını yalnız yaşadığı zamanın olaylarıyla ve geleceğin tahminleriyle sınırlı tutması ve kısıtlaması doğru değildir. İnsanoğlu bu şansını geçmişin sebepli veya sebepsiz karanlıklar altında bırakılmış, çeşitli amaçlarla saptırılmış olaylarını aydınlatmak için de kullanmalıdır. Çünkü, bitmek üzere olan son yüzyıl geçmişin karanlıklarının, bilinmezliklerinin ve saptırmalarının insanlığın geleceğini aydınlığa çıkaramadığını kanıtlayan yüzlerce örnekle doludur. Ve her örnek, insanlığa çok ağıra mal olmuş-

Introduction

The Foundation for the Establishment and Development of Centers for Historical Research and Documentation has begun publishing a collection of forty-eight volumes of documents from its archives. This corpus of material is divided into two groups under the heading of The Yıldız Collection: **"The Armenian Question" and "Armenian Documents — 1331 (1915)".**

These documents will be published in fifteen volumes and will cover all aspects of the Armenian minority communities, whose members were subjects of the Ottoman Empire and who were referred to by the government as Millet-i Sadıka — **"The Faithful Nation" — between the years 1860-1919 including their circumstances, their activities, the incidents of which they were the cause, the ideas and attitudes that directed and governed events, the acts and conduct that threatened the existence of the state, and the policies that were followed and the measures that were taken in the face of all these.**

The Foundation will be placing at the disposal of the reader the documents in its archives (photographed in such a way as to retain unaltered all their original features) together with their transcriptions and their translations into modern Turkish and into English.

The aim of the Foundation in its publication of these documents (whose originals are in the National Archives) is to be of assistance in bringing an end to the falsification and speculation that has been pursued (owing to whatever attitudes and expectations) and to enlighten public opinion concerning the events and deeds that took place within the historical process in question.

It has become understood in the "Information Age" in which we live and whose power we are only beginning to discover, that false interpretations of events that have taken place in the field of historical fact cannot long be promoted or disseminated in such a way as to turn individuals or communities into enemies of one another. The revolution in information has prepared the means whereby all mankind is capable of discovering and broadcasting the truth in all its clarity. It is for this reason that historical events should be regarded, interpreted, and disseminated as sources of experience that will guide people and societies towards love, peace, prosperity, and peace of mind and not incite them to hatred, terrorism, or murder.

tur. Sarsıntıları daha henüz sona ermemiş olan Birinci ve İkinci Dünya Savaşları, soğuk harbin süregelen endişeleri, sayısız mücadeleler ve yerel savaşlar... siyasi hırsların, kişisel arzuların, çıkar çatışmalarının, toplumsal beklentilerin ve özellikle din, mezhep, ırk, ideoloji ve kuramsal bağnazlıkların perdelediği gerçeklerin insanlığa mutluluk, refah ve huzur getirmediği aksine daha çok kana, cana, mutsuzluğa ve yokluğa sebep olduğu artık bilinmektedir.

İşte Vakıf, bu yaklaşımlarla başlattığı yayın dizisinin, ilgili kamuoylarını aydınlatacağını düşünmektedir.

Tarihi kaynakların açıklanan değerleri sağlayıcı nitelikleri konusunda üzerinde durulması gereken önemli bir nokta bu kaynakların değerlendirilmesi ve kullanılması meselesidir.

Tarihi varlık alanında yer alan her hareketin ve olayın belirli sebep ve düşüncelerin sonucu olduğu, zaman ve mekân şartlarına bağlı bulunduğu konularında bir anlaşmazlık yoktur. Ancak hareketi veya olayı tesbit eden, açıklayan belgelerin incelenmesinde, değerlendirilmesinde ve yorumunda çeşitli görüşler vardır. Farklı yaklaşımların, farklı sonuçlar meydana getirdiği de bilinmektedir.

Tarihi varlık alanında yer alan olayların peşin yargılarla, yönlendirilmiş yaklaşımlarla ve maksatlı görüşlerle araştırılması, yorumlanması ve değerlendirilmesi sonucunda, toplumlar arası düşmanlıkların ve çatışmaların yüzlerce yıl devam ettiği, kin, nefret ve intikam hislerinin nesilden, nesile aktarılıp canlı tutulmağa çalışıldığı görülmektedir. Tarihi olayların yıllar sonra aynı şartlar altında tekrarına imkân olmayışı, bu olayların gerçek yönlerinin deneme ve sınama gibi herkesin kabule mecbur olduğu yöntemlerle ortaya çıkarılmasınında mümkün bulunmayışı açıklanan yaklaşım ve görüş sahiplerine her zaman kullanabilecekleri fırsatlar vermekte, manevra alanları hazırlamaktadır. Bunların karşısında tarafsız araştırmacıların ve gerçek bilim adamlarının yapacakları ciddi çalışmalar ise, insanoğlundan her zaman beklenmesi çok güç olan, büyük sabır ve özen istemekte, ağır sorumluluklar ve yükümlülükleri gerekli kılmaktadır. Özellikle araştırmacıların ve bilim adamlarının inceledikleri konular kendi toplumlarını, kişisel bağlılıklarını ve korudukları değerleri ilgilendiriyorsa psikolojik etkenler olayların yorum ve değerlendirilmelerini etkilemektedir. Bütün bu durumlarda gerçekleri bulma mücadelesi, peşin yargı sahiblerinin, maksatlı görüşlerin ve yönlendirilmiş yaklaşımların olaylara verdiği yorum ve değerlerle karşı karşıya gelmekte, bulunduğu sanılan "gerçek" sürekli tartışılan ve tartışıldıkça değerinden biraz daha kaybeden, fakat buna karşılık çatışmaları, düşmanlıkları, kini ve nefreti devamlı surette gündemde tutan bir sonuç yaratmaktadır.

Toplumlar arası husumeti sürekli canlı tutan bir başka önemli durum da; tarihi varlık alanında yer alan hareket ve olayları kendi şartları içerisinde değil, günümüz anlayış ve değerleriyle veya tamamen yapay sebeplere bağlanarak yorumlanmak ve değerlendirilmek istenmesidir. Bu durumda olayların ve hareketlerin kendi gerçekleri bir yana bırakılmakta, arzu edilen ve genellikle propaganda malzemesi yapılmak istenen gerçekler pazarlanmaktadır.

Tarihi olayların araştırılıp, değerlendirilmesinde açıklanan sonuçları doğrudan veya dolaylı şekilde meydana getiren bir yaklaşım tarzı da bu olayları belirliyen "belgeler" ve belgeleri kullanma ve yorumlama çalışmalarıyla ilgilidir.

İnsanoğlunun yazılı tarihin başlamasıyla birlikte geçmişte varlık alanında yer alan hareketler ve olaylar hakkında doğru bilgiler edinme imkânları artmıştır. Günümüzde ise bu konularda ele geçen fırsatlar akıl almaz boyutlara ulaşmış bulunmaktadır. Tarihi varlık alanında yer almış hareket ve olayları bütün yönleri, unsurları ile öğrenme, anlama şansı insanoğluna yeni ufuklar açacak bir düzeye gelmiştir.

Olayları öğrenmemize ve anlamamıza yardımcı olacak kanıtlar "belgeler" şeklinde bizlere ulaşmaktadır. "Belgeler" doğrudan doğruya olayları tesbit edebilmemize, sebep ve sonuçlarını öğrenmemize yardımcı kaynaklardır. Ancak, belgelerin doğru anlaşılabilmesi ve kullanılabilmesi için teknik birçok şartların yanında

It surely cannot be not right for the unlimited opportunities to secure and produce knowledge through the means that mankind has today acquired to be restricted and limited to solely to examining current events and making projections about the future: mankind should also make use of these opportunities to shed light on events of the past which – deliberately or not – have remained in darkness or which have been distorted for one reason or another. And the reason is that the century that is now on the point of ending is filled with hundreds of examples proving that no dark, unknown, or distorted past can ever shed light on the future of humanity. Each one of these examples has been most costly to mankind: the first and second world wars whose disturbing effects have still not subsided, the lingering worries of the Cold War, innumerable conflicts and local wars; and at last we have come to the realization that political avarice, personal passions, conflicts of interest, and facts veiled by social expectations (and particularly by religious, sectarian, racial, ideological, and conceptual bigotry) are not the cause of human happiness, affluence, and peace of mind but rather of more and more spilled blood, wasted lives, misery, and want.

The Foundation believes that the series of publications that it is now embarking upon will enlighten public opinion on such matters.

An important point deserving consideration with regard to the features of historical sources that ensure their value is the problem of making good use of them.

There is no disagreement that every act and event that is included among the assets of history is the consequence of specific causes and views or that it is bound by conditions of time and place. In the examination, appraisal, and interpretation of documents that attest to or reveal the act or event however there are differing opinions and it is known that different approaches can lead to different conclusions.

We see that as a result of prejudicial, manipulated, and tendentious investigation, interpretation, and appraisal of events in history, enmities and conflicts among societies have persisted for centuries and that attempts are made to pass feelings of rancor, hatred, and revenge down from generation to generation and keep them alive. Because historical events cannot be made to occur again years later under the same conditions and furthermore because it is impossible to reveal the true aspects of events by means of methods acceptable to all such as testing and experimenting, opportunities are presented that can always be exploited by those holding set attitudes and views and this prepares for them areas in which to maneuver. The serious efforts made by impartial investigators and true scholars on the other hand in the face of such persons require great patience and assiduity – qualities that are difficult to expect always of people – and necessitate a great sense of responsibility and commitment. Particulary when researchers and scholars investigate matters that are of concern to their own societies, to their personal loyalties, and to the values they hold, psychological factors influence their interpretation and appraisal of events. In all such instances, the struggle to find the truth runs up against the interpretations and evaluations that prejudiced individiuals, tendentious opinions, and manipulated attitudes assign to events. The "truth" that supposedly has been found creates a result that is disputed, and as it is disputed it slowly loses its worth; but at the same time the result ensures the constant currency of conflict, enmity, rancor, and hate.

Another important situation that keeps inter-communal hostility constantly alive is the desire to interpret and evaluate historical acts and events not within the framework of their

herşeyden önce belgenin oluştuğu zamanın siyasi, iktisadi, sosyal, kültürel, teknolojik gelişmelerinin bilinmesi gerekir. Çünkü, tarihi varlık alanında yer alan her hareket ve her olay bu şartların etkisi altında oluşur, devam eder, sonuçlanır. Ve yeni bir hareketin, olayın sebebini meydana getirir. Sebebi olur.

Belgelerin araştırılıp, incelenmesi konusunda ikinci bir önemli nokta da bunların bir bütün olduğunun gözden uzak tutulmamasıdır. Geçmişte meydana gelmiş hareketlerin, olayların rastlantı şeklinde ele geçirilmiş veya bir yönünü aydınlatmaya yarayan belgelerle o hareketin veya olayın açıkladığı gerçeklere ulaşılacağını sanmak en azından saflık olur. Hareket veya olayın oluşmasından önceki durumları, oluşmasını ve sonraki safhalarını bir bütün olarak ele almak zorunluluğu, belgelerinde ancak bu şekilde incelenmesini, araştırılmasını, anlaşılmasını gerekli kılar. Olayları yalnız tesbit eden değil, gerçeklerini bize anlatabilen çalışmalarla "Belgeler", tarihi kanıtlardır. Aksi halde propaganda malzemesinden öteye geçemezler. Ve bir süre sonra unutulup giderler.

Çıkar ve beklentilerinin gerçekleşmesini toplumlar arası anlaşmazlıkların ve çatışmaların devamında, nesilden-nesile aktarılan kin, nefret ve intikam duygularının canlı tutulmasında görenlerin tarihi olayları saptırma ve gerçekleri perdeleme girişimlerine yakın geçmişimizde ve günümüzde en çarpıcı örneklerden biri de "Ermeni olayları" — "Ermeni genosidi"... gibi başlıklar altında yayınlanmış çalışma ve faaliyetlerde görülmektedir.

1973-1986 yılları arasında "Ermeni terörüne" kaynak, çevre ve zemin hazırlayan, psikolojik destek sağlayan bu kışkırtıcı ve özendirici yayınların ve çalışmaların kısa sürede sona ereceği de beklenmemelidir. Çünkü, açıklanan girişim ve uygulamalar yüzyıldır birden fazla devletin doğrudan veya dolaylı desteğine, dini kurumların, gönüllü veya zorla sağlanan özel kuruluşların kışkırtıcı ve özendirici yardımlarına sahibtir. Uygulamada görünen failler için ise, bu çalışmalar, faaliyetler veya yayınlar birer geçim kaynağı, bazı kesimlerde siyasi, sosyal, iktisadi yatırımlardır. Nihayet; onların, bu özendirme, kışkırtma ve destek sonunda ne çatışan toplumlarla, ne de dökülen kan, kaybedilen zaman ve imkânlarla bir ilişkileri vardır. Kendileri için en ufak bir tehdit veya tehlike hissettikleri anda ilk cephe alacakları ve etkisiz bırakacakları gruplar ve kişiler tahrik ettikleri, özendirdikleri, destekledikleri olacaklardır. Çıkar ve beklentilerinin bu yol ve yöntemlerle gerçekleşmeyeceğini anladıkları zamanda yeni çatışma ve anlaşmazlık konuları seçeceklerdir.

Ermeni toplumlarının ve Ermenilerin tümüne mal edilemeyecek bu girişimlerin ve uygulamaların ancak ilgili kamu oylarının aydınlatılması ve gerçeklerin gözler önüne serilmesiyle mümkün olabileceği artık anlaşılmıştır. Vakıf bu inançla başlattığı dizide yayınlayacağı belgeleri, yalnız kamu oylarını aydınlatmak için değil tarihi gerçekleri saptırma yolu ile toplumları birbirine düşman etmeye çalışanların da dikkatlerine ve vicdanlarına sunmaktadır. İnsanlık dünyası için yapılacak başka bir hizmette yoktur.

Bu dizide yayınlanacak belgelerin tesbit ettiği olayları gerçeklere uygun şekilde anlayıp, yorumlayabilmek için belgelerin oluştuğu dönem ve yıllara ilişkin bilgilere ihtiyacımız vardır. Belirlenen tarihi süreç içerisinde Osmanlı İmparatorluğu'nun, bu imparatorluk içerisinde yer alan Ermeni azınlık topluluklarının ve Ermeni faaliyetlerini kendi çıkar ve beklentileri doğrultusunda yönlendiren, yöneten yabancı devletlerin belgelerin kapsamına giren konular hakkındaki görüş, davranış ve politikalarının ana hatlarıyla bilinmesinde yarar vardır. Aşağıda sunulan bilgilerin amacı da okuyucuya bu yararı sağlayabilmektir.

Osmanlı İmparatorluğu

Ondokuzuncu yüzyılın son otuz yılı ile Yirminci yüzyılın ilk yirmi yılı arasında Osmanlı İmparatorluğu'nun karşı karşıya kaldığı yurt içi ve yurt dışı tehdit ve tehlikeler, girmek zorunda bırakıl-

own conditions but rather within one of present-day attitudes and values or by attributing them to causes that are entirely artificial. In such situations, the truths inherent in events and acts are dispensed with and what gets marketed instead are the "truths" that are desired, which, as a rule are the material from which propaganda may be made.

The manner of approach that directly or indirectly leads to the results that are revealed in any investigation and evaluation of historical events is also concerned with the events' documentary evidence and with efforts to use and interpret such documents.

With the start of recorded history, humanity increased the means whereby it might acquire correct information about acts and events in its past. Today, the opportunities available to us have reached mind-boggling proportions. The ability to discover and understand the acts and events that make up one's historical assets in all their aspects and elements has reached a level that will open up new horizons for mankind.

The evidence that helps us to discover and understand events reaches us in the form of documents. These documents are the sources that enable us to determine events directly and that help us to understand the consequences of them. However in order to understand and use documents correctly, a number of technical conditions must be fulfilled. Most important of all, the political, economic, social, cultural, and technological developments of the time when the document took form must be known, for every act and every event in history takes shape, proceeds, and comes to an end under the influence of such conditions and leads to and is the cause of a new act or event.

A second important point in the matter of the research and examination of documents is that one should never lose sight of the fact that they constitute a whole. To suppose that acts and events taking place in history can be fully explained by means of documents that one happens to come across by chance or that shed light on only one aspect of them is naive, to say the least. The obligation to deal as a whole with the circumstances that preceded the development of the act or event, its occurrence, and the subsequent stages makes it necessary for documents to be examined, researched, and understood only in that way. It is through efforts that make us understand the facts behind an event and not merely establish its existence, that documents become historical evidence: failing this, they never become more than material for propaganda and after a while they are gone and forgotten.

One of the most striking examples — of the immediate past and of the present day — of attempts to distort historical events and conceal facts undertaken on the part of those who view the realization of their interests and expectations as lying in continuing inter-communal disagreement and dispute and in keeping alive the feelings of rancor, hate, and revenge handed down from generation to generation may be witnessed in the efforts and activities that are disseminated under such names as "Armenian incidents" and "Armenian genocide".

The publications and efforts that prepared the sources, environment, and groundwork for the Armenian terrorism between 1983 and 1986 and that provoked, encouraged, and gave psychological support to such terrorism cannot be expected to come to an end overnight for such undertakings and practices have for a century possessed not only the direct — or indirect — support of more than just one country but also the willing — or unwilling — help in the form of provocation and encouragement on the part of religious and private institutions. For those committing these deeds furthermore, such activities, acts, and publications are each a source of income while in some circles they take the form of political, social, and/or

dığı mücadeleler ve savaşlar, devletin varlığını koruyabilmek için başvurduğu bütün gelişme çabalarını engelleme, yönlendirme, yönetme girişimleri bilinmeden açıklanan tarihi süreç içerisinde yer alan olayları, izlenen politikaları anlamağa ve değerlendirmeye imkan yoktur.

İmparatorluğun giderek artan bir oranda insan, toprak ve sayısız kaynak kaybetmesine sebep olan bu dönemin olayları, büyük Türk Devletinin parçalanmasını, ülkesinin işgal edilmesini ve tarihe karışmasını kaçınılmaz kılmıştır.

Osmanlı İmparatorluğu 1870-1920 yılları arasında sahibi olduğu toprakların ve hakimiyet alanlarının % 85'ini, nüfusunun % 75'ini kaybetmiştir. 1880'li yıllarda, Osmanlı Devleti'nin gerçekten koruyabildiği ve hükümranlık haklarını kullanabildiği topraklar kısmen Rumeli ve Kuzey Doğu bölgesinde en önemli yerleri kaybedilmiş Anadolu'dan ibaretti. Suriye-Musul-Hicaz ve Yemen'de İmparatorluk, Ordularının bu yerlerde bulunması sebebiyle, var sayılabiliyordu.

"1877-1878 Osmanlı — Rus Savaşı" ve sonuçları; Avrupa Devletlerine, Avrupa'da korumaya çalıştıkları siyasi dengenin bedelini Osmanlı İmparatorluğu'nun toprakları, hakimiyet alanları, kaynakları ve insan gücüyle ödenmesi sisteminin kuruluşunu hazırlıyor, geliştirme imkânları veriyordu.

"Berlin Antlaşması" (13.7.1878) bu sistemin uluslararası düzeyde kabulünü sağladı, temel belgesini teşkil etti. "Berlin Antlaşması"nı hazırlayan Konferansta, Avrupa ülkelerinin düşünceleri Avrupa Dengesinin bozulmaması idi. Savaştan yorgun ve perişan düşmüş Rusya'nın da isteği siyasi dengenin sürdürülmesi idi. Hemen hemen her ülke, bu dengenin bozulmasıyla büyük bir Avrupa savaşının kaçınılmaz olacağını ve mevcut bütün ilişkilerin bozulacağını biliyordu. Avrupa savaşa hazır değildi.

Gerçekte, "Berlin Antlaşması" savaşın sonunda yapılan "Ayastefanos-Yeşilköy Antlaşmasıyla" Ruslara; "İstanbul Antlaşmasıyla" İngiltere'ye Osmanlı ülkesi ve hakimiyet hakları üzerinde sağlanan imkânları küçük değişikliklerle devam ettirmekle kalmadı, bütün Avrupa Devletlerinin zaman içerisinde Osmanlı Devletiyle ilgili her olaya, her girişime müdahale fırsatlarını da verdi. Ve Osmanlı Devletini, Avrupa topraklarından silme stratejilerini başlattı.

"Berlin Antlaşması" kurduğu sistemle genelde Avrupa Devletleri ve Rusya için iki önemli imkân hazırlamış, bunun uygulama mekanizmalarını da kurmuştu. Bunları:

1. Osmanlı İmparatorluğu'nun Anadolu'da — özellikle Ermenilerin bulunduğu yerlerde — yapması öngörülen reformları izleme ve talep etme yoluyla İmparatorluğun içişlerine topluca müdahale mekanizması. Bu imkân, tarihe Ermeni Meselesi adı altında toplanan hareket ve faaliyetleri uluslararası bir mesele yapma fırsatı verdi.

2. Bir Avrupa Devletinin Osmanlı İmparatorluğu ülkesi ve hakimiyet alanları üzerindeki çıkar ve beklentisini gerçekleştirmeye çalıştığı zaman diğer ülkelere de ayni hareket serbestisini tanımak yolu ile Osmanlı İmparatorluğu'nu parçalama, bölme ve tarihten silme fırsatı...

Birinci Dünya Savaşına kadar devam eden bu sistem, Osmanlı İmparatorluğu'nun da sonunu hazırladı.

İkinci Abdülhamid'in (1876-1908) açıklanan sistemin meydana getirdiği tehdit ve tehlikelere karşı temel politikası; elde kalan son "Ata yurdu" Anadolu'yu ve Rumeli'yi korumaktı. Bunun için "Berlin Antlaşması"nda Kars-Ardahan'ı, Ruslara vermekle bozulan Anadolu'nun toprak bütünlüğünü yeniden kurmak, Rumeli'de Selânik, Manastır ve Kosova vilayetlerinin sağladığı coğrafi birliği devam ettirmekti. Abdülhamid sosyo/ekonomik ve kültürel alanda gelişmenin gerekli olduğuna inanıyor, çok yönlü bir dış politika izlenmesini zorunlu görüyordu. İç politikada ise tam bir merkeziyetçilik ve tek elden bir yönetimle, meselelerin altından kalkabileceğine inanıyordu. Osmanlı Devletinin sosyal ve kültürel yapısının, si-

economic "investments". Ultimately there is not, in such encouragement, provocation, or support, even the slightest concern either for the societies in conflict or for the blood spilled or for the time and opportunities lost. The moment the slightest threat or danger is felt, the groups and individuals who will become the first targets and be neutralized will be those who have been provoked, encouraged, and supported. Whenever it is realized that interests and expectations cannot be realized in this way or by these means, new subjects of dispute and disagreement will be chosen.

It is now well understood that public opinion can be enlightened about these undertakings and activities — for which all Armenian communities or individual Armenians cannot be held responsible — only by laying out all the facts in full view. It is out of this belief that the Foundation has begun the publication of this series. But in doing so it seeks not only to enlighten public opinion but also to present these documents for the attention — and for the conscientious consideration — of those who have endeavored to turn two societies into enemies by distorting historical facts. There is no other service that one may render for the world of humanity.

In order to realistically appreciate and interpret the events set forth by the documents that are to be published in this series, one needs to know about the times in which the documents were generated and thus it is worthwhile knowing in outline the opinions, acts, and policies of certain foreign states concerning the matters covered in these documents, since it was these states that maneuvered and gave direction in line with their own interests and expectations to the Armenian minority communities in the Ottoman Empire and to Armenian activities within the historical process of that empire. It is with aim that the following information is presented for the benefit of the reader.

The Ottoman Empire

During the last three decades of the 19th Century and during the first two of the 20th the Ottoman Empire was faced with a host of domestic and foreign threats and dangers, and with wars and struggles that it was forced to engage in. Without being aware of the attempts to hinder, maneuver, and direct the empire's every attempt to flourish and protect its existence, it is impossible either to understand or assess the events that took place in the historical process or the policies that were pursued.

The events of this half-century led to a steady attrition of the empire's resources of manpower, land, and much more and also made it inevitable that this great Turkish state would be broken up, that its territory would be occupied by foreign powers, and that it would become a thing of the past.

Between 1870 and 1920, the Ottoman Empire lost 85% of the land under its dominion and control and 75% of its population. In the 1880's the territory in which the Ottoman state was truly capable of defending and exercising its sovereign rates consisted partially of Rumelia and also of Anatolia, though even of the latter, some of its most vital parts in the northeast had been lost. What remained of the empire in Syria, Mosul, Hejaz, and Yemen could be considered to exist only because of the presence of its armies there.

The Ottoman-Russian War of 1877-78 and its consequences laid the groundwork for European countries' establishment of a system whereby they sought to pay the price of the political balance they wished to preserve in Europe with the land, dominions, resources, and manpower of the Ottoman Empire and they made it possible for them to develop that system.

yasi hayata yansımasının ise, açıklanan şartlar altında, devleti kısa bir sürede çökme noktasına getireceğini açıklıyor ve bunun en belirgin örneğini 1876 Anayasasının kabulünden sonra kurulan Meşrutiyet İdaresindeki, Osmanlı "Meclis-i Mebusan"ının çalışmalarını örnek gösteriyordu.

İkinci Abdülhamid için Osmanlı İmparatorluğu'nun hedefi; uzun süre devam edemeyeceği görünen Avrupa siyasi dengesinin, bir Avrupa savaşıyla sonuçlanacağı ana fikrine dayanıyordu. Bu durumda, Osmanlı Devleti çıkacak bir Avrupa savaşına katılmaz ve tarafsız kalırsa, o zamana kadar iktisadi, sosyal, kültürel alanlarda kalkınmasını yapar ve özellikle sağlam bir para ve sermaye birikimi sağlarsa, savaş sonrasında meydana gelecek karışıklık ve çöküntülerin ortaya koyacağı fırsatları değerlendirerek kendisini hem tam güvenceye alabilir, hem bölgede ve Avrupa'da eski gücüne ulaşabilirdi. Bu nedenle hedef, bir Avrupa çatışmasını beklemek, o zamana kadar hiçbir devletle anlaşmazlığa veya çatışmaya girmemek, dışarda tam bir denge politikası izlemek gerekirse ve zorunlu da görülürse Yunan Savaşı gibi bir "Güç gösterisinde" bulunulacak yerel mücadeleleri göze almaktı. Bu arada eğitimde, sosyal hayatta en gelişmiş modelleri uygulamak, iktisadi imkânları kullanmak, kaynakların işletilmesini sağlamak devlet politikası durumuna gelmişti.

Osmanlı İmparatorluğu'nun Ondokuzuncu yüzyılın başlarına kadar savunma hatları Tuna-Adriyatik- Basra körfezi -Kafkaslar'dan geçiyordu. Akdeniz-Ege-Karadeniz ve kısmen Kızıldeniz hakimiyet alanları bu savunma hatlarının güvencesini teşkil etmekteydi. Ondokuzuncu yüzyılın ilk otuz yılında bu hatlar tamamen kaybedilmiş, hakimiyet alanları başka ülkelerin kontrolu altına geçmişti. "Berlin Antlaşmasının" kurduğu sistem ise, İmparatorluğu bir anlamda Avrupa Devletlerinin ve Çarlık Rusyası'nın global tehdit ve tehlikeleri altına sokmuştu.

Kapütilasyonlar, ikili ticaret anlaşmaları, çeşitli sebeblerle verilen imtiyazlar, yabancı sermaye akımını sağlamak ve artırmak için başvurulan yap-işlet-devret modelieri Osmanlı İmparatorluğu'nun iktisadi, ticari ve mali hayatını büyük ölçüde Avrupa Devletlerinin denetimine terk etmişti.

Bütün bunların yanında XVI. yüzyılın ikinci yarısından başlayarak Osmanlı İmparatorluğu'nun toprakları, kaynakları ve hakimiyet alanları üzerinde çeşitli çıkar ve beklentilerinin gerçekleştirilmesi için başta Fransa olmak üzere Rusya'nın ve daha sonra İngiltere'nin İmparatorluğun çeşitli mezheplere sahip azınlık topluluklarını himaye perdesi altında Katolik, Ortodoks ve Protestan mezheplerini koruma, yayma ve güçlendirme girişimleri, yabancı okullar sistemi, ABD'nin misyoner teşkilatları ve benzeri faaliyetleri Osmanlı Devleti'nin sosyal ve kültürel hayatını büyük ölçüde etkiliyor, azınlık topluluklarını isyan ve ihtilallere, kan, kin ve silahlı mücadelelere itiyordu.

Bu durumda Osmanlı İmparatorluğu'nun Anadolu ve Rumeli'deki topraklarını korumak ve savunmak, bu alanlarda gelişme ve refahı sağlayacak reformlara girişmek tek amaç oluyordu. Osmanlı Devleti, Anadolu'nun ve Rumeli'nin korunması ve savunulmasını varlığının ve devamının tek şartı olarak görüyordu. Bu topraklar üzerinde herhangi bir ayrılık, parçalanma veya bölünme getirecek hareket ve faaliyetlerin doğrudan varlığına yönelmiş birer saldırı olarak görülmesi doğaldı. Gerçekten de açıklanan durum karşısında Rumeli'de ve Anadolu'da herhangi bir kayıp ve parçalanma İmparatorluğun sonu demekti. Bu gerçek Balkan Harbinden sonra Rumeli'nin, Birinci Dünya Savaşı'nın sonlarına doğru da Anadolu'nun yabancı kuvvetlerce işgaliyle yaşanacak ve İmparatorluk tarihe karışacaktı.

"Berlin Antlaşmasının" kurup, gelişme imkânlarını hazırladığı sistemde Avrupa siyasi dengesinin korunması için devletler arası rekabet, uyuşmazlık ve çıkar çatışmaları ödenmesi kararlaştırılan bedel üzerinde yoğunlaşıyordu. Ödenmesi kararlaştırılan bedel, Osmanlı İmparatorluğu toprakları, hakimiyet alanları ve kay-

The Treaty of Berlin (13 July 1878) secured acceptance of this system at the international level and represents its basic document. At the conference where the treaty was prepared, the thought in the minds of European countries was to keep from upsetting the balance in Europe. Even Russia, emerging tired and distraught from war, wished to maintain the existing political balance and just about every country realized that upsetting the balance would make a great European war unavoidable and that all existing relations would come undone. Europe was not ready for war.

The Treaty of Berlin did more than make it possible for the Russians (who already had the Ayastefanos-Yeşilköy Agreement that was signed at the end of the war) and for the British (who had the İstanbul Agreement) to maintain, with minor alterations, their existing control over the rights and sovereignty of the Ottoman Empire: it also eventually gave every European country the means whereby it might intervene in any affair and undertaking in which the empire was concerned. It also represented the starting point of their strategies to erase the Ottoman state from the map of Europe.

In general, the system that the Treaty of Berlin set up secured two important opportunities for Russia and for the countries of Europe and also established the mechanisms whereby these could be realized. The first of these was a mechanism for massive intervention in the internal affairs of the empire through demands for and oversight of the reforms that were supposed to be carried out by the empire in Anatolia, particularly in the areas where Armenians were present. The second was an opportunity to break up and divide the Ottoman Empire and wipe it from history, since when one European country sought to achieve its interests and expectations in the territories of the empire, other countries considered themselves free to take the same action. This system lasted up until the first world war and prepared for the end of the Ottoman Empire.

In the face of the threats and dangers that this system created, the basic policy of Sultan Abdülhamid II (1876-1908) was to defend the final, remaining "fatherland" of Anatolia and Rumelia. For this reason, re-establishing the territorial integrity of Anatolia (which had been violated when Kars-Ardahan had been given to the Russians under the Treaty of Berlin) was a continuation of the geographical unity provided in Rumelia with the provinces of Selanik, Manastır, and Kosova. Abdülhamid believed that social, economic, and cultural development was needed and he also regarded as essential a multi-faceted foreign policy. In domestic policy on the other hand he believed that problems could be dealt with through a fully centralized system governed by a single hand. The reflection of the social and cultural structure of the Ottoman state in its political life on the other hand explains why, under the conditions prevailing, the state was quickly brought to the point of collapse and the clearest examples of this is may be seen in the workings of the Ottoman parliamentary assembly that was formed under the constitutional administration following the acceptance of the Constitution of 1876.

For Abdülhamid II, the aims of the Ottoman Empire were based fundamentally on the notion that the European power balance did not appear very durable in the long run and would eventually result in a European war. Under the circumstances, if the empire could keep out of such a war and remain neutral then in the meantime it could bring about its economic, social, and cultural development; furthermore if it could do this with a sound currency while achieving an accumulation of capital, then it might be able to take advantage of the opportunities that

naklarıydı. Rusya'nın, Doğu ve Güney Doğu Anadolu üzerinde hakimiyet hazırlıkları — ki, Ermeni Azınlık topluluklarını tahrik, özendirme yoluyla isyana yönlendirmek ve müdahale imkânları hazırlamak — İngiltere'nin Petrol siyasetine, Musul-Basra Körfezi stratejilerine ve nihayet Hindistan yolunu tehdit edecek bir nitelikte olması düşüncesine aykırı olduğu için bu bölgede Rus-İngiliz çıkarları çatışıyor ve ödenecek bedelden bir pay söz konusu olamıyor, Rusya payın tamamına, İngiltere'de aynı şekilde payın kendisine ait olmasını istiyordu. Bu rekabet ve çıkar çatışması bir yandan "Ermeni Meselesi" diye tarihe geçmiş olayları hazırlıyor, genişletip, geliştiriyor, diğer yandan da İngiliz-Rus ittifakını geri attığı için Osmanlı İmparatorluğu'nun çöküşünü tedrici şekilde uzatıyordu. Bu durumu en açık biçimde 28 Haziran 1895 tarihinde İngiliz Başbakanı Salsbury, İstanbul'daki Elçisi vasıtasıyla Sadrazam Said Paşa'ya gönderdiği yazıda belirtiyordu:

"Osmanlı Devletinin içinde bulunduğu çok büyük tehlikeye dikkatinizi çekerim. İktidara geldiğim gündenberi İngiltere'de kamuoyunun Osmanlı Devleti aleyhine döndüğünü hayretle görüyorum. Bu devletin devam etmeyeceğine ilişkin kanaatlar günden güne artmaktadır.
İngiliz kamuoyunun yeniden kazanılması önemlidir. Bunun için Ermenilerin lehine talep edilen ıslahatın, zaman geçirilmeden uygulanmaya konulması hayati bir önem taşımaktadır.
Ermeniler için bağımsızlık söz konusu değildir. Yalnız adalet isteniyor... Doğu vilayetlerinde Avrupa'nın güveneceği memurlar bulundurmak ve idarenin kuvvetlendirilmesi gerekir. Memurlar ne mezhepten olursa olsunlar İngiltere için eşittir. Yalnız bunlar Padişah tarafından serbest bırakılmalı, işlerinin gereğini yapmalıdırlar....
Ne Almanya, ne İtalyâ, ne Avusturya İngiltere'nin Doğu Meselesindeki politikasına engel olamazlar.
Fransa, Rusya'ya sadıktır.
Osmanlı Devleti'nin devamını sağlayan şey, yalnız ve yalnız İngiltere'nin Rusya ile müttefik olmaması, anlaşmamasıdır. Eğer ittifak olur ve anlaşırlarsa tehlike son noktasına ve derecesine gelir. Osmanlı Devleti sona erer..." (Said Paşa'nın "Hatırat"ı C.1. S.271..)

Ermeniler

Osmanlı İmparatorluğu içerisindeki Ermeni azınlık topluluklarının durumları hakkında yapılacak tarafsız bir gözlem ve inceleme sonunda dikkati çeken çok önemli iki hususu ortaya koyacaktır.

1. Osmanlı Devleti içerisinde Ermeni azınlık topluluklarının hak ve hürriyetleri, iktisadi imkân ve varlıkları, sosyal ve kültürel hayatları diğer azınlık topluluklarından ve hatta müslüman Türk unsurundan daha ileri ve gelişmiş düzeydedir.

2. 1877-1878 Osmanlı — Rus Savaşı'na ve hatta bu savaşın sonlarına kadar Osmanlı Devleti içerisinde bir Ermeni konusu, meselesi yoktur. Ermenilerin kendi aralarında, kendi teşkilatları içerisinde ağırlıkla mezhep farklılıklarına dayanan anlaşmazlıkları vardır, fakat Osmanlı devlet ve yönetimiyle bir anlaşmazlıkları olmamıştır. Açıklanan tarihten önce, doğu hudutlarında ve bu hudutlara yakın bölgelerde bulunan Ermeni topluluklarının Rusya'nın veya İran'ın etkisiyle göçlere başladıkları, savaşlarda Rusya'ya çeşitli destekleri sağladıkları gibi faaliyetlerin hemen tamamı yereldir, bir isyan veya ihtilâl niteliğinde değildir.

Ord. Prof. Enver Ziya Karal'ın, Osmanlı Devleti'nde Ermeniler hakkındaki görüşleri, bugün bu konuyla ilgili bütün yazarlar, tarihçiler, araştırmacılar tarafından paylaşılmaktadır.

Ermenilerin Osmanlı İmparatorluğu'ndaki Durumu

"Ermenilere Osmanlı İmparatorluğu'nun her tarafında rastlanmakta idi. Anadolu'nun doğusunda ve güney-doğusunda oldukça toplu halde bulunuyorlardı. Fakat hiçbir yerde, Türklere naza-

would present themselves in the confusion and collapse that would prevail in the post-war period, thus making itself secure and possibly even regaining its former strength in the region and in Europe. For this reason, the goals were to await the outbreak of European strife; until then, refuse to enter into any disputes or agreements with any other states and follow a fully balanced foreign policy; if necessary and only if it were unavoidable, consider engaging in localized "displays of strength" as in the war with Greece. At the same time, it was state policy that the most modern models should be followed in education and social life, that economic opportunities should be exploited, and that resources should be put to work.

As late as the beginning of the 19th Century, the line of defense of the Ottoman Empire ran through the Danube, the Adriatic, the Persian Gulf and the Caucasus. Its areas of sovereignty in the Mediterranean, Aegean and Black seas and its partial control of the Red Sea were what constituted the security of this line of defense. During the first three decades of the century however this line disappeared entirely and the territories under the empire's rule came under the control of other countries. The system set up by the Treaty of Berlin in a sense placed the empire under a global threat and danger coming from the countries of Europe and from czarist Russia.

Through the capitulations, the bilateral trade agreements, the privileges granted for one reason or another, and the "build-operate-transfer" models to which recourse was had in order to encourage and increase foreign investment inflows, the Ottoman Empire's economic, commercial, and fiscal life was to a large degree surrendered to the control of European countries.

In addition to all this, beginning in the second half of the 16th Century there were attempts to protect, spread, and strengthen various Catholic, Orthodox, and Protestant religious sects on the part first of France, then of Russia, and then later of England under the guise of defending different minority communities in the empire but in fact to achieve a variety of interests and expectations. These, combined with the system of foreign schools, American missionary organizations, and similar activities all had a substantial influence on the social and economic life of the Ottoman Empire and they pushed minority communities into rebellion and revolution and into engaging in bloody, rancorous, armed struggles.

Under such conditions, the Ottoman Empire could have no goal except to protect and defend its territories in Anatolia and Rumelia and to undertake reforms that would ensure development and prosperity in them. The Ottoman state regarded the protection and defense of Anatolia and Rumelia the sine qua non of its being and continued existence. It is natural that any act or activity that might lead to any separation, breaking off, or division of these territories should have been regarded as an assault on its existence. Indeed as it happaned, the loss and breakup of Rumelia and Anatolia did spell the end of the empire: with the loss of Rumelia after the Balkan War and the occupation of Anatolia by foreign forces after the first world war, the empire became a thing of the past.

In the system that the Treaty of Berlin set up and fostered the central question was how to decide to pay the cost of any competition, disagrements, and conflicts of interest that might occur among the countries so as to preserve the political balance in Europe. The "payment" they decided upon consisted of the land, domain, and resources of the Ottoman Empire. In a region in which Russia was preparing to take control of eastern and southeastern Anatolia — preparation for which was to be achieved by stirring up and inciting the Armenian minorities there, steering them towards revolt and thereby creating a

ran çoğunluk teşkil etmiyorlardı. Erzurum, Bitlis, Harput, Diyarbakır, Erzincan ve Harran şehirleriyle dolaylarındaki nüfusun ancak %39'u Ermeni idi. Adana vilâyetinde ise bu oran çok daha da düşük idi. Orta ve Batı Anadolu'yla, Rumeli'de bazı şehirlerde oturan Ermenilere gelince, Rumlardan da daha düşük oranda azınlık halinde bulunmakta idiler. Bundan başka Osmanlı İmparatorluğu'na komşu olan İran ve Rus topraklarında daha kesif Ermeni toplulukları yaşamakta idi.

Ermeniler, mezhep yönünden birlik göstermemekte idiler. Üç kilise etrafında toplanmış bulunuyorlardı. Çoğunluk, Gregoriyen kilisesine bağlı idi. Bundan sonra Ermeni Katolik kilisesi gelmekte idi. Ermeni Protestan kilisesine gelince, XIX. yüzyılın ilk yarısında kurulduğu için henüz gelişme safhasında idi.

Ermeniler, hiçbir yerde çoğunluk teşkil etmedikleri ve mezhep yönünden de parçalanmış oldukları için Rumlar, Bulgarlar, Sırplar vesaire Hıristiyan topluluklar gibi Türk kültürü dışında millî kültürlerini muhafaza etmeye yeterli olamamışlar ve birçok yönlerden Türkleşmişlerdi. Çoğunluk Türkçe konuşmakta idi. Papazlarla, aydınlardan Ermeniceyi kullanmak isteyenler bile, Türkçeden pek çok kelimeler aktarmak suretiyle dillerini kullanmakta idiler. Ermeniler, Türk âdetlerini ve folklorunu da benimsemişlerdi. İçlerinden Türk edebiyatı ve sanatı hakkında ilmî tetkikler yapanlar bile çıkmıştı. Doğu Anadolu kasaba ve köylerinde yaşayan Ermeniler, umumiyetle çiftçilik, mahallî endüstri ve küçük ticaretle meşgûl oluyorlardı. Çiftçiler, Rumeli'de olduğu gibi, büyük çiftliklerde ağaların hizmetkârı veya ortağı olarak değil, fakat sahibi oldukları toprağı işlemekte idiler. Şehirlerde yaşayan Ermenilere gelince, iç ticaret, dış ticaret, sarraflık, kuyumculuk, bankerlik, müteahhitlik, mültezimlik gibi ekonomi ve malî işlerle uğraşıyorlardı. Ermeniler, askerlik mecburiyeti yerine hafif bir vergi vermekte idiler. Bu sebeple de daima işleri ve güçleri ile meşgûl olmak imkânına sahip bulunuyorlardı. Türklerden daha refah bir durumda idiler. Refahları Türklerde ve Müslümanlarda kıskançlık yaratmamıştır. Bu sebepledir ki, Osmanlı devletinin kuruluşundan II. Abdülhamid devrine gelinceye kadar Türklerle yanyana, huzur ve emniyet içinde arkadaşça ve kardeşçe yaşamışlardır.

Ermenilerin, Türk kültürünü benimsemiş olmaları ve Avrupa medeniyeti hakkında fikir sahibi olmaları, Osmanlı İmparatorluğu'ndaki diğer Hıristiyan topluluklar gibi, istiklâl fikri peşine takılmamaları, devlet memuriyetlerinde de kullanılmalarına sebep olmuştur. Bilhassa Yunan isyanlarından sonra ve Gülhane Hattını müteakıp Sarayda, Hariciye Nezaretinde evvelce Rumlar tarafından görülen işler Ermenilere verilmeye başlanmıştır. II. Abdülhamid Ermenilerin Saray ile münasebetleri hakkında şunları anlatmaktadır: "Babam Sultan Mecid zamanından bilirim; kilercilere varıncaya kadar Ermeni idi. Hassa Hazinesinde Artin Paşalar, Gümüş Gerdanlar vardı. Eski bir aile bilirim, Validemin terzisi idi. Âdeta Harem Ağaları vazifesi onlara verilmişti. Bütün vüzera, kübera konaklarında Ayvazlar mutemetler onlardı. Pederim her hafta Gümüş Gerdanlar ailesine gider orada yemek yerdi. Onlar da gelirler Harem-i Hümâyunda kalırlar yatarlardı. Islahat fermanından sonra ise devletin birinci sınıf hizmetlerine getirildikleri görülmüştür. Nitekim Vali, Genel Vali, Müfettiş, Elçi ve hattâ Nazır tâyin edilmişlerdir. Bundan başka Mustafa Reşit Paşa, Âli ve Fuat Paşa'lar, hattâ Mithat Paşa, Ermeni müşavirler kullanmışlardır. Mithat Paşa'nın Kanunu Esasiyi hazırlamasında Odian Efendi'nin yardımlarından faydalandığı hususunda kayıtlara rastlanmaktadır. II. Abdülhamid bile 1893 yılına kadar Ermenilerle iyi geçinmiş ve Ermeni Nazırlar (Bakanlar) tâyin etmiştir. Böyle bir duruma rağmen bu Padişah devrinde birden bire kanlı Ermeni olaylarının meydana geldiği görülmüştür."

pretext for intervention – all of which Britain considered to be contrary to its petroleum policies and its Mosul – Persian Gulf strategies, and which it regarded ultimately as a threat to its communications with India, Russian and British interests were in conflict and thus there could be no talk of a "share" in the payment that was to be made: Russia wanted the whole thing as its share, and Britain demanded the same for itself. This competition and conflict of interests on the one hand prepared, broadened, and developed the path to the events that history now calls the "Armenian Question"; but at the same time, because it postponed any British-Russian alliance, it also prolonged the gradual decline of the Ottoman Empire. This situation is indicated most clearly in a letter that the British prime minister Salisbury sent to grand vizier Said Pasha through the British ambassador in İstanbul:

I draw your attention to the great danger that the Ottoman government finds itself in. Since assuming office. I have watched with amazement as public opinion in Britain has turned against the Ottoman government. Opinions to the effect that this state cannot continue increase day by day.

It is important to regain British public opinion. For this reason, it is of vital concern that the reforms that are being demanded on behalf of the Armenians be put into effect without delay.

No one is asking for independence for the Armenians; all that is desired is justice... Officials that Europe can feel confidence in must be assigned to the East and the administration there must be strengthened. It makes no difference to Britain what religious group these officials may be from; only they must be left free by the sultan to do what their work requires of them.

Neither Germany, nor Italy, nor Austria can block Britain's policy on the Eastern Question. France on the other hand remains faithful to Russia.

The one and only thing that ensures the continued existence of the Ottoman state is the fact that Britain and Russia are not in alliance and cannot come to an agreement. Should they become allied and reach an agreement the danger would reach its final and most extreme point and the Ottoman state would come to an end. (Said Pasha's Memoirs, Volume I, p. 271 ff.)

The Armenians

Any impartial observation and examination of the circumstances of the Armenian minorities in the Ottoman Empire reveals two noteworthy and very important points.

First of all, the rights and liberties of the Armenian minorities in the Ottoman state, their economic opportunities and assets, and their social and cultural lives were more advanced and developed than those of other minorities and indeed than those of the Muslim Turkish elements as well.

Secondly until the Ottoman-Russian war of 1877-78 (indeed not until the end of the war), there was no "Armenian Question" in the Ottoman state, no "Armenian Problem". There were, to be sure, disagreements among the Armenians themselves and these were within their own organizations and were based predominantly on sectarian differences; but there were no disagreements with the Ottoman state or government. Before this date, incidents along the eastern border and in the areas near the border in which Armenian communities – with Russian or Persian influence – began migrating or provided Russia with support in wars were nearly all of a localized nature and never took the form of a rebellion or revolution.

Osmanlı İmparatorluğu'nun Ermeni Konusuna Bakışı

Osmanlı İmparatorluğu'nun Ermeni hareket ve faaliyetlerine bakışını en belirgin şekilde ortaya koyan belgelerden biri de Padişah II. Abdülhamid'in 16.1.1894 tarihinde, o tarihte Alman Büyükelçisi olan Prens de Radolen'le görüşmesinde açıkladığı durum ve görüşleridir.

Belge

Kimden: Osmanlı Padişahı II. Abdülhamid'den
Kime: Alman Kayzerine iletilmek üzere Almanya'nın İstanbul'daki Büyükelçisi Prens de Radolen'e
Tarih: 16.1.1894
Görüşme — Metin yazılı olarak Kayzere verilmiştir.

"Ermeni tahrikçileri Sus (Van gölü güneyi) Ermenilerini vergi vermemeye ve memurlarla müslümanlara karşı şiddet göstermeye teşvik ettiler. Ermeniler açıktan açığa isyan etmişlerdir.

Son derecede zalimcesine davranmışlar Türklerden savunmasız bazı kimseleri parçalamışlar ve ateş verilen barutla onlara işkence etmişlerdir. Ermenilerin gözle görülen amaçları Türkleri kışkırtmak ve ondan sonra kendilerini bastırmak için üzerlerine kuvvet gelince zulüm gördüklerini ileri sürerek Avrupa ve özellikle İngiltere'nin merhametini üzerlerine çekmektir. "Bulgaristan mezalimi" efsanesinin yenilenmesi sayesinde Ermeniler Balkanlılar gibi bir çeşit muhtariyet kazanmak istiyorlar, fakat Ermeniler hiçbir yerde toplu değillerdir ve çoğunluk teşkil etmezler ve dolayısıyle haklı olarak muhtariyet isteyemezler.

Ermenilerin âsi durumlarında Van'daki İngiliz konsolosunun güya ülke ve halkı tetkik amacıyla yer yer dolaşmasından cesaret almışlardır. Ve bu dolaşış coşkun Ermenilere konsolosun kendileriyle ve hareketleriyle ilgilendiği inancını vermiştir. Bundan başka "Kızıl elbiselilerin" yani İngiliz askerlerinin, yakında memleketi kurtarmaya gelecekleri inancı Ermeni bölgesinde pek yayılmıştır. Kendilerine Türk süsü veren birkaç Ermeni yakalanmıştır, bunlar Ermenileri öldüren tahrikçilerdi ve bu suretle Ermenileri Türkler aleyhine kışkırtmaktaydılar. İngiliz Büyükelçisine Ermeni öldürmüş bazı Türklerin isimleri verilmiş idi, fakat ben kanıtladım ki, aksine bu ismi verilen Türkler, Ermeniler tarafından öldürülmüşlerdir.

İşittim ki, İngiltere Büyükelçisi Erzurum'a tahkikat için "ateşe militer'ini göndermek istiyormuş, bunu uygun bulamam zira orada bir İngiliz subayının görünmesi Ermenilerin en açık surette isyan etmelerine sebep olur. Yemin ederim ki, Ermenilerin haksız tazyiklerine kesinlikle boyun eğmeyeceğim ve muhtariyete götürecek herhangi bir ıslâhatı kabulden ise ölmeyi tercih ederim..." *

Ermeni Hareket ve Faaliyetleriyle İlgili Yabancı Temsilcilerin Görüşleri

Osmanlı Devleti içerisinde ve Osmanlı vatandaşı kimliğini taşıyarak Ermeni azınlık gruplarının 1880-1913 tarihleri arasındaki faaliyetlerine ve hareketlerine ilişkin yabancı ülke temsilcilerinin görüşlerini belgelemek, özellikle yayınlanacak eserlerin anlaşılması bakımından yararlı görülmüştür.

• İstanbul'da uzun yıllar İngiltere temsilciliklerinde bulunmuş George Washborn, "Fifty years in Costantinople" adlı eserinde 1894 olayları için şu cümleleri yazmaktadır:

"Ermenilerin durumu, özellikle Anadolu içlerinde, Berlin Kongresinden sonra değişmeye ve güçleşmeye başladı. Bu durum-

* *Die Grosse Politik der Europaischen Kabinette / 1870-1914 B. No. 2133 (Yusuf Hikmet Bayur, Türk İnkılâbı Tarihi, Cilt 1, Kısım 1, S. 77-79)*

The views of Professor Enver Ziya Karal on the Armenians in the Ottoman Empire are today shared by all authors, historians, and researchers who have concerned themselves with this subject:

The Circumstances of the Armenians in the Ottoman Empire

Armenians could be found everywhere throughout the Ottoman Empire. They were fairly concentrated in eastern and southeastern Anatolia, but nowhere did they constitute a majority in comparison with the Turks. Only 39% of the population of the cities and environs of Erzurum, Bitlis, Harput, Diyarbakır, Erzincan, and Harran was Armenian; and in the province of Adana this figure was much lower. As for the Armenians living in central and western Anatolia and also in some of the cities of Rumelia, they were a minority less even than the Greeks. In addition, there lived more populous communities of Armenians in the neighboring Persian and Russian territories.

The Armenians demonstrated no sectarian unity and adhered to three churches. The majority were members of the Gregorian Church and this was followed in number by the Armenian Catholic Church. As for the Armenian Protestant Church, it was still in a state of development having been founded in the first half of the 19th Century.

Because the Armenians never constituted a majority anywhere and furthermore because they were divided along sectarian lines, they were insufficient in number to maintain their national cultures - as such other Christian communities as the Greeks, Bulgarians, Serbs, etc. had managed to do - in the face of Turkish culture and in many aspects they had become Turkish. The majority spoke the Turkish language. Even those priests and intellectuals that wanted to speak Armenian expressed themselves with heavy borrowings of words from Turkish. Armenians had adopted Turkish customs and folklore and there were even among them those who untertook scholarly investigations of Turkish literature and art. The Armenians who lived in the towns and villages of eastern Anatolia for the most part busied themselves with farming, local industries, and trade on a small scale. Unlike in Rumelia, these farmers were not the servants or partners of landholders on big farms but rather they worked the land that they owned. As for the Armenians living in the cities, these engaged in such economic and financial activities as domestic trade, foreign trade, money - changing, jewelry - making, banking, contracting, and revenue - farming. Instead of compulsory military service, the Armenians paid a light tax. (It was for this reason also that they always had the opportunity to busy themselves with their own business and affairs.) Their circumstances were more prosperous than those of the Turks yet their prosperity never was the cause of jealousy among the Turks or among other Muslims. It was for this reason that from the foundation of the Ottoman state until the reign of Abdülhamid II, Armenians lived side by side with Turks, as friends and brothers and in a state of peace and safety.

Because the Armenians had adopted Turkish culture and were aware of European civilization that they never chased after ideas of independence like other Christian communities in the empire and they were employed in government positions. Particularly after the Greek uprisings and following the Gülhane firman, business at the court and in the foreign ministry that previously had been the province of Greeks now began to be assigned to Armenians. Abdülhamid II relates the following about the relations

dan İngiliz politikasının büyük sorumluluk payı vardır. İngiltere, Ermenilerin haklarını savunma iddiası ile ortaya atılmış, onlar için ıslahat sağlayacağını ve Ermenilere bağımsız bir Ermenistan eyaletini kurduracağı telkinlerinde bulunarak onları tahrik etmiştir. Bunun kısmen Hıristiyanlık gayreti ile fakat daha çok bizzat kendi menfaatleri için yani bağımsız bir Ermenistan'ın, Rusya'nın Anadolu'ya ilerlemesine engel olacağı düşüncesiyle yapmıştır. Sonunda Ermenileri Osmanlı Devleti'ne karşı isyan ettirmiştir..."

• İstanbul'daki Alman Büyükelçisi Vangenheim'ın, Alman Dış İşleri Bakanlığına 10 Haziran 1913 tarihinde gönderdiği ve "Ermeni Meselesi"ni konu alan rapor, Ermeni hareket ve faaliyetleri konusunda en ciddi ve tarafsız görüşlerden biri olmakla kalmamakta, devletlerarası ilişkileri konunun nasıl etkilediğini de göstermektedir.

Belge

"Türk devletinde Ermenilerin durumunun fevkalâde iyi olduğunu hiç kimse iddia edemez, fakat öte yandan da Türkiye'nin öbür sakinlerinin ve bilhassa Türklerin, Ermenilerden daha iyi bir durumda olduğunu, yahut da Ermenilerin durumunun Türk tarihin herhangi başka bir zamanındakinden daha fena olduğunu da hemen hemen hiç kimse ispat edemeyecektir. Şu muhakkaktır ki şimdiki Türk hükümeti, Ermeniler için bir şey yapmak zaruretine tamamen kani ve devletin muhtelif kısımlarını birbirinden ayırmak tehlikesine düşmeden Ermeni emellerini elinden geldiği kadar yerine getirmeğe hazırdır. Ermeniler, Türkiye'de bugün, Rusya'da Yahudilerin, Lehlilerin ve Finlerin bulundukları duruma oranla daha iyi bir durumda bulunuyorlar. Buna rağmen, bugün en cezrî vasıtalarla çalışan bir propaganda, dünyanın her tarafında, Ermenilerin çektikleri azapların günden güne fazlalaştığı ve bugün, Avrupa'nın müdehalesini elzem kılacak bir yüksek noktaya eriştiği intibaını uyandırmaya uğraşmaktadır. Birtakım Ermeni murahhasları, tazallum ederek, Avrupa başkentlerini dolaşmaktadırlar; burada da, Türk eyaletlerinden gelen Ermeni şikâyetlerini toplayan, sonra bunları ustalıkla yazılmış bültenler şeklinde dünyaya yayan bir büro kurulmuştur. İmparatorluk büyükelçiliğine (Alman) evvelleri, bu gibi basılmış şikâyetler haftada bir defa gelirdi. Halbuki şimdi bunlardan günde bir yahut iki defa alıyorum. Ermeni omayan kaynaklardan gelen haberler, Türklerin taşkınlıklarının çoğaldığına dair hiçbir bilgi vermediği halde, 'agitation'un sistematik (yapılan gürültünün düzenli) bir tarzda fazlalaştığı açıkça görülmektedir. Ermeni "agitation"unun sebepleri oldukça açık ve meydandadır. Avrupa Türkiyesi'ndeki Hıristiyan ırklar Türk boyunduruğundan kurtuldular. Şimdi artık Küçük Asya Hıristiyanları da kurtulmak istiyorlar. Bilhassa Ermenilerin, onları kurtarmak için kılıca sarılacak bir kardeş ittifakları yoktur. (Rum, Bulgar ve Sırplar gibi bağımsız devlet halinde Ermeniler yoktur anlamında). Onun için onların ümitleri Büyük devletlerin iyi niyetine bağlıdır. Ermenilerin fikrince, kabinelerin Avrupa Türkiyesi'nin tasfiyesi ve Asya Türkiyesi'nin geleceği ile meşgul oldukları böyle bir zamanı kullanmadan (ondan faydalanmadan) geçirmek caiz değildir. Ermeniler makul olsalardı, bugünkü şartlar içinde, mukadderatlarının düzeltilmesi hususunda devletlerle Türkiye arasında bir anlaşma kolay olurdu. Fakat Ermenilerin talepleri, Türkiye'nin kendi varlığını tehlikeye düşürmeden verebileceği şeyleri ziyadesiyle aşmaktadır. Ermeni taleplerinin yükselmesine sebep olan devlet, Rusya'dır. Katogikos'un, buradaki Ermeni patriğinin, ve Ermeni mıntıkasındaki çalışan hesapsız ajanların yardımı ve büyük para meblâğlarının sarfı ile Rusya, yıllardan beri Ermenilerin memnunsuzluklarını tahrik etmektedir. O, Doğu Anadolu'da yol ve demiryolu yapılmasına mâni olmaktadır. Halbuki yol ve demiryolu olmadan Türk hükümeti Kürtlerle Ermeniler arasında sükûneti tesis edemez. Hattâ Rusya, Ermenilerden başka Kürtlere de, Ermenilerin sırtında eşkiya ha-

between Armenians and the court: "I remember from the time of my father, Sultan Mecid: everybody - down even to the cellarers - was Armenian. In the Privy Treasury there were members of the Artin Pasha and Gümüş Gerdanlar families. I know of one ancient family who were tailors to the queen mother and were assigned duties virtually like harem aghas. In all the mansions of the powerful and the mighty they were the chief stewards. My father used to visit the Gümüş Gerdanlar family once a week and dine there. They would visit in return and be accommodated in the royal harem." (Atif Hüsnü v. 9 p. 14.) After the reform firman we see them being brought into the leading services of the state and some were appointed governors, governors-general, inspectors, ambassadors, and even ministers. In addition, Mustafa Reşit Pasha, Ali Pasha, Fuat Pasha, and even Mithat Pasha all employed Armenian advisers. In the records we come across references to the help that Odian Efendi gave in Mithat Pasha's drafting of the Ottoman constitution. Until 1983, even Abdülhamid II himself got along well with the Armenians for he appointed Armenians to ministerial positions.

The Attitude of The Ottoman Empire Towards The Armenians

One of the documents that most clearly puts forth the attitude of the Ottoman Empire towards Armenian activities and deeds is expressed in a memorandum of an interview held by Sultan Abdülhamid II on 16 January 1984 with the prince of Radolen, then the German ambassador, in which the situation and his opinions are given.

Document

From: Ottoman Sultan Abdülhamid II
To: The Prince of Radolen, German ambassador in İstanbul, to be conveyed to the German Kaiser Wilhelm
Date: 16 January 1894
Text of the interview given in writing to the Kaiser.

Armenian instigators have been encouraging the Armenians of Sus not to pay their taxes and to do violence to government officers and Muslims. The Armenians are clearly in a state of rebellion.

They have been acting with extreme cruelty, having dismembered a number of defenseless Turks and tortured others with burning gunpowder. The obvious object of the Armenians is to incite the Turks and when the forces come to suppress them, assert that they are being treated cruelly and draw down upon themselves the mercy of Europe - and particularly of England. Thanks to a repeat of the legend of "Bulgarian atrocities", the Armenians seek to gain a sort of autonomy like the Balkans have. Yet the Armenians are not congregated nor do they constitute a majority anywhere and for that reason they cannot justifiably ask for autonomy.

In this rebellious state of theirs, the Armenians have been emboldened by the rounds made - supposedly for the purpose of inspecting the country and the populace - here and there by the British consul in Van. Such visits have convinced the violent Armenians that the consul is interested in them and in their activities. Furthermore there is quite a widespread belief in the Armenian region that in the near future the "red coats" - that is, the British army - will be coming to deliver their country. A few Armenians disguising themselves as Turks have been apprehended. They were

yatlarını idame ettirsinler diye, para ve silâhla yardım etmektedir. Buradaki Ermeni merkez komitesi, Rus Büyükelçiliğinden para ve tavsiyeler almaktadır. Rusya için Ermeni hareketi, öyle bir vasıtadır ki, Rusya bununla Asya Türkiyesi'ni daimi bir heyecan halinde ve zamanı gelince alâkalı komşu devlet sıfatiyle müdahale hakkını iddia etmesini mümkün kılacak bir durumda tutmaktadır. Rusya, Ermeni meselesinin yardımıyle İstanbul yolunu açık tutmak istiyor. Bu onun için günü gelince Boğazları açacak olan anahtardır. Boğazlarla Ermeni meselesi, Rusya için birbirine bağlıdır ve şunu kat'i olarak kabul edebiliriz ki, Petersburg'da Ermenilerin haline dair şikâyet yükselince, hemen arkasında İstanbul istikametinde bir hareket beklenebilir. Onun için ben, Rusya'nın şimdiki hareketini, bu devletin Balkan blokunun suya düşmesi yüzünden Avrupa'da kaybettiği prestiji, Küçük Asya'da yeniden elde etmek arzusuyle izah eden birçok meslekdaşımın fikrine iştirak edemeyeceğim. Herhalde burada, Rus siyasetinin, âni bir kalkınması değil, büyük üslûpta dikkatle hazırlanmış bir hareketin sonu bahse mevzudur. Balkan devletleri daha müştereken Zafer Bayramları kutlamakta iken Ruslar Ermenileri ısrarla işliyorlardı.

"İstanbul üzerine Rus 'taarruzları' gittikçe daha sık tekrarlanmaktadır. Sonuncusu, Bay Çarikof'un Avrupa ile birlikte muvaffakiyetsizliğe uğrattığımız teşebbüsü olmuştur. Bunun üzerine Bay Çarikof azledildi. Bay Van Giers, selefinin plânını geniş bir şekilde yeniden ele aldı ve iki yıl önce deniz yoluyla başarılamamış olan işe kara yoluyla teşebbüs etti.

"Onun içindir ki, Petersburg kabinesinden gelen ilhamı ne kadar ciddiye alırsak o kadar yeri vardır. Rusya'ya hareket serbestliği verildiği takdirde, o zaman konferans için hazırladığı, oldukça zararsız programdan büyük bir hareket çıkabilir, bu da Türkiye'nin parçalanmasına götürebilir. Ermeniler, Bay Von Giers'in elinde, meslekdaşları (İstanbul'daki öbür büyükelçiler) üzerinde yapacağı baskı için kuvvetli bir vasıtadır. Müzakereler ilerlemezse, Rusya'nın bir işareti üzerine her tarafta karışıklıklar patlayabilir. Bu karışıklıklar da konferansın neticesi üzerinde tesirsiz kalamaz. Rus hududunda vukua gelecek ilk katliam, yürümek için (Rus ordusunun yürümesi için) bahane olabilir.

"Bununla beraber Marki Pallaviçini'nin Türkiye'nin taksimi, Üçlü Anlaşma (İngiltere, Fransa, Rusya) tarafından kararlaştırıldığı ve Türk dramının son perdesi yakında başlayacağı yollu fikirlerine iştirak edemiyeceğim. Rusya ile Fransa'nın Türkiye işini sonuna getirmek istedikleri vakıa burada oldukça açık bir şekilde hissedilmektedir. Daha dün, Bay Von Giers, ekselansınızdan, her iki tarafın menfaat alanlarının kesin bir şekilde sınırlandırılması için Rus hükümeti ile temas buyurmanız hususundaki ricasını tekrar etti. Onun fikrince bunun zamanı artık gelmiştir. Bay Pompar da, araziye ait menfaatlerimizin ayrılması hususunda aramızda anlaşmamızın arzuya şayan olduğu fikrini ileri sürmüştür. Demek ki Rusya ile Fransa, Küçük Asya'yı bizimle çekişmeden parçalamak istiyorlar. Bu iki devletin karanlık emellerinin gerçekleşip gerçekleşmeyeceğine, Ermeni meselesi hakkında konferansın bir miras paylaşması muhakemesine kalbolup olmayacağına gelince, bu yalnız Fransa ile Rusya'ya değil, fakat evvel emirde İngiltere'ye bağlı bir keyfiyettir. Üçlü Anlaşma dayanışmalı bir şekilde hareket ederse, Almanya Türkiye'yi muhafaza etmek arzusuyle, Adalar meselesinde olduğu gibi, aşağı yukarı yalnız kalacaktır. O, müttefiklerinin yardımını ancak mahdut mikyasta umabilir. Bu, görünüşe göre, Avusturyalı meslekdaşımın da nokta-i nazarıdır. Almanya, yalnız başına Türkiye'yi kurtaramaz. Son aylarda buradan İngiliz politikasını takip etmek fırsatını buldum; bu müşahedelerim doğru ise, sanmam ki İngiltere, Rusya ile Fransa'ya Türkiye işinde hareket serbestliği versin. İngiltere, İran'da edindiği tecrübelerden sonra, faydaları daha ziyade Rus tarafından olan bir müşterek işe Rusya ile birlikte girişmek istemez. İngiltere, Almanya'nın, taksimde dışarıda kalmak istememesi imkânını hesaba katmak zorundadır. İngiltere'nin son zamanlarda yaptığı şeylerden anlaşılıyor ki, o, isteyerek değil, zaruret kar-

instigators who were murdering Armenians and in that way sought to stir Armenians up against the Turks. The names of a number of Turks who allegedly murdered Armenians were given to the British ambassador but I was able to prove to the contrary that it was the Turks whose names were given who had been murdered by Armenians.

I have heard that the British ambassador wishes to send a "military attache" to Erzurum to make an investigation. I do not consider this appropriate; the appearance of a British army officer there would be cause for the Armenians to rebel in the most open way possible. I swear to you that I will not under any circumstances bow to these unjust and oppressive Armenian demands and I would rather die than agree to any reform that would lead to autonomy.

The Views of Foreign Representatives Concerning Armenian Activities

From the standpoint of the works to be published here, it would appear particularly beneficial to document the views of the representatives of foreign countries concerning the activities of Armenian minority groups (whose members were after all Ottoman subjects and living in the Ottoman Empire) between 1880 and 1913.

George Washborn, who represented Great Britain for many years in İstanbul had the following to say about the incidents of 1894 in his work Fifty Years in Constantinople.

The circumstances of the Armenians began to change and become more difficult, particularly in the interior of Anatolia, after the Congress of Berlin. British policy shares a great deal of the responsibility for this situation. Britain came forth claiming to be defending Armenians' rights and by suggesting that she would have reforms brought about and have an independent Armenia set up for Armenians, she incited them. She did this partially out of Christian zeal but rather more to serve her own personal interests – that is, out of an expectation that an independent Armenia would be a barrier to Russian advances into Anatolia. In the end, she succeeded in causing the Armenians to rebel against the Ottoman state.

A report dealing with the "Armenian Question" sent by Vangenheim, the German ambassador in İstanbul to the German foreign ministry on 10 June 1913 displays not only some of the most serious and impartial views on the subject of Armenian activities and deeds but also how the subject affected relations between countries.

Document

No one would claim that the circumstances of the Armenians in the Turkish state are extraordinarily good; yet hardly anyone could prove that any of the other inhabitants of Turkey – particularly the Turks – are in a better situation than the Armenians or that the present circumstances of the Armenians are worse than they have been at any other time in Turkish history. One thing is certain and that is that the present Turkish government is entirely convinced of the necessity to do something for the Armenians and that it is ready to fulfill Armenian aspirations to the best of its ability

---

(Die Grosse Politik der Europaischen Kabinette/1870-1914 B. No. 2133) (Yusuf Hikmet Bayur, Türk İnkılabı Tarihi, Volume I, Section 1, pp. 77-79.)

şısında Türkiye'nin muhafazasına çalışacaktır ve bu maksatla Almanya'ya bir dereceye kadar yanaşmaya teşebbüs etmiştir. Eğer İngiltere, Doğu Anadolu'nun Rusya'ya terkini ciddi olarak derpiş ederse, Türkiye'ye Ermenistan için ıslâhatçılar göndermeye karar vermesi pek muhtemel değildir.

"Onun için, Ekselansınızın muvafakati kaydiyle, yakında vukubulacak olan büyükelçiler konferansında durumumu bu görüşe uydurmak istiyorum. İngiltere, ihtimal ki, müfrit Rus taleplerine Almanya'nın karşı gelmesini isteyecektir; maksadı, bu işi kendi üzerine almamaktır. Tabii, 'ateşten kestaneleri' sırf İngiltere için çıkarmamız bir hata olur. Ben, İngiltere'nin müfrit Rus taleplerine adım uydurduğu tebeyyün etmediği müddetçe, ihtiyatlı bir tarzda İngiltere'nin gerisinde duracağım. İngiltere, Türkiye'nin parçalanmasını istiyorsa, bize, mirastan payımızı resmen istemekten başka bir şey kalmaz.

"Şimdilik — İngiltere'yi Türkiye'nin muhafazasına ilgili kılmak için — şimdiye kadar yapıldığı gibi mirasın muayyen parçalarına, açık vakıalarla işaret etmek kifayet eder fikrindeyim."

Rusya'nın Görüşleri

1877-1878 Osmanlı — Rus Savaşı'nda, Rusya'nın sağlamak istediği çıkar ve beklentiler, Osmanlı Devletinin Balkan-Madekonya toprakları ve bu topraklar üzerinde yaşayan toplulukların "Pan Slavizm" teması altında kendisine bağlı olarak belirli haklara sahip bulunması idi. Rusya'nın Doğu ve Güneydoğu Anadolu üzerindeki beklentisi ise, Kafkas-İskenderun hattının açılması şeklinde özetlenebilirdi. Ancak, bu hat tamamen kendi hakimiyeti altında bulunmalıydı. Bu sebeble, Rusya açıklanan alanlarda bir Ermeni bağımsızlık hareketinin özellikle İngiltere'ye bağlı bir Ermeni bağımsızlığının tamamen karşısında yer almaktaydı. Açıklanan bölgede Ermenilerin herhangi bir üstünlüğe, bağımsızlığa kavuşması aynı zamanda kendi içerisinde bulunan ve zaman zaman isyana dönüşen hareketlere de girişen Ermenileri de harekete geçirebilirdi. Bu nedenle Rusya, kesinlikle Ermeni isyan ve ihtilallerini uygun bulmuyor ancak bunların kendisine bağlı olmaları imkanlarını da ihmal etmiyordu. Aynı zamanda Osmanlı İmparatorluğunun daha da güçsüz kalması için Ermeni azınlıklarını birer araç gibi kullanmak istiyor, silah, araç, gereç desteğini de esirgemiyordu. Rusya Berlin Antlaşmasından sonra eline geçirdiği Kars-Ardahan ve Batum'u bir anlamda Doğu ve Güneydoğu ekseninin hareket noktası kabul etmişti. Bu düşüncelerle, İstanbul'da ki, Rus elçisi Giers, Taşnaksutyun temsilcisi Ermeni doktor Zavaryan'ı kabul ederek, kendisine son derece ilgi çekici ve Ermeni komitelerinin Rusya'nın en ufak bir işaretiyle sevk ve idare edildiklerini gösteren şu bilgiyi verdi:

"İmparatorluk hükûmeti, Ermeni kaderinin en büyük bir kısmına katkıda bulunuyor. Bununla beraber, Ermeniler şimdiki istisnaî şartlarını göz önünden kaybetmemeli, ihtiyatsız hareketlerle durumlarını zorlaştırmamalıdırlar. Ermeniler bütün Avrupa gözünde Türk istibdadının keyfî idaresinin kurbanları olarak görünmeli ve millî gayelerini gerçekleştirmek için Türklerin askerî yenilgilerinden istifade etmeyi arzu eden siyasî ihtilâlciler şekline dönüşmemelidirler. Ermeniler, hiçbir şekilde Türkleri tahrik etmemeli ve en küçük bir isyan hareketine de başlamamalıdırlar. Avrupa'dan herhangi bir siyasî istekte bulunmamalıdırlar. Buna karşılık, basın yoluyla, bildiriler ile Kürtlerden ve Türk memurlarından görmüş oldukları öldürücü haksızlıklar üzerinde kamuoyunu uyarmaya çalışmak kendilerinin tabiî haklarıdır" dedi.

Fransa'nın Görüşü

İngiltere'nin İstanbul Antlaşmasıyla Kıbrıs üzerinde hakimiyet kurma yolunda sağladığı imkânlar ve bu imkânın özellikle anlaşmada yer alan Anadolu'da Hıristiyan vatandaşların ve diğerleri-

without falling into the danger of severing the various parts of the state. The Armenians in Turkey are under relatively better conditions than those under which the Jews, Poles, and Finns find themselves in Russia today. Despite this, propaganda operating through the most radical of vehicles seeks to create the impression all over the world that the agonies suffered by Armenians are increasing day by day and that today they have reached such a point that European intervention has been rendered indispensable. A number of Armenian envoys playing the role of martyr have been making the rounds of the European capitals where they have also set up an office that collects the complaints coming from Armenians in the Turkish provinces and, after skillfully working them up into bulletins, disseminates them all over the world. Such printed complaints used to come to the imperial embassy once a week whereas now I receive one or even two a day. While news coming from non-Armenian sources gives no information whatsoever concerning any increase in Turkish excesses, it is clearly apparent that there has been an increase in systematic agitation. The reasons for Armenian agitation are clear and evident: the Christian races in European Turkey have been delivered from Turkish domination; now the Christians of Asia Minor want to be delivered. But in the case of the Armenians, there are no brother allies who can take up the sword to rescue them. For this reason, all their hopes are dependent upon the good will of the major powers. In the opinion of the Armenians, it is a mistake not to take advantage of a time when government cabinets are busy with the winding-up of Turkey-in-Europe and with the future of Turkey-in-Asia. Had the Armenians been reasonable, it would have been easy, under present conditions, for an agreement to have been reached between other governments and Turkey concerning the amelioration of their destiny. The Armenian demands however go far beyond whatever Turkey can give without endangering her own existence. The country that has been the cause of rising Armenian demands is Russia. With the assistance of the Katogikos, *of the Armenian patriarch here, and of their countless agents working in the Armenian regions as well as by means of the expenditure of great sums of money, Russia has for years been inciting Armenian discontent. It is Russia that has been blocking the construction of roads and railways in eastern Anatolia. But without roads and railways, the Turkish government can never establish peace between the Kurds and the Armenians. It is a fact that Russia has been giving assistance in the form of money and weapons not only to the Armenians but also to the Kurds so that the latter may perpetuate their brigandage at the expense of the Armenians. The Armenian central committee here receives both money and advice from the Russian embassy. For Russia, the Armenian movement is a vehicle that makes it possible for her to keep Turkey-in-Asia in a state of constant uproar and in a condition that will make it possible, when the time comes, for her to intervene there as an interested neighboring country. With the assistance of the Armenian question, Russia wishes to keep the road to Constantinople open. For her, it is a key which, when the day comes, will open the straits. For Russia the problem of the straits and the problem of the Armenians are mutually dependent and we may agree without reservation that whenever Armenian complaints rise in St. Petersburg concerning their condition, one may immediately expect a move there in the direction of Constantinople. For this reason I cannot concur with the opinion of my many colleagues who explain the present action of Russia as being a desire to regain in Asia Minor the*

nin bulundukları yerlerde Osmanlı İmparatorluğu'nun ıslahat yapma yükümlülüğü ile kuvvetlendirilmiş bulunması Fransa'yı tedirgin etmekteydi. Bu sebeble Fransa, Anadolu'da özellikle İngiltere'nin yönlendirdiği bir Ermeni isyanına, ihtilaline ve bunun sonucu bağımsızlığa taraftar değildi. Esasen bu gibi bir duruma imkan bulunmadığını da biliyordu. Bu sebeplerle, Fransa, Ermeni faaliyetlerini ve hareketlerini izleyen, kendi kamuoyunu tatmin etmek için de destekler görünen bir durum almıştı.

Aşağıda İstanbul'daki Fransız Büyük Elçisinin 1895 yılında ki görüşleri ve Ermeni konusundaki açıklamaları belirtilen politikalara kaynak ve destek oluyordu.

Belge

"İstanbul'daki Fransız Büyükelçisi M.P.Cambon'dan
Fransız Konsey Başkanı, Dışişleri Bakanı
M.Casimir-Perier'ye.

Beyoğlu, 20 Şubat 1894

İki yıl önce yüksek düzeyden bir Türk memuru bana: "Ermeni meselesi yoktur, ama, onu biz yaratıyoruz." diyordu. Kehanet gerçekleşmiş bulunuyor. Bugün Ermeni meselesi vardır. Bir yıldan fazla bir zamandan beri tam deyimiyle Ermenistan ve buna komşu eyaletler ciddî hâdiselere sahne olmaktadır. Türkler, Asya cihetinde Şark meselesini yeniden açmaktadırlar. Şimdiki olayların önemini belirtmek ve Ermeni meselesinde onunla ilgili devletlerin durumlarını kesinlikle tâyin etmek için, son yıllarda katedilmiş olan safhaları kısaca kaydetmenin zamanı gelmiş görünüyor. Sayın Bakan, siz, Ermenistan'ın askerî ve siyasî önemini bilmektesiniz. Onu tehlikeli şeylerle takviye eden aşılmaz dağlar onu iki parçaya ayırırlar ve Osmanlı imparatorluğu'nun iki müslüman bölümü olan Mezopotamya ile Anadolu'yu tamamiyle tecrit ederler. Berlin antlaşmasının 61. maddesi Avrupa'yı Ermenistan'ın kaderiyle ilgilendiriyordu ve 1878 Kıbrıs antlaşması "Ermenilerin hayat şartlarının iyileştirilmesinin" gereğini kabul ediyordu. Bu devirde Ermeni milliyetçiliğinin uyanışı henüz meydana gelmemişti. Ermeni bağımsızlığı fikri mevcut değildi, ya da, var olsa bile bu fikir yalnız, Avrupa'ya sığınmış olan birkaç aydının kafasında vardı. Kitle sadece reformlar dilemekteydi ve Osmanlı egemenliği altında düzenli bir yönetimden başka bir şeyin hayali peşinde değildi. Osmanlı Hükümetinin uyuşukluğu Ermenilerin iyi niyetine bezginlik veriyordu. Vadedilen reformlar yerine getirilmedi. Memurların zulüm ve ihtilâsı utanç verici idi; adalet ıslah edilmemişti, sözde sınırları gözetim altında tutmak için kurulmuş olan kürt Hamidiye alayları, Hıristiyan Ermenilerin zararına resmî yağma ve soygun teşkilatından başka birşey olmadı. İmparatorluğun bir ucundan öteki ucuna kadar Rumlar, Arnavutlar, Araplar adaletsizlikten, memurların çürümüşlüğünden ve hayatın emniyet altında bulunmamasından şikâyetçi idiler. Fakat, Ermenistan'ın siyasî önemi devletlerin dikkatini özellikle burada oturanlar üzerine çekiyordu. 1885'e doğrudur ki, Avrupa'da ilk defa olarak bir Ermeni hareketinden haberdar olunuyordu. Fransa'da, İngiltere'de, Avusturya'da, Amerika'da dağılmış olan Ermeniler ortak bir eylem için birleştiler: Millî komite meydana geldi, millî hak davalarının organı olan gazeteler Fransızca ve İngilizce olarak yayınlandı; Birbirleriyle, çok ustaca bir şekilde, Türk idaresinin kötülüklerini ortaya koymaya giriştiler. Bununla, Türkler tarafından Berlin antlaşmasının ihlal edildiği Avrupa'ya ihbar ediliyordu. Ermeni propagandası önce Fransa'yı kendi dâvasına kazandırmaya çalıştı ve "şövalyece, yiğitçe" denilen duygulara seslendi. Dergilerde birkaç makale yayınlandı, şölenler düzenlendi, nutuklar söylendi, Lusignan'ın Saint-Denis'deki mezarı başında gösteriler yapıldı. Kabul edilmelidir ki Fransa bundan birşey anlamadı ve kendisine Ararat dağından, Noée'den, Haçlı seferlerinden bahseden kişilerle ilgilenmedi. Ermeniler Londra'da daha iyi kabul

prestige that she lost in Europe because of the failure of her Balkan bloc. Certainly what we have here is not a sudden upsurge of Russian policy but rather an act that has been carefully planned in the grand style. At a time when the Balkan states were jointly celebrating their victory, the Russians were diligently working up the Armenians.

Russian designs on Constantinople have been occurring with ever-greater frequency. The most recent was the attempt by Mr. Charikoff, which Europe acting jointly managed to render unsuccessful, whereupon Mr. Charikoff was dismissed. Mr. Von Giers took up his predecessor's plan in a more comprehensive manner and what they failed to achieve by sea two years ago he is trying to achieve overland.

For this reason, the inspiration coming from the Petersburg cabinet deserves all the serious attention we can give it. Should Russia be given freedom of action, there could be a great move because of what was a rather harmless program prepared for the conference at the time; and this could go as far as the dismemberment of Turkey. In Mr. Von Giers's hands, the Armenians are a powerful vehicle by means of which he can exert pressure on his colleagues. If the negotiations make no progress, there could be outbreaks of disorder everywhere just by a single sign from Russia. Such disorder cannot fail to have an effect on the results of the conference. The first massacre that takes place near the Russian border could be an excuse to march.

Nevertheless I cannot concur with the ideas of the Marquis of Pallavitchini to the effect that the partition of Turkey has been decided upon by the Triple Alliance and that the curtain will rise on the last act of the Turkish drama in the near future. One senses quite clearly here the fact that Russia and France wish to bring this Turkish business to an end. Only yesterday Mr. Von Giers repeated his request to your excellency that you arrange talks with the Russian government so as to clearly delimit the areas of interest of both parties. In his opinion, the time for this has come. Mr. Bompar has also put forth his idea that an agreement between us concerning the division of territory would be desirable. The implication is that Russia and France wish to break up Asia Minor without quarreling with us. As for whether or not the underhanded ambitions of these two countries can be realized or whether or not a conference on the Armenian question can be transformed into a court to decide the division of an inheritance, that is a matter that is dependent not upon France and Russia but first and foremost upon Britain. If the Triple Alliance acts with solidarity, Germany will – more or less as she was in the matter of the islands – be alone in her desire to preserve Turkey and she may expect only a limited measure of help from her allies. That, it would seem, is the point of view of my Austrian colleague: Germany cannot, by herself, rescue Turkey. During the last few months I found an opportunity to observe British policy. If my impressions are correct, I doubt whether Britain would give Russia and France freedom of action in the matter of Turkey. After its experience in Persia, Britain does not wish to enter into any joint enterprise with Russia in which the benefits are rather more on the Russian side. Britain must take into account the possibility that Germany might not wish to be left out of any partition. From what Britain has been doing lately it is clear that she will endeavor to preserve Turkey – not because she wants to but because she has to – and for that reason she will try to align herself to a degree with Germany. If Britain were seriously considering the abandonment of eastern Anatolia to the Russians, it is quite unlikely that she would have decided to send to Turkey

gördüler. Gladston hükümeti memnun olmayanları kendine çekti, onları biraraya getirdi, disiplin altına aldı. Onlara kendilerini desteklemek vâdinde bulundu. O zamandan beri propaganda komitesi Londra'da yerleşti ve ilhamlarını oradan aldı. Ermeni halk kitlesine çok basit iki fikri, milliyetçilik fikrini ve özgürlük fikrini nüfuz ettirmek gerekiyordu. Komiteler bunları yapmayı üzerlerine aldılar. Yavaş yavaş, köleliklerine alışmış olan halklar için hayat, dayanılmaz, çekilmez ve katlanılmaz oldular. Türklerin komplo kurduklarını Ermenilere söyleye söyleye, sonunda Ermeniler komplo yaptılar; Ermenistanın var olmadığını söyleye söyleye, sonunda Ermeniler onun varlığına inandılar ve böylece, birkaç yılda gizli cemiyetler kuruldu ve kendi propagandalarının lehinde olarak, Türk yönetiminin kötülüklerini ve hatalarını, millî uyanış ve bağımsızlık fikrini bütün Ermenistan'da yaydılar. Bir defa zemin hazırlanınca, hareketin belirmesi ve oluşması için artık bir bahaneden veya bir teşvik ve destekten başka birşey kalmıyordu. Bu bahaneyi veya bu teşviki ve cesaretlendirmeyi Ermeniler, yurtseverliği dolayısıyle, Kudüs'e sürülmüş olan, İstanbul'daki eski Ermeni patriği Monseigneur Kirimian'ın Catholicos makamına atanmasında buldular. Geçen yılki resmî yazılarım, Kayseri ve Merzifon olaylarında (Ocak 1893), bunu izleyen tutuklamalardan, Ankara dâvasından (Mayıs-Haziran), beş mahkûmun idamından (Temmuz) sizi haberdar etmiştir. İşte, 1894'ün başında Ermeni meselesinin gerçek durumu: bu karışık duruma hangi çözüm yolları önerilebilir ve tahmin edilebilir? Bağımsız bir Ermenistan mı? Bunu düşünmemelidir. Ermenistan, Bulgaristan veya Yunanistan gibi, doğal sınırlarla sınırlandırılmış veya halk yığınları tarafından belirlenmiş bir devleti oluşturmuyor. Ermeniler Türkiye'nin dört köşesine dağılmışlardır ve gerçek anlamıyla Ermenistan'da, her tarafta müslümanlarla karışmışlardır. İlâve ediniz ki zaten Ermenistan, Türkiye, İran ve Rusya arasında bölünmüştür. Ve pek az ihtimal verilebilecek bir durumda ki, bir harp sonunda, Avrupa'nın bir Ermenistan'ın oluşturulmasını ileri süreceği bir halde, yeni devletin hudutlarını tesbit etmek hemen hemen mümkün olmayacaktır. Yarı muhtariyete sahip imtiyazlı bir eyaletin kurulması düşünüldüğünde yine aynı zorluk. Ermenistan nerede başlar, nerede biter? Geriye reformlar vâadi kalıyor. Ama, bu çeşit vaatlerin Türkiye'de ne değer taşıdığı bilinmektedir. Bir reformu getirmek için önce herşeyi yeniden kurmak, oluşturmak gerekecektir. Belki de Ermenileri on yıl önce memnun etmiş bulunan teferruatta düzeltmelere gelince, artık bununla yetinmeyeceklerinden korkulur. Buna göre Ermeni meselesinin mümkün çözümü yoktur; açık kalacaktır ve Türkler kötü idareleri ve adaletleriyle onu şiddetlendirmekten başka birşey yapmayacaklardır. Zaman zaman bir kaba hareket krizi daha şiddetli şikâyetleri uyandıracak ya da başkaldırmaları kışkırtacaktır. Sonunda Avrupa Basını arasız olarak yenilenen bu olayları ele alacak, Hıristiyan memlekette kamuoyu, mazlumlara acıyacak, bugün İngiltere'de ve Amerika'da sınırlanmış bulunan hareket öteki Hıristiyan memleketlere ulaşacak, Berlin antlaşması tekrar tartışma konusu olarak ele alınacak ve bir müdahale zorunlu olacaktır. Bu, yarın mı olacak? Birçok yıl sonra mı olacak? Hiçbir tarihi belirleyemeyiz. Denilebilecek şey şudur ki, Türkiye'de en olağanüstü durumlar uzun zaman sürer. Onların çöktüğünü görmek ve bundan şaşırmamak herzaman mümkündür."

Berlin Antlaşmasından Sonra Ermeni Faaliyetleri ve İsyanları

1877-1878 Osmanlı — Rus Savaşı'ndan sonra Ayastefanos (Yeşilköy) İstanbul ve nihayet Berlin Antlaşmalarıyla başta İngiltere olmak üzere, Avrupa Devletlerinin ve Rusya'nın Osmanlı İmparatorluğu'nun varolma esasını ve merkezini teşkil eden Anadolu topraklarına, bu topraklarda dağınık ve hiçbir yerinde çoğunluk sağlayamadan yaşayan Ermeni azınlıklarını bahane ederek müdahale etmesi sisteminin ilk uygulamaları 1880'li yıllarda başlamıştır. Ermeni gizli örgütlerinin kuruluşlarıda bu tarihlerde gerçekleş-

reformers for Armenia.

This is why I wish, with your excellency's consent, to bring the situation up in line with this view at the conference of ambassadors that may be taking place in the near future. It is possible that Britain may ask Germany to oppose excessive Russian demands, her aim being to avoid having to do so herself. Of course it would be a mistake for us to pull the chestnuts out of the fire just for Britain's sake. So long as Britain fails to make it clear that she is not falling into line with excessive Russian demands, I intend to remain a prudent distance behind her. If Britain wants to see Turkey partitioned, then there remains nothing for us to do but officially demand our own share of the inheritance.

For the time being, I am of the opinion that it will suffice to indicate - by means of clear manifestations as has been done so far - the specific parts of that inheritance so as to render Britain interested in preserving Turkey.

The Views of Russia

The interests and expectations that Russia wanted to achieve in the Ottoman-Russian war of 1877-78 were the acquisition of certain rights over the Balkan and Macedonian territories of the Ottoman Empire and over the societies living in them under the theme of "Pan-Slavism". Russian hopes regarding eastern and southeastern Anatolia on the other hand may be summarized as an opening of the line connecting the Caucasus and İskenderun. This line of course had to be entirely under its own control and it was for this reason that Russia opposed any move for Armenian independence in this region — particularly if that Armenian independence was to be "dependent" upon Great Britain; for were the Armenians to achieve a position of superiority or independence in that region, it might happen that Russia's own Armenians, who engaged in acts that occasionally turned into rebellion, might be motivated to take action. This is why Russia looked with complete disfavor on any Armenian rebellion or revolution though it did not overlook opportunities to bind Armenians to itself for at the same time Russia wished to make use of them as a means whereby it might render the Ottoman Empire even weaker; and so did not deny them support in the form of weapons and supplies. Russia in a sense considered its acquisitions of Kars-Ardahan and Batum after the Treaty of Berlin as the starting point of its eastern and southeastern axes. It was with these thoughts that Giers, the Russian ambassador in İstanbul, met with the Armenian doctor Zavaryan, a Dashnaksutian representative, and provided him with the following information which while being of the greatest interest to him is also an indication that the Armenian committees could be managed and directed by means of the least sign from Russia.

The imperial government makes the biggest contribution to the Armenian destiny. Nevertheless, Armenians should not lose sight of the present exceptional conditions. They should not make their positions more difficult with imprudent acts. Armenians must appear to European eyes as the victims of the arbitrary rule of Turkish despotism and they should not turn into political revolutionaries desiring to take advantage of Turkish military defeats in order to achieve their national goals. Armenians should not incite the Turks in any way whatsoever nor should they initiate even the most minor act of rebellion. They should not make any political demands of Europe at all. On the other hand, it is their natural right to try to seek to make public

tirilmiştir. 1890'lar başlarken artık bu gizli örgütlerin ve bu örgütleri özendiren, destekleyen devletlerin tarihe "Ermeni isyanları" — "Ermeni faaliyetleri" olarak geçen uygulamaları da başlamıştır. Aşağıda, konuyla ilgili en geniş ve en gerçekçi araştırmaları yapan Esat Uras'ın "Tarihte Ermeniler ve Ermeni Meselesi" adlı eserinden alınarak okuyuculara sunulan bölüm 20 Haziran 1890 — Mart 1894 tarihleri arasında ortalama dört yıllık Ermeni Faaliyet ve isyanlarını özetlemektedir. Özette yer alan "Talori Olayları" veya başka deyimiyle "Birinci Sasun İsyanı" bu ciltte yayınlanan belgelerle ilgilidir.

İsyanlar

Komitelerin çıkardıkları isyanlardan önemli olanlar şunlardır

Erzurum Olayı

Erzurum isyanı, 20 Haziran 1890'da çıkarılmıştır. O zaman Vali bulunan Samih Paşa'ya ve diğer bazı ilgililere, Ermenilerin Rusya'dan silâh ve cephane getirdikleri ve bunları Sanasaryan okulunda, kiliselerde sakladıkları haber verilmişti. O yıl Temmuz ayı içinde, zaptiye ve polislerle kilise, araştırılmak istendi. Ermeniler de, daha önce bu teşebbüsten haberli oldukları için gereken tertibatı almış ve karşı koymaya hazırlanmış bulunuyorlardı. İlk emir üzerine komiteci Ermeniler, olay yerine gelen askerler üzerine ateş ederek bir subay ile iki eri yere serdiler. Bir polis de öldü. Kilise arandı. Olayı gözüyle gören bir Ermeni, özetle şöyle diyor:

"Sanasaryan okulu kurucusu, 1890'da öldü. Kendisinin ruhunun istirahatı için âyin yapıldı, yas tutuldu. Hükûmete, okulda bir silâh atelyesi olduğu haber verilmişti. Haber verenlerin Ermeni katolik papasları olduğu sanılıyordu. Aramadan önce, "müdafi vatandaşlar" teşkilâtına mensup Köpek Bogos adında biri, iki saate kadar okulun aranacağını haber verdi. Derhal; millî tarih kitapları, defterler, ilk bakışta ilgi çekecek şeyler ortadan kaldırıldı. Arama sonunda ele birşey geçmedi. Ermeniler, "Türklerin kiliseye girmesi, pislik, murdarlıktır!" diye bağrıştılar. Daha sonra, Taşnaksutyun komitesi Erzurum merkezi kararıyla öldürülen ve müdafi vatandaşlar cemiyetinin kurucularından olan Gergesyan'ın adamları, halk arasında kışkırtmalara başladılar. Dükkânlar kapandı. Kiliselerde âyinler yasaklandı, çanlar çaldırılmadı. Duruma Ermeniler hâkim bulunuyorlardı. Bu fırsattan istifade ederek isyancılar; "Ermeniler üç gündür hürdürler, bu hürriyetlerini silâhla koruyacağız!" diye bağırıyorlar ve hükûmetin vergileri hafifletmesini,askeri bedelin kalkmasını, kutsallığı bozulmuş olan kilisenin yakılıp tekrar yapılmasını, 61. maddenin uygulanmasını istiyorlardı.

Üç-dört gün, mezarlıkta, kilisede, okul avlusunda kaldılar. Ermenilerin dağılmaları için çalışan Ermeni ileri gelenlerine dayak atıldı. Hükûmetin, herkesin işi gücü ile meşgul olması hakkındaki emri dinlenmedi. Komite mensupları yer yer dolaşarak halka cesaret veriyorlardı. Bu sırada Gergesyan'ın kardeşi ateş ederek iki eri öldürdü. İki taraf arasında, iki saatlik bir çarpışma oldu. Ertesi günü konsoloslar şehri gezdiler. İki taraftan 100'den fazla ölü, 200-300 kadar da yaralı vardı. Konsoloslara Ermeniler adına rapor vermiş olan Doktor Aslanyan, hükûmetçe takip olunduğu için şehirden kaçtı."

Bu anıların en önemli noktası şudur:

"Bu olaylar içinde bir yabancı rüzgârı, kuzeyin soğuk yelleri esiyordu. Ermenilerin gösterileri dolayısıyle Rus konsolosu Tevet'in, Valiyi ziyaret ederek, böyle âsi bir halkı, Rusya'da olsa mutlaka kırarlar, deyişi, ve aynı zamanda Ermeni marhasasına da, Türkiye gibi vahşi bir hükûmetin idaresi altında yaşamak değmez" demesidir.

opinion aware through the press and through declarations of the murderous injustice they have suffered at the hands of the Kurds and of Turkish officials.

The View of France

Under the Treaty of İstanbul, Britain achieved the means to establish its control of Cyprus and these means were even further strengthened by the Ottoman Empire's obligation under the treaty to make reforms not only where its Christian subjects lived in Anatolia but elsewhere, a fact that bothered France. For this reason, France was not in favor of any Armenian rebellion or revolution that anyone — particularly Britain — might give direction to in Anatolia nor of the independence that might result from it. Of course France was also aware that there was no possibility of such a situation and for that reason it took a position of keeping watch over Armenian activities and acts and assumed an attitude that appeared to support them in order to satisfy its own public opinion at home.

The following document indicates the views of the French ambassador in İstanbul in 1895 and his explanations on the subject of the Armenians were both the source of and the support for the policies indicated.

Document

From the French Ambassador in Constantinople M.P. Cambon to the President of the French Council and Minister of Foreign Affairs M. Casimir-Perier.

Pera, 20 February 1894

Two years ago a high-placed Turkish government officer said to me "There is no 'Armenian Question' but we are creating one." His prophecy has come true. Today there is an 'Armenian Question'. For more than a year now, Armenia and the provinces bordering on it have truly been the scene of events of the utmost seriousness. The Turks are reopening the Eastern Question on the Asian front. In order to indicate the importance of the present events and to determine precisely the attitudes of countries on the Armenian Question it would appear that the time has come to note briefly the stages that have been passed through in recent years. Mr President, you are aware of the military and political importance of Armenia. The impassable mountains that reinforce it so dangerously divide it in two and completely sever the Ottoman Empire's two Muslim areas of Mesopotamia and Anatolia. Article 61 of the Treaty of Berlin was concerned with the fate of the Armenians and the Cyprus Treaty of 1878 declared the necessity of "ameliorating the living conditions of the Armenians". At that time, the awakening of Armenian nationalism had still not taken place. There was no concept of Armenian independence; or if there was, it was in the minds of only a few intellectuals who had taken refuge in Europe. The great mass simply wished for reforms and dreamed of nothing more than orderly government under Ottoman rule. The insensitivity of the Ottoman government however discouraged Armenian good intentions: the promised reforms were not carried out; the oppression and malversation of government officials was shameful; there was no redress to justice. The Kurdish Hamidiye regiments that were set up supposedly to keep guard over the borders were nothing more than an official organization for looting and the commission of robbery at the expense of the Christian

Hanazadyon, anılarında şöyle diyor :

"En fazla dikkati çeken şey, Trabzon'da ve başka yerlerde bulunan bizlerin durumuydu. Biz inanıyorduk ki, Erzurum'daki Avrupa devletleri konsolosları derhal bu olayı müthiş bir şekilde hükûmetlerine yansıtacaklar ve Ermeni sorunu da bu suretle hemen bir sonuca bağlanmış olacaktı. Fakat bu olmayınca, herkesi büyük bir şaşkınlık kapladı.

İdare heyetimizde de bu sorunu tartışarak şu neticeye vardık: Büyük Avrupa devletlerini bu taş gibi duygusuzluklarından çıkarmak için, Padişahın başkentinde, elçilerin burunlarının dibinde büyük bir gösteri tertiplemek."

Erzurum isyanına epeyce umut bağlanmıştı. Fakat istenildiği gibi bir netice elde edilemedi. Bununla beraber ilk adımdı.

Musa Bey Olayı

Hınçak komitesi tarafından İstanbul'da yapılan Kumkapı gösterisinden önce, komiteciler tarafından bütün Avrupa'ya karşı türlü şekillerde propaganda aracı olarak kullanılmış bir de Musa Bey meselesi vardır. Bu mesele dolayısıyle Türkiye'deki Ermenilerin can ve mal emniyeti, Hıristiyanlığın güvenliği ileri sürülmek suretiyle feryatlar koparılmıştı.

Mutki'li olan bu adam hakkında ileri sürülen şikâyetler şöyle özetlenebilir:

Musa Bey hakkındaki şikâyetlere, müracaatlara bulunduğu yerde önem verilmemiş. Kendisi, birçok yağmalar, zulümler yapmış. Özellikle Muş'lu bir Papasın kardeşinin kızı olan Gülizar adında bir Ermeni kızını kaçırarak evine getirmiş, ırzına geçmiş, sonra kardeşine vermiş; fakat İslâm olmasını da şart koşmuş. Kız, Hıristiyanlıktan dönmeyi kabul etmemiş. Musa'nın attığı sopalardan bir gözü sakatlanmış ve Musa Bey'in evinden kaçarak şikâyette bulunmak üzere İstanbul'a giden Muş'lularla birlikte İstanbul'a gelmiş.

Bu kız ve papas da dahil 58 Muş'lu Ermeni, Başbakanlığa, Adliyeye dilekçe vermişler. Karşılık alamamışlar. Kendileri, komite ve Patrikhane tarafından hanlara yerleştiriliyorlar. Yine komitenin teşviki ile selâmlık resminde, kendileri "merhamet!" diye bağırtılıyorlar ve bunun üzerine Mabeyin dairesine getirtilerek sorguya çekiliyorlar.

Musa Bey, muhakeme edilmek üzere İstanbul'a getiriliyor. Yabancı siyasî temsilcilerin, gazetecilerin de hazır bulunduğu büyük bir dinleyici kitlesi önünde muhakeme ediliyor. Altmış kadar şikâyetçi ve tanık dinleniyor. Neticede, sorumluluğu gerektiren bir şey görülmediği için, Musa Bey, suçsuz bulunuyor ve komitecilerin bu kadar önem verdikleri bu gösteri de istenilen sonucu veremiyor. Bununla beraber, bu mesele, kuvvetli bir propaganda aracı oluyor. Ermeni kızı Gülizar'ın anası ve amcası olan papasla birlikte fotoğrafları çekilerek her tarafa, özellikle yabancı ülkelere gönderiliyor. Bu suretle de Hıristiyan yobazlığı tahrik edilmek isteniyor.

Komitecilere ve patrikhanaye göre çok taraf tutucu bir şekilde, gerçekte ise yabancıların gözü önünde bütün davacıların dinlenmesi suretiyle yapılmış olan bu duruşmanın, bütün ayrıntıları, o zamanki gazetelerde (13 Kasım 1890) gösterilmiştir.

Kumkapı Gösterisi (Temmuz 1890)

Hınçak'lıların, ilk defa İstanbul'da, sırf adalet istemek amacıyla silâhsız olarak yaptıklarını öne sürdükleri bu gösteriyi, o hareketi idare etmiş olan H. Cangülyan şöyle anlatıyor :

1— "İstanbul'da Musa Bey sorunu ve Erzurum olayı dolayısiyle bir karşı hareket yapılmazsa Ermeniler kendilerini unutulmuş sanacaklardı. Bundan ötürü, bir misilleme hareketi gerekliydi.

2— Anadolu'da işlenecek cinayetler, Avrupa'yı belki ilgilendirmezdi. Bundan dolayı, elçilerin gözlerinin önünde, Avrupa'nın

Armenians. From one end of the empire to the other, Greeks, Albanians, and Arabs all complained about injustice, the corruption of officials, and the lack of security of life; but it was the political importance of Armenia that particularly attracted countries' attentions to those living there. It was close to 1885 that Europe first became aware of the existence of an Armenian movement. Armenians dispersed about in France, England, Austria, and America united in a common action: a national committee was created and newspapers servings as the organs of national rights and causes were published in French and English. One by one they skillfully set about revealing the evils of Turkish administration, thereby warning Europe that the Treaty of Berlin was being violated by the Turks. Armenian propaganda originally sought to win France over to its own cause and appealed to feelings of "chivalry" and "heroism": a few articles were published in journals; festivals were held; speeches were given; demonstrations took place at the grave of Lusignan in Saint-Denis. One has to agree however that France understood none of this and showed no interest in people who were talking about Mount Ararat, Noée, or the Crusades. Armenians had a better reception in London. The Gladstone government attracted to its side those who were discontent, brought them together, and brought them under some discipline. It made them promises of support. Ever since then the propaganda committee has taken up residence in London and that is where they draw their inspiration from. The mass of Armenian people had to be instilled with two very simple ideas – the idea of nationalism and the idea of freedom – and the committees undertook to do this. Slowly the lives of people who had become accustomed to slavery became unbearable and intolerable. By repeatedly telling the Armenians that the Turks were plotting against them, they eventually got the Armenians to plot; by repeatedly being told that Armenia did not exist, the Armenians eventually came to believe that it did. Thus in a few years secret societies were set up and in line with their own propaganda they spread throughout all of Armenia the word of the evil and error of Turkish administration and the idea of a national awakening and independence. With the ground thus prepared, nothing remained lacking for the development and appearance of action but an excuse, or incitement, or support. The Armenians found their excuse (or incitement or encouragement) in the appointment, to the office of Catholicos, of Monseigneur Kirimian, the former Armenian patriarch in İstanbul who had been exiled to Jerusalem for his Armenian chauvinism. My official reports last year informed you of the incidents taking place in Kayseri and Merzifon (January 1893), of the arrests that followed them, of the trial in Ankara (May-June), and of the execution of five of the condemned (July). This is the true situation of the Armenian Question here at the beginning of 1894. What methods of solving so complex a problem may be recommended or even forseen? An independent Armenia? That should not be given consideration. Armenia is not like Bulgaria or Greece for it constitutes no state defined by natural borders nor is it identifiable by masses of people. Armenians are scattered to the four corners of Turkey and in the truest sense they have become interspersed with Muslims all over Armenia. To this, one should also add that Armenia is split up among Turkey, Persia, and Russia. It is hardly at all likely that it would be possible, were Europe to insist on the establishment of a new Armenian state at the end of some future war, to determine its borders. The same difficulty would obtain even if consideration were given to the setting up of a

ilgisini çekmek için bir şikâyet hareketi yapmak şart oluyordu.

3— Ermeni heyecanı yalnız ve tamamen Ermenistan'a bağlı kalmış olsaydı, Rusya'nın dikkatini çekerdi. Rusya, bundan şüphelenir ve günün birinde, Ermenistan'ı zaptederdi. Eğer hareket, diğer illerde ve özellikle merkezde olursa, o zaman, öteki devletlerin de ilgisini çekerdi. Bu suretle, Ermeni sorununu, özellikle İngiltere'yi Rusya'dan daha fazla dâvamıza yatkın bulduğumuz için, millî çıkarlar açısından daha faydalı bir şekle sokmak mümkün olacaktı.

4— Milletin, anavatanda dağınık ve başka ırklarla karışık bulunması, sadece anavatanda yapılacak hareketleri başarısızlığa uğratırdı. Bundan dolayı, Ermeniliğin bu durumu dolayısiyle Ermeni hareketlerinin Ermenistan hudutları dışında yapılması gerekirdi. Bu sebeplerle de elverişli bir hareket merkezi olarak İstanbul'u görmemek mümkün olamazdı. İstanbul'da (bekâr ve öteki illerden gelmiş işçilerle beraber) 200.000 Ermeni vardı.

5— Kötülüğün başı İstanbul'daydı. Bundan ötürü, hareketi orada, sarayın burnunun dibinde yapmak daha uygun olacaktı.

6— Beş-altı yüzyıldan beri esaret altında kalmış bir halk içinde, ihtilâl ve isyan ruhu uyanınca, ihtilâlcilerin bundan istifade etmeleri, bu ruhu, daha sağlam, daha esaslı, daha yaygın bir şekle getirmeleri gerekliydi. İhtilâl düşüncesini halk arasında yaymak, bunu verimli ve etkili bir vasıta haline sokmak, ihtilâl faaliyetlerinin hedefleri arasındaydı.

7— Türk Hükûmeti ve Türk halkı, Ermeniler içinde hüküm süren birlik ruhunu, Ermenistan'a bunlar tarafından indirilecek bir darbenin mutlaka diğer bir tarafta ve özellikle İstanbul'da uluslararası menfaatlerin toplandığı bu merkezde, ters etkisini göreceklerine inanırlar ve bunu görürlerse, daha ihtiyatlı bir siyaset izleyecekler, memleket içinde yeni bir katliâm düzenlemeye artık cesaret edemeyeceklerdi.

Komitenin başlıca ileri gelenleri, Beyoğlu'nun arka sokaklarından birinde bir yabancının evinde oturan Rus tebaasından Megavoryan'ın yanında toplanıyorlar. Bu toplantıda:

1— 15 Temmuz'da Kumkapı'daki ana kilisesinde ve patrikhanede, silâhsız bir gösteri yapılmasına ve kurban bayramının ilk günü Patrik Âşıkyan vasıtasiyle kararlarının Sultan Hamid'e bildirilmesine,

2— Üyelerden, Hanazad, Megavoryan, Simeon, Rapael, Rus tabiiyetinde bulundukları için, bunların harekete katılmamalarına.

3- Biri, âyin sırasında âyin kürsüsünde bildiriyi halka okumak, öteki de Hınçak temsilcisi olarak Patrik Âşıkyan'la birlikte saraya giderek isteklerini padişaha sunmak üzere iki arkadaş seçilmesine karar veriliyor. Gösteriyi idare etmek üzere gizli oylama ile iki arkadaş seçiliyor. Cangülyan, patriği saraya götürmeyi, Murad bildiriyi okumayı üzerlerine alıyorlar.

Anadolu yakasındaki telgraf hatları kesiliyor. Hınçak'lılar kilisede toplanıyorlar. Bildiri, el yazısıyla çoğaltılarak halka dağıtılıyor. Âyin sırasında Cangülyan, kürsüye atılarak bildiriyi okuyor. Âyini yapan patrik Âşıkyan, kaçarak Patrikhaneye sığınıyor. Komitecilerle birlikte saraya gitmeye, razı olmuyor. Hınçak komitecileri patrikhaneyi işgal ediyorlar. Silâhlar patlıyor, bütün yapının camları, tavanları parça parça oluyor.

Sonunda patrik Âşıkyan zorla kandırılarak kendileriyle birlikte saraya gitmek üzere bir arabaya sokuluyor. Toplanan halk ve komiteciler, "Yaşasın Hınçak komitesi, yaşasın Ermeni milleti, yaşasın Ermenistan, yaşasın hürriyet!" diye haykırıyorlar. Fakat Dacat ve Mampre Vartabetler, hükûmete durumu haber vermiş oldukları için yolda yetişen askerî kuvvet tarafından araba çevriliyor. komiteciler askerlere ateş ediyorlar. Cangülyan, "Bizimkiler vahşice bir şekilde askerlere üst üste ateş ediyorlar, askerler de, silâh atanları tutuklamaya uğraşıyorlardı. 6-7 asker ağır yaralı olarak yere serildi. 10 kadarının da yarası hafifti. Biz iki ölü verdik." diyor. "Silâhsız" gösteri de bu şekilde bitiyor.

Kumkapı gösterisini tertip edenlerin dağıttıkları bildirinin Ermeniceden aynen tercümesi şöyledir :

semi-autonomous province with special privileges, for where does Armenia begin and where does it end? What remains then is he promise of reforms. But we know what value such promises have in Turkey. In order to bring about reforms it is first necessary to re-establish and recreate everything all over again. As for the correction of details that might have made the Armenians happy ten years ago, one fears that nowadays they will not be satisfied with just that. In my opinion, there is no possible solution to the Armenian Question. It will remain open and through their misgovernment and injustice the Turks will do nothing but make it worse still. From time to time some crude act will stir up a crisis and more strident complaints or even incite rebellion after which the European press will again take up these interminably renewed incidents, public opinion in Christiandom will feel pity, and the movement that is today restricted to England and France will spread to every Christian nation. The Treaty of Berlin will again be taken up as a subject of debate and intervention will become unavoidable. Will this happen tomorrow? A few years from now? We can set no date at all. All that can be said is that the most extraordinary conditions can last in Turkey for a long time. It is always possible to see them collapsing and yet the surprising thing is that they do not.

Armenian Activities and Rebellions After The Treaty of Berlin

The first instances of intervention — under the system set up with the treaties signed at Ayastefanos (Yeşilköy), İstanbul, and finally Berlin after the Ottoman-Russian war of 1877-78, — in Anatolia (land that constituted the basis and core of the Ottoman Empire's existence) by European states (foremost among them being Britain and Russia) proffering the excuse of the Armenians (who were dispersed and nowhere in that land constituted a majority) began in the 1880's. The establishment of Armenian secret societies also took place around this time. As we enter the 1890's, these societies — as well as the states that encouraged and supported them — also started putting into practice what has come to be known in history as "Armenian rebellions" and "Armenian activities". The most comprehensive and realistic research on this subject to have been carried out so far is The Armenians in History and the Armenian Question, **by Esat Uras. The excerpt from this book that we present below summarizes Armenian activities and rebellions during the roughly four-year period from 20 June 1890 to March 1894. The "Talori Incidents" (or the "First Sasun Rebellion" as it is also known) referred to in the summary are associated with the documents published in this volume.**

Mutinies and Rebellions

The following are the most important of the mutinies instigated by the revolutionary committees:

The Erzurum Incident

The Erzurum mutiny took place on June 20 1890. The governor, Samih Pasha, and several other responsible persons had received information that the Armenians had imported weapons and ammunition from Russia and that these had been stored in the Sanasarian School and in several of the churches. In July orders were given for a search of the school and the churches to be carried out by the zaptiye and the police, but the Armenians, who had received word of this, took the necessary

"Ermeni milleti.

Bugünkü gösteriyle sen, bütün dünyaya isteklerinin neler olduğunu göstermek istiyorsun. Çok iyi bilirsin ki, bu dileklerin de kolaylıkla gerçekleşemez. Her kanunî, haklı adımınla hayatını tehlikeye atıyorsun. Fakat, artık yapacak bir şey kalmadı. Canın ağzına gelmiş olduğu halde, sen, her türlü aşırı teşebbüslerde bulunarak ancak o vasıtalarla sesini dünyaya duyurmaya ve haklı isteklerinle amacına ulaşmaya mecbursun. İşte bugünkü hareketlerimizin gayesi budur. İşimizi ileri götürmeyi, dâvamızı savunmayı, bunların en ağır ve en pahalı değerlerle ödenmesi gerektiğini bilelim.

Senin isteklerin nelerdir?

Bütün yoksulluğunun sebebi iktisadî durumundadır. Bunun değişmesi gereklidir. Vatanın toprağı asla senin değil. Sen sürüsün, sen eğersin. Koyunları otla beslersin, sonunda zorluklar altında çalışırsın. Fakat bunun verimi, ürünü senin değildir. Sen, toprağın çiftçilere ait olmasını, sen herkesin geçimini temin ve elde etmek için namusuyla çalışmasını istersin. İktisadî isteklerin gerçekleşince, yetkili meclisin olacak ve basın, söz, vicdan, toplanma, cemiyet kurma ve seçim hürriyeti ve özgürlüğü ile kaderini kendin çizeceksin.

İsteklerimiz:

Saygıdeğer, kutsal, patrik babamız;

Uzun yıllardan beri Ermenistan'da sebepsiz tutuklamalar, haksız hükümler, merhametsizce sürgünler görülmekte, halkın büyük sabır ve dayanıklılığına karşılık yıldan yıla bu gibi olayların daha da dayanılmaz bir şekilde çoğalarak özellikle son yıllarda okullarda, manastırlarda, kiliselerde, evlerde aralıksız ve sık sık tahribat yapılmakta olduğu anlaşılmaktadır. İşte Erzurum'da da aynı şeyler yapılmış ve halkın haklı şikâyetleri yüzünden bu suçsuz ve silâhsız halk, azgın askerler tarafından koyun gibi süngülenerek merhametsizce öldürülmüştür, birçok Ermeni cesetlerine, yüzlerce, binlerce yaralıya, çocuklarını düşüren anaların, kadınların feryatlarına asla önem verilmediği ve bu gibi olayların Van, Muş ve öteki Ermeni kasabalarında hergün tekrarlanmaktadır. Ermenilerin evlerinden hattâ ekmek kesecek bıçaklar bile toplandığı halde, aksine Türklere, Kürtlere silâh dağıtıldığı ve sonunda anavatanımızın sıkı bir kuşatma altında bulunduğu ve bu suretle Ermeni halktan birinin yaptığı bir tek hareketin bile daima şüpheli kabul edildiği görülmektedir. Biz, bütün Ermeni halkı adına herkesin bilmesi için ilân ediyoruz ki, bu durumun devamı ile hayat, namus ve mal güvenliğine sahip olmak mümkün değildir. Aynı zamanda kutsal patrik, millî idare heyeti de bu hususta ilgisiz davranıyorlar. Daha doğrusu seri bir çare bulmak; derman yetiştirmek hususunda yetersizsiniz. Bunun için, sizden bize önderlik ederek bizi Ermeni halkının halini ve dileklerini bildirmek için hükûmete götürmenizi isteriz."

Merzifon, Kayseri, Yozgat Olayları

1892-1893 yıllarında, Kayseri, Develi, Yozgat, Çorum, Merzifon, Tenüs, Aziziye ve öteki bazı bölgelerde Hınçak komitesinin faaliyeti daha açık bir şekil aldı. Bütün bu yerlerde cami kapılarına ilânlar asıldı, her tarafa, Hınçak armalı bildiriler dağıtıldı.

Hınçak faaliyetini yöneten merkez, Merzifon'du. Burası (Küçük Ermenistan ihtilâl komitesi merkezi) adını taşıyordu. Komitenin reisi, Merzifon Amerikan kolejinde öğretmen Karabet Tomayan , sekreteri de yine o okulda öğretmen Ohannes Kayayan'dı. Bunların her ikisi de Protestan Ermeniydiler. Tomayan, Baron Meleh, Kayayan da Vahram sahte adlarıyla haberleşiyorlardı.

Bu iki adam ile Protestan vaizi Mardiros faaliyete geçmek için önce Çorum, Yozgat, Kayseri, Burhaniye, Tenüs, Sivas, Tokat ve Amasya'yı gezerek Ermenilere telkinlerde bulunmuşlar, vaaz şeklinde konferanslar vermişler, şubeler açmışlar, idare heyetleri seçmişler 93 Osmanlı-Rus Savaşı'nın Ermenileri kırdığını öne sürerek bütün Ermeniliğin birleşmesinin şart olduğunu, yabancı, devletle-

precautions and prepared to resist. At the first order, the rebel Armenians opened fire on the approaching soldiers, killing one officer and two men. A policeman was also killed. A search was carried out in the church. The following account was given by an Armenian who was an eye-witness of the event.

The founder of the Sanasarian School died in 1890. Prayers were said for his soul, and a period of mourning declared. Meanwhile, the government received information that arms had been stored in the school. The informers are thought to have been Catholic Armenian priests. Before the search took place, a member of the "Citizen's Defence League" known as "Bogos the Dog" sent word that the school was to be searched within two hours. Everything that was likely to attract attention, such as national history books and notebooks were immediately removed. The search revealed nothing. The Armenians shouted, "The entry of the Turks into the church is an abomination and a desecration." Later, the followers of Gergesian, one of the founders of the "Citizen's Defence League" who had been killed by order of the Erzurum centre of the Dasnaktsitiun Revolutionary Committee, began to incite the people to mutiny. Shops were closed, church services were forbidden, and no bells were rung. The Armenians were in complete control of the situation. Taking advantage of this, the mutineers began shouting, "The Armenians have been free for three days, we shall defend that freedom with our arms." At the same time they demanded the lowering of taxes, the abolition of the military service exemption payment, the burning and reconstruction of churches that had been desecrated and the implementation of article 61 of the Treaty of Berlin. For three or four days they remained within the limits of the cemetery, the church and the school. The Armenian leaders who tried to persuade them to disperse were beaten up. A government order that everyone should go about their daily business was completely ignored. The members of the revolutionary committee went around inciting the people. Meanwhile, Gergesian's brother shot and killed two soldiers. A two-hour battle broke out between the two sides. The following day the consuls toured the city. On both sides there were over a hundred killed and two to three hundred wounded. Dr. Arslanian, who had submitted a report to the consuls on behalf of the Armenians, was wanted by the government and fled from the city."

The most important passage in these memoirs is the following:

"During these events a cold foreign wind could be felt blowing from the north. On the occasion of the Armenian demonstrations the Russian Consul, Tevet, visited the Vali and said that if these events had taken place in Russia the rebellious mob would have been utterly crushed. At the same time, he told the Armenian marhasa that life was not worth living under a barbarous administration like that of Turkey."

Hanazadian writes the following in his memoirs:

"The most remarkable aspect of the affair was the situation of our own people in Trabzon and the other cities. We had believed that the consuls of the European governments would immediately send horrifying accounts of the events to their respective governments and that a solution would at once be found. When this failed to happen we were all left utterly bewildered.

We discussed the matter in our executive committee and reached the following conclusion: To awaken the great European Powers from their stony indifference it would be neccessary to stage a demonstration in the Sultan's capital, under the Ambassadors' very noses.

rin müdahalesini sağlamak için etkili olaylar çıkarılması gerektiğini söylemişler ve propagandalar yapmışlardı. Başlıca faaliyetlerinden birisini de, millî gaye uğrunda Protestan Ermenilerle Katolik Ermenileri birleştirmek teşkil ediyordu.

1892'de Merzifon'da, büyük bir komite meclisi toplandı. Bu mecliste:

1— Beylik silâh sağlanması,

2— İsyancıların Gürcü elbisesi ve başlığı giymeleri,

3— Komite mensuplarının silâh ve cephanelerini kendilerinin satın almaları,

4— Komitecilerin bölüklere bölünmesi,

5— Girişte ödenen para ve aylık aidatla yoksul olanlara silâh temin olunması,

6— Hınçak gazetesine abone sağlanması kararlaştırılmıştı.

Tomayan, görünüşte Merzifon'da bir hastane yapılması, gerçekteyse komite için para toplamak amacıyla İsviçreli olan karısını Fransa ve İngiltere'ye göndermiş, dört buçuk yıl dolaştırarak Hınçak adına (3.000) İngiliz lirası yardım toplatmıştı. Bir taraftan da teşkilâtta görevli olan Haçinli Jirayr (Hamparsum Boyacıyan'ın kardeşi), Ermenilerin, bir savaş anında hayatlarının tehlikede kalmaması için silâhlanmak gerektiğini halka yayıyordu.

Merzifon merkezi, yakın bölgelerde bu şekilde faaliyette bulunurken Kayseriye, Hınçak temsilcilerinden Andon Rışduni adındaki şahıs geldi.

İstanbul'lu olan bu adam, önceleri Galata, Beyoğlu, Çorlu Ermeni okullarında öğretmenlik, bir süre de tiyatro oyunculuğu yapmış ve sonra İskenderiye'ye giderek orada bir iki sayı Ermenice gazete çıkardıktan sonra, yoksul bir durumda İskenderiye'den İstanbul'a dönmüştü. Kumkapı olayını tertipleyenlerle teması, hükûmetin dikkatini çektiği için İstanbul'dan Atina'ya kaçmış ve Hınçak komitesi merkezinin emriyle oradan Rus Leon Parseh ile birlikte Adana Ermenileri arasında fesat çıkarmakla görevlendirilmişti. Bu iki komiteci, Kıbrıs'a gelerek oradan temin ettikleri İngiliz pasaportlarıyla Mersin'e çıkmışlar, Leon, hükûmet tarafından sürülmüş, Rişduni ise Adana'ya girmişti. Rişduni, bir süre sonra Kayseri'de Everek'e gelmiş, orada kiliselerde konferanslar vermiş, sonra Talas'a, oradan da faaliyet merkezi seçtiği Divonik (Derevenk) manastırında rahip Daniel'in yanına yerleşmişti. Oradayken, rahip Daniel aracılığıyla tahriklere ve faaliyete girişti. Jirayr ile birleşti ve Merzifon örgütünün ilânlarını, bildirilerini halka, köylere dağıtmaya başladı.

Komitenin Derevenk ve Merzifon merkezinden yönetilen çeteleri, düzenli bir plân altında işe giriştiler:

Osmancık postasının yolu kesildi, posta sürücüleri, zaptiyeler saldırıya uğradılar.

Gürün'lü Zaropyan, Toros, Gülbenk, Kasbar, Serope adlarındaki çeteciler, Yozgat'a giden postanın koruyucusu İbrahim ile posta sürücüsünü öldürdüler. Atları, silâhları, paraları alındı. Çorum-Merzifon arasındaki Derbend karakolu basılarak Derbend zaptiyeleri öldürüldü.

Panos ve Misak adındaki çeteciler, Panos tuzlasının postasını soydular. Düyun-u Umumiye kolcusu İzzet'in atını alarak Derenk'e getirdiler. Papas Daniel bu atı önce boyamış ve sonra öldürmüştür.

Maden postası sürücüsü İsmail ile zaptiye Necip öldürüldü.

Gülbenk, Panos, Mihircan adında üç komiteci, İstanbul'dan dönüşlerinde Ankara'da tuttukları bir arabanın sürücüsü olan (Kaltakçıoğlu Köse Hasan)'ı Yozgat yolunda boğdular, bir çukura gömdüler. Atlarını, saatini, parasını aldılar, atları da daha sonra Tokat'da sattılar.

Derevenk manastırında bulunan Rişduni tutuklandı. Üzerinde 29 Temmuz 1892 tarihli Hınçak komitesinin görev belgesi ve mührü bulundu. Diğer bir Ermeni tutuklunun zoruyla manastırda yapılan aramada birçok belge elde edildi. Hareketin yöneticilerinin

Great hopes and been placed on the Erzurum mutiny, but it had produced none of the results hoped for. Nevertheless, it was a first step.

The Musa Bey Incident

The Kumkapı demonstration staged in Istanbul by the Hunchak Revolutionary Committee was preceded by the Musa Bey incident, which was exploited in various ways by the revolutionary committee in the form of propaganda directed towards a European audience. The incident was used as a basis for bitter complaints concerning the question of the security of Armenian life and property in Turkey.

Musa Bey, a native of Mutki, was the subject of the following complaints:

Complaints and appeals concerning him had been completely ignored in the region. He had been involved in cases of rape and robbery. He had carried off a girl by the name of Gulizar, the niece of a priest from Muş, taken her to his house, raped her and then given her as wife to his brother, who however, insisted that she become a Moslem. On the girl's refusal to renounce her faith she was so brutally beaten by Musa that she lost the sight of one eye. Having managed to escape from the house, she went to Istanbul with a group of citizens from Muş with the intention of lodging a complaint.

Fifty-eight citizens of Muş, including the priest and the girl herself, presented a petition to the Grand Vizier and the Ministry of Justice. They received no reply. The revolutionary committee arranged for them to have accommodation in a han. **On the instigation of the revolutionary committee they cried for mercy during the Friday procession of the Sultan to the mosque, and were thereupon taken into the palace and interrogated.**

Musa Bey was brought to Istanbul and tried before a large audience including foreign political representatives and members of the press. Some sixty plaintiffs and witnesses were heard. No grounds were found for an accusation and Musa Bey was acquitted. The whole incident, to which the revolutionary committee had given such importance, produced no result whatever. Nevertheless, it remained a powerful propaganda topic. Photographs were taken of Gulizar, her mother and her uncle, the priest, and hundreds of copies sent out, particularly to foreign countries. It was hoped in this way to arouse Christian zeal.

The newspapers of 13 November 1305 contained a detailed account of the trial, which the Patriarchate and the Revolutionary Committees regarded as partial and unjust, although in actual fact all the plaintiffs and witnesses had been heard in the presence of foreign observers.

The Kumkapı Demonstration

An account of this demonstration, claimed by the Hunchaks to be the first peaceful demonstration in Istanbul to be held purely to demand justice, was given by one of the organizers, H. Djangulian:

1.— It was felt that a protest demonstration should be held in response to the Musa Bey and Erzurum incidents, otherwise the Armenians would feel that they had been forgotten.

2.— Crimes committed in Anatolia hold little interest for Europe It was essential, therefore, to attract European attention by holding a protest demonstration in the actual presence of the foreign ambassadors.

3.— If Armenian protests had been solely confined to

Amerikan okulunda öğretmen olan Tomayan, Kayayan oldukları anlaşıldı.

Bu iki adam, yıllardan beri kolej matbaasında komite bildirilerini bastırmışlar, okula gelen bütün Ermeni gençlerini komite hesabına hazırlamışlardı. Kendilerinin tutuklanması Merzifon'da bir Ermeni isyanı doğurdu. Yakalananlar, Ankara istinaf ceza mahkemesinde muhakeme olundular. Tomayan, Kayayan ve ötekilerden bazıları idama, diğer komiteciler de çeşitli cezalara mahkûm oldular .

Mahkûmlardan yalnız Protestan olan Tomayan ve Kayayan'ı affı için İngiltere'deki Protestan gazeteleri ve dinî çevreleri, Osmanlı hükûmetine, padişaha müracaatta bulundular. Bu ikisi affedildi. Tomayan Londra'ya gitti ve artık ihtilâl komitesinin nüfuzlu üyelerinden biri oldu. Bundan sonra mitinglerde, (suçsuz, zulüm görmüş bir Ermeni) olarak tanıtılıyordu.

Merzifon'daki Ermeni faaliyeti ve Ermenilerin durumu hakkında Clare Ford tarafından Lord Rosebery'ye gönderilen yazılara ilişik olan rapor çok esaslı ve ilgi çekici bilgi vermektedir :

Sir Clare Ford'dan Lord Rosebery'ye

İstanbul: 27 Mayıs 1893

Maylord;

Merzifon ve bölgesinden henüz gelmiş olan bazı Amerikalılarla, dün yaptığı görüşmeye dair, Sir A. Nicolson tarafından aldığım muhtıranın örneğini size bağlı olarak sunmakla şeref duyarım. Bu vesile ile ilâh...

Franc. Clare Ford

İlişik muhtıra

Gizlidir:

Saygıdeğer doktor Joseph Green tarafından takdim edilmiş olan saygıdeğer doktor Smith, Dr. Fransworth ve operatör Dodd, bu sabah beni görmeye geldiler. Bu şahıslardan birincisi Merzifon'da, Dr. Fransworth ile Mister Dood da Kayseri'de oturmaktadırlar. Bütün bu şahıslar, Ermeniler arasında gizli cemiyetler bulunduğundan, bu cemiyetlerin üyelerinin milliyetçi değil korkunç kimseler olduklarından, silâh temin ettiklerinden, para topladıklarından, amaçlarının açık bir şekilde ihtilâl çıkarmak olduğundan, emir verilince öldürmekten çekinmediklerinden ve kendi hallerinde, sakin bir durumda bulunan vatandaşlarına karşı tedhiş uygulamaya başladıklarından şüphelenmektedirler. Doktor Fransworth ve Mr. Dodd, diğer ikisinden daha çok konu üzerinde bilgi sahibi ve açık sözlü görünüyorlar.

Bu şahıslar bana, fesat ve isyan hareketlerinin yalnız Gregorien Ermenileri arasında kalmıyarak, Protestanlar arasında da yayıldığını, komite üyelerinin yazın dağlara çıkacaklarını, eşkiyalık edeceklerini, zaptiyelerin canlarını burunlarından getireceklerini, Ermeni sorunu konusuna yabancı devletlerin ilgilerini çekmek için uğraşacaklarını, amaçlarını, görüşlerini açıktan açığa söylemekte olduklarını, Müslüman halkın telâş ve heyecan içinde bulunduğunu ve İslâmlar, Hıristiyanlar arasında ciddî bir gerginlik olduğunu da söylediler.

Doktor Smith, aldığı bilgiye göre Merzifon, Amasya ve diğer yerlerde adlarını unuttuğum bazı Rus ajanlarının da bu hareketleri teşvik ve himaye ettiklerini bana bildirdi.

Mister Smith, ihtilâl cemiyetinin, Ermeni ıstıraplarının İngiltere ve diğer memleketlerde kendilerine karşı uyandırdığı alâka ve dostluktan cesaret aldıklarını ve son zamanlarda hareketlerinin daha cesurca ve saldırgan olduğunu da eklemiştir. En sâkin vatan-

Armenia itself this would have attracted the attention of Russia, who might have grown suspicious and annexed the territory. If, however, demonstrations were held in other provinces, and particularly in the capital, this would attract the attention of other countries. As we found England much more sympathetic to our cause than Russia, the Armenian issue could thus be presented in a way much more in conformity with our own interests.

4.– As the Armenian people were to be found in their own homeland dispersed among people of different races and religions, action taken in the Armenian homeland was doomed to failure. It was thus essential that Armenian operations should be held outside Armenian boundaries. Istanbul was obviously the most suitable centre for such an operation. Istanbul contained more than 200,000 Armenians, mostly single men who had come as workers from other provinces.

5.– The seat of all evil was in Istanbul. Therefore it would be more effective to hold a demonstration there, right in front of the Palace.

6.– Once the spirit of mutiny and rebellion had been awakened in a people who had remained in servitude for five or six hundred years, it was essential that the revolutionaries should take advantage of this and invest it with qualities of a sounder, more basic and widespread character. One of the aims of revolutionary activity was to spread the spirit of rebellion among the people and to render it more effective and productive.

7.– The Turkish government and the Turkish people would then realise that in the present context of Armenian national unity, any blow aimed at Armenia would spark off a reaction in other areas, particularly in Istanbul, a centre of international interest, and in that case they would follow a more cautious policy and would not dare arrange a new massacre.

The leaders of the revolutionary committee met in the presence of an individual of Russian nationality by the name of Megavorian who lived in a house belonging to a foreigner in one of the back streets in Beyoğlu. At this meeting they decided:

1.– To inform Sultan Abdul Hamid on the first day of Kurban Bayramı **through Patriarch Ashikian of their intention to hold a peaceful demonstration on 15 July at the patriarchate and cathedral at Kumkapı.**

2.– That the members of the committee Hanazad, Megavorian, Simeon and Rapael, being of Russian nationality, should not take part in the demonstration.

3.– That one member should read out the manifesto from the pulpit during the service, and that two members should be chosen to accompany Patriarch Ashikian to the palace to submit their requests to the Sultan. Another two colleagues were to be chosen by secret ballot to direct the demostration. Djangulian undertook to escort the Patriarch to the palace, while Murad undertook to read the manifesto.

All telephone communication was cut on the Anatolian side. The Hunchaks gathered in the church. Copies were made of the manifesto and distributed to the people. During the service Djangulian ascended the pulpit and read the manifesto. The Patriarch Ashikian, who was conducting the service, fled from the church and took refuge in the Patriarchate. He refused to go to the palace with the members of the revolutionary committee. The Hunchaks occupied the Patriarchatre, broke all the windows and wreaked considerable damage on the building.

daşlara yapmakta oldukları vahşice tedhiş, bir kat daha artmış ve kendilerine ilgi göstermeyen, taraftar olmayanları öldürmeleri, sakin ve kendi halinde yaşıyanlar arasındaki korkuyu daha çok derinleştirmiştir. Bu sonrakiler, çok zaman gizlice para vermeye zorlanmışlardır. Kabul etmemiş olsalar feci âkıbetlere uğrayacaklar, boyun eğseler, hükümet tarafından bulunup isyancı olarak suçlanmak tehlikesine uğrayacaklardır. Berbat ve çıkmaz bir yol.

Doktor Fransworth, Ermenilerin çoğunun hareket şekline değilse de isyan hareketlerinin konusuna, gayesine karşı ilgi ve sevgi göstermekte oldukları düşüncesindedir. Gerek kendisi ve gerek Mr. Dodd, Ermenilerin, Ermeni olarak özel bir ıstırapları, sıkıntıları bulunmadığı ve hiçbir vaziyette Rum halktan daha kötü durumda olmadıklarını, birçok yönlerden Müslüman tebaa ile eşit derecede sıkıntıda bulundukları görüşündedirler.

Bozuk ve âdil olmayan bir idarenin kötü sonuçları eşit şekilde Müslüman ve Hıristiyanlar üzerine yüklenmektedir. Halbuki Müslümanların menfaatlerini savunacak hiçbir yabancı devlet de yoktur.

İhtimal ki, kanun önünde eşitlik mevcut değildir. Bir Hıristiyanın tanıklığı belki pek az yerde bir Müslümanın tanıklığı kadar değer taşır. Fakat bunlar daima, bir aksaklık olarak görülüp düzeltilebilecek şeylerdir. Son on yıl içinde Hıristiyanların durumunda bir düzelme vardır. Doktor Fransworth ve Mister Dodd, bütün hal ve durumun, Ermeniler arasıda çok güçlü olarak bulunan ve ihtimal ki, yakın bir gelecekte çok tehlikeli bir şekil alacak olan isyan hareketlerini haklı gösteremiyeceği ve bu vaziyetin pek açık şekilde görülmekte olduğu görüşündedirler. Her ikisi de, daha yakında Ankara'da Tomayan'ı görmüşler, kendisinin sağlıklı bulunduğunu ve ona iyi davranıldığını anlamışlardır.

Bu kişilerle yaptığımız görüşmenin bende bıraktığı etki şu oldu:

Memleket hakkında iyi bilgi ve tecrübe sahibi bütün insanlar, özellikle Ermeniler, isyan hareketlerinin bizim sandığımızdan fazla genişlediğine, daha fiilî olduğuna, ihtilâl fırkası önderlerinin sanıldığından daha müthiş şahsiyetler olup bunların, başka bir alanda ve başka bir ölçüde; herhalde, savaştan önce Bulgaristan'daki duruma benzer bir idare kurulmasını arzu etmekte olduklarına inanmışlardır.

26 Mayıs 1893

Kumkapı gösterisinden sonra Hınçak komitesi, durumlarından şüphelendiği, hükûmet taraftarı kabul ettiği Ermenilere suikastler uygulamaya başladı.

Avukat Haçik 15 yaşında Armenak adında bir Ermeni tarafından öldürüldü.

Gedikpaşa kilisesi vâizi (Dacat Vartabet) parçalandı.

Ruhanî meclise üye seçilen (Mampre Vartabet), hükûmete ajanlık ettiği için suikaste uğradı, yaralandı.

Patrik Âşıkyan'ın komitenin plânlarını hükûmete haber vermiş olmasından şüphe ediliyordu. Bu sebeple, komite tarafından kur'a ile görevlendirilen Diyarbakırlı Agop adında bir Ermeni genci tarafından 1894 Martının yirmi beşinci günü, kendisine patrikhane kilisesinde bir suikast yapıldı. Suikastçının kullandığı Karadağ tabancası bozuk olduğu için ateş almadı, genç Ermeni tutuklandı.

10 Mayıs 1894'de Hınçak komitesi; Âşıkyan'ın arkadaşı kabul ettikleri Simon Maksut'a, Galata'da Havyar Hanı önünde iki komiteci vasıtasıyla suikast yaptırdılar.

Bu suikastler hakkında Fransız elçisi Mösyö Cambon, Fransa Dışişleri Bakanlığına şu bilgiyi vermişti:

Cambon'dan - Casimir Perier'ye

Beyoğlu, 27 Mart 1894

Geçen pazar günü patrik Âşıkyan, âyinden sonra patrikhane-

Finally, the Patriarch was forcibly persuaded to accompany them to the palace and was placed in a carriage. A crowd that had gathered there shouted, "Long live the Hunchak Committee! Long live the Armenian people! Long live Armenia! Long live Freedom!" But as the government had already been informed of the situation by the Vartabets Dadjad and Mampre, the carriage was turned back by a troop of soldiers arriving on the spot. The revolutionaries opened fire on the soldiers. Djangulian writes that, "Our people savagely fired round upon round at the soldiers, while the soldiers attempted to arrest those who were firing. Six or seven soldiers were seriously wounded, about ten slightly wounded. Two of our own people were killed." Thus ended the "peaceful" demonstration!

The Armenian manifesto distributed by the organizers of the Kumkapı demonstration may be translated as follows:

"Armenians,

By your demonstration today you wish to publish your demands to the whole world. You know full well that the realization of these demands will be no easy task. You endanger your lives with every just and legal step you take. But there is no alternative. No matter how terrified you may be, you must take the most extreme action in order to make your voice heard in the world at large and to attain your just objectives. That is the aim of our action today. It is our duty to further our cause, to defend our rights even at the heaviest cost.

What are your demands?

The cause of all poverty and destitution is the economic situation. That situation must be changed. The soil of your native land is not your own. You plough it. You sow it. You graze your flocks, and you work under the gravest difficulties. But the produce is not your own. You want the land to belong to the farmer, you want everyone to work honourably for his own livelihood. Once your economic demands are met, you will have a responsible assembly, and you yourselves will introduce freedom of speech, freedom of the press, freedom of conscience, freedom of assembly, freedom of association and free elections.

Our demands:

Our deeply respected father, Your Beatitude, the Patriarch:

For many years, Armenia has witnessed arbitrary arrests, unjust decrees, pitiless banishments, and the patience and resignation of the people in the face of such injustices has only resulted in the steady increase in the number of such incidents, and particularly in the wilful damage done in recent years to our schools, our monasteries, our churches and our private dwellings. The same things were witnessed in Erzurum, and as a result of the just complaints of the local inhabitants, this innocent and defenceless people were herded like sheep by rabid troops and mercilessly slaughtered. No importance was given to the Armenian dead, the hundreds, the thousands of wounded, the screams of pregnant women, and such atrocities are perpetrated every day in Van, Muş and other Armenian towns and cities. Although even the very bread-knives were collected from Armenian homes, fire-arms were distributed to the Turks and Kurds. In the end our native land was placed in a state of siege and every action of every Armenian viewed with suspicion. We declare, on behalf of the Armenian people, that so long as this situation persists, there can be no security of life, property or honour. At the same time, Your Beatitude, the National Council remains indifferent. You are, in fact, powerless to find a remedy or provide a cure. That is why we want to take you with us to the Palace to submit the just complaints and requests of the Armenian people.

soruşturma komisyonu kurdu ve bu komisyona bir konsolos katılması için Amerika hükûmetine müracaatta bulundu; fakat bu müracaat, Amerika hükûmeti tarafından kabul edilmedi.

İngiltere elçiliği, askerî ataşesi Albay Chermside'ı olay yerine yollamak istedi. Sonra bundan da vazgeçti. Elçilik tercümanı Mister Shipley, Elçilikçe Erzurum konsolosu yardımcısı tâyin olundu ve kendisine olay yerine gitmesi bildirildi.

Uzun haberleşmelerden sonra, Erzurum'da konsolosları bulunan devletlerin, yani Fransa, İngiltere ve Rusya'nın, Osmanlı inceleme komisyonuna, oradaki konsoloslarının katılmaları esas kabul olundu. Bunlar toplantılarda gözlemci olarak bulunacaklar ve gereğinde soru sorabileceklerdi.

Hükûmet tarafından:

Yargıtay Dilekçe Dairesi Başkanı Şefik Bey'in başkanlığında:
Emniyet Sandığı Müdürü Ömer Bey,
İstinaf Cinayet Mahkemesi Reisi Celâlettin Bey,
İçişleri Bakanlığı memurlarından Mecit Efendi'den oluşan bir soruşturma heyeti kuruldu.
Konsoloslar da:
Fransız Konsolosu Vilbert,
Rus Konsolosu General Pr. Jevalsky,
İngiliz Konsolosu Shipley
idiler.

Komisyon, 4 Ocak 1895'den, 21 Temmuz'a kadar altı ay incelemelerde bulundu. 108 toplantı yaptı. 190'dan fazla tanık dinlendi.

Heyetten Ömer Bey'in, Bitlis Vali Yardımcılığına tâyini dolayısıyla 29 Ocak'ta komisyondan ayrılması gerekti.

23 Ağustos'ta Murad tutuklandı.

Konsolosların pek tabiî olması gereken taraf tutucu ve Ermeniler lehine olan raporlarından gerçeğe uyabilen şu kısımlar durumu aydınlatabilir. Raporda:

"... bu olaylar üzerine 1894 ilkbaharında aslen Adanalı ve İstanbul'da Cenevre'de tıp tahsil etmiş Hamparsum Boyacıyan adında biri tanınmamak için Murad adını kullanarak içlerinde önceden rastlamış olduğu Damadyan'ın eski arkadaşlarından birisi de bulunan, silâhlı bir çeteyle, Talori bölgesine geldi.

Kâvar bölgesindeki köylerde, iddiasına göre doktorluk yapmak üzere dolaşıyor ve Ermenileri, kendilerini Kürtlerin yönetimine sokan Hafırlık ve Hatalık'tan kurtulmaları için kışkırtıyordu. Fakat ne kendisi ve ne de kendilerine savaşmak için silâh ve cephane vermiş olduğu beş arkadaşından hiçbiri, dağlarda bulunmalarının sebebini doğru dürüst açıklıyamamışlardı. Bunlardan birisi doğru yoldan çıkmış olmasının sebebinin, kendisinin ve ailesinin Kürtlerden gördüğü baskı olduğunu ifade etmiştir. Hemen hemen bütün Ermeni tanıklar, Murad'ın adını duymadıklarını söylüyorlar. Kürtler ya da hükûmetle ilgileri olan tanıklar da Murad'dan, adını duymuş olmaları dolayısıyla söz ediyorlardı. Bu şartlar altında soruşturma komisyonu, bu olay ve hareketin tam anlamıyla açıklanması için gerekli olan bilgiyi toplayamamıştır. Bütün alınabilecek sonuçlara göre, Murad, başlıca yerleştiği yerler olan Kâvar ve Talori bölgelerini ve yakınındaki köyleri ve bazen dağları arkadaşlarıyla dolaşarak, kendinin de kabul ettiği üzere Ermeni-Kürt ilişkileri hakkında öğütler vermiş, Tono, Talori'de de birincilerde kıyasıya mücadele edilmesini ve ikincilere de, dikkati çekmek için hükûmete vergi verilmemesi düşüncesini aşılamıştır.

Bundan başka Murad'ın üzerinde bulunan ve onun tahriklerde bulunduğunu gösteren vatanseverlik şiirleri dolu defter, Murad'ın olmasa da bundan başka kurşun kalemle yazılmış olan ve kendisinin olduğunu kabul ettiği 1894 olayını anlatan bir mektubun başını teşkil eden notlar, (Damadyan) gibi Murad'ın da bu memlekete gizli bir siyasî amaçla gelmiş olduğunu ve Ermenilerle Kürtler arasında çarpışmalar çıkarmaya çalıştığını kesin olarak kanıtlar." deniliyor.

together to submit the well-known May reform project. It was while this project was being discussed that the Hunchaks arranged a demonstration at the Sublime Porte.

CONCLUSIONS

The apparent aim of the acts of Armenian terrorism committed against Turkey and Turkish citizens in the years between 1973 and 1985 — the murders, the massacres, the kidnappings, the woundings, the bombings, and so on — was to turn the "Armenian Question", which began in the 19th Century during the Ottoman imperial period and which persisted until the territories of the great state were divided, broken up, and occupied, into a subject — newly conceptualized as the "Armenian Cause" — that would be talked about and debated by world opinion and for which solutions would be developed. Nevertheless, it was impossible any longer to refer to the existence either of an "Ottoman empire" or of an "Armenian minority in Anatolia". The disappearance of the Ottoman Empire from its historical location took place with a national struggle brought about by the Turkish nation and the Republic of Turkey was founded. This struggle is one that could serve as an example to the history of all mankind and the foundations of the newly-formed state rested on the principles of human rights, freedom, and independence. All the people living in its territory were Turkish citizens and were struggling to grow and develop in affluence, peace, and happiness. The Republic of Turkey was a European state, a member of NATO, and one of the most respected (and earliest) members of the United Nations. It was a country that felt worry whenever disorder or disquiet occurred anywhere in the world and that made every effort to do what it could to eliminate such conditions. In the region where Turkey was located — from the Pacific Ocean to the Aegean and from the North Sea to the Mediterranean — it was the only country that was attempting to achieve its development and growth under the principles of democracy, principles whose existence Turkey regarded as indispensable elements. It was engaged in no disputes — neither over land nor over interests of any other sort — with any other country whatsoever.

This then in general outline is the picture as it appeared in 1973 of the country and its citizens that Armenian terrorism took as its target.

Before the eyes of the world this terrorism, which could never for any reason or cause be justified and which was rejected by nearly all Armenians living around the world, led to the death of nearly a hundred sons of Turkey and to the wounding of nearly three times that number of Turkish citizens. Turkish diplomats, believing themselves to be under the protection of the country in which they were located, were attacked and murdered and the missions of the Turkish foreign ministry suffered heavy, irreplaceable losses. These losses gave rise to important debilities in the general policies of European states and particularly in their relations with countries of the Middle and Far East. Their influence was reduced and the vacuum created was not restored for a long time.

Armenian terror required years of preparation in the form the dissemination of propaganda and those who wished to keep the subject of the Armenians fresh in people's minds by distorting historical events made use as their theme a thesis that they put forth. The force of their psychological effect was based on this theme as well. They began to work up on a comprehensive scale the notion that in 1915 the Ottoman Empire had the intention of committing a purposeful, planned, and

Yine bu raporun diğer bir kısmında:

"Ne bir propagandanın mevcudiyeti ve ne de Murad'la arkadaşlarının Kavar, Talori de bulundukları ve bunların ilk çarpışmalara katıldıkları inkâr olunamaz." denilmektedir.

Sasun isyanına Ermeniler pek büyük umutlar bağlamışlardı. Orada kopacak bir isyan üzerine Avrupa derhal müdahale edecek, Ermeni istekleri temin olunacak ve bu isyanla çok büyük menfaatler elde edilecekti.

İsyanı devam ettirmek için Hınçak'lılar İstanbul'da ve illerde komite mührü ile onaylanmış yardım biletleri ile hayli para toplamışlardı.

Sasun olayları sıralarında Rus Ermenileri, Eçmiyazin'de Katogikos bulunan (Hrimyan)a müracaat ederek Türkiye Ermenileri hakkında müdahalesini istediler. Katogikos, ilerlemiş olan yaşına ve mevsimin kış olmasına rağmen Petersburg'a gitti. Orada İmparatora[1]: "Ermenilerin tek koruyucusu Rus İmparatorudur. Ermeniler kendisinden yardım ve himaye bekliyorlar dedi," Hrimyan'ın bu müracaat ve konuşması büyük bir siyasî etki yaptı. İstanbul'daki İngiliz Elçisi Sir Philip Currie, Patrik İzmirliyan'a, Ermeni sorunu devletlerarası bir inceleme konusu olurken Katogikos'un bu surette müracaatta bulunmasından doğan şaşkınlığını bildirdi.

V. te R. Des Coursons, Sasun isyanı hakkında[2]:

"Murad (Hamparsum Boyacıyan), Sasun isyanında İngiliz'lerin desteğinden söz ederek halkı kandırmıştı. 1895 Martında Fransız gazeteleri Londra'dan gönderilmiş bir sirküler metni yayınlamışlardı. Bu sirküler, Adana marhasası Vehabedyan ile Ermeni ruhani reisliğine gönderilmişti.

Olaya gelince, Türkler için hiçbir hatır gözetme ve taraftarlıkla suçlanamıyacak olan New York Herald Amerikan gazetesinin yazısını buraya kaydetmekten daha iyi bir şey yapılamaz. Bu gazetenin çok basit ve kesin olan sözlerinin tercümesi işte şudur:

"Avrupa incelemesi, Ermenilerin, yabancı ülkelerden gelen tahrikçilerle birlikte isyan etmiş olduklarını göstermiştir.

Âsiler İngiltere'den gelmiş modern silâhlarla her şeyi yapmışlar, yangın, adam öldürme, yağmadan sonra düzenli askere de karşı durmuşlar, kafa tutmuşlar, dağlara çekilmişlerdir. Soruşturma heyeti Osmanlı hükûmetinin âsilere karşı asker göndermekle en kanunî hakkını kullandığını saptamıştır. Bu askerler, kanlı çarpışmalardan sonra âsileri yenebilmişlerdir. Hemen geçilmez dağlara sığınmış olan yaklaşık üç bin kadar tamamen silâhlı âsinin, inandırıcı sözlerle, gazete yazılarıyla hakkından gelinemez.

Ermeni tahrikçileri, Talori dağlarında (Sasun ve Muş'un güneyinde, Bitlis ili ve Genç mutasarrıflığı arasında) görünmüşlerdi. Önceleri Murad adıyla bu bölgede karışıklar çıkarmış olan Hamparsum adındaki şahısla birleşmişler ve bunun hareketlerine katılarak kuvvetlerini onun emrine vermişlerdi. Bu Hamparsum, Haçin'de doğmuş ve sekiz yıl İstanbul'da Tıp öğrenimi yaptıktan sonra Kumkapı hareketine katılmış, Atina'ya kaçmış, oradan da Cenevre'ye gelmiş, sonra kılık ve ad değiştirip İskenderun-Diyarbakır yoluyla Bitlis yakınına gitmiş ve ötede beride, diğer beş kişiyle birlikte tahriklere başlamıştı. Hamparsum, saf halka kendisinin Türk hâkimiyetini devirmek amacıyla Avrupa devletleri tarafından gönderilmiş olduğunu söyleyerek güven veriyordu. Bu suretle canice projesini uygulamayı başardı.

Siner, Simai, Gülli-Güzat, Ahi, Hedenk Sinank, Çekind, Effard, Musson, Etek, Akcesser köylerini ve dört küçük köyü olan Talori'yi kazandı. Ermeniler, 1894'de bu erişilmez yerlere, karılarını, çocuklarını, mallarını koyduktan sonra köylerini terkettiler ve Muş ovasında Silvan ilçelerinden gelmiş öteki silâhlı âsilerle bağlantı ve ilişki kurarak birleştikten sonra, üç bin kişi oldukları halde Anduk Dağında toplandılar. Aralarında beş-altı yüzü, Muş kasabasını sarmak istediler. Bu amaçla Muş güneyindeki Delican aşiretine hücum ettiler. Bunlardan bir kısmını öldürdüler, mallarını aldılar. "Ellerine düşen bütün Müslümanların dinî inançları aşağılandı ve kendileri korkunç şekillerde öldürüldü". Bu âsiler, Muş yakınındaki dü-

organized slaughter of its own Armenian subjects; that it deported them; and that in this way it endeavored to destroy the Armenian race. It was explained that the terrorism being caused was being committed to take revenge for these events and that modern-day Turkey was responsible for incidents taking place in 1915. It was also announced that the murders and massacres that were perpetrated would, by putting pressure on the Republic of Turkey, lead to the realization of the matters being demanded of it. Things went so far that one even encountered books and articles that held up and treated Armenian terrorism as a "new war of independence model". The more this theme was worked, the more terrorism was committed. Every murder, every killing took place for this theme, spread the theme, embellished the theme. In short, it was almost as if they attempted to make it seem as if the people being killed, destroyed, and maimed were the ones responsible because Turkey refused to accept the demands of Armenian terrorists. From police files to courthouse corridors, from congressional lobbies to plenary sessions, the "deportation thesis" was made the subject of debate in virtually every investigation, study, or trial concerned with the subject and was employed to garner political support. All attention was drawn to it.

Just as took place in the past, a number of countries that had designs on or expectations concerning the territory that Turkey possessed as its homeland and its resources saw in Armenian terrorism a means by which they might realize those designs and expectations or at the very least, prepare in the medium or long term the ground for conditions under which they might be realized. Binding their hopes to such terrorism they became its encouragers and supporters. They provided terrorists with money, shelter, and means. For them, the "Armenian deportation" was a branch to cling to. Through publications and broadcasts in their own country they sought to take charge of the "Armenian cause" with so-called research and studies. They made their own people and electorates interested directly or indirectly in Armenian matters. In short, they tried to make the "Armenian Question" a vehicle for and the material of their foreign and domestic policies. But in the end, the questions and subjects that stuck in people's minds could no longer be resolved by means of Armenian terror; furthermore, terror began to threaten those who had encouraged and supported it. Those who, until that day, had attached no importance to the murder and massacre of Turks and who even out of historical hatred applauded such acts, now one by one began taking sides against terrorism and the terrorism stopped. The propaganda however has not: activity in the form of a planned psychological operation with a variety of goals and aimed at many target audiences has continued. The subject has now taken on the appearance of examining historical sources for the existence — nor non-existence — of deportation and the present situation and consequence appears to have turned into a search through archives and documents.

Thus it is that the Foundation wishes to serve, through this series, by publishing documents for those who wish to seek, discover, and learn the truth. In the preceding pages we have summarized how Russia and the countries of Europe approached the subject of the Armenians within the system set up and fostered by the Congress of Berlin. This volume presents for the attention of public opinion the "Talori Incidents", which served as the most important (and also most typical model) of the mechanism whereby the system of the Berlin treaty could be put into action. The mechanism, back in the 1890's, was to focus world public opinion on the Ottoman Empire and bring about

zenli askere karşı da saldırıda bulundular, fakat oradaki askerî kuvvetin çokluğu yüzünden Muş kasabasını işgal edemediler.

Âsiler, Anduk Dağındakilerle birlikte çeteler teşkil ettiler. Bu çeteler de yakındaki aşiretlerde korkunç cinayetler işlediler ve yağmalar yaptılar. Ömer Ağanın yeğenini diri diri yaktılar. Gülligüzat köyünden üç dört saat ötede İslâm kadınlarının ırzına geçtiler, bunları boğazladılar.

Birçok Müslümanlar, gözleri oyularak, kulakları kesilerek, en müthiş ve alçakçasına hakarete uğratılarak, Hıristiyanlığı kabule ve Haçı öpmeye zorlandılar.

Bu âsiler, Ağustos başlarında Faninar, Bekiran, Badikan aşiretlerine de saldırarak aynı zulümleri yapmışlardır. Çal ilçesine bağlı Cinan bucağının Yermut ve Ealigernuk köyleri âsileri de bu çevredeki Kürtlere ve Kaisser, Çatçat köylerine saldırılarda bulundular.

Ağustos sonuna doğru Ermeniler, Muş yakınında Kürtlere hücum ederek Gülli-Güzat ile beraber iki-üç köyü yaktılar. Talori'deki (3000) Ermeni âsisine gelince, bunlar, Müslümanlarla diğer Hıristiyanlar arasında yas ve dehşet saçtıktan sonra silâhlarını bırakmayı reddederek yağma ve adam öldürmeye devam ettiler. O zaman, yola getirmek için buralara ordu askeri gönderildi.

Âsi Hamparsum, onbir suç ortağıyla yüksek bir dağa kaçtı. Diri olarak yakalandı. Fakat iki eri öldürdü, altısını da yaraladı Ağustos sonunda bütün âsi çeteler dağılmıştı.

Türkler tarafından kadınlara, çocuklara, ihtiyarlara, sakatlara, İslâmî ve insanî hükümlere uygun davranışta bulunulmuştur. Ölen âsiler, teslim olmayı kabul etmeyen ve ülkenin kanunî hâkimeyetine karşı savaşmayı tercih edenlerdi."

İşte, çevresinde Avrupa basınının duyulmamış bir gürültü, patırtı koparttıkları Talori olaylarına ait objektif ve iddiasız özet.

Eğer, cezalandırma hareketleri konusunda daha başka açıklama istenilirse, 1894 Kasımına kadar ki olaylar sırasında Muş'ta kalmış olan M. Ximénès'in görüşünü okumak faydalı olur. Bu bilgin diyor ki:

"Bitlis Valisinin isteği üzerine, asker gönderilerek düzenin sağlanması için Zeki Paşa'ya emir verildi. Âsileri dağıtmak üzere derhal dört tabur toplandı. Bu asker kuvveti bir dağ yamacında 3.000 kişilik Ermeni âsileriyle karşılaştı. Asker aşağılandı. Üzerlerine taşlar atıldı. Sonra da ateş açıldı. Askerler karşılık verdi. Ermeniler bu çarpışmadan sonra kaçtılar. Daha sonra dar bir vadide toplandılar. Askerler oraya da yetişti. Askere kumanda eden Türk subayı, âsilere öğütler verdi, uzlaşmak istedi, kendilerine dağılmalarını teklif etti. Bazıları bu teklifi kabul ettiler. Birçoğu da inat ve sabırla karşı koydular. Asker iki defa ateş açtı. Toplam 300 âsi vuruldu.

Bütün bu olaylarda, tek ciddî karşılaşma ve çarpışma bu oldu. Birçok esir alındığı doğrudur. Fakat sonradan bunların hepsi de serbest bırakıldı." diyor.

Muş'ta soruşturma devam ederken, yine İngiltere, Rusya ve Fransa, altı ilde ıslâhat için müracaat ettiler ve devletlerle ortaklaşa, bilinen Mayıs ıslâhat önergesini verdiler. Önergenin müzakere ve tartışmaları yapılırken, Hınçak'lar tarafından Bab-ı Âli olayı çıkarıldı.

Sonuçlar

1973-1985 yılları arasında sürdürülen Ermeni Terörünün Türkiye'yi ve Türk vatandaşlarını hedef alan cinayetlerinin, katliamlarının, adam kaçırma, yaralama, bombalama gibi eylemlerinin görünen amacı; ondokuzuncu yüzyılda, Osmanlı İmparatorluğu döneminde başlayan ve bu büyük devletin topraklarının taksimine, parçalanmasına ve işgaline kadar devam eden "Ermeni Konusunu" yeni bir kavram altında, "Ermeni Davası" adıyla dünya kamu oyunun gündeminde konuşulan, tartışılan ve çözümler geliştirilen bir ko-

the intervention of European countries by dragging the empire's Armenian subjects into rebellion and revolution and causing them pain and agony. Today, a hundred years later, the goals of this terrorism committed against Turks outside Turkey is to influence world public opinion, increase the pressure exerted by particular countries on Turkey, hinder the development of the Republic of Turkey, and create threatening and dangerous conditions in Turkey and abroad and thereby prevent the continuance of stability in the region. If through this series the reader is able to make comparisons to the current events of his day on the one hand while on the other following activities and events that took place in the history of the past, then he will be able to look forward to the next century with greater hope and more human values.

The sole aim of the Foundation in this service is to put forth the facts and thereby prevent the further distortion of events and keep societies and individuals from regarding one another with feelings of hostiliy and ultimately to contribute to the abandonment of people's feelings of malice, hatred, and revenge — even if only where in this matter is concerned.

For years these two men had been printing the committee manifestos in the college printing press and attempting to win over to the Armenian cause al the young Armenians attending the college. Their arrest sparked off an Armenian mutiny in Merzifon. A number of the demonstrators were arrested and tried in the Court of Appeal in Ankara. Tumaian, Kayaian and a few others were sentenced to death, while others were given various punishments.

Protestant newspapers and religious circles in England appealed to the Sultan and the Ottoman government only on behalf of the Protestants Tumaian and Kayaian. They were both pardoned. Tumaian went to London, where he became one of the most influential members of the revolutionary committee. At meetings held there he was always introduced as an innocent, much-wronged Armenian.

The letter written by Sir Clare Ford to Lord Roseberry contains some interesting information regarding Armenian activity in Merzifon and the situation of the Armenians there.

Sir Clare Ford to the Earl of Rosebery -(Received May 31.)

My Lord *Constantinople, May 27, 1893.*

I have the honour to forward to your Lordship herewith copy of a Memorandum which I have received from Sir A. Nicolson respecting an interview which he had yesterday with certain American gentlemen who had just arrived from Marsovan and district.
I have, &c.

(Signed)
Francis Clare Ford

Memorandum
(Confidential)

The Rev. Dr. Smith, Dr. Farnsworth, and Surgeon Dodd came to see me this morning, being introduced by the Rev. Joseph Greene. The first of these gentlemen lives at Marsovan, while Dr. Farnsworth and Mr. Dodd reside at Caesarea. All these gentlemen have no doubts but that numerous Secret Societies existed among the Armenians; that the members of these Societies were determined and desperate; that they were procuring arms and collecting

numa getirmekti. Ancak, ortada ne Osmanlı İmparatorluğu vardı ve ne de Anadolu toprakları üzerinde bir Ermeni azınlığından söz edilebilirdi. Osmanlı İmparatorluğu'nun tarihi varlık alanından ayrılması Türk Milletinin yaptığı bir millet mücadelesiyle gerçekleşmiş ve Türkiye Cumhuriyeti kurulmuştu. Bütün insanlık tarihine örnek olacak bu mücadele ve yeni devletin kuruluş temeli insan haklarına, hürriyete, bağımsızlık esaslarına dayanıyor, toprakları üzerinde yaşayan bütün halk Türk vatandaşı olarak refah, huzur ve mutluluk doğrultusunda gelişme mücadelesi veriyordu. Türkiye Cumhuriyeti bir Avrupa devletiydi. NATO üyesiydi. Birleşmiş Milletlerin en saygın ve ilk üyelerindendi. Dünyanın herhangi bir noktasındaki huzursuzluktan, rahatsızlıktan endişe duyan ve bunun ortadan kaldırılması için elinden gelen bütün çabaları gösteren bir ülkeydi. Türkiye bulunduğu bölgede, Büyük okyanusdan-Ege'ye; Kuzey denizlerden-Akdeniz'e kadar olan alanda tek Demokrasi ilkesiyle kalkınmayı, gelişmeyi gerçekleştiren bir ülkeydi. Demokrasi ilkelerini varlığının vazgeçilmez bir unsuru sayıyordu. Hiçbir ülkeyle de ne toprak ve ne de başka anlamda bir çıkar çatışmasında bulunmuyordu.

İşte Ermeni terörünün hedef aldığı ülke ve bu ülkenin vatandaşlarının genel hatlarla durumu 1973 yılında belirtilen tabloyu çiziyordu.

Hiçbir sebep ve gerekçe ile haklılık kazanamayacak ve dünya üzerinde yaşayan Ermenilerin hemen hemen tamamının katılmadığı terör, açıklanan amacını gerçekleştirmek için dünya kamuoyunun gözleri önünde yüze yakın Türk çocuğunun ölümüne, bu sayının üç misli Türk vatandaşının yaralanmasına sebep oldu. Her biri bulundukları ülkenin güvencesi altında olduğu sanılan Türk Diplomatlarına yapılan saldırılar ve cinayetlerle Türkiye Cumhuriyetinin Dış İşleri misyonuna ağır ve yerine konması imkansız kayıplar verdirdi. Bu kayıplar, özellikle Avrupa devletlerinin genel politikalarında ve özellikle Orta Doğu ve Doğu ülkeleri ile ilişkilerinde önemli zafiyetler doğurdu, etkinlikleri azalttı, doğan boşluk uzun süre doldurulamadı.

Ermeni terörü, yıllarca yayınlarla, propagandalarla hazırlıkları yapılan ve tarihi olayları saptırmak suretiyle Ermeni konularını canlı tutmak isteyenlerin ortaya attıkları bir tezi tema olarak kullandı. Psikolojik etki gücünü de bu temaya dayandırdı. 1915 yılında Osmanlı İmparatorluğu'nun vatandaşı Ermenileri maksatlı, plânlı ve örgütlü şekilde kıyıma yöneldiği, ülke toprakları dışına sürdüğü ve bu yolla Ermeni ırkını yok etmeye çalıştığını yaygın şekilde işlemeye başladı. Yaratılan terörün bu olayların intikamını almak için yapıldığı ve 1915 olaylarının sorumluluğunun günümüzde Türkiye'ye ait bulunduğunu açıkladı. İşlenen cinayetlerin, katliamların ise Türkiye Cumhuriyeti üzerinde bir baskı oluşturarak talep edilen hususların gerçekleşmesinin sağlanacağı ilân ediliyordu. O kadar ki, Ermeni terörünü "Yeni bir kurtuluş savaşı" modeli olarak yayan, yorumluyan eserlere, makalelere rastlanılıyordu. Terörün teması işlendikçe, işlendi. Her cinayet ve her öldürme olayı, tema için yapılıyor, temayı yayıyor, temayı işliyordu. Kısaca neredeyse, Türkiye Ermeni teröristlerin isteklerini kabul etmediği için öldürülen, yok edilen, sakat bırakılan evlatlarının sorumlusu durumuna düşürülmeye çalışılıyordu. Polis dosyalarından - Mahkeme koridorlarına, Kongre kulislerinden - Genel Kurul salonlarına kadar hemen hemen konuyla ilgili her araştırma, inceleme ve yargılamada veya siyasi yatırım malzemesi olarak kullanmada "Tehçir tezi" tartışılan bir konuma getirildi. Dikkatler bu noktada toplandı.

Türkiye'nin sahibi olduğu vatan topraklarında, kaynakları üzerinde bir takım çıkar ve beklentileri olan ülkelerin bu çıkar ve beklentilerinin gerçekleşmesi veya en azından gerçekleşme ortamının orta veya uzun vadede de olsa hazırlanmasını Ermeni teröründe bulan ve ümitlerini bu teröre bağlayan bazı devletler geçmişte olduğu gibi terörün özendiricisi, destekleyicisi oldular. Teröristlere para, yer ve imkan sağladılar. Bunlar için de "Ermeni tehciri" tutunacak bir daldı. Ülkelerinde ki, yayınlarla, sözde araştırma ve

money; that their aims were distinctly revolutionary; that they blindly obeyed the orders of the head-quarters of these Societies; that they did not flinch from assassination when instructed, and that they were commencing to exercise a terrorism over their more peaceably disposed compatriots. Dr. Farnsworth and Mr. Dodd were more explicit, and appeared to have fuller information on the subject than the other two gentlemen. They informed me that the seditious movement was not confined to the Gregorian Armenians, but was also extending among the Protestants; that the members of the Societies were becoming more outspoken in their views and intentions, stating that they would in the summer take to the mountains, exercise brigandage, and make the life of a zaptieh a burden to him; and that they would compel the attention of the Powers to the Armenian question, The Mussulman population was becoming alarmed, and a serious tension of feeling was arising between Moslem and Christian. Dr. Smith told me that to his knowledge some Russian agents at Marsovan, Amasia, and another place whose name I have forgotten, were instigating and encouraging the movement. The revolutionary party no doubt, the gentleman added, received indirect encouragement from the sympathy and interest which the Armenian grievances evoked in England and other countries, and of late their attitude had become bolder and more aggressive. The terrorism they exercised over their more tranquil compatriots was increasing, and some murders which had recently occurred of supposed informers or lukewarm supporters had deepened the fear of the peaceable. The latter felt, in many instances, compelled to contribute to the secret funds; if they refused they were liable to serious consequeuces; if they agreed they ran the risk of being discovered by the Government and impeached for conspiracy – an awkward dilemma. Dr. Farnsworth was of opinion that the majority of the Armenians were in sympathy with the objects of the movement, though not with the methods. Both he and Mr. Dodd considered that the Armenians have no special grievances as Armenians; in any case, they were not worse off than the Greek rayah, and in many respects they suffered equally with the Moslem subject. The evil results of a corrupt and unjust administration fell equally on the Moslem and the Christian, while the former had no foreign Power to take his interests to heart. Equality before the law perhaps did not exist, the evidence of a Christian was scarcely considered of the same value as that of a Moslem, but this would necessarily always be the case. Still, during the last ten years there had been an improvement in the lot of the Christians, and both Dr. Farnsworth and Mr. Dodd considered evidently that, on the whole, there was no justification for the sedition among the Armenians, which they considered very prevalent and possibly very dangerous in the near future. Both these gentlemen had seen M. Tumaian recently at Angora, and found him in good health and well cared for.

The general impression I received fom a conversation with these gentlemen, all men of experience and of good knowledge of the country, and especially of the Armenians, was that the seditious movement is more widely spread and more active than we had imagined, and the vanguard of the revolutionary party are more desperate than was believed, and desirous of bringing about a state of things which may, in a different field and in a different degree perhaps, be similar to the situation in Bulgaria before the war.

May 26, 1893

incelemelerle "Ermeni davasına" sahip çıkmağa çalıştılar. Kendi kamuoylarını ve seçmenlerini Ermeni konularıyla doğrudan veya dolaylı olarak ilgili kıldılar. Kısaca Ermeni meselesini gerek dış, gerek iç politikalarının birer aracı ve malzemesi haline getirmeye çalıştılar. Sonuçta zihinlerde takılan konu ve sorular, artık Ermeni terörü ile çözülemez duruma geldi. Ve terör, kendisini destekleyenleri, özendirenleri de tehdit etmeye başladı. O güne kadar Türk çocuklarına karşı işlenen cinayetler ve katliamları önemsemeyen ve hatta tarihi hırsları ile alkışlıyanlar birden Terör karşısında cephe almaya başladılar ve terör durdu. Ancak, propagandalar durmadı. Çeşitli hedefleri esas alan ve birçok hedef kitleye yönelen planlı psikolojik harekat uygulamaları devam etti. Konu, tehcirin varlığı veya yokluğu hususunda tarihi kaynakların incelenmesi şeklinde yeni bir görüntü aldı. Bugün durum ve alınan sonuçlar, arşivler ve belgeler üzerindeki çalışmalar şekline dönüşmüş görünüyor.

İşte Vakıf, bu yayın dizisiyle, gerçekleri aramak, bulmak, öğrenmek isteyen vicdanlara yayınlayacağı belgelerle bir hizmet sunmak istiyor. Yukarıda "Berlin Kongresinin" getirdiği ve geliştirdiği sistem içinde Rusya ve Avrupa Devletlerinin Ermeni konusuna nasıl yaklaştıkları özetlendi. Bu ciltle de sistemin harekete geçirilmesi için bulunan mekanizmanın en önemli ve en tipik bir modelini, uygulamasını "Talori Olayları"nı dünya kamuoyunun dikkatlerine sunuyor. Bulunan mekanizma 1890'larda, Ermeni vatandaşlarını isyana, ihtilale sürüklemek, acılar, ıstıraplar yaratarak dünya kamuoyunu Osmanlı İmparatorluğu'nun üzerine çekmek ve Avrupa devletlerinin müdahalesini sağlamaktı. Yüzyıl sonra, bu kez hedefler Türk toprakları dışında, Türk çocuklarına yönelmiş terörle dünya kamuoyunu etkilemek ve Türkiye üzerinde belirli devletlerin baskısını artırmak, Türkiye Cumhuriyetinin gelişmesini önlemek, içerde ve dışarda tehdit ve tehlikeler yaratarak bölgede sağlıklı bir varlığın devamını engellemekti. İşte bu yayın dizisiyle okuyucu bir anlamda tarihi varlık alanında yer alan hareket ve olayları izlerken, diğer yandanda yaşadığı günlerin olaylarını kıyaslıyabilirse o zaman gelecek yüzyıla daha büyük ümitler ve insani değerlerle bakabilecektir.

Vakfın yapacağı hizmette tek amaç; artık olayların saptırılmasına, toplumların ve insanların birbirlerine düşmanca hislerle bakmasına gerçekleri ortaya koyarak engel olmak ve nihayet insanlığın kin, nefret ve intikam duygularını, hiç olmazsa bu konuda, terk etmesine katkı sağlamaktır.

After the Kumkapı incident the suspicions of the Hunchak Committee were aroused and attacks began to be made on Armenians thought to be government supporters.

Hatchik, a lawyer, was murdered by a fifteen year old Armenian boy by the name of Armenak.

Dadjad Vartabet, a preacher in the Gedik Pasha church, was torn to pieces.

Mampre Vartabet, who had been chosen member of the clerical assembly, was wounded in an assassination attempt.

The Patriarch Ashikian was suspected of having revealed the committee's plans to the Ottoman government, and was wounded in an assassination attempt carried out in the church of the Patriarchate on 25 March 1894 by Agop of Diyarbakir, a young Armenian who had been chosen by lot by the committee. The Montenegrin revolver used by the assassin failed to fire and the young Armenian was arrested.

On 10 May 1894 an attempt was made by two militants under the orders of the Hunchak committee on the life of Simon Maksut, believed to be a friend of the Patriarch, in front of Havyar Han in Galata.

Information on these two assassination attempts was sent to the French Foreign Ministry by M. Cambon, the French Ambassador in Istanbul:

From M. Cambon to Casimir Perier

Beyoğlu: 3 June 1894

Last Sunday, just as the Patriarch Ashikian was leaving the Kumkapı chuch after the service to return to the patriarchate, an eighteen year old Armenian youth aimed a revolver at him and fired several times. The revolver was faulty and none of the bullets hit the Patriarch, who fainted and was taken home and given treatment. The young Armenian was taken to the police station and, when interrogated as to the reason for his attempt at assassination declared that Ashikian was an enemy of the Armenians, that he had frequently given information to the government and that the Armenians had sworn an oath to get rid of him. At the same he declared that both he and his co-religionists were loyal subjects of the Sultan.

Cambon.

From Cambon to the Minister of the Interior, Hanotaux

Beyoğlu: 3 June 1894

An attempt was made a few days ago in Istanbul on the life of a member of the Armenian community. This person, who is now out of danger, is Simon Maksud Bey, a rich banker and one of the contractors employed by the Ministry of War. Maksud Bey, who was also head dragoman to the Patriarchate and a member of the Patriarchate popular assembly, had long been regarded by his co-religionists as a traitor in the pay of the Turks. Last year, when the Sultan forbade any celebrations to be held on the occasion of his granting the Armenian National Constitution, Maksut Bey had refused to work for the lifting of the ban. Since then he has been regarded by the Armenians activists and militants with the most vehement detestation.

The Armenian labourers who attempted his assassination had suffered a great deal at the hands of the Kurds and the Turkish officials.

There can be no doubt that we are here confronted with a

political crime. The assassins were carrying documents and letters written by the Armenian Revolutionary Committee and they confessed that they had been hired for the purpose by a person by the name of Levon. They said they had been given arms by the militants, who told them that they wished in this way to issue a warning to the various members of the upper classes of the Armenian community who, since the attempt on the life of the Patriarch, had become friends of the Turks and traitors to the national cause. By these various operations the revolutionaries hoped to strike at the government in the capital rather than merely in the provinces, thus making their activities more highly effective over a much wider area.

The fact that the Sultan was greatly shocked by the assassination attempt is proved by the large number of arrests made by the Istanbul police.

Cambon.

After the Kumkapı incident Murad Hamparsum Boyadjian became leader of the Istanbul branch of the Hunchak Revolutionary Committee.

About this time Vart Badrikian arrived from the Caucasus as a representative of the Hunchaks. He was arrested a couple of months later but, being a Russian subject, he was handed over to the Russian Embassy. Ardavazt Ohandjanian was sent from the Caucasus to take his place. The assassination attempts were made during his period of office.

The First Sasun Mutiny

Sasun, famous for its mutinies, was at that time a kaza **connected to the administrative centre in Siirt containing over a hundred villages and situated about fourteen hours from Muş. Nearby were the** kazas **of Mutki and Garzan. The mountainous and inaccessible nature of the terrain made it difficult for the government to exert any great influence. The people, including the Armenians, spoke a mixed language of Zaza and Kurdish.**

According to V. Cuinet the distribution of the population of Sasun was as follows:

Muslim	**10,370**
Armenian	**8,389**
Yezidi	**970**
Others	**372**
	20,101

Although no census was carried out, Armenians probably made up one fifth of the population, the rest being Kurds.

In the 1890's the district was toured for three years by an Armenian by the name of Mihran Damadian, who disseminated Hunchak propaganda and incited the people to revolt. On information given by the Armenians this man was arrested in 1893, taken to Istanbul for trial and later freed.

The Sasun mutiny, which place some time after the Kumkapı incident, was organized by the Hunchak Revolutionary Committee with the sole purpose of inviting foreign intervention, and was carried out according to a plan prepared by Murad (Hamparsum Boyadjian).

On his way to Sasun, Murad passed through Caucasia, where he received help and support from the Dashnaktsution Committee. On arriving in Sasun he collected a number of Armenians around him and began to prepare his plans.

Before the actual incident, a letter in the name of the Hunchak Committee appeared in the third number of the

Hunchak newspaper, dated 1894, which clearly heralded the storm that was about to break. This letter was written by Armenak from the village of Kızılağaç in the province of Muş, who went by the alias of Hrair Tjokh and continued working in that region until the second Sasun mutiny of 1904. The letter was as folows:

"Brother Armenians,

At last the day we have been awaiting for centuries has arrived. The bells ring out from the hills of Sasun, red flags wave from the mountains, carried by a people whose humanity and Armenian soul have been trampled underfoot. The hour of vengeance has struck. The time has come for a decision to be made on the life or death of the oppressor

Today the Armenian cause is entering its latest and most glorious phase. The resignation and submission of the destitute, the sighs and silence of the humiliated, the stifled complaints of the oppressed, will soon be replaced by the roaring of a lion."

According to Varandian:

"The Hunchak organization was in a weak position. They were anxious to do something as quickly as possible and to produce a stir.

The inhabitants of Sasun fought heroically, even with their fairly primitive weapons, against the Kurds, but they were unable to withstand the attack by regular troops. In August 1894 the Armenians annihilated the Kurds after a successful onslaught and were about to carry off their flocks when they were suddenly surrounded on all sides by troops. No one has ever been able to give even an approximate number of the Armenians killed. Some say six or seven thousand, others say around one thousand. Probably the latter is nearer the truth."

This mutiny, which had been carried out with the sole aim of attracting the attention of foreign countries, was reported abroad by the Patriarchate and the revolutionary committees in the bloodiest and most sensational manner. Meetings were held in support of the Armenians in various European capitals and statements made in the various parliaments. Everywhere, references were made to the responsibility Britain had assumed in signing the Cyprus Convention.

Hallward, the British consul in Van, wished to go to Sasun to examine the situation but the Ottoman government, who regarded him as one of the instigators of the rebellion, refused to grant him the necessary permisson.

The government set up a commission to carry out investigations on the spot and applied to the American government for a consul that would participate in the work. This appeal, however, was turned down by the American government.

The British Embassy at first wished to sent Colonel Chermside, the Military Attaché, to the spot, but later abondoned the idea. Mr. Shipley, Dragoman to the Embassy, was appointed assistant to the Consul in Erzurum, and was ordered to visit the site of the incident.

After a great deal of correspondence, the principle was finally accepted that the states with Consuls in Erzurum, namely, France, Great Britain and Russia, should participate in the work of the Ottoman investigation commission. These were to be present at the meetings as observers, and could, if necessary, ask questions.

The commission appointed by the government was to be

presided over by Şefik Bey, head of the petition department of the Supreme Court of Appeal, Ömer bey, the Director of the Emniyet Sandığı, Celalettin Bey, President of the Criminal Court of Appeal and Mecit Efendi, from the Ministry of the Interior. The consuls taking part as observers were Vilbert, the French Consul, the Russian Consul-General Jevalsky, and the British Consul, Shipley.

The commission carried out investigations for six months, from 4 January to 21 July 1895. It held 108 meetings and heard more than 190 witnesses. Ömer Bey had to resign from the commission on 29 January on his appointment as deputy Governor in Bitlis. Murad was arrested on 23 August.

A certain amount of light is shed on the situation by the following rather more accurate passages of the reports of the Consuls, which tend on the whole, as is only to be expected, to be biased in favour of the Armenians:

"After those events, Hamparsum Boyadjian, a native of Adana who had studied medecine in Istanbul and Geneva and who employed the alias "Murad" to avoid recognition, arrived in the Talori region accompanied by an armed band, one of the members of which was Damadian, an old friend of his whom he had recently met.

He toured the villages in the Kavar region under the pretext of carrying out madical practice, inciting the Armenians to free themselves from Kurdish domination. But neither he nor the five companions whom he had supplied with arms and ammunition for their defence, could offer a convincing explanation of their presence in the mountains. One of them gave as a reason the wrongs he and his family had suffered at the hands of the Kurds. Practically all the Armenian witnesses said that they had never heard the name "Murad". On the other hand, the Kurds and the government witnesses said that they had heard the name. It was impossible, under these circumstances, for the Commission to Investigation to collect the information necessary for a true understanding of the event. It would appear from the evidence collected that he and his colleagues roamed around the Talori regions and the neighbouring villages and sometimes even the mountains giving, as he himself confirmed, advice on relations between the Armenians and the Kurds, persuading the former to engage in revolutionary struggle and the second to withhold government taxes in order to attract attention.

Furthermore, the notebook filled with patriotic poems that was discovered on his person and employed in his attempts at provocation, as well as notes forming the beginning of a letter written in pencil, which he admitted to be his own, describing the events of 1894, clearly prove that Murad, like Damadian, had arrived in the country on a secret mission with the aim of sowing discord between the Armenians and the Kurds."

Another passage from the reports runs as follows:

"It is impossible to deny the propaganda work, or the fact that Murad and his friends took part in the first armed conflicts."

The Armenians had set great hopes on the Sasun mutiny. They had hoped that the mutiny would lead to European intervention and the realization of Armenian aspirations. A great deal of money for the prosecution of the mutiny was collected by the Hunchaks in Istanbul and other provinces by the sale of tickets bearing the Hunchak emblem.

During the Sasun incidents the Russian Armenians appealed to the Catholicos Khrimian in Etchmiadzin to intervene in favour of the Armenians in Turkey. The Catholicos, in spite of his advanced age and the inclemency of the winter weather, immediately set out for St Petersburg, where he told the Emperor that the Armenians in Turkey looked upon him

as their sole protector and were awaiting his help and protection. Khrimian's appeal produced an intense political reaction. The British Ambassador Sir Philip Curries told the Patriarch Izmirlian that he was amazed that the Catholicos should make such an appeal at a time when the Armenian Question was being discussed on the international forum.

Vte. des Coursons gives the following account of the Sasun mutiny:

"Murad (Hamparsum Boyadjian) deceived the Armenians by hinting at British support for the Sasun mutiny. In March 1895 the text of a circular sent from London was published in the French newspapers. This circular had been sent to Vehabedian, the Marhasa *of Adana, and the spiritual leaders of the Armenian church."*

As for the incident itself, the best thing would be to quote the article in the New York Herald Tribune, a newspaper that could never be accused of partiality for the Turks.

"European observers are of the opinion that the Armenian revolt was instigated by Armenians from abroad. The rebels were armed with the most up - to - date weapons from England. After committing crimes of arson, murder and looting they resisted an attack carried out by regular troops and withdrew to the mountains. The investigating committee concluded that the Ottoman government was fully justified in dispatching troops against the rebels. These troops were able to defeat the rebels only after a bloody conflict. It takes more than persuasive words or newspaper articles to overcome a body of nearly three thousand well-armed rebels who have taken refuge in inaccessible mountains.

The Armenians ringleaders appeared in the Talori Mts. to the south of Sasun and Muş, between Bitlis and Genç. Here they were joined by a person by the name of Hamparsum who had already instigated disorders in the region under the alias of Murat, and placed their forces under his command. This Hamparsum had been born in Hachin and had studied medicine in Istanbul for eight years. After taking part in the Kumkapı demonstration he had fled first to Athens and then to Geneva, after which he returned to Bitlis via Iskenderun and Diyarbakır in disguise and under a false name. He there joined with five others in subsersive activities. Hamparsum tricked the simple people into believing that he had been sent by the European Powers to overthrow Turkish domination, and thus succeeded in realizing his murderous plans.

They first of all occupied the Talori region, which included the villages of Siner, Simai, Gülli-Güzat, Ahi, Hedenk, Sinank, Çekind, Effard, Musson, Etek, Akcesser. In 1894, leaving their wives, children and property in these inaccessible spots, the Armenians joined forces with other armed bands coming from the Silvan districts in the plain of Muş, after which the whole body of 3000 men gathered in the Andok Mt. Five or six hundred wished to surround Muş, and started off by attacking the Delican tribe to the south of the city. They slaughtered a number of the tribe and seized their goods. The religious beliefs of the Muslims who well into their hands were derided and disparaged, and the Muslims themselves murdered in the most frightful manner. The rebels also attacked the regular troops in the vicinity of Muş, but the large numbers of the regular forces prevented them from occupying the city.

The rebels joined the bandits in the Andok Mts., carrying out the most frightful massacres and looting among the tribes of the neighbourhood. They burned Ömer Agha's nephew alive. They raped a number of Turkish women at a spot three

or four hours' distance from Gülli-güzat and then strangled them.

At the beginning of August the rebels attacked the Faninar, Bekiran and Badikan tribes, perpetrating equally horrible atrocities. The rebels in the villages of Yermut and Ealigernuk in the nahiye *of Cinan in the* kaza *of Cal attacked the Kurds in the neighbourhood, as well as the villages of Kaisser and Çatçat.*

Towards the end of August, the Armenians attacked the Kurds in the vicinity of Muş and burned down three or four villages, including Gülli-Güzat. As for the 3000 rebels in Talori, they continued to spread death and destruction among the Muslims and other Christian communities, refusing to lay down their arms. Regular troops were finally sent to force them to submit.

Hamparsum fled to the mountains with eleven other rebels. He was finally captured alive, but only after he had killed two soldiers and wounded six. By the end of August all the rebels had been crushed.

The women, the children, the aged and the lame were treated by the Turks in accordance with the charity and humanity characteristic of Islam. The rebels who died were those who refused to surrender and preferred to continue fighting against the legitimate government of the country."

Ermeni Terörü | Armenian Terrorism

Dr.Cengiz KÜRŞAD

Ermeni Terörü

GİRİŞ

Tarihi süreci içerisinde Ermeni terörü örgütsel bir nitelik taşır.

1973 - 1985 yılları arasında, dağınık Ermeni topluluklarını, dünya kamuoyunu, teröre hedef seçilmesi bakımından Türkiye Cumhuriyetini ve Türk vatandaşlarını etkilemeye çalışan Ermeni terörü de örgütsel görünümdedir.

Günümüze kadar uzayan, çoğunlukla bir, bazen birden fazla Ermeni örgütünün üstlendiği katliamların, cinayetlerin, baskınların, bombalama, tahrip ve yaralamaların gerçek sebepleri nelerdir?

Bu olayların failleri olduklarını sırasında birbirleriyle yarışır şekilde ilân eden, kuruluşlarını ve aralarındaki rekabetleri, çatışmaları işledikleri cinayetlerin, yapabildikleri terör eylemlerinin boyutlarıyla göstermeye çalışan Ermeni örgütlerinin yapıları, ilişkileri nasıldır? Amaçları, beklentileri, politikaları, stratejileri nedir? Hangi kaynaklardan beslenmektedirler? Desteklerini nereden ve kimlerden almaktadırlar?

Bu ve benzeri sorulara doğru ve üzerinde görüş birliğine varılabilecek cevapların bulunabilmesi için her şeyden önce 1973 - 1985 yılları arasında Ermeni sorununun veya Ermeni konusunun ne olduğunun, ne olmadığının açıklığa kavuşması gerekir.

Ermeni sorunu — Ermeni konusu veya açıklanan dönemde önemli bir yer tutan "Hai Tahd" — "Ermeni Davası" üzerinde görüş ayrılıkları ve farklı yaklaşımlar, Ermeni terörünü sürekli olarak sisler arkasında bırakarak, gerçek anlamını ve tehdit niteliğini dünya kamuoyunun gözlerinden ve bilgisinden gizlemekte, insanlık dünyasının göstermesi gereken tepkileri peşinen etkisiz bırakmaktadır.

Ermeni sorununun — Ermeni konusunun veya Ermeni davasının doğru ve tutarlı tanımlarının yapılamamış olmasının nedenini Ermeni terör örgütlerinin tutum ve davranışlarına bağlamak, yaratılan sis perdesini bu örgütlerin eseri saymak yanlıştır. Aksine bu örgütler, konuyla doğrudan veya dolaylı ilgili olanların, sorunun çeşitli örtüler altında sürekli canlı tutulmasında çıkarları ve beklentileri bulunanların meydana getirdikleri karmaşık ortamdan yararlanmakta ve ancak belirsizliklerle, tartışmalarla, çatışmalarla hazırlanmış bir zemin üzerinde yaşama şanslarını devam ettirmektedirler. Özellikle 1973 - 1985 yılları arasında Ermeni terörü en büyük psikolojik ve moral desteği, dünyada son elli yıl içerisindeki gelişmelerin oluşturduğu ulusal kurtuluş mücadelesi modellerine; önce Ermeni davasını, sonrada terör olaylarını oturtmaya çalışan ve bu

Armenian Terrorism

FOREWORD

Armenian terrorism throughout history has manifested all the characteristics of an organized movement. This was also the case between 1973 and 1985, when the Turkish Republic and Turkish citizens were selected as the target of terrorist attacks in an attempt to influence public opinion not only in Turkey and the dispersed Armenian communities but also throughout the world. What are the real reasons lying behind the murders, attacks, bombings and massacres — the destruction of life and property which has continued up to the present and has been carried out mostly by one, sometimes by more than one Armenian organizations? What structure, what connections do these Armenian organizations have which compete with each other to claim responsibility for such actions, and which, by the very magnitude of their terrorist operations and the murders they commit, try to gain publicity not only for their organizations but also for the rivalry and power struggles among them? What are their aims, aspirations, policies and strategies? From where and from whom do they obtain support?

In order to find the true answer to these and similar questions and to reach unanimity of opinion, it is necessary first of all to state clearly the essence of the Armenian problem in the years 1973 to 1985. The differences of opinion and approach in relation to the Armenian question or the "Armenian cause" — the "Hai Tahd" which was so important during the period just mentioned — have served to draw a veil over Armenian terrorism and to obscure from world opinion its true meaning as well as the threat it presents, thus precluding any effective world reaction.

It is wrong to attribute the reasons for the failure to state the Armenian problem consistently and accurately to the attitudes and actions of the Armenian terrorist organizations and to hold them responsible for the obscurity surrounding their activities. On the contrary, these organizations have taken advantage of the state of confusion created by those, directly or indirectly involved, whose aspirations and interests lie in keeping the question alive under various pretexts. The ambiguities, arguments and conflicts have served to prolong their chances of survival. Especially during the period from 1973 to 1985, Armenian terrorism derived the greatest psychological and moral support from writers, politicians, the

hareketleri bir ulusal kurtuluş savaşı, faillerini de kahramanlar olarak kabul ve ilan eden yazarlardan, ilim adamlarından, yargı organlarından, bir kısım politikacıdan ve Türklere ve Türk dünyasına karşı hâlâ haçlı zihniyet ve düşüncesini bırakamamış kilise ve kilise birliklerinden görmüşlerdir.

Propaganda ve Psikolojik Harekât "Temaları"

Ermeni sorunu — Ermeni konusu üzerinde çeşitli ve birbirleriyle çelişkili görüşlerin ortaya atılmasında yapılan sürekli, yaygın ve yoğun propagandaların ve örgütlenmiş psikolojik harekât uygulamalarının etkisi büyüktür. Bu propagandaların ve uygulamaların belirledikleri "tema" veya "temaların" psikolojik baskısı altında seçilmiş tarihi olayların peşin yargılarla yorumlanması ve değerlendirilmesi yaklaşımı bir alışkanlık haline getirilmiştir. Bu yaklaşımla bir yandan sorunların ve konuların bütünlüğü gözlerden uzak tutulurken, diğer yandan da sonuçları ancak tarihi belge ve araştırmalara dayanan ve tarihin yargısına giren konular siyasi amaçlar ve beklentiler için propaganda malzemesi haline dönüştürülmektedir. Gerçekte bu yöntem yeni değildir. Yazılı siyasi tarihin binlerce sayfası bu gibi spekülasyonlarla doludur. Günümüzde de devletler kendilerine rakip veya rakip olması beklenen ülkelere karşı kurdukları veya destekledikleri, yaşattıkları örgütler aracılığı ile onların örtüsü altında açıklanan yöntemi özendirmektedirler.

1973 - 1985 yılları Ermeni terörünün yeni evresinde açıklanan yaklaşımın en belirgin örneği "Ermeni soy kırımı" veya "soy kırım" temasının ortaya atılmasında, kullanılmasında ve işlenmesinde görülür. Ermeni terörünü besleyen bu propaganda ve psikolojik harekât malzemesi terörün failleri kadar birçok ülkenin etkin kamuoylarını da bağlar duruma gelmiştir. Türkiye'nin içinde bulunduğu bölgedeki çıkarları ve beklentileri bakımından Ermeni terörünü bir yıpratma ve tehdit aracı olarak gören ülkelerle, Türkiye'nin gelişmesini ve güçlenmesini gelecekteki hareket tarzları açısından engel olarak değerlendirip terörü bu engeli zayıflatacak bir karşı güç olarak kabul eden ülkeler "soy kırım" temasının her fırsatta ve her düzeyde kullanılmasını, işlenmesini özendirmişlerdir. Sonuçta, tarihin bütün gerçeklerine aykırı bir iddia, ulusal düzeyde parlamentoların, senatoların çeşitli kurum ve kuruluşların gündemine girmiş, uluslararası düzeyde ise görüşülüp, tartışılır bir duruma getirilmiştir. Bu yolla Ermeni terörüne başlangıçtan beri aranan sebep giderek terörün meşrulaştırma aracı olmuştur. Doğal olarak, bu yaklaşımlardaki çelişkiler, Ermeni meselesini — Ermeni konusunu gerçek anlamlarından uzaklaştırarak, terörün yaşama şansını artıran kaosu meydana getirmiştir. "Soy kırımının" varlığı - yokluğu; yapıldığı - yapılmadığı konusundaki bütün tartışmalar propagandaların ve psikolojik harekât uygulamalarının etkinliğine bağlı kalarak yaratılan kaosun canlı tutulmasını sağlamıştır. Çünkü, gerçeklerle hiç ilgisi olmayan, gerçeklere dayanmayan iddialar bir propagandanın gücünü arkasına aldığı ölçüde, bütün gerçekleri ortaya koymaya çalışan ciddi ve dürüst savunmalardan kısa ve hatta orta vadede daha başarılı olmaktadır. Ayrıca bu iddialar birçok çıkar ve amaçlarla da ilgisi olduğu zaman ilmin, tarihin ve sağduyunun yerini ancak iddia sahiplerinin veya onları özendirip, destekleyenlerin elde edecekleri imkânlar ve yaratılacak şartlar almaktadır. Bu imkânlar ve şartların ise ne ilimle, ne tarihle, ne de sağduyu ile ilgisi vardır. Sağlanan çıkarlar veya çıkar beklentileri, elde edilecek güç veya güç ihtimalleri, çok kolaylıkla ilmin yerine yalanı, sağduyunun yerine "vahşet"e daima ilgi duyan hisleri ikame edebilmiştir.

"Ermeni soy kırımı" teması, İkinci Dünya Savaşının sonlarına doğru yeniden ortaya atılır. Savaşın sonunda, savaşın galipleri arasında ve özellikle A.B.D.'leriyle - Sovyetler Birliği'nin Boğazlar, Akdeniz ve Ortadoğu konuları üzerindeki anlaşmazlıkları sırasında siyasi görüş ve isteklere malzeme olarak kullanılır. Herhangi bir sonuç alınamayınca tema bu kez psikolojik harekât planlayıcılarının

church and religious associations still clinging to the crusading spirit with regard to the Turkish people. They have all sought to model the Armenian cause, as well as the terrorist activities connected with it, on the various national liberation struggles that have arisen on account of developments in the world over the last fifty years. These terrorist activities are thus seen as part of a national liberation struggle, and the terrorist activists are acclaimed as heroes.

Propaganda and Psychological Pressure

The continual campaign of intensive and widespread propaganda and organized psychological pressure has had a tremendous effect in promoting the various contradictory viewpoints on the Armenian question. It has become the practice, when interpreting and assessing particular historical events, to prejudge the issue under the psychological pressure of a "theme" or "themes" determined by a propaganda campaign. Such an approach, on the one hand, prevents the problems and issues from being viewed as a whole; on the other hand, it allows the conclusions reached to be turned into propaganda meterial for political ends on subjects already researched and documented, which in effect, fall within the scope of historical judgment. There is actually nothing new in this. Thousands of pages of political history are filled with similar speculation. In the present day too, such a method is being sanctioned by states, under cover of organizations they have founded, supported and maintained to operate against countries which are or are likely to become their rivals.

In the new phase of Armenian terrorism from 1973 to 1985, the clearest example of the approach discussed above can be seen in the way the idea of "genocide" or "mass murder of the Armenians" has been promoted, manipulated and exploited. This campaign of propaganda and psychological pressure which sustains Armenian terrorism has succeeded in winning over active public support in many countries. From the standpoint of their aspirations and interests in the region within the borders of Turkey, some nations view Armenian terrorism as a means of threatening and undermining the stability of the country; others see it as a counterforce that will erode Turkey's growing strength and development, which the consider an obstacle to future activities. Regardless of their stance, they all zealously promote the manipulation and exploitation at every opportunity and at every level of the theme of "genocide".

As a result, a claim which runs counter to historical fact has at the national level gained a place on the agenda of various parliamentary groups and associations and has at the international level become the subject of discussion and debate. Thus, the grounds used to justify terrorism have become the very instrument for legitimizing it. It is natural that the contradictions inherent in such an approach should render impossible any true understanding of the Armenian question and should lead to the chaos which in turn sustains terrorism. All the debates over whether "genocide" did or did not take place, closely bound up as they are with a vigorous campaign of psychological pressure and propaganda, have ensured the persistence of this state of chaos. In so far as fictive claims acquire the force of propaganda, they achieve more in the short and even medium term than honest and serious attempts to present the facts. Furthermore, when such claims are bound up with numerous vested interests and aspirations, scientific truth, historical fact and common sense are set aside, only to be superseded by vague promises of opportunities and conditions to be created by those who promote and sanction these claims. Expectations of material gain and power quickly breed lies and

ve vahşet pazarlamacılarının eline geçer. Bunlar, 1950'li, 1960'lı yıllarda yalanlarla, uydurulmuş olaylarla, kulaktan dolma kan ve kin kusan haberlerle ve her düzeyde ürettikleri sahte belgelerle temayı işlerler. Yayın organlarında, yazılı, sözlü, görsel eserlerde, intikam törenlerinde ve anıtlarında biçimlendirerek uygun pazarlarda, başta Ermeni gençleri olmak üzere, oy kaygısı içerisinde bulunan politikacılara, dünyada ve çevrelerinde yeni düzen arayıcılarına, ateş ve kan pahasına sağlanacak insan hakları savunucularına ve nihayet siyaseti ve bazı çıkarları ilim sanan bilimsel çevrelere pazarlarlar. Sonuçta, 1973 - 1985 yeni Ermeni terör evresi hazırlanmış olur. Ve bu çalışmanın (IV. Bölümünde) yer alan tablo ortaya çıkar. Katliamlar, cinayetler, saldırılar, baskınlar, bombalama olayları... Bu genel görünüm ve sonuçlar, Ermeni meselesi ve Ermeni konusu hakkında belirsizlikleri artırır, gerçekleri gözlerden uzak tutarken devletlerin izledikleri politikalar ve uyguladıkları hareket tarzları bakımından, onları birer vahşet pazarlamacıları düzeyine indirir.

Politikada Araçlar ve Bedeller

Ermeni meselesi — Ermeni konusu veya Ermeni davası üzerindeki çelişkili ortamın doğması sebeplerinden biri de devletlerin açık politikalarıyla, gizli emel ve hedeflerinin daima birbirlerinden ayrı olduğu hakkındaki yanlış yaklaşımlar ve kanaatlerdir. Gerçekte, devletler için esas olan amaçlarıdır, emelleridir ve bu amaçları gerçekleştirecek hedefleridir. Bütün politikaları bu esaslar üzerine kurulmuştur. Ana hedefi gözden kaybetmemek üzere imkânların ve şartların gereği uyguladıkları politikalar ve hareket tarzları ancak ara hedeflerin ele geçirilmesi içindir. Bu sebeple siyasi süreç içerisinde birçok zigzaglar çizebildikleri gibi, inanmadıkları davalara inanmış görünürler, desteklemedikleri fikir ve düşünceleri kabul ederler hatta kısa vadede çıkarlarının bir kısmını da feda edebilirler. Devletler için çıkarları kadar önemli olan bu çıkarları sağlamak için kullanılacak araçlar ve ödenecek bedellerdir. Çünkü, hiçbir politika belirlediği hedeflere uygun araçlar seçmeden ve gereken bedeli ödemeden ulaşamaz. Uluslararası ilişkilerde, milli hedefleri ve çıkarları bakımından, birbirlerine rakip durumunda bulunan devletlerin amaçlarını gerçekleştirebilmek için kullanacakları araçlar Diplomasi - Psikolojik Harekât - Savaş'tır. Ödeyebilecekleri bedellerin kaynağı ve hududu da milli güçleridir. Olağanüstü durumlar dışında devletler orta ve uzun vadede ulaşmayı öngördükleri hedefler için savaş aracına başvurmadıkları gibi milli güçlerinin tamamını veya önemli bir kısmını da bu hedeflerin ele geçirilmesine tahsis etmezler. Aksine, kendi çıkarlarının sağlanması için ödenmesi gereken bedelleri, güçsüz, içerisinde çeşitli sorunları bulunan, irade ve karar doğruluğundan uzaklaşmış veya bağımlı devletler ve onların vatandaşları tarafından ödenmesini tercih ederler. Bu yolla amaçların gerçekleştirilmesi, çıkarların sağlanması için ödenmesi gereken bedeller, başka devletlerin insanlarının canları, malları ve bütün değerleri ile karşılanmış, finanse edilmiş olur. Devletler için doğal bir nitelik haline gelmiş olan bu durum, devletlerin açık politikalarıyla, gizli davranışları arasındaki farkları ve özellikleri ortaya çıkarır. Genel olarak, dünya üzerindeki her devletin veya her siyasi kuruluşun amaçlarının ve hedeflerinin saptanması mümkündür. Fakat, bu amaç ve hedeflere hangi araçları kullanarak, hangi kaynakları tahsis ederek varabileceği konularında açıklık yoktur. Gizlilik ve tartışmalar, amacı ve hedefi bilinen devletin bu amacı gerçekleştirmek ve hedefe varmak için kullanacağı araçlardadır, ödeyecekleri bedellerdedir. Kısaca, bedelin kim tarafından finanse edileceği her zaman açık değildir. Ermeni meselesinde — Ermeni konusunda devletlerin açık tutum ve davranışlarıyla, kendi hedefleri için kullandıkları araçlar ve ödenecek bedel arasındaki çelişkinin esası kısaca değinilen özelliklerdir. Ancak, bu gerçeği Ermeniler anlayamamışlar veya anlamaz görünmüşlerdir. Bugün de özellikle Ermeni terör örgütlerinin açıklamaya çalıştığımız gerçeği kabul edebileceklerini söylemek zordur. Veya en azından ümit verici değildir.

a thirst for blood and violence, as opposed to knowledge and common sense.

Towards the end of the Second World War, the theme of "Armenian genocide" again became topical. At the end of the war, it was exploited as the subject of political debates and demands among the victorious powers, especially during the period of dispute between the USA and USSR over the straits, the Mediterranean and the Middle Eastern question. Upon the failure to achieve any results, the theme was next taken up by the masterminds of psychological warfare and dealers in terrorism. Throughout the 50's and 60's, they exploited the issue, using lies, fictitious events, hearsay reports charged with violence and hatred, and false documents of all kinds. Through the press and publications, audio-visual media, monuments and memorial ceremonies, they touted their ideas first among the Armenian youth, then among politicians anxious to win votes, those seeking a new order in the world, proponents of human rights at the price of blood and violence and finally among academic circles in pursuit of self-interest as if it were scientific truth. As a result, the way was prepared for the new phase of Armenian terrorism during the period from 1983 to 1985 and for the situation exposed in this work (See IV, section III).

The ensuing panorama of violence, which has included massacres, murders, attacks, raids and bombings, has served to blur the Armenian question even further, to obscure the reality of the situation and, from the point of view of the policies and courses of action they have pursued, to reduce states to the level of mere dealers in terrorism.

Political Means and Costs

Another reason for the contradictions surrounding the Armenian question is the mistaken view that the declared policies of states and their secret ambitions and goals are distinct from each other. In effect, states establish all their policies on the basis of their objectives, aspirations and goals. Careful never to lose sight of the main goal, they are led by opportunity and circumstance to pursue policies and courses af action, merely in order to attain interim goals. As they zigzag hither and thither within the political process, they can, therefore, appear to believe in causes they do not believe in, accept opinions and ideas they do not sanction and even sacrifice on the short term a part of their own interests. Just as important for states as these interests are the choice of the appropriate means to secure them and the price required to be paid; otherwise the specific goals of a policy cannot be achieved. In international relations, the means that rival states will use to gain political advantage and attain their national goals are diplomacy, psychological pressure and war. The cost will be determined and delimited by the extent of their national strength. Just as states do not have recourse to war, except in emergency situations, to achieve their medium and long-term goals, so too they do not deploy their entire resources or even a significant part of them for this purpose. On the contrary, they prefer the cost which must be paid to secure their own interests to be borne by weak states, torn by domestic problems and open to corruption, or by dependent states and their citizens. It is, in effect, through the sacrifice of the lives, property and value systems of the people of other states that nations attain their ends. They consider it natural to do so; thus, their declared policies stand in open contradiction to their activities behind the scenes. It is generally possible to determine the ambitions and goals of every state and political organization in the world, but confusion and secrecy are inherent in the means to be used, the resources to be deployed and the price to be paid in order to

Hatalar - Yanılmalar

Yakın tarihin kanıtladığı olaylardan ve 1973 - 1985 yıllarında Ermeni terörünün yeniden ortaya çıkmasının başlıca sebeplerinden anlaşıldığına göre, Ermeni terörünün başlıca failleri ve Ermeni terör kuruluşlarının yöneticileri bazı devletlerin Ermeni davasına sahip çıktıklarını ve bunun için gerektiğinde uluslararası ilişkilerin her türlü araçlarını kullanabileceklerini ve terörün bedelini kendi milli güç kaynaklarından karşılayacaklarını kabul etmişlerdir. Her dönemde bu görüşlerini destekleyecek tutum ve davranış belirtilerine de tanık olmuşlardır. Fakat, tarihte ve günümüzde Ermeni terörüne arka çıkan devletlerin gerçek amaçlarını ve bu amaçlara uygun hedefleri teşhiste hata etmişlerdir. Ermeni konusuna arka çıkan devletlerin, terörü özendirici ve destekleyici hareketlerinin ancak kendi milli hedefleri açısından bir değeri olabileceğini ve bu hedefleri ele geçirdikleri anda ortada ne bir Ermeni konusunun ne de tek bir Ermeni'nin kalmayacağını düşünmemişlerdir. Daha önemli bir hataları da, Ermenileri ilgilendiren konularla terörü özendiren ve destekleyen devletlerin milli hedefleri arasında bir paralellik görmeleridir. 1960'lı yıllarda genellikle bütün Ermeni yazarlar ve Ermeni liderleri, Avrupa devletlerinin ve Amerika'nın Sovyetler Birliği karşısında güvenliklerinin, ancak Anadolu'nun doğu ve güneydoğu bölgelerini kapsayacak bir Ermeni devleti kurulması suretiyle sağlanabileceğini savunmuşlardır. 1973-1985 Ermeni terörü evresinde ise, bir kısım terör ideologları Sovyetler Birliği'nin güvenliğini, bir kısmı Ortadoğunun geleceğini aynı şarta bağlarken, bir kısım yazarlar da eski iddialarını tekrar etmişlerdir. Durum bugün de pek değişmiş sayılamaz. Bütün bunlar Ermeni meselesini — Ermeni konusunu dünya kamuoyundan gizleyen yaklaşımlardır.

Modeller

Ermeni sorununun — Ermeni konusunun tanımlanmasını güçleştiren ve konuyu çeşitli kamuoyları önünde çelişkiler içerisinde bırakan sebeplerden biri de Ermeni terörünün siyonizmi ve İsrail'in kuruluşunu model olarak aldığı ve yöntem olarak siyonist yöntemleri seçtiği yolundaki görüşlerdir.

Siyonizmin, Ermeni konularıyla ilgilenmesi II. Abdülhamid'e karşı oluşturulan cephe döneminde başlamıştır. Bir süre sonra siyonist teorisyenler ve uygulayıcıları Ermeni isyan ve terör olaylarına karşı Abdülhamid'e yardım önerisinde bulunmuşlar ve bunun karşılığında "bir Yahudi yurdu tesisi" konusunda Sultan'ın yardımlarını istemişlerdir. Siyonizmin, kendi amaçları için Ermeni terör örgütleriyle temas ve ilişkileri de tarihi olaylar arasında yer almaktadır.

Ermeni terörü ile siyonizmin ve İsrail devletinin kuruluşunu özleştirmeye çalışmak, tarihi olayları Ermeni terörüne yeni model ve yöntem arayışlarına mehaz olarak kabul etmek çabalarının gerçek sebepleri nelerdir?

Bu görüşleri ortaya atan terör özendiricilerinin ve destekleyicilerinin amaçlarının başında; ortaya attıkları "soy kırım" temasının, Yahudilere uygulanan ve bütün dünyanın nefretini kazanan "Yahudi soy kırımı" olayları ile çağrışımını yaptırarak, sürekli canlı tutulmasını sağlamaktır. İkinci derecedeki beklentileri ise, tarihi hatıraları da dikkate alıp, saptırarak Siyonizmi Ermeni terörünün yanına çekmek ve İsrail'in sözde ortak düşmana karşı desteğini sağlamaktır.

Aynı yeni model ve yöntem arayışları içerisinde, Ermeni terörünün Filistin kurtuluş mücadeleleriyle bütünleştiği ve bu mücadelelere destek sağladığı, bölgedeki kurtuluş mücadeleleriyle de yakından ilgisi olduğu ve bunlarla da bütünleştiği gibi görüşler terör örgütlerinin açıkladıkları beyanlardan ve bir kısım yazarların eserlerinden anlaşılmaktadır. Başka bir propaganda denemesi de Türk-Yunan ilişkilerindeki gelişmelere paralel olarak Ermeni-Yunan (Grek) ve Türk-Bulgar ilişkilerindeki duruma göre "Ermeni-

achieve these goals. In short, it is not always clear who will pay the price.

To conclude, the situation outlined above clearly lies at the root of the contradictions between, on the one hand, the declared stand and policies of nations with regard to the Armenian question and, on the other hand, the means they use and the price they will pay to attain their goals. The Armenians, however, have not understood, or appear not to have understood these contradictions. Even today can the Armenian terrorist organizations in particular accept the reality of the situation we have tried to explain? It is dufficult to say; they do not give much cause for hope.

Mistakes and Fallacies

In so far as can be ascertained from events in recent history and from the main causes of the resumption of Armenian terrorism during the period from 1973 to 1985, the principal terrorist activists and the leaders of Armenian terrorist movements have taken for granted that certain states, having taken a stand as defenders of the Armenian cause, can therefore use, as required, every means available through the international networks to support it. The activists have also taken for granted that these states will meet the cost of terrorism from their own national resources and strength. In every period, they have seen evidence of attitudes and actions to support these views. However, throughout history and also in our own day, they have wrongly identified the real intentions and goals of the states backing Armenian terrorism. They have not taken into consideration that the activities of such states which support and actively encourage terrorism are only of value to these states in terms of their own national goals and that, as soon as these goals are attained, there will be no further interest either in an Armenian cause or in the Armenians. An even more important mistake on their part is their seeing a parallel between the issues concerning the Armenians and the national goals of those states actively encouraging and supporting terrorism. In general during the 1960's, all Armenian writers and leaders maintained that European and American protection against the Soviet Union could be secured on condition that an Armenian state comprising the eastern and south-eastern regions of Anatolia were established. During the 1973 - 1985 phase of Armenian terrorism, one group of ideologists was stipulating this same condition for the security of the Soviet Union, while another group was doing the same for the future of the Middle East. At the same time, yet another group of writers was repeating the old claims. The situation today does not appear to have changed much. Approaches such as the above only serve to obscure the Armenian question in the eyes of the world.

Models

One of the factors causing difficulty in defining the Armenian problem and one of the sources of the contradictions among the various public opinions on the question is the view that Armenian terrorism has used Zionist methods, with Zionism and the establishment of the state of Israel as its model. The link between Zionism and the Armenian cause began in the period of opposition against Abdül Hamid. Some time later the theoreticians and practitioners of Zionism offered their assistance to Abdül Hamid in the face of the Armenian rebellions and acts of terrorism. In exchange, they sought the Sultan's help on the question of "the establishment of a Jewish homeland". The contacts and links which Zionism has forged for its own ends with the Armenian terrorist organizations

rupa devletlerini de devreye sokmak suretiyle çözümler aramaya veya çözümleri ertelemeye çalışmıştır. Bu suretle, Ermeni azınlıkları konusu bir yönüyle devletlerin Osmanlı toprakları ve egemenlik alanları üzerindeki jeopolitik beklentilerinin çatıştığı ve uluslararası anlaşmazlıklara malzeme teşkil ettiği, diğer yönüyle de İmparatorluğun varlığı ile doğrudan ilgili bir sorun haline gelmiştir.

3. XIX. yüzyılın sonlarına doğru, açıklanan ortamın meydana getirdiği siyasi olaylara ve Osmanlı İmparatorluğu'nu daha da güçsüzleştirme politikalarına paralel olarak ilk Ermeni terör örgütlerinin kuruldukları görüldü.

1885 yılında "Armeneganlar örgütü" Van'da,

1887 yılında "Hınçak" örgütü İsviçre'de,

1890 yılında "Taşnaksagan - Taşnaksutyan - Taşnak" (Ermeni İhtilâl Cemiyetleri İttifakı) adı altında Tiflis'te kuruldu. Sonuncu ve Hınçak örgütünün kurucuları üç kişiyi, birincisinin ise beş kişiyi geçmiyordu. Bu örgütlerin kuruluşların resmi belgelerinin, bildirilerinin ve hemen başlayan faaliyetlerinin incelenmesinde ortaya çıkan ve her üç örgütün de ortak yanlarını başka bir deyimle birleştikleri noktalarını Hınçak Terör Örgütünün "Siyasi Programının - Dördüncü Kısmında" görmek ve bu görüşleri destekleyen Taşnak örgütünün ana faaliyet programlarında izlemek mümkündü.

Hınçak terör örgütünün siyasi programının belirttiğimiz bölümü, aynen şu şekilde yazılmıştı. *"Ermenileri yakın amaca –İhtilâle– ulaştırmanın çaresi bir ihtilâlle yani zorla Türkiye'deki Ermeni bölgelerindeki genel kuruluşu alt üst etmek, değiştirmek, genel isyanla Türk Hükümetine savaş açmaktır. Bu mücadelelerin vasıtaları:* Türk haberalma elemanlarını, hafiyeleri, muhbirleri, hainleri ve ihanet edenleri cezalandırmak; *terörü, ihtilâl örgütlerinin savunması için bir vasıta ve halkı ezenlerin ve alçakların uğraşılarına karşı koruyucu olarak kullanmak"tır,* deniyordu.

Taşnak Ermeni terör örgütünün özelliği Ermeni yazar M. Varantyan, "Taşnaksutyun Tarihi" eserinde şu şekilde özetlemekteydi. *"Taşnaksutyun komitesinin parolası, Türk'ü her yerde ve her türlü koşullar altında vur, öldür, gericileri, sözünden dönenleri, Ermeni hafiyelerini yok et, öç al..."* Adı geçen terör örgütünün ilk bildirilerinden birinde: *"Bugün Avrupa, insan haklarını savunan Ermenileri görüyor. Böyle anlarda çıkarlar bir yana itilerek birleşilmelidir. Bu nedenle Ermeni ihtilâl cemiyetleri bütün Ermenileri bir bayrak altında birleşmeye çağırır. Türkiye'deki Ermenilerin siyasi ve ekonomik bağımsızlığını amaç olarak ele alan bu birleşme, Ermenilerin Osmanlı Hükümetine karşı savaş açmasına ve hürriyet için kanlarını son damlasına kadar akıtacaklarına söz vermişlerdir. Bu nedenle, gençleri, zenginleri, Ermeni kadınını, din adamlarını birleşmeye çağırıyoruz."*

Programını Rusların "Narotnovolets" ihtilâl teşkilâtından alan Ermeni terör örgütü, 1891 tarihli "Tiflis Manifestosunda: *Türk makamlarına karşı savaş açtıklarını"* ilan ediyor. 1892 yılında yapılan ilk genel kurul toplantısında, *"Savaşçı birliklerin hazırlanmasını, doktrine edilmesini, halkın silahlandırılmasını ve devrimci ihtilâl komitelerinin teşkilâtlandırılmalarını ve savaşlarını hükümet yetkililerine, casuslara, hainlere, kaçaklara, baskıda bulunanlara kısaca herkese terör uygulanmasını"* öngören bir stratejiyi kabul ediyordu.

Fedai Hareketi

Taşnakların 1892 Tiflis'de yaptıkları Genel Kurul toplantısında, yakın zamanlar tarihinin kaydettiği ilk *FEDAİ HAREKETİ* başlatılıyor ve teşkilâtlandırılıyordu. Birçok yazarın, XX. yüzyılda Arap dünyasındaki teröristlerin öncüsü saydığı bu terör örgütü, çeşitli terör faaliyetlerinde bulunmakla görevli timlerden oluşuyordu. Osmanlı İmparatorluğu sınırlarından içerlere sızarak, katliam ve öldürmeleri, baskınları bu timler üstleniyordu. Birçok isyanın elebaşıları da bu timlerde görevliydi veya bu timlerde yetişmişti.

Armenians who continued to show their loyalty to the Ottoman state. They too suffered as a result of these events; they too desired an immediate end to the state of unrest. The most urgent measure to be taken in this situation was the reform of the laws governing minorities. It was, therefore, decided that Catholic and Protestant Armenians should enjoy the rights of the Armenian community, or to put it another way, that they should henceforth be considered as belonging to it. In 1830 the "Regulation concerning the Armenian community" was put into effect. It dealt with the religious, social and cultural rights of the Armenians, extending even to autonomy in certain areas. The granting of minority rights and representative powers was an important factor in the renewal in 1861 of discussions on the Ottoman state system and in the eventual changeover to a constitutional regime. Though many of the legal reforms, such as the constitution proclaimed in 1876, were carried out for the benefit of Ottoman society as a whole, they were based on the view that the minorities formed an integral part of the society.

The Ottoman Empire was well aware that the conflicts among the Armenians, as well as the uprisings and acts of terrorism against the state, were in reality the outcome of the geopolitical goals and aspirations of Russia and the other European states with regard to the Empire. Sufficient information and documentation exist, conforming that Armenian secret agents actively encouraged and supported by the above-mentioned states and mostly trained outside the Empire, were responsible for the work of the terrorist organizations they had created.

The Armenian question began to acquire a political character bringing the Ottoman Empire into direct confrontation with Russia, as a result of the following factors:

a. The intensive propaganda campaign conducted among the Armenian minority living in the eastern and southern regions of Anatolia immediately after the Russian occupation of the lands to the east of Anatolia at the beginning of the nineteenth century;

b. the attitudes and actions of the Armenian Patriarchate, church leaders and a group of Armenian intellectuals in the vanguard of a movement which advocated joining Russia

c. new developments aimed at the secession or preparations for secession of the European lands still under Ottoman rule, and finally,

d. the hostile policies of the European states during the 1877 - 1878 war, the occupation of important strategic positions in eastern Anatolia by Russian forces, as well as the psychological pressures on the minorities.

This situation naturally affected the way the Ottoman Empire viewed the Armenian question. The finding of a solution in keeping with its political character now made consideration at the political level imperative.

Transition From Religious To Political Themes

In the new period following the Treaty of San Stefano, all the themes relating to the Armenian question were of a political nature. These "political themes" now formed the basis of the propaganda and psychological warfare which up to then had generally made use of religious themes to exploit the internal problems of the Armenian minority groups.

By the Treaty of Paris in 1856, the Ottoman empire was granted the status of a European power, its sovereignty completely protected by the European states, but it did not possess the strength necessary to solve the Armenian problem through direct confrontation with Russia. It had therefore up to that point attempted to find solutions, or rather to postpone

Birinci Dünya Savaşı'nda Ermenilerin Osmanlı İmparatorluğu'na karşı savaş ve mücadelelerini de Fedai'ye örgütünün eğittiği kimseler yapacak.

Nemses Grubu

Aynı terör örgütünün 1919 yılında Erivan'da toplanan "Dokuzuncu Taşnak Dünya Kongresinde" sürgündeki eski Osmanlı yetkililerinin izlenmesi ve öldürülmesi kararı alınıyor ve bunun için bir *"İntikam harekâtı"* düzenleniyordu. Harekâtın kod ismi *"NEMSES"*di. Harekâtın başkanlığına Sahan Natali isimli, Ermeni asıllı bir Amerikalı getiriliyordu. Bu harekâtın sonunda, 15.3.1921 tarihinde, Talât Paşa, Berlin'de şehit ediliyor; 5.12.1921 tarihinde Said Halim Paşa, Roma'da; Bahaddin Şakir ve Cemal Azmi beyler 17.4.1922 tarihinde Berlin'de ve Cemal Paşa 25.7.1922 tarihinde Tiflis'te şehit ediliyordu. Nemses harekâtında birçok Ermeni ajanı görev almıştı. Berlin'de, Türkler arasında bulunan Hrant Papazyan'da Taşnak üyesiydi.

Türk ve Türkiye Düşmanlığı - Ermenilik Şuuru

Bu dönemde kurulan Ermeni terör örgütlerinin üzerinde birleştikleri ortak hedef, Türk ve Türkiye düşmanlığı ile Osmanlı İmparatorluğu'nun kurucusu ve devam ettirici temel unsuru olan Türk müslüman gücünün zayıflatılması, yıpratılması, eritilmesi ve yok edilmesiydi.

Türk ve Türk düşmanlığı yüzyıllarca devam eden örgütlü propagandaların ve şiddeti siyasi gelişmelere paralel olarak artan Rusya ve Avrupa devletlerini, jeopolitik amaçlı, psikolojik harekât uygulamalarının sonucuydu. Bu düşmanlıkta ve düşmanlığın yeni nesillere aktarılmasında kilise baş rolü oynuyor, her türlü ve her düzeyde yapılan eğitimle yeni nesillere verilmek istenen, *"Ermenilik şuurunu"*, Türk düşmanlığı üzerine dayandırılıyordu. XVII. yüzyıldan başlayarak Ermeni okullarında ve çeşitli mezheplere bağlı kiliselerde, Eçmiyazin, Antilyas, İstanbul ve diğer Ermeni dini merkezleri içerisinde yapılan sürekli eğitim de iki ortak nokta hiç değişmiyordu. *"Türk düşmanlığı – Müslüman düşmanlığı"*. Bunun yanında, çeşitli adlar altında kurulan yardım dernekleri, çevre koruma örgütleri gibi örgütlü propaganda faaliyetleri de aynı temaları işliyorlardı.

Osmanlı İmparatorluğu'nun Avrupa topraklarında yaşayan azınlıklar da kendilerine özgü şuurları, belirtilen yöntemlerle ve iki tema üzerine dayandırmak suretiyle kurup, geliştirmeye çalışmışlardı. Ancak, bunlar büyük çoğunluğu ile Slavizmin ve Avrupa'da yayılan yeni fikirlerin etkisi altındaydılar ve Ortodoksluk birliğine sahiptiler. Ermeniler ise ayrılan dört mezhep içerisinde Balkanlardaki birliği gösteremiyorlardı. Ayrıca, yukarıda açıklanan Osmanlı İmparatorluğu'nun Ermenilere karşı tutum ve davranışları da yaratılmak istenen şuurun istenilen ölçülerde gerçekleşmesine engel oluyordu. Bu sebeple, Türk ve Müslüman düşmanlığının fikir yığınağı şeklinden çıkarılarak, Ermenilik için silah ve kana dönüşmesi Balkanlardaki ve Osmanlı devletinin diğer bölgelerindeki azınlıklardan daha sert daha acımasız ve daha sürekli şekilde devam etmesine sebep oluyordu. Diğer bir önemli husus da, Ermeni azınlık topluluklarının Anadolu'nun hiçbir yerinde, hiçbir yerleşim biriminde çoğunlukta olmamasıydı. Ve çoğunlukta olmayan bu azınlığın büyük kısmının köylülerin, esnafların kısaca taşrada yaşayanların açıklanan çabalarla hiçbir ilgilerinin de bulunmaması durumu çok başka yönlere çekiyordu. Günümüze kadar "Ermenilik Şuuru" konusunda açıklanan bu özellik ve nitelikler devam edecekti.

Devletler ve Terör Örgütleri

Osmanlı gücünün ve özellikle Osmanlı İmparatorluğu'nun tek temel gücü olan, Türk müslüman gücünün, zayıflatılması, yıpratılması, eritilmesi ve yok edilmesi ise, çeşitli devletlerin Osmanlı İm-

them, by active encouragement and support from behind the scenes, as well as by the involvement of the European powers. Thus, the question of the Armenian minorities became in one respect the subject of international disagreements and conflicting geopolitical expectations among states with regard to Ottoman territory and those areas under Ottoman suzerainty; in another respect, it became direcly tied up with the question of the Empire's very existence.

Along with the political events arising from this situation and policies aimed at even further weakening of the Ottoman Empire, the end of the nineteenth century saw the founding of the first Armenian terrorist organizations.

The Armenakan Party was founded in Van in 1885, the Hunchak Party in Switzerland in 1887, and the Dashnaktsutiun (Armenian Revolutionary Federation) in Tiflis in 1890. The first-mentioned party had at the very most five founding members, and the last two had three. An examination of the official documents and declarations related to the founding of these three parties and of their initial activities reveals their common characteristics; to put it more precisely, it is possible to see their points of agreement in the "Political Programme Section IV" of the Hunchak terrorist organization, and to trace them in the main programmes of action of the Dashnak organization.

The fourth section of the political programme of the Hunchak terrorist organization contains the following passage:

> **The way for Armenians to achieve the immediate goal – revolution – is by subversion, in other words, by destroying and changing by force the general structure of the Armenian regions in Turkey, by causing a widespread insurrection and by declaring war on the Turkish government. The struggle will be continued through the punishment of Turkish intelligence agents, secret agents, informants and traitors and through the use of terrorism in defence of the revolutionary organizations and as a means of protecting the people against oppressors and traitors.**

In his work, *The History of the Dashnaktsutiun*, the Armenian writer M. Varandian summarized the main characteristics of the Dashnak Armenian terrorist organization as follows:

> **The watchword of the Dashnaktsutiun committee is to shoot and kill the Turk, no matter where, no matter what the circumstance; to take revenge on and annihilate reactionaries, renegades and Armenian informants.**

In one of the first declarations of the Dashnak terrorist organization, it is stated that

> **Europe today sees the Armenians as defending human rights. At times like this, selfish interests should be set aside; there should be unity. For this reason, the Armenian revolutionary associations call upon all Armenians to unite under one flag and take up the cause of political and economic independence for the Armenians in Turkey. They have promised that the Armenians would wage war against the Ottoman government and shed their last drop of blood for freedom. Therefore, we call upon the young, the rich, the Armenian women and the clergy to unite.**

The Dashnak terrorist organization, taking its programme from the Russian revolutionary group, Narodnaya Volya, announced in its Tiflis manifesto that "it had declared war on the Turkish authorities." At the first general council meeting held in 1892, it agreed on a strategy proposing "the training and indoctrination of combatant units, the arming of the people, the

paratorluğu topraklarında ve egemenlik hakları ve kaynakları üzerinde jeopolitik beklentilerinin gerçekleşme imkân ve şartlarına uygun olarak ortaya çıkıyor, bazen şiddetli ve bütün uluslararası araçlar kullanılmak suretiyle etkin; bazen hafif ve yalnız bir araç olarak kullanılır şekilde devam ediyordu. Bu devletler için Osmanlı İmparatorluğu içersinde bulanan her azınlık topluluğu bir imkân, fırsat ve araç durumundaydı. Önemli olan, azınlık gruplarına bazı imkân ve geleceğe yönelik ümitler vermek suretiyle onları çatısı altında yaşadıkları devlete karşı kazanmak, isyanlar, ihtilâller çıkarmak ve terör faaliyetlerinde bulunmalarını sağlamaktı. Bu faaliyetlerle Osmanlı devleti, içerisindeki olaylarla meşgul edilecek, gücünü zaman içerisinde yitirecek, devletler de jeopolitik beklentilerine kavuşacaklardı. Berlin Andlaşması'nda sağlanan 61. madde imkân ve fırsatı bu yönde kullanılmalıydı. Reform tasarıları bu amaca hizmet etmeliydi. Müdahale fırsatları açıklanan araçlar kullanılarak sağlanmalıydı. Osmanlı gücü zayıflayıp, çeşitli sorunlara angaje olduğu nispette olumlu şartlar doğabilirdi. Ermeni terör örgütleri silah olarak bu amaçlara hizmet edecek şekilde kullanılmıştır. Ancak, yukarıda Ermeni şuurunun doğmasındaki mezhep farklılıkları engeli burada başka bir şekilde uluslararası ilişkiler ve her devletin jeopolitik beklentilerinin farklı hatta birbirine çatışır şekilde olması sonucu ortaya çıkıyordu. Rusya'nın jeopolitik beklentisi, komşu olduğu Doğu Anadolu bölgesiyle buna mücavir güney alanlarını ele geçirmeye bu suretle bir yandan güneyden sıcak denizlere inme emelini gerçekleştirirker, diğer yandan da Avrupa devletlerinin özellikle İngiltere'nin Hindistan ve Orta - Uzak Asya yollarını denetim altına alma ve ele geçirme imkânlarına dayanıyordu. Avrupa devletlerinin özellikle İngiltere ve Fransa'nın jeopolitik beklentileri ise, Rus çarlığının jeopolitik amaçlarıyla çatışıyor, Rusların güneye inmesini çıkarları açısından büyük bir tehlike olarak gören bu ülkeler üstünlüklerinin merkezden çevreye doğru en yakın coğrafi alanlara dolaylı veya doğrudan üstünlükler ve egemenlikler kurma şeklinde gerçekleşmesini istiyorlardı. "Yeni sömürgecilik" anlayışının bu devletlerdeki jeopolitik hedefleri, Osmanlı İmparatorluğu'nun, Akdenizi sürekli denetim altında tutabilecek stratejik coğrafi alanlarıyla birlikte, gelişen sanayinin seri olarak ve çok miktarda ürettiği mallara Anadolu'nun pazar olması ve bu malların üretimine ham madde sağlanmasıydı. Bu yaklaşım, İngiltere ve Fransa, bir süre sonra Almanya ve İtalya için, Kuzey Afrika kıyılarını, Doğu Akdeniz'de Kıbrıs'ı - Suriye ve Basra körfezini, Osmanlı Devletinin Anadolu toprakları üzerinde de İzmir - İskenderun hattının güneyi ile İskenderun - Erzurum hattının güney ve doğusunu jeopolitik hedefler haline getiriyordu.

Rusya ve Avrupa devletlerinin açıklanan beklenti ve hedeflerinin Ermeni terör örgütleri üzerinde büyük etkileri vardı. Önce, bu örgütler açıklanan beklentilere uygun olarak özendirilip, yönlendirildiği ve desteklendikleri için hangi taraf ağırlıklı görülüyorsa o yönde temalar üretiyorlar veya üretilmiş temaların uygulayıcısı görülüyorlardı. Osmanlı İmparatorluğu içinde yaşayan azınlık Ermeni topluluklarının genellikle yaşadıkları coğrafi alanların tamamının Rusya'ya bağlanmasından *(İlhak teması);* bu coğrafi alanlarda ıslahat ve reformlar yapılarak anılan topluluklara daha fazla ayrıcalıklar tanınmasından (Reform - Islahat temaları); Osmanlı devletine ve Rusya'ya bir veya birden fazla Avrupa devletine bağımlı bir muhtariyete (muhtariyet teması) çıkarılıyordu.

XIX. yüzyılın sonlarında Ermeni konusu, Ermeni sorunlarının siyasi niteliğini güçlendiriyor ve aşağıdaki anlamlara geliyordu.

a. Anadolu'nun doğu ve güneyinde Ermeni azınlıklarının yaşadıkları alanlarda siyasi, iktisadi, sosyal ve kültürel reformlar yapılarak bu azınlığa yeni ve Türklerden de bazı bakımlardan üstün ayrıcalıklar verilmesi...

b. Açıklanan bölgelerin Rusya'ya ilhakı — Bu yolla İran - Rus - Türkiye'de bulunan Ermenilerin de katılacağı, ihtilalle gerçekleşecek, Sosyalist bir Ermenistan devletinin kurulması...

formation of revolutionary committees and the use of terrorism against government officials, spies, traitors, deserters, pressure groups, in short, against every one."

The "Fedayeen" Movement

At the general council meeting of the Dashnaks held in Tiflis in 1982, the first "Fedayeen Movement" recorded in recent history was formed. Considered by many writers as the forerunners of the terrorists in the Arab world in the twentieth century, this terrorist organization was made up of teams engaging in various terrorist activities. They infiltrated the Ottoman Empire from its borders, carrying out raids, murders and massacres. The ringleaders of many rebellions were members of these teams or trained in them. It was also terrorists trained in the "Fedayeen" organization who carried on the struggle against the Ottoman Empire during the First World War.

The "NEMSES" Group

At the Ninth Dashnak World Congress held at Erevan in 1919, the same terrorist organization was given the task of tracking down and killing those Ottomans, now in exile, who had formerly held positions of power. To this end, a "reprisal campaign" was organized under the code name of "Nemses" and directed by an Armenian-born American called Sahan Natali. As a result of this campaign, Talat Pasha was murdered in Berlin on March 15th, 1921, as was Said Halim Pasha in Rome on December 5th, 1921; Bahaddin Şakir and Cemal Azmi met their fate in Berlin on April 17th, 1922, along with Cemal Pasha in Tiflis on July 25th, 1922. Many Armenian secret agents took part in the "Nemses" campaign. Hrant Papazian, who was living abroad with the Turks in Berlin, was also a member of the Dashnak organization.

Hostility Against Turkey and The Turks - Awakening of an Armenian Consciousness

The Armenian terrorist organizations founded during this period were united in their hostility against Turkey and had the common goal of weakening, undermining, eroding and completely destroying the power of the Muslim Turk, the cornerstone and sustaining force of the Ottoman Empire.

The hostility against Turkey and the Turks was the outcome of centuries of organized propaganda. It can also be attributed to the geopolitically oriented psychological warfare waged by Russia and the European states, which led to an increase in violence reflecting political developments at the time. The church played a leading role in fostering this hostility in the minds of succeeding generations, using it as a basis for instilling in them through every level of education a "consciousness of being Armenian."

"Hostility against Turks — hostility against Moslems": these were the two themes which ran unchanged from the seventeenth century through all the teaching given in the Armenian schools, in the churches linked with the various sects and in Etchmiadzin, Antilias, Istanbul and other religious centres. The same themes were also exploited by organs of propaganda such as environmental protection agencies and voluntary organizations operating under various names.

The minorities inhabiting the European territories of the Ottoman Empire also tried to create and develop their own national identity. However, the great majority of them, united under the Orthodox Church, had already come under the influence of Slavism and the new ideas spreading in Europe.

Kamuoyu İçin Terör

XIX. yüzyılın son yıllarında Ermeni terör örgütlerinin faaliyetlerinin özellikle Avrupa kamuoylarını etkilemeye yöneldiği, bunun için yeni yol ve yöntemlerin seçilip uygulandığı görülür. Bu yeni modeller, ortalama yüzyıla yakın bir zaman sonra 1973 - 1985 terör döneminde de benzeri şekilde cinayetler ve katliamlarla bu kez dünya kamuoyunu etkilemek için kullanılacaktır.

Ermeni teröründe bulunan yeni yöntem, Avrupa ile ilgili ve önemli hedeflerin seçilerek bunların terör timlerince bombalanması, basılması, rehineler alınması gibi şekillerde uygulanıyordu. 1896 tarihinde Osmanlı Bankası baskını ve o tarihte Ermeni terör örgütlerinde yayınlanan bildiriler hazırlanan planlar, katliam, cinayet ve bombalama eylemleri tümüyle Osmanlı devletinin güçsüzlüğünü, azınlıkları ve Avrupa sermayesini koruyamadığını ilan etmek içindi. Bu örgütlerin tasarladıkları eylem planları içerisinde, Babıali'nin saldırı hedefi seçilmesinin yanında, Ermeni patrikhanesinin Credit Lyonais Bankası'nın, Aya Tirya'da Rum kilisesinin bulunmasının gerçek açıklaması ve sebebi bunlardı.

Bu çağın son yıllarda başka bir terör gelişmesi de Ermenilerin silahlandırılmasıydı. Bir başka ve gelecek yüzyılda önemli roller oynayacak gelişme ise Ermeni terör örgütlerinin çete hareketlerine başlaması ve hükümet kuvvetleriyle çatışmalara girişmeleriydi.

Açıklanan son gelişmeler yirminci yüzyıla girilirken Ermeni konusunun Osmanlı İmparatorluğu içerisinde önemli bir asayiş sorununun da ötesinde toprak bütünlüğüne yönelmiş tehdit özelliği taşıyordu. Bu durumun devlet açısından önemi vardı. Uluslararası ilişkiler bakımından önemi vardı. Nihayet Avrupa Devletleri ve Rusya'nın beklentileri, amaçları bakımından önemi vardı.

Ermeni konularıya Amerika'nın ilgilenmesi de yüzyılın sonlarına rastlıyordu. Amerikan konsoloslarının, eğitim kurumlarının ve özellikle Protestan misyonerlerinin Ermenilerle ilişkileri başta Amerika resmi makamlarına, basın yoluyla kamuoylarına çok değişik biçimde aktarılıyor, Ermenilerle eski Amerika köle sistemi özdeşleştirilmek yolu seçiliyordu. Amerika kamuoyunun acındırılması artırılırken, para ve silah yardımlarının sağlanmasına çalışılıyordu.

XX. Yüzyılda Ermeni Terörü

4. Yaşadığımız yirminci yüzyılda Ermeni konusu çeşitli aşamalardan geçerek günümüze kadar değişik anlamlar kazandı. Yüzyılın ilk yirmi beş yılı içerisinde devletlerarası ilişkilerde değişen şartlar ve savaşa dönüşen mücadeleler, Ermeni terörünü tarihin kaydettiği en acımasız terör hareket ve olaylarından savaşa kadar sürükledi. Savaştan sonra, terörün Türk toplumuna, Türk askerine ve Türk ordularına karşı giriştiği katliamların, cinayetlerin, baskınların, düşman devletleriyle işbirliği yaparak Türk vatanını ve varlığını korumaya çalışan Türk askerini öldürmelerin, ikmal yollarını kesmelerin nihayet düşmanla birlikte bir istila ordusu gibi Anadolu topraklarına girip işgal etmelerin bedeli ve beklentileri barış konferanslarında ve anlaşmalarında arandı. Bunlardan da bir sonuç alınamazdı.

Lozan Konferansı ve Lozan Barış Andlaşmasından sonra başlayan ikinci yirmi beş yıl içerisinde, bir yandan dağılan Ermeni terör örgütlerinin toparlanmasına çalışılırken, diğer yandan "Ermeni konusunun" Avrupa'da ve özellikle A.B.D'lerinde canlı tutulmasına çalışıldı. Türkiye aleyhine olan veya gelecekte Türkiye Cumhuriyetini güç duruma düşürecek bulunan her hareket nereden ve kimden gelirse gelsin desteklendi. Nihayet, dünyanın ikinci bir savaşa girmesi fırsat sayıldı. Önce, savaşan devletlerin Türkiye ve Türk toprakları üzerinde jeopolitik beklentileri tahrik edilmeye çalışıldı. Sonra, kazanan taraftan olup, savaş sonrası dünyasının yeniden düzenlenmesini üstlenen galiplerin yanında yer alındı. Ve bunlardan, eski isteklerini beklentilerin yerine getirilmesi talep edildi. Sovyetler Birliği'nin Türkiye Cumhuriyeti'nden hiçbir esasa da-

The Armenians, on the other hand, could not display any such unity in the Balkans, divided as they were into four sects. Moreover, the attitudes and policies discussed above, which the Ottoman Empire adopted regarding the Armenians, hindered the growth of a national consciousness to the extent they desired. The outcome was that the accumulation of hatred for the Turk and Muslim erupted into violence and bloodshed for the Armenian cause, which continued on a scale much more bitter, more cruel and more intense than that among the peoples in the Balkans and other regions of the Ottoman Empire. Another important point is that in no area of Anatolia, in no community, did the Armenian minority groups form a majority.

Moreover, the fact that a large section of this minority was made up of villagers, artisans, in short, provincial people with no interest in the above-mentioned struggles, affected the situation in many other ways. The question of an "Armenian consciousness" would continue to have particular features right up to the present.

States and Terrorist Organizations

The weakening, undermining, erosion and destruction of Ottoman and especially Turkish Moslem power continued as conditions and opportunities permitted the various states to fulfill their geopolitical aspirations with regard to Ottoman territories, sovereignty rights and resources. It was carried out sometimes violently and intensely, using every international means, sometimes very gradually, using only limited means. Every minority group within the Ottoman Empire afforded an opportunity and means for these states to achieve their goals. The important thing was to win these groups over against the Ottoman state by offering them certain opportunities and hopes for the future; to ensure that they engaged in terrorist activities and to instigate rebellions and revolutions. As a result, the Ottoman state would be preoccupied with internal crises; its power would gradually be eroded; and the geopolitical aspirations of various states would be realized. The provisions of Article 61 of the Treaty of Berlin were to be exploited to this end. The reform bills were to serve this purpose. The political expedients mentioned above were to be used to provide opportunities for intervention. Insofar as Ottoman power was weakened and the state was occupied with internal problems, the appropriate conditions could have come about. The Armenian terrorist organizations were used as a weapon serving these ends. However, just as sectarian divisions were seen above as an obstacle to the creation of an Armenian consciousness, now, in another form, the divisions, indeed the conflicts, in international relations and in the geopolitical aspirations of each state were the inevitable outcome. The geopolitical aspirations of Russia rested, on the one hand, on the realization of its ambition to occupy the land to the south of the region in Eastern Anatolia touching its borders, and thus to reach the Mediterranean Sea from the south; on the other hand, they depended on the possibility of the European states, England in particular, gaining control and possession of the routes to India, as well as to the Middle and Far East. However, the geopolitical aspirations of the European states, especially England and France, conflicted with those of Russia. They saw Russia's penetration to the south as a great danger in terms of their own interests. They sought to establish their supremacy and sovereignty from the centre outwards, directly or indirectly, over the nearest geographical areas. The geopolitical aims of this "new colonization" centred not only upon those strategic geographical areas of the Ottoman Empire from which constant surveillance of the Mediterranean could

yanmayan, emperyalist taleplerine ümit bağlandı. Bu isteklerde sönünce, dünya kamuoyunu etkilemek ve Ermeni konusunun canlılığını kanıtlamak için bu kez uluslararası kuruluşlara başvuruldu. Yeni temalar üretilmeye başlandı. Yüzyılın ikinci yirmi beş yıllık tarihi de bu hiç değişmeyen Türk düşmanlığı, Türkiye üzerindeki taleplerle sona erdi.

Birinci Dönem 1900 - 1923

Çağımız üçüncü yirmi beş yılında yeniden Ermeni terörü ile karşılaştı. Uzun hazırlıklar, özendirmeler, destekler sonunda yukarıda açıklanan 1973 - 1985 Ermeni terörü yeniden başlatıldı. Bu kez de, hedef aldığı masum insanlar ve uygulanan yöntemler bakımından yakın tarihe sayısız acımasızlık ve insanlık dışı örnekler verildi. Bu üç aşamalı dönemlerde özellikler nelerdir? Ermeni konusu ne anlama geliyordu? Hangi sorunlarla ilgiliydi?.. Kullanılan propaganda ve psikolojik harekât temaları nelerdi?

a. Yaşadığımız çağda, Ermeni konusunun birinci aşaması olarak görülen ilk yirmi beş yıl içindeki oluşumlar özelliklerine uygun olarak üç evrede ele alınıp, incelenebilir.

Bunlar; yüzyılımızın başından —Balkan savaşlarının sonuna kadar birinci evreyi, Birinci Dünya Savaşı'nın başlamasından— Mondros Mütarekesi'nin imzalanmasına kadar ikinci evreyi ve nihayet Mondros mütarekesinden sonra başlayan Türk Milli Mücadele ve İstiklâl Savaşı'ndan — Lozan Andlaşması'nın imzalanmasına kadar üçüncü evreyi teşkil eder.

Birinci Evre 1903 - 1913

Ermeni konusunda birinci evre üç nokta etrafında gelişir. 1900 - 1913 yılları arasında Ermeni terör örgütleri esas hedeflerinden sapmadan terörü devam ettirirler. Terör olayları yoğunluk kazanırken, Ermeni azınlıklarının ev ev, fert fert silahlanmasına ve silahlı bir isyan ve ihtilâl için hazırlanmalarına önem verilir. Silahlar çoğunlukla Rusya'dan ve diğer devletlerden sağlanır. Çeşitli yollarla Osmanlı ülkesi içerisine sokulur, depolanır, dağıtılır. Bu faaliyetler ve çabalar birinci noktayı teşkil eder. İkinci nokta, Ermeni terör örgütlerinin hedefini teşkil eden Osmanlı İmparatorluğu'nun merkezi yönetimi ve başta bulunan II. Abdülhamid'dir. "Kızıl sultan" adını verdikleri bu padişahın, Ermeni beklentilerini gerçekleştirmede en önemli engeli teşkil ettiğini ve bu padişah var oldukça Ermeni terörünün istenilen amaçları sağlayamayacağını anlayan terör yöneticileri için tek düşman Padişahtır. Bu yaklaşımla, Osmanlı Devlet düzenine ve özellikle II. Abdülhamid'in baskı ve yöntemlerine karşı olan Türklerle, Türk ihtilâlcileriyle ve siyasi kuruluşlarla ittifak içinde olurlar. Yıldız suikasti girişimi 1905'de Ermeni terör örgütlerince gerçekleştirilir. Başarı sağlanamazsa da terör örgütlerinin özellikle taşra il ve ilçelerinde güç ve baskıları artar. Üçüncü nokta ise, İkinci Meşrutiyetin ilanıyla başlar. II. Abdülhamid'in hal'li, yeniden Kanuni Esasi'nin yürürlüğe konması ve Meclisi Mebusan'da Ermeni millet vekillerinin bulunması bu evrenin en önemli olaylarıdır. Bu evrede terör olayları şiddetini kaybetmiştir. Ancak, 13 Mart olayına paralel olarak Anadolu'da meydana getirilen terörün etkileri devam etmekte, içten içe silahlanma sürdürülmektedir. Ermeni terör örgütlerin yöneticileri yeni düzenin kuruluşunda payları olan kişiler olarak sükûneti seçerler. Ermeni milletvekilleri bu örgütlerin baskısı altındadır. Ermenilerle ilgili yeni ıslahat düzenlemelerine girişilir. Altı ilde yapılacak reformların Avrupa devletlerinin veya Rusya'nın gözetiminde olması konularında tartışmalar, çatışmalar devam eder. Osmanlı hükümeti ise bir yandan yeni düzenin kuruluşuna ve oturmasına gayret ederken ve orduyu tam anlamıyla siyaset içerisinde kullanarak başarı kazanmak isterken, bir yandan da reform sorunlarını Avrupa devletleriyle ve Rusya'yla çözmeye çalışır. Balkan Savaşı, Osmanlı İmparatorluğu'nun gücünü ortaya koyar. Tam bir hezimetle sona eren savaş, Rusya ve Avrupa devletleri için jeopolitik beklentilerinin ar-

be maintained, but also on Anatolia as a market for goods mass-produced by their developing industry and as a source of raw material for the production of these goods. Thus, the North African coast, in the eastern Mediterranean Cyprus and Syria, the Basra Gulf, and Anatolia the areas to the south of the Izmir-Iskenderun line and to the south and east of the Iskenderun-Erzurum line-all came within the compass of the geopolitical goals of England, France and later Germany and Italy.

The expectations and goals of Russia and the European states had a great effect upon the Armenian terrorist organizations. Since they had received active encouragement, direction and support in accordance with these expectations, they created, or were seen as the implementers of propaganda themes on behalf of the side which at the time seemed to carry the greatest weight. One such theme was the "annexation theme", according to which all those geographical areas generally inhabited by the Armenian minority groups within the Ottoman Empire would be incorporated into Russia. Another was the "reform theme", which talked of making improvements and reforms in these areas and granting greater privileges to these groups. From these two themes the "autonomy theme" developed, autonomy within the Ottoman state or Russia, or one or more than one European state.

Towards the end of the nineteenth century, the Armenian question', which was lending Armenian affairs a stronger political character, came to be synonynous with:

a) The implementation of political, economic, social and cultural reforms in those southern and eastern areas of Anatolia inhabited by the Armenian minorities and the granting to them of new privileges, in some respects greater than those enjoyed by the Turks.

b) The annexation of these areas by Russia and the establishment by revolution of a socialist state of Armenia, comprising the Armenians of Iran, Russia and Turkey.

Terrorism and Public Opinion

Towards the end of the nineteenth century, the Armenian terrorist organizations adopted new methods, with the aim of influencing public opinion, especially in Europe. These new modes were to be used almost a century later during the 1973 - 1985 phase of terrorism, when murders and massacres were carried out in similar fashion, this time to influence world public opinion.

Important targets with European links were selected for bombings and attacks by terrorist groups and for the taking of hostages. The attack carried out on the Ottoman Bank in 1896, the plans for massacres, murders and bombings, as well as the declarations made by the Armenian terrorist organizations in the same year, were all aimed at giving publicity, especially to the overall weakness of the Ottoman state, and its inability to protect either the minorities or European capital-hence, the announcement of plans by these organizations to attack Babıali, the Armenian Patriarchate, the Credit Lyonais Bank and the Greek church of Agia Triada. Further developments during the closing years of the nineteenth century were the arming of the Armenian people, the beginning of guerrilla activities, which were to become of great importance in this century, and clashes with the government forces.

At the beginning of the twentieth century, the 'Armenian question', apart from creating a problem of public security, constituted an intrinsic threat to the territorial integration of the Empire. This was a matter of great importance from the point of view of the state, international relations and finally the expectations and goals of the European states and Russia.

tık gerçekleştirilmesi zamanının geldiğini gösterir. Taksim anlaşmalarının ilk girişimleri yapılır.

İşte bu şartlar içerisinde, 1912 yılında Tiflis'te yapılan Ermeni terör örgütleri toplantısından sonra Eçmiyazin devreye girer. Eçmiyazin'de yapılan toplantı sonunda ise tarihte ilk defa Eçmiyazin'i ve Ermeni isteklerini temsil etmek üzere Katagigos tarafından seçilen Bogos Nubar Paşa ile Patrik Ormanyan 1913 yılında, Balkan Savaşlarının sonunu tayin ve tespit edecek Londra Konferansına katılmak için Avrupa'ya gönderilirler. Bu davranış Ermenilerin, hiçbir şekilde ilgileri olmayan bir konferansa katılma isteklerinin ilk örneğidir. Londra konferansına kabul edilmezler. Ancak, Avrupa'da yoğun şekilde propagandalara imkân hazırlarlar. Ve Avrupa kamuoyunu etkilemeye çalışırlar. Bu arada, Rusya-İngiltere-Fransa - hatta Türk yetkilileriyle Ermeni konusunu tartışırlar. Rusya'ya bağlanmaktan —Muhtariyete, Muhtariyetten— Osmanlı Devleti çatısı altında reform ve ıslahat çalışmalarına kadar çeşitli talepler bir kere daha dile getirilir. Ermenilerin arzusu, İmparatorluğun taksiminden bir pay almaktır. Bu payın şekli, niteliği önemli değildir. Tam veya yarı muhtariyette büyük önem taşımaz. Islahatta ise Avrupa veya Rusya devletlerinin gözetimlerinden birinin veya hepsinin olması yeterli görülür.

Temalar

1900 - 1913 yılları arasında, Ermeni konusu üzerinde yapılan propagandaların ve Avrupa kamuoyunu etkilemeyi amaçlayan psikolojik harekât uygulamaların kullandıkları "temalar" siyasi niteliklerini korumakta, Osmanlı İmparatorluğu'nun devlet düzenini ve merkezi yönetimini ilgilendirenler ağırlık kazanmaktadır.

1880 yıllarında yoğun şekilde başlatılan *"Reform"* - *"Islahat"* temalarına bu dönemde de yer verilmektedir. Ancak, propagandalarda bu temalar, sürekli olarak Avrupa devletlerinin açıklanan konularda daha etkin olması hedeflerine yönelmekte ve bu devletlerin birbirleriyle olan rekabetleri tahrik edilmek istenmektedir. Osmanlı imparatorluğu'nun, devlet düzenine, merkezi yönetimine bizzat Padişahın şahsına karşı kullanılan temalar ise, *"Hürriyet"* - *"Adalet"* - *"Uhuvvet"* (kardeşlik) temaları ile birlikte *"Kızıl Sultan"* temasıdır. *"Kızıl Sultan"* teması, Ermeni terör örgütlerinin propagandalarıyla ortaya atılmış ve Avrupa kamuoylarını olduğu kadar bütün Osmanlı ülkesini de etkilemeye başlamıştır. Bugün dahi II. Abdülhamid hakkında bu temanın kullanıldığı görülmektedir.

Açıklanan temalar, Osmanlı devlet düzenine, merkezi yönetime, II. Abdülhamid'e karşı olan muhalefetin, ihtilâlcilerin, siyasi partilerin propaganda malzemelerini de teşkil etmişlerdir. Ermeni konuları, açıklanan örtüler altında, zaman zaman bu muhalefetler ve siyasi kuruluşlarla birlikte, zaman zaman ayrı ayrı olarak işlenmektedir.

Bu dönemin bir başka özelliği de Osmanlı Devletinin, yurt dışında en çok konuşulan ve hakkında en çok yazı yazılan bir devlet olmasıdır. Ancak, bütün bu yazılar ve yayınlar da belirtilen temaları esas almakta, hatta Avrupa'da toprakları bulunan İmparatorluğun, Hürriyet-Adalet-Uhuvvet gibi soyut kavramları, devlet düzenine almadıkça Avrupa ile ilişkilerinin kesilmesi gerektiği, Osmanlı devletinin Avrupa'dan çıkarılmasının zorunlu olduğu vurgulanmaktadır.

Devletlerin açıklanan dönemde Osmanlı İmparatorluğu topraklan ve kaynakları üzerindeki beklentilerini güçlendirecek, buna karşılık rekabetleri artıracak yeni bir unsur katılmıştır. Petrolün, Kerkük - Basra bölgelerinde bulunması, İran'da kısmen üretime geçilmesi ve petrolün aydınlatmanın dışında bir güç kaynağı olarak uygulanmaya konulması İngiltere başta olmak üzere Osmanlı ülkesi üzerindeki jeopolitik beklentilerini hem genişletmiş hem de bunların gerçekleştirilmesini acil bir duruma koymuştur.

Osmanlı İmparatorluğu'nun ise, özellikle Balkan Savaşından sonra, çözülmesi ve giderek güçsüzlüğe uğraması Avrupa devletle-

American interest in the 'Armenian question' also dates from the end of the nineteenth century. Information about the relations which had been established with the Armenians through American consulates, educational institutions and, in particular, Protestant missionaries was being communicated primarily to the American official authorities and the public through the press. The Armenians came to be identified in their minds with the old slave system. As American public sympathy was aroused, efforts were continued to obtain financial and military aid.

Armenians Terrorism in The Twentieth Century

In the twentieth century, the 'Armenian question' has passed through various phases and taken on different meanings. The changing conditions in international relations throughout the first quarter of the century led to the most cruel phase of Armenian terrorist activity in history, culminating in war. Attacks, murders and massacres were carried out against Turkish society and Turkish armies; Turkish soldiers, defending the homeland and fighting for its very existence, were murdered in cold blood by terrorists working hand in hand with the enemy powers; supply routes were cut; and, finally, vast areas of Anatolia were taken over as if by an occupation force. At peace conferences and treaty discussions, the activists unsuccessfully sought in return the fulfillment of their expectations.

During the second quarter of the century following the Lausanne Conference and Peace Treaty, the activists sought to build up the strength of the Armenian terrorist organizations, which had been rendered ineffectual and, at the same time, to keep the 'Armenian question' alive in Europe and especially in the U.S.A. They supported, regardless of their point of origin, any anti-Turkish activities which would place the Republic in a compromising situation in the future. Finally, the outbreak of the Second World War presented the opportunity to intensify pressure on the warring sides to realize their geopolitical aspirations with regard to Turkey and Turkish territory. Later, siding with the victorious powers engaged in the reorganization of the post-war world, the activists put pressure on them to grant their old demands. They pinned their hopes on the unfounded imperialistic claims of the Soviet Union with regard to the Turkish Republic. When these came to naught, the activists this time approached various international institutions in the hope of influencing world opinion and proving that the 'Armenian question' was still very much alive. New propaganda themes began to be created. Thus, the end of the second quarter of the twentieth century was marked by increasing demands upon Turkey and the unchanging hostility towards Turks.

In the third quarter of the twentieth century, Armenian terrorism manifested itself again following a long period of active encouragement, support and preparation. Between 1973 and 1985, countless examples were recorded of cruelty and inhumanity both in terms of the methods used and the innocent people selected as targets. What were the main features of each of the three periods mentioned? What significance did the 'Armenian question' have? What problems was it concerned with? What themes were used in the campaign of propaganda and psychological pressure?

The First Period 1900 - 1923

The first quarter of the century, which marks the first stage of the 'Armenian question', may be treated in three phases corresponding to developments at the time. The first

rinin ve Rusya'nın beklentilerini süratle gerçekleştirecek fırsatların doğduğu konusunda düşünmeye yöneltmiştir. Sonuç olarak da bu İmparatorluğun taksimi görüşmelerinin geldiğine karar verilmiştir.

İkinci Evre 1914 - 1918

Birinci Dünya Savaşı'nda Ermeni konusu önemli gelişmeler gösterir. Osmanlı devletinin savaş hazırlıklarına girişip, seferberlik ilân ettiği günlerden başlayarak, savaşın bütün hudutlarına ve egemenlik alanlarına yayıldığı dört yıl süresince ve Mondros Mütarekesi'nin imzalanmasına kadar Ermeni konusundaki çeşitli gelişmeler günümüze kadar etkilerini devam ettirecek özellikler taşır. Bu uzun ve sıcak savaş yıllarında meydana gelen olayların çeşitli amaçlarla sürekli olarak istismarı sonucunda Ermeni konusu yeniden Ermeni terörü haline getirilir ve yüzlerce masum insan 1973 - 1985 yılları arasında yeni Ermeni terörünün oluşturduğu vahşetin kurbanı olur.

Terörden Savaşa

Bu savaş evresinde Ermeni konusu, Ermeni terörü boyutunu da aşarak savaşa dönüşür. Yıllarca başta kiliselerin ve Katagigosluktarın olmak üzere Osmanlı toprakları ve egemenlik alanlarında jeopolitik emel ve beklentileri olan devletlerin, misyonerlerin, misyoner örgütlerinin, açık veya kapalı şekilde özendirdikleri, desteklediklerı Ermeni terör örgütlerini Ermeni azınlık toplulukları üzerinde yaptıkları tahrik edici propaganda ve psikolojik harekât uygulamalarının sonuçları alınır. Artık bu topluluklar ve bu toplulukları meydana getiren Ermeniler kin ve nefretin, intikam ve kanın esiri olan silâhlı, bombalı, hançerli çeteleridir. Yüzyıllarca birlikte yaşadıkları, kederlerini ve sevinçlerini paylaştıkları Türklere ve müslümanlara karşı vahşet ve ölüm kusan birer makine haline gelmişlerdir. Çatısı altında yüzlerce yıl huzur, güven ve refahı buldukları devletlerine isyan etmeyi, bu devlet içerisinde ihtilâller çıkarmayı hakları olarak görmekte; anlamlarını bile bilmedikleri soyut sloganların kendilerine vaad ettiği ümitlerin; öldürdükleri, ırz ve namuslarına tecavüz ettikleri Türklerin, yaktıkları, harabeye çevirdikleri müslüman köy ve kasabaların sayılarının çokluğu ile gerçekleşeceğine inanmaktadırlar. Bu durum, tarihi süreci içerisinde Ermeni teröründe temel düşüncenin Türk düşmanlığı olduğunu bir kere daha kanıtlayacak ve yaşadığımız dönemde de aynı anlayış devam edecektir.

İki Ayrı Alanda Terör ve Savaş

1914 - 1918 yılları arasında Ermeni terör örgütlerinin ve bunların baskısı altında Ermeni azınlık topluluklarının genellikle planlı, programlı ve dış merkezlerden yönetilen faaliyetleri iki ayrı alanda ve iki ayrı şekilde sürdürülmüştür. Aşağıda belirtilmeye çalışılacak Ermeni terörünün iç hatlarını gösteren alan, Türkiye topraklarında ve özellikle Güney ve Doğu Anadolu bölgeleriyle bunlara mücavir sahalarda yoğunlaşmış ve süreklilik kazanmıştır.

Bu iç hatlar:

Adapazarı - Bursa - İzmir; İzmir - Adana; Adana - Bitlis - Siirt - Van; Van - Erzurum; Erzurum -Trabzon ve Trabzon'un batısında Karadeniz kıyılarına doğru gelişen Tokat - Sivas bölgesinin kuzeyinde başlayıp güneye inen hatlardır.

Açıklanan hatların üzerinde ve bir yandan Anadolu içlerine, diğer yandan Osmanlı İmparatorluğu'nun hudutlarına doğru yürütülen faaliyetler, Osmanlı Devletinin seferberliğini ilân ettiği tarihten başlamıştır. Bu faaliyetler özetlenirse; Türk silâhlı kuvvetlerinin içerisinde bulunan veya seferberlik gereği bu kuvvetlere katılan Ermeni erlerinin ve Ermeni personelin gruplar halinde, silâhları ve donatımlarıyla birlikte firarları, çete faaliyetleri şeklinde Türk ordularının ikmal ve bağlantı yollarının, haberleşme sis-

phase is from the beginning of the century up to the end of the Balkan Wars; the second, from the outbreak of the First World War to the signing of the Mudros Armistice; and the third, from the Turkish national struggle and War of Independence following the Mudros Armistice up to the Lausanne Treaty.

Phase I : 1903 - 1913

The first phase of the 'Armenian question' revolved around three main developments. From 1900 to 1913, the Armenian terrorist organizations continued to commit acts of terrorism without swerving from their basic goals. As these intensified, importance was given to the arming of the Armenian minorities on an individual basis house by house and to make preparations for an armed rebellion and revolution. Most of the weapons were procured from Russia and other nations, smuggled into the Ottoman state by various means, stocked and distributed. These activities may be considered as the first main development. The second concerns the central government of the Ottoman Empire with Abdül Hamid II. at its head. The terrorist leaders saw him as their arch-enemy. As long as he was alive, Armenian expectations and the goals of Armenian terrorism would remain unfulfilled. Thus, the activists allied themselves with political organizations, Turkish revolutionaries and all Turks opposed to the Ottoman state system, and especially to the oppressive measures adopted by the Sultan. The Yıldız assassination attempt in 1905 was the work of Armenian terrorists. Especially in the provinces and country districts, the terrorist organizations increased their strength and effectiveness. The third main development centred on the proclamation of the Second Constitution. The deposition of Abdül Hamid II, the restoration of the constitution and the election of Armenian deputies to Parliament were the most important events of this period. There was a reduction in the number of acts of terrorism. Nevertheless, parallel to the events of March 31st, the effects of terrorism were still felt in Anatolia and the arming of the people continued. Since they had played a role in the establishing of the new regime, the leaders of the Armenian terrorist organizations chose silence, putting pressure instead on the Armenian deputies. A start was made on a new reform programme related to the Armenians. The debates and conflicts continued on the question of whether surveillance of the reforms in six provinces should be carried out by the European states or by Russia. Meanwhile, the Ottoman government was, on the one hand, hopeful of success in its efforts to establish and stabilize the new regime, using the army solely for political ends; on the other hand, it was striving along with the European states and Russia to solve the reform question. The Balkan War exposed the degree of strength of the once mighty Ottoman Empire. It suffered a crushing defeat, showing that the time had come for the realization of the geopolitical aspirations of Russia and the European states.

It was under these conditions that Etchmiadzin started to come into the picture after the meeting of the Armenian terrorist organizations which was convened in Tiflis in 1912. At the conclusion of the meeting held at Etchmiadzin, Boghos Nubar Pasha and Patriarch Ormanian were appointed by the Catholicos as representatives of Etchmiadzin and the Armenian demands. In 1913, they were sent to Europe to attend the London Conference, which had been summoned to establish peace in the Balkans. This was the first instance of the Armenians' desire to participate in a conference in no way related to their own problems. Though they were refused permission to attend the London Conference, they were able to lay the groundwork for intensive propaganda in an attempt to

temlerinin kesilmesi, ilk defa Zeytun'dan başlayarak güneye ve iç hatlara doğru isyanlara, yolların kesilmesi, müslüman halkın katliamı, Türk köylerinin, kasabalarının basılarak toptan öldürmeler, ırza, namusa tecavüzler, yağmalar, bu yerlerin tahribi ve yakılması, casusluk, kışkırtmalar gibi şekillerde oluşmuştur.

İkinci alan, savaş alanıdır. Çarlık ordularının içlerinde meydana getirilen gönüllü Ermeni Taburları, Türkiye'den kaçan Ermeniler tarafından kurulmuştur. Bir örnek vermek gerekirse, Osmanlı Meclisi Mebusan'ında Erzurum milletvekili olarak bulunan Karakin Pastırmacıyan, etrafına topladığı Ermeni çete mensuplarıyla Türkiye'den kaçarak Rus Çarlık ordularına katılmış ve bu orduların taarruzlarını kolaylaştıracak öncü hareketlerine girişmişlerdir. Çeteler halinde müslüman halka karşı yapılan tüyler ürpertici katliamlar, bizzat Rus subay ve generalleri tarafından dehşetle izlenmiş bunlar daha sonra yazdıkları hatıralarına ve harekât alanındaki günlük emirlerine geçmiştir.

Bu gönüllü Ermeni taburları, Çarlık kuvvetlerine keşif, rehberlik, haber toplama hizmetleri yapmakta, öncü taarruz kuvvetleriyle işbirliğinde bulunmakta, özellikle Çarlık kuvvetlerinin harekât alanındaki Türk ve müslüman köylerini, yerleşim birimlerini tahrip ve yakmakta, Anadolu içlerindeki katliamların birkaç mislini icra etmektelerdi.

Devletler ve Terör

Osmanlı İmparatorluğu'nu belirlenen hareket alanlarında ve hatlarında yıpratmayı, içerden ve dışardan meydana getirilecek baskılarla çözmeyi ve çökertmeyi esas alan bu hareketler tamamen Rusya tarafından koordine edilmekte, Anadolu içlerindeki Ermeni faaliyetleri, Kafkasya ve İran alanlarında Çarlık kuvvetlerinin hareketlerine paralel olarak gelişmekteydi. Rusların açıklanan destekleri yanında, müttefikleri olan devletler de Ermeni terör örgütlerini silâh, donatım bakımından desteklemekteydiler. Bunların en önemli etkileri ise Avrupa kamuoyunda yaptırdıkları propagandalarla olumlu sonuçlar almak, yardımları sürekli kılmak suretiyle, Ermeni terörünü canlı tutmaktı. Çünkü, müttefik olmalarına rağmen, gelecekte Rusya'nın karşısına adı geçen bölgelerde ancak bu unsurlarla gereken köprübaşlarını sağlayabileceklerdi. Osmanlı devleti içindeki bu mücadelelere A.B.D.'leri de seyirci kalmıyordu. Amerika'da bulanan Ermeni kiliselerinin ve Ermenilerin yaptıkları propagandaların yanında Amerikan resmi misyonları da adı geçen azınlıklarla yakından ilgileniyor, her türlü yardım ve desteği yapıyorlardı. Dikkat edilmesi gereken bir nokta, daima gözlerden uzak tutulmuştu. İngiltere'nin, Fransa'nın, Rusya'nın ve Almanya'nın Osmanlı İmparatorluğu topraklarında ve egemenlik alanları üzerinde jeopolitik emel ve beklentileri vardı. Bunları gerçekleştirecek ilişkileri, ekonomik yatırımları, yıllarca hazırlanmış çeşitli azınlık grupları da mevcuttu. Ayrıca, İmparatorlukla aynı kıtayı paylaşıyorlar, bir Avrupa devleti saydıkları Osmanlı İmparatorluğu'nun her zaafından yararlanarak hazırlanmış siyasi andlaşmalarla çeşitli kapitülasyon haklarına da sahip bulunuyorlardı. A.B.D.'lerinin ise, bu coğrafyada ve bölgede hiçbir ilişkisi mevcut değildi. 1820'lerde başlayan kısıtlı ticari ilişkiler ise A.B.D.'lerinin Osmanlı topraklarında ve egemenlik alanlarında jeopolitik hedef beklentilerini oluşturacak güçte bulunmuyordu. Adı geçen devletin Avrupa devletleri yanında açıklanan alanlarda ilgi ve irtibat kurma şansını ancak kendisine yakınlık duyan azınlık gruplarıyla sağlayabilirdi. Amerika'da yaşayan ve son yıllarda göçmen olarak kabul edilen Ermenilerin ve Ermeni kiliselerinin bu ihtiyacı hissetmeleri konunun çözümünü kolaylaştırdı. Ermeni azınlıklar hem A.B.D.'ler içerisinde bazı siyasi oy ve çıkar sağlamalarda bir yatırım malzemesi şeklinde kullanılmaya, hemde bu devletin Anadolu topraklarında ve petrol kaynaklarına yakın alanlarda Avrupa ve Rusya'ya karşı rekabet mücadelelerinde atlama tahtası olarak kullanılmaya başlandı. Bu yaklaşımla, Amerikan resmi ve özel misyonları, eğitim ve hayır kurumları Ermeni azınlık gruplarıyla sıkı temas ve

influence European public opinion. At the sâme time, they held discussions on the 'Armenian question' with the Russian, English and French, as well as the Turkish, authorities. At these discussions they once again put forward demands ranging from annexation to Russia to autonomy and from autonomy to the enactment of a reform programme under the Ottoman state. The Armenians desired to have a share in the partitioning of the Empire. The nature and extent of this, whether complete or partial autonomy, was not of great importance. With regard to the reform programme, supervision by Europe or Russia or by both powers was considered adequate.

Propaganda Themes

Between 1900 and 1913, during the campaign of propaganda and psyhologiacal pressure which was aimed at influencing European public opinion on the 'Armenian question', the "themes" used were still political in nature, concerned predominantly with the Ottoman regime and its central government. Such were the 'Reform' themes, which had become the subject of intensive propaganda in the 1880's, and the themes of 'Freedom', 'Justice" and 'Brotherhood'. Another was the theme of the 'Red Sultan', introduced by Armenian terrorist propaganda against the Sultan personally. This theme came to influnce public opinion in the entire Ottoman state, as much as in Europe. It is still used even today with reference to Abdül Hamid II. All the above propaganda themes were continually directed at the European states in the hope of intensifying their activities as well as the rivalries among them. Moreover they were exploited by opponents of Abdül Hamid II and the Ottoman regime by revolutionaries and by political parties, sometimes together, sometimes separately.

Another point worth noting is that during this period the Ottoman state was the one most discussed and written about abroad. These writings and publications all dealt with the above mentioned themes, stressing the need for the Empire, which still had territories in Europe, to base its regime on concepts such as 'Freedom-Justice-Brotherhood'. Otherwise, its relations with Europe would have to be broken off; in fact, the Ottoman state would have to be expelled from Europe.

A new factor during this period was to raise the expectations of the various powers with regard to Ottoman territory and natural resources, at the same time increasing the rivalry among them. This was oil. The discovery of oil in the Kerkuk-Basra regions, its partial production in Iran, together with its exploitation now as a source of power quite apart from its industrial applications — these developments broadened the scope of geopolitical aspirations, most of all on the part of England and brought a greater sense of urgency to their realization.

The disintegration and continuing decline of the Ottoman Empire, especially after the Balkan Wars, presented the opportunity for the European states and Russia to realize their aspirations without delay. As a result, it was decided that the time had come to discuss the partitioning of the Empire.

Phase II : 1914 - 1918

During World War I, important developments took place with regard to the 'Armenian question', which were to have long reaching effects even up to the present day. In the four years from the beginning of preparations for war and the mobilization of Ottoman forces to the signing of the Mudros Armistice, the war spread to all the frontiers and domains of the Empire. As a result of the continual exploitation, under various pretexts, of the events which occured during the war

ilişkilerde bulunmayı gerekli gördüler. Aynı ilişkileri Karadeniz bölgesinde Pontus emellerini besleyen Rumlarla da yapıyorlardı. Fakat Rumlar Amerikan misyonlarını ve kuruluşlarını kullanıyorlar, onların isteklerini anlamak da zorluk çekiyorlardı. Ermeniler ise kolay anlaşılır, Rumlara oranla medeni ve Amerika ile bağlı görünmekteydiler. Bütün bu şartlar ve imkânlar Amerika'nın Osmanlı devleti içerisinde bulunan Ermeni azınlıklarıyla yakın ilişkilerini meydana getirdi. Ve Ermenilerin istek ve iddialarına ilgi duydular. Ayrıca, Amerika'da yapılan propagandalar sonucunda Amerika'nın etkin kamuoyu, anlatılan, yazılan ve günlük haberlere geçen olaylarla "Ermenilere yapılanları" (?) zencilere bir zamanlar yapılanlarla özdeştirmeye başladılar. İnsan hakları savunucusu ve demokrasinin koruyucusu sayılan bu ülkede açıklanan özdeştirmeyle, bir anlamda kendi hayatlarını yaşamaya başlıyorlar, bunun sona erdirilmesi için kampanyalar düzenliyorlardı. Anadolu'da bulunan her Amerikan misyonunun başlıca görevi, Ermeni çocuk ve gençlerinin ilk imkânda Amerika'ya götürülerek eğitilmesi ve orada birer Amerika vatandaşı olarak yetiştirilip, tekrar Türkiye'ye gönderilmesiydi. Bütün bunlar savaş yıllarında daha etkin ve daha büyük çaplarda yapılmaya başlandı. Dolaylı olarak Ermeni terör örgütleri açıklanan yollarla desteklendi. Ermeni isyan ve ihtilâl hareketleri Amerika'nın moral yardımına kavuştu. Ve ilk defa Amerika'nın bölge ile ilişkilerinde iki kavram ortaya çıktı. *"Resmi Amerika"* - *"Resmi olmayan Amerika"* Resmi Amerika, Amerika yönetimini tanımlıyor, diğeri ise A.B.D.'lerinin sözde kamuoyunu yansıtıyordu. Kongre ikinci gruba giriyordu. Gelecekte bu kavramlarda geliştirilecek, Osmanlı Devleti içerisinde Amerika yanlısı politikalar desteklerini resmi olmayan Amerika'dan almaya girişecek veya Türkiye'de bulunan Amerika resmi temsilcileriyle ilişkilerde bulunanların beklentileri gerçekleşmezse o takdirde de gene resmi olmayan Amerika'nın arzu edilen konulara ters davrandığı iddiaları ortaya atılacaktı. Ermeni konusunda her iki durumda hem savaş sıralarında hem savaştan sonra devam edecekti.

Nisan 1915 Durum ve Önlemler

Birinci Dünya Savaşı içerisinde 1915 yılının Nisan ayının ve bu ayın bazen "15." bazen "24." günlerinin, *"Ermeni katliamının"* - *"Ermeni soy kırımının"* yapıldığı günler olarak anıldığını hemen hemen bilmeyen kalmamıştır. Bu yaygınlaştırılan propaganda ve Psikolojik harekât *"temasının"* nitelikleri hakkında yukarıda kısa açıklamalar yapılmıştır. İncelenen dönemde yer alması bakımından durumun yeniden, ancak bu kez olaylar açısından incelenmesinde gerek vardır.

Günümüze kadar, Ermeni kiliseleri, Ermeni dostları, Ermeni terör örgütleri ve çeşitli çevrelerce istismar edilen ve propaganda faaliyetlerinde psikolojik karekât uygulamalarında vazgeçilmez bir tema olarak kullanılan, 1973 - 1985 yeni Ermeni terörünün de dayanağı yapılmak istenen, 1915/Nisan olaylarının gerçek yönleri nelerdir?.. Bu konularda dünya kamuoyu bir baskı altında tutulmaktadır. Ancak, bu baskı nasıl kaldırılacak, dünya kamuoyu nasıl aydınlatılacaktır?.. Türkiye ile ne coğrafi, ne tarihi bir bağı olmayan hiçbir ilişkisi bulunmayan ve halkının belki de yüzde yüze yakını "Türkiye"yi, haritada bile gösteremeyecek bir devletin, *"Uruguayın"*, *"Ermeni soy kırımı (?)"*nı, Birleşmiş Milletler Komisyonlarında savunup, bunun uluslararası dünyada anılmasını istemesinin sebepleri nelerdir?.. Bugün çeşitli devletlerin Türkiye ve Türk toprakları üzerinde jeopolitik emel ve beklentilerine açıklanan "temalar" neler getirebilir?.. gibi sorular yeterince açıklığa ulaştırılmamış, yeterince dünya kamuoyuna yansıtılamamıştır.

Ermeni konusundaki bu tarihi yanılgının ve istismar edilen olayların gerçek yönlerinin ortaya konması için önce, 1915/Nisan ayında *"Osmanlı Devletinin Durumu"*nun ana hatlarıyla belirlenmesi gerekir. İkinci olarak, bu durum içerisinde, yukarıda daha savaşa hazırlık aylarında başladığına dikkatleri çekmeye çalıştığımız Ermeni faaliyetlerinin gelişmelerini açıklamak zorunluluğu

years, the Armenians had recourse to terrorism once again, hundreds of innocent people becoming the victims of its brutality during the 1973-1985 period.

From Terrorism To War

During the First World War, the 'Armenian question' transcended the bounds of terrorism, taking on the dimensions of open warfare. For years, the geopolitical aspirations and expectations of various states had been directed towards Ottoman territories and domains and above all the lands belonging to the churches and the Catholicosates. These states, together with missionaries and missionary organizations, had both openly and in secret encouraged and supported the Armenian terrorist organizations in the propaganda and psychological pressure which they used to incite the Armenian minority groups. Such activities were now yielding results. These groups and the Armenians who created them had now formed gangs armed with guns, bombs and daggers and sworn to hatred, revenge and murder. They were spewing terror and death upon the Turks and Moslems with whom they had lived for centuries, sharing their joys and sorrows. They considered it their right to instigate rebellions within the states under whose protection they had enjoyed peace, security and prosperity for centuries. They believed that the more Turks they raped and murdered and the more Moslem towns and villages they burned and reduced to ruins, the greater the likelihood of their hopes being realized, and the promises of abstract slogans which they did not even understand being fulfilled. This situation would confirm yet again that historically the basic principle in Armenian terrorism was hostility against the Turks; the same attitude was to continue up to the present period.

Terrorism and Warfare On Two Different Fronts

Between 1914 and 1918, the Armenian terrorist organizations and, under pressure from them, the Armenian minority groups continued their activities, which were generally systematic, well-planned and directed from centres abroad. These activities were carried out in two different areas and in two different ways. The first area of prolonged activity was on Turkish soil, concentrated especially in South and East Anatolia and the neighbouring regions. Demarcation lines may be drawn through the following points: Adapazarı-Bursa-Izmir; Izmir-Adana; Adana-Bitlis-Siirt-Van; Van-Erzurum; Erzurum-Trabzon; and a line running south from a point north of the Tokat-Sivas region, which extends to the Black Sea coast west of Trabzon.

With the mobilization of the Ottoman forces in 1914, operations commenced along the above lines, continuing into the heart of Anatolia and outwards towards the frontiers of the Empire. They were carried out by groups of Armenian soldiers and staff enlisted in the Turkish armed forces or drafted as a result of mobilization, and by deserters who had obtained supplies of weapons and military equipment. Their activities may be summarized as follows. Operating in gangs, they intercepted the supply routes of the Turkish armies, cut their communications and instigated rebellions starting at Zeitun and moving southwards towards the points listed above; they set up road blocks, massacred the Moslem inhabitants and carried out surprise attacks on Turkish villages and towns, committing mass murder and rape, and looting, burning and completely destroying them; furthermore, they engaged in spying and all kinds of provocative activity.

The second area of activity was the battle zone. The

vardır. Nihayet, son olarak *"Katliam edilen (?)" – "Soy kırımına uğradığı (?)* iddia edilen bu azınlığın, olaylardan üç-dört yıl sonra iskân edildikleri yerlerden aynı topraklara neden geri dönmek istediklerinin, geri dönenlerin neler yaptıklarının, nelerle karşılaştıklarının belirtilmesinde gerçekleri bulabilmek bakımından fayda vardır.

Osmanlı İmparatorluğu için 1915 yılı, önemli gelişmelerle başlamıştır. Bu gelişmeler bir anlamda Osmanlı Devletinin geleceğini etkileyecek niteliktedir. Ve belki de bu Büyük Türk İmparatorluğu'nun sonunun başlangıcını meydana getiren olaylar 1915 yılı içerisinde meydana gelmiş ve devam etmiştir.

Batıda

Ocak 1915'de Çanakkale Boğazı önünde İngiliz donanmasının yaptığı gösteri manevrasını, Mart ayında İngiliz ve Fransız donanmalarının oluşturduğu ortak Müttefik Deniz gücünün Çanakkale Boğazına, tarihin en büyük ve önemli saldırısı izler. Bu saldırının amaçları çok yönlüdür. Doğu cephesinde Almanlara karşı geri çekilme durumuna gelen Çarlık Ordularının silah, cephane ve donatım ihtiyacının Boğazlar yoluyla karşılanması, buna karşılık Çarlık depolarındaki tahıl stoklarının İngiltere ve Fransa'ya aktarılmasını sağlamak; Boğazların ele geçirilmesi suretiyle Osmanlı İmparatorluğu'nun merkezi İstanbul'un işgalini gerçekleştirebilmek ve bu suretle İmparatorluğu savaş dışı bırakmak; Balkan Devletlerinin savaşa kendi yanlarında katılmasını gerçekleştirmek gibi sebepler başta gelmektedir. Bu sebeplerden daha önemlisi, 1913 yılında başlayan Osmanlı Devleti topraklarının ve özellikle Türkiye'nin taksimi planlarının görüşülmesinin karar safhasında İstanbul ve Boğazlar bölgesinin Rusya'ya bırakılmış olması gelmektedir.

İngiliz ve Fransız ortak deniz kuvvetlerinin Boğazlara karşı giriştiği harekât sırasında Rusya herhangi bir deniz saldırısında bulunamamış, Yavuzun yaralı olmasından yararlanarak İstanbul Boğazını etkisiz bombardımanlara tutmaya çalışmıştı.

1915 yılının başında Rusların Karadeniz'de hedefleri üç grupta toplanıyordu. Bunlardan birincisi, Batum - Artvin - Trabzon hattıydı. İkincisi, Zonguldak kömür havzalarıydı. Üçüncüsü ise, Müttefiklerinin Çanakkale ve Gelibolu harekâtlarından da yararlanarak İstanbul'u ele geçirmeyi düşünüyorlardı. Çünkü, Rusların Karadeniz'deki deniz kuvvetlerinin gücü ne Boğazlara yapılacak bir deniz harekâtına yeterli olabiliyor, ne de Türk donanması karşısında diğer hedefler üzerinde tam bir etki sağlayabilecek imkân ve kabiliyetlere sahip olabiliyorlardı. Buna karşılık, İngiltere ve Fransa, Çanakkale ve Gelibolu çıkarmalarıyla çok önemli bir amacı da saklı tutuyorlardı. Eğer Gelibolu çıkarması başarılı olur, Çanakkale boğazı ellerine geçerse İstanbul'un fiilen işgali de sağlanabilirdi. Bu suretle, 1913'de başlayan taksim sözleşmelerinde Rusya'ya verilen İstanbul ve bölgesi üzerinde taahhütlerini yeniden gözden geçirebilirlerdi. Fiili durum, her zaman andlaşmalarla sağlanan ancak kağıt üstünde kalan taahhütlerden daha önemliydi. Her şeyden önce bu alanlarda pazarlık güçlerini koruyacakları gibi Osmanlı Devletinin Doğu ve Güneydoğu alanlarında Rusların faaliyetlerine karşı ellerine bir yeni koz da geçireceklerdi. Gerçekte, Ermeni terör örgütlerine yaptıkları dolaylı yardımlarda bu amaca yönelikti.

18 Mart 1915 tarihinde müttefik donanmasının Çanakkale önlerinde beklemedikleri bir hezimete uğraması ve geri çekilmesiyle açıklanan amaçlar üzerinde önemli tartışmalar yapıldıysa da bu kez Gelibolu Yarımadası'na karadan bir çıkarma ile savaşın kara kuvvetleriyle devamına karar verildi. Bu yolla Boğazların ve İstanbul'un ele geçirilmesi planlandı. Nisan ayının ilk iki haftası içinde yapılan hazırlıklar sonucunda; 19 Nisan tarihinde önce İzmir limanı ve tabyaları bombalandı, 25 Nisan tarihinde de İngiliz - Fransız ve İngiltere'nin sömürgeleri olan Avusturalya - Yeni Zelanda kuvvetlerinden meydana getirilen çıkarma birlikleri, donanmalarının da yardımıyla Gelibolu Yarımadasına çıkmayı başardılar. Bundan sonraki günler ve aylar tarihin en kanlı muharebeleri ve mücadele-

Armenian battalions which volunteered for services in the Tsar's army were formed by Armenians fleeing from Turkey. To give an example, Karakin Pastirmadjian, the Erzurum deputy in the Ottoman Parliament, gathered around him various members of the Armenian gangs, escaped from Turkey to join the Tsar's army and engaged in vanguard operations to prepare the way for the main Russian offensive.

The hideous massacres of the Moslem people, perpetrated by murderous gangs, were personally witnessed by horrified Russian captains and generals and recorded in their memoirs, as well as in the orders of the day issued in the operation zone.

These volunteer Armenian battalions offered their services to the Tsar's forces, reconnoitring, leading the way and gathering intelligence; they worked hand in hand with the advance assault forces, burning and destroying Turkish and Moslem villages and settlements, especially those situated in the operation zone of the Russian forces. They carried out massacres on a scale several times greater than those in central Anatolia.

Terrorism and States

Russia was responsible for the coordination of all these activities, with the fundamental aim of undermining the Ottoman Empire in the areas mentioned and of bringing about its disintegration and collapse through pressure applied internally and externally. The Armenian activities in the central areas of Anatolia took place at the same time as the Tsar's military operations in the Caucasus and Iran. Besides aid from the Russians, the Armenian terrorist organizations also received support from the Allied Powers in the form of weapons and military equipment. Most important, by winning over public sympathy in Europe through their propaganda efforts and by continually providing aid, the Allied Powers kept Armenian terrorism alive. It was only with the help of the terrorists that in the battles to come against the Russians, they would be able to secure the necessary bridgeheads in the areas mentioned. Meanwhile, throughout these struggles within the Ottoman State, the United States did not stand on the sidelines as a mere spectator. Not only were the Armenian churches in America and the Armenians living there active in their propaganda efforts, but the American foreign missions were also taking a close interest in the Armenian minorities, providing them with every kind of assistance and support. Another point worth noting, yet always neglected, is that Britain, France, Russia and Germany all had geopolitical aspirations and expectations with regard to the territories and domains of the Ottoman Empire. Moreover, the conditions for realizing these ambitions already existed, namely, the necessary connections, economic investments and the presence of various minority groups who had been propagandized for years to this end. Furthermore, these European powers took advantage of every sign of vulnerability on the part of the Ottoman Empire, which they regarded as a European state. Through political treaties with the Empire they enjoyed various privileges under the capitulations. The United States, on the other hand, had no such relations in this geographical area. The limited trade relations into which she entered in the 1820's did not give her the power to cherish geopolitical ambitions with regard to Ottoman territory and domains. It was only through the minority groups, who felt a special affinity towards the United States, that she was able to forge links in the areas mentioned. The fact that this need was felt by the Armenian churches along with the Armenians living in America, and those who had just recently emigrated there helped to make a solution to the problem somewhat easier. The

leriyle geçti. Osmanlı Devleti, Batı cephesinde; en önemli birliklerin yer aldığı bir ordusunu bu suretle Gelibolu'ya bağlamış oldu.

Doğuda

Doğu Cephesinde durum; 1915 yılı, Sarıkamış harekâtının yenilgi ile sonuçlanmasının meydana getirdiği bütün gelişmeleri kapsamına alan bir yıl oldu. Sarıkamış harekâtının sona ermesiyle Ermeniler yukarıda değinilen hatlar üzerinde ve doğu - güneydoğu alanlarında yoğunluğu artarak isyana başladılar. Bu isyanların özellikle Bitlis - Van bölgesinde yoğunlaştığı görülüyordu. Rus kuvvetleri ise Nisan 1915 tarihinde (Arhavi - Oltu - Horasan - Karaköse - Diyadin - Kotar - Dilman ve Tebriz) hattına yığılmış durumda idi. Mevcut Rus Çarlık ordusunun toplam er, silâh ve diğer donatım gücü, Sarıkamış harekâtının bir misli artırılmıştı. Türk kuvvetleri ise büyük ölçüde kayba uğramış, bu kayıplarını giderecek zaman bulamamıştı. Rusların hedefleri, Osmanlı İmparatorluğu'nun ordularını Doğudan ve Güneydoğudan çevirmek ve bu çenber altında imha etmekti. Bu hedefi sağlayabilmek de en önemli destekleri ise Ermeni isyan hareketleri ve Ermenilerin iç hatlar üzerindeki faaliyetleriydi.

Diğer cephelerde durum: Osmanlı orduları Irak - Filistin cephelerinde de tamamen bağlanmış bulunuyor, İngilizlere karşı yapılan manevralar gereken sonuçları vermiyordu. 12 Nisan tarihinde Irak cephesindeki Şuayyibe yenilgisiyle bu bölgedeki savaşlarında kaderi Türk kuvvetlerinin aleyhine dönmeye başlamıştı.

Özetlenirse, Nisan 1915 tarihinde, Osmanlı İmparatorluğu doğrudan doğruya varlığına yönelmiş ve Türkiye'yi çepe çevre sarmış iki büyük tehlike içerisine girmişti. Batıda ingiliz ve Fransızların Gelibolu seferi ve deniz ablukası, doğu ve güney doğuda Rusların çevirme harekâtı. Bu durumda bulunan bir devletin içerisinde ve "iç hatlar" olarak gösterdiğimiz yerlerde de Ermeni isyanlarıyla karşı karşıya kalınmıştı.

Nisan 1915 başlarında Van - Bitlis - Muş bölgelerinde başlayan isyan hareketleri hazırlıkları ve mevzii başkaldırmalar 3/4 Nisan gecesi Van ilinin Şitak ilçesinde büyük ölçüde bir ayaklanmaya dönüştü. Bütün Van ilini sarmaya başladı. 15 Nisan'da Van merkezini de içerisine alacak şekilde gelişti, Van, Ermeniler tarafından bir nevi işgal edildi. Binlerce Türk şehit edildi. Otuz bine yakın Türk, şehri ve bölgeyi terk ederek başka yerlere göçe başladı. İsyan 18 Nisan'da Bitlis'e sıçradı. Ve bölgeyi çenber içerisine aldı.

Ermenilerin Van isyanı ve Van'ı bir düşman toprağı gibi ele geçirip katliamlarla, tahriplerle işgali sürdürmeleri üzerine Rus kuvvetleri bu durumdan yararlanarak önce Van'ı sonra Malazgirt'i ve daha sonra Bitlis'i işgal ettiler. Bütün bunlar bir aylık bir süre içerisinde gerçekleşti. Ve Rusların her askeri harekâtı, Ermeni isyanlarının sonucunda hedefine ulaştı. Ermeni çeteleri tarafından desteklendi. Kısaca, Ermeni - Rus işbirliği ile Türkiye'nin açıklanan bölgesi Rus işgali altına girdi. Bundan sonra Ruslar Azerbeycan bölgesine yöneldiler.

İşte, *"Ermeni Katliamı" – "Ermeni soy kırımı"* şeklinde adlandırılan ve Slagonlaştırılan olaylar bunlardı. Bu durumda ne yapılabilirdi?.. Bir devlet olarak, kendi vatandaşlarının isyanlarla, ihtilâllerle, katliamlarla, düşman kuvvetleriyle birlik olup, ülkesini işgal edenlere ne yapılırdı?

Her tarafı düşmanlarla sarılmış, toprakları savaş ve muharebe meydanları haline gelmiş bir devletin içerisinde isyanlarla, katliamlarla, orduların gerilerini kesmekle, savunmalarını güçleştirmekle meşgul olan ve bunu *"neyin uğruna yaptıklarını"* dahi bilmeyen azınlık topluluklara ne yapılabilirdi?.. Hangi devlet, boynunu bu ihanet ve cinayet şebekesinin ve topluluklarının ellerine uzatabilecekti?..

Alınan Önlemler

Ermenilerin Bitlis, Van, Muş, Erzurum, Beyazit, Zeytun, Sivas bölgelerinde isyanları ve yukarıda açıklanan Rus kuvvetleriyle iş-

Armenian minorities began to be used not only as a valuable asset in securing political votes and advantages within the United States, but also as a jumping-off board in this country's own struggles against Europe and Russia in Anatolia and the areas near the oil-fields. Thus, the American foreign missions, both private and official, and their educational and charitable associations considered it necessary to maintain close contact with the Armenian minority groups, as well as with the Greeks of Byzantine origin, who cherished ambitions, regarding the Pontus region in the Black Sea area. However, the Greeks were only using the American missions and organizations, who found it difficult to understand Greek aims. They could, on the other hand, easily understand the demands of the Armenians, who appeared cultured in comparison with the Greeks and had ties with America. Thus, America began to establish close relations with the Armenian minorities within the Ottoman state and to express an interest in their claims and demands. Furthermore, as a result of propaganda in the United States, active public opinion there began to identify "what was being done to the Armenians", as reported by eye-witnesses and in the daily news, with what was once done to the blacks. In this country, which was condidered to be the defender of human rights and the protector of democracy, they were beginning by means of this identification to live their own lives and campaign for an end to the injustices. The primary duty of every American foreign mission in Anatolia was at the earliest opportunity to send Armenian children and young people to the United States, where they would receive an education. After being trained there as American citizens, they would then be sent back to Turkey. The scale of these activities began to increase dramatically during the war years. The Armenian movements thus indirectly received moral support from the United States. Furthermore, in their relations with the area, the terms "official America" and "unofficial America" appeared for the first time. The former referred to the American administration, the latter to American public opinion. Congress fell into this second category. In the future, support for pro-American policies within the Ottoman state would be sought from the unofficial representatives of America. Alternatively, if the expectations of those who had connections with the official representatives of the United States in Turkey were not met, it would be claimed that 'unofficial America' was again acting perversely. With regard to the 'Armenian question', both these situations were to continue to arise both during and after the First World War.

April, 1915: The Situation

It is generally known that April 15 and sometimes April 24, 1915 are commemorated as the days when the Armenian "genocide" took place. The nature of this 'theme' of widespread propaganda and psychological warfare was discussed briefly above. Further examination of the situation is required, this time from the standpoint of events during the period under discussion.

Up to the present day, the events in April, 1915 have been exploited by the Armenian churches, Armenian terrorist organizations, friends of the Armenian churches, Armenian terrorist organizations, friends of the Armenians and various other groups. They have been used constantly as a theme in the campaign of propaganda and psychological warfare. Activists have also sought to make these events the basis for the new phase of Armenian terrorism from 1973 to 1985. What was the reality of the events in April, 1915? In matters like this, world public opinion is being constantly pressurized. How can this pressure be lifted? How can world public opinion be

birliği üzerine Osmanlı hükümeti bazı önlemlerin alınmasını bir zorunluluk olarak görmüştü. Bu zorunluluğun kökeninde yatan fikir ve esas düşünce tamamen bir devletin"meşru savunması"ve"varlığı" ile ilgiliydi. Bunun için çeşitli yerlerden alınan raporlar, bilgiler, Askeri Birliklerin durumu, nihayet ortada bulunan isyan, katliam ve düşmanlarla işbirliği gibi olaylar değerlendirilerek 24 Nisan 1915 tarihinde yürürlüğe giren bir hükümet kararnamesi çıkarıldı.

Bu kararnameye göre

a. 16-55 yaşlarında bulunan Ermenilerin yurt dışından içeriye, içeriden yurt dışına çıkışları yasaklandı.
b. Ermenilerin bütün haberleşmelerinin Türkçe yapılmasına karar verildi.
c. Ermenilerin yeni okullar açamayacakları, Ermeni çocuklarının Devlet okullarında okuyacakları kararlaştırıldı.
d. İllerde çıkarılan Ermenice gazeteler kapatıldı.

Gelişen olaylar karşısında, Osmanlı İmparatorluğu Başkomutanlığı gerek orduların güvenliği bakımından, gerekse ülkenin bütünlüğünün girdiği tehlikeyi de dikkate alarak 26 Mayıs 1915 tarihinde İçişleri Bakanlığına (Dahiliye Nezaretine) aşağıdaki öneride bulundu. Buna göre:

"Ermenilerin, Doğu Anadolu illerinden, Zeytun'dan ve diğer bir arada topluca bulundukları yerlerden Diyarbakır güneyine, Fırat nehri vadisine, Urfa ve Süleymaniye yakınlarına iskân edilmeleri" istendi. Bu zorunlu bir iskân gerekliliğinin sonucuydu. Aksi halde, açıklanan hatlar üzerinde Anadolu içlerine doğru yayılan isyan ve ihtilâller, katliamlar hem cephedeki orduları güç duruma düşürüyor ve düşmana hemen hemen her hareket yönünde serbesti sağlıyor, hem de bu orduları iç sorunlarla bağlıyordu.

Osmanlı İmparatorluğu tarihinde "iskân" yeni bir durumda değildi. Gerçekte ise bütün devletler çeşitli nedenlerle vatandaşlarını veya vatandaşı olmayanları zorunlu iskâna tabi tutabilmekte bunun için gerekli yasal çalışmaları her zaman yapabilmekteydiler. Ermeni konusunda iskân sorunları ise Bizans döneminden başlayan bir uygulamaydı. Osmanlı İmparatorluğu, 1828 yılında Ruslarla yaptığı savaş sırasında da böyle bir önleme başvurmuş, hudud bölgelerinde sürekli olarak Rusya'ya geçerek, casusluk ve diğer hizmetleri yapan, düşmana yardım eden Katolik ve Ortodoks ermenilerin bir kısmını iç taraflara iskân etmiş, bir kısmını da Ermeni Patriğinin güvence vermemesi sonucu ülke dışına atmıştır. (Tehcir bu dönemde söz konusu olabilirdi.) Bir süre sonra, yurt dışına gönderilenler Padişahın affı ile gene eski yerlerine dönebilmişti.

Başkumandanlığın bu önerisi kanunlaştı. (Kanunun metni ve diğer değişiklikler kitabın ilgili bölümlerinde yer almıştır.)

Bugüne kadar "Tehcir Kanunu" olarak anılan, bu yasama çalışmasının niteliği, kapsamı ve uygulamasının hiçbir şekilde "tehcirle" ilgili olmadığını göstermektedir. Ortada ne bir tehcir olayı vardır. Ne de tek bir Ermeni tehcir edilmiştir. Çünkü, "Tehcir" bir devletin, vatandaşını veya vatandaş olmamasına rağmen çeşitli nedenlerle uzun süre o ülkede kalmış kişiyi, kendi ülkesi hudutları dışına çıkarması atmasıdır. "Tehcir" adını, Ermenilerde koymuş değillerdir. Bu isimlendirme ilk defa 1918'de İstanbul'un işgali sonunda, İttihat Terakki partisini dünya ve Türk kamuoyunda küçültmek ve hain ilan etmek ve savaşa girme sorumluluğunu bu partiye yüklemek için kurulan olağanüstü mahkemede ve olağanüstü Meclis soruşturmalarına geçmiştir. Kısaca, tehciri, İttihat Terakki düşmanları ile İstanbul'un işgalinden sonra İngilizlerin etkisinde kalan yönetim ve iktidarlar bulmuş ve kullanmışlardır. Ermeniler ise bu değimi ve kavramı, propagandalarının önemli bir teması haline getirmişler, ne yazık ki aynı tema günümüzde de hemen hemen herkesin kullandığı bir terim haline gelmiştir.

Ermenilerin açıklanan zorunlu iskânı sebebiyle, çeşitli sebeplerle ölmeleri veya öldürülmeleri iddiaları da Ermeni konusunda yapılan propagandaların ayrı bir yönünü teşkil etmektedir. Özellikle *"soy kırım"* temasıyla birleştirilen bu propagandalar, başlangıç-

enlightened? At a meeting of the United Nations Commission, Uruguay took the side of the Armenians, demanding that the 'Armenian genocide' be commemorated internationally. What are the reasons lying behind this? Uruguay has never had geographical or historical links with Turkey; moreover, very few of its people in all probability could even point Turkey out on a map. How can the above-mentioned propaganda themes further the political aspirations and expectations of various states in relation to Turkey and its territory? Questions such as these have not been adequately or frankly discussed, nor has world public opinion been adequately informed.

Before the truth can be presented regarding the historical misconceptions related to the 'Armenian question' and the events which are still being exploited, it is imperative that an outline be given firstly of "the situation within the Ottoman state in April, 1915", and secondly of the development, within the context of this situation, of Armenian activities. These activities, it was pointed out above, had already begun during the months of war preparations. Finally, in searching for the truth, it would be worthwhile examining why those Armenians who resettled after the massacres that are said to have taken place returned to their lands three or four years later and what they did and encountered on their return.

1915 was a year of great significance for the Ottoman Empire. The events throughout that year were to have a profound effect on the future history of the Ottoman state and perhaps to mark the beginning of the end of the Empire.

The Western Front

A show of strength in manoeuvres carried out by the British fleet at the entrance to the Dardanelles in January, 1915 was followed in March by the most important and the heaviest attack in history one the Straits by the Allied naval forces. This attack had several aims. One of the most important was to enable the Tsar's army, which was in retreat against the Germans on the eastern front, to reinforce its supplies of ammunition and equipment and in return to ship supplies of grain to England and France via the Straits. Another goal, which could only be achieved by seizing the Straits, was the occupation of Istanbul and the exclusion of the Empire from the war. Yet another reason for the attack on the Straits was to induce the Balkan states to enter the war on the side of the Allies. Perhaps the most important reason was the scheme to hand the area around Istanbul and the Straits over to Russia; this decision was the outcome of secret discussions, which had started in 1913, on the partitioning of the Empire and Turkey in particular.

It should be pointed out that during the allied naval battle for the Straits, Russia did not engage in any naval attack. Taking advantage of the fact that the battleship *Yavuz* **had been crippled, she instead made a vain attempt to bombard the Bosphorus.**

At the beginning of 1915, the Russians had three main targets in the Black Sea region. The first was the Batum-Artvin-Trabzon line; the second was the coal-mining area around Zonguldak; the third was Istanbul. Taking advantage of the Allied battles for Çanakkale and Gelibolu (Gallipoli), they were planning to capture the capital. However, The Russian naval strength was inadequate for a naval assault on the Straits, nor did the Russians have the capabilities or facilities to capture the other targets in battle against the Turkish fleet. On the other hand, behind the Allied troop landings at Çanakkale and Gelibolu (Gallipoli) lay a very important goal, which the British and French were keeping secret. If the Gelibolu landings were successful and the

ta 500 binden günümüze kadar artarak iki milyonu bulmuştur. Gelecekte de bu sayının ne olacağı bilinmemektedir.

Sayılarla Ermeni Propagandası

Ermeni konusunda yapılan propagandalarda ve özellikle 1955 - 1985 yılları arasında *"Ermeni soy kırımı"* temasının yoğun ve yaygın biçimde kullanıldığı psikolojik harekât uygulamalarında ortaya atılan ve *"soy kırımı"* iddialarını daha gerçekçi, daha kabul edilebilir bir duruma getirmek amacını güden, ikinci bir temada "soy kırımı sonucu öldürülen (?)" Ermenilerin sayılarıdır. Her iki tema birbirlerini bütünleyecek, birbirlerine kaynak ve kanıt teşkil edecek şekilde yıllarca kullanılmıştır. Bugün de aynı uygulama devam etmektedir.

Gerçekte, *"Soy kırımı"* teması, İkinci Dünya Savaşı'ndan sonra "Yahudilere yapılan soy kırımı" konusundaki dünya kamuoyunun büyük ilgi ve hassasiyetinin görülmesinden sonra Ermeni konusunda ortaya atılmıştır. Bundan önce münferit şekilde çeşitli vesilelerle kullanılan bu tema giderek *"Irkçılık"* - *"Soy kırım"* eş anlamlarına getirilmeye çalışılmıştır. Sayıların zamanımıza kadar her yıl artılırmasının sebebi sayılarla propagandanın daha kandırıcı olduğu görüşünden hareket edilmesi sonucudur.

Bu konuda değerli devlet adamımız Sayın Kâmuran GÜRÜN ün, 1983 yılında yayınladığı "Ermeni Dosyası" adlı önemli araştırmalara dayanan eserinden aşağıya alacağımız bölüm yeterince açıklık sağlayacak niteliktedir.

Sayın Gürün, eserinin 223 - 227. sayfalarında kanıtlarıyla konuyu ortaya koymaktadır. Hemen belirtelim ki, aşağıya aynen aldığımız bu bölümde Sayın Gürün'ün de "göç ettirme" şeklinde kaleme aldığı konular, yukarıda açıklamaya çalıştığımız gibi "İskân ettirme" şeklinde dikkate alınması, hukuki terim ve kavramlar açısından olduğu kadar, Osmanlı Devlet düzeni ve o tarihteki Osmanlı hudutları bakımından da gerekli görülmelidir. Ortada, göç ettirme diye de bir husus yoktur. Esasta, Sayın Gürün de aynı şekilde konuya yaklaşmış, fakat Türkçe'deki, dil ve kavram değişikliklerini açıklanan terimle daha iyi anlaşılır hale getirmek için *"göç ettirme"* yi kullanmıştır kanısındayız. Çünkü Sayın Gürün de, "tehcir"den değil "yer değiştirmeden" söz etmektedir.

"Üzerinde bitmeyen bir antitürk propaganda yürütülen bir konu, yer değiştirme sırasında Ermenilerin katliama tabi tutulmuş oldukları ve bu şekilde öldürülenlerin sayısının 2 milyona vardığıdır.

Bu ölü rakamı 1915'lerde 300.000 den başlamış, her sene biraz artarak 1980'lerde 2.000.000'u bulmuştur. Seneler geçtikçe bir toplumun nüfusunun artışı normal bir olay ise de, belirli bir tarihte ölmüş kişilerin seneler geçtikçe üremesi bu olaya has bir icaddır.

Kim, hangi tarihte, ne demiş, hangi miktarı vermiş, bunun üzerinde durmayacağız. Göç ettirme sırasında çeşitli sebeplerden ölümler olmuştur. Ölenlerin bir kısmı hastalıktan, bir kısmı iklim şartlarından, bir kısmı yolculuğun meşakkatinden, bir kısmı da vukubulan saldırılar dolayısıyla ve muhafızların kendilerini koruyamamaları sebebiyle, yahut bazı idare amirlerinin gayri kanuni davranışları sonucu ölmüşlerdir. Ayrıca 1914'de daha savaş başlamadan başlatılan ve göç kararından sonra da hemen hemen 1916 yılında yürütülen isyan hareketleri yahut çete faaliyeti sırasında, gönüllü olarak katıldığı Rus Ordusunda Türklere karşı savaşırken büyük sayılarda ölenler de olmuştur.

Bu ölüm vakaları içinde "katil" diye gösterilebilecek olanlar hangileridir? Herhalde vuruşarak ölenler değildir. Bütün Türkiye'yi kırıp geçiren tifüs, tifo, çiçek salgınından veya gıdasızlıktan ölenler değildir. Evlerinde kalsalardı ölmezlerdi denemez. Çünkü salgın evlerinin olduğu bölgelere de yayılmış ve yüzbinlerce cana kıymıştır. Türkiye'de Birinci Cihan Harbinde cephelerde ölenlerin adedi 550 - 600.000 kişidir. Gerisi 2 milyonu geçen kişi de hastalıktan, gıdasızlıktan veya askerlikle ilgisi olmadığı halde, Ermeni ve Rum çetelerinin saldırılarından ölenlerdir. Binaenaleyh bu grubu da dışarıda bırakmak zaruridir.

Dardanalles fell into their hands, the *de facto* occupation of Istanbul could be carried out. They would thus have been able to re-examine the pact to hand over Istanbul and the surrounding region to Russia as part of the agreement, initiated in 1913, to partition the Empire. The *de facto* situation was more important than solem agreements which remained only on paper. Just as they would protect their bargaining powers in this area, so they would gain a new advantage over the Russians, whose activities continued in the southern and south-eastern regions of Anatolia. In fact, the aid which they had given to the Armenian terrorist organizations was directed towards this goal.

However, the Allied fleets unexpectedly suffered a crushing defeat off Çanakkale on March 18, 1915 and were forced to retreat. Although this gave rise to important arguments over the above-mentioned goals, the decision was taken to land troops on the Gelibolu peninsula and continue the battle using the Allied land forces. In this way, it was planned to capture the Straits and Istanbul. As a result of preparations made during the first two weeks of April, first the harbour and fortifications of Izmir were bombed on April 19th; this was followed on April 25th by the successful landing of British, French and Anzac troops on the Gelibolu peninsula with the help of their fleets. This led to very bloody fighting during the following months. Thus, the strongest units of the Ottoman army were engaged on the western front at Gelibolu.

The Eastern Front

On the eastern front, 1915 was the year which witnessed all the development resulting from the defeat of the Turkish army at Sarıkamış. Armenian rebellions broke out along the lines mentioned above, as well as in the southern and south-eastern regions. The rebels intensified their activities especially in the Bitlis-Van area. Meanwhile, the Russian forces were concentrated along a line extending through Arhavi, Oltu, Horasan, Karaköse, Diyadin, Kotar, Dilman and Tabriz. The strength of the Russian army in terms of soldiers, weapons and equipment had doubled since the Sarıkamış operation. The Turkish forces, on the other hand, had suffered tremendous losses; moreover, they did not have time to recoup these losses. The Russian aim was to surround the Ottoman forces from the south and south-east, and thus annihilate them. Their greatest support in accomplishing this came from Armenian uprisings and activities along the 'inner lines'.

In the meantime, the Ottoman armies were completely occupied on the Iraqi-Palestinian fronts. Their operations against the British were not producing the desired results. With their defeat of the Ottoman forces at Schwayyibe on the Iraqi front, their fortunes began to change.

To sum up the situation, the Empire was fighting for its very survival, enveloped as it was by two major threats; in the west from the Allied Gelibolu campaign and naval blockade, in the east and south-east from the Russian operations aimed at encircling the Ottoman forces. From within, it was faced with the Armenian rebellions, in particular along the "inner lines" already indicated.

The uprisings and local revolts which broke out in the Van-Bitlis-Muş regions at the beginning of April 1915 escalated into a full-scale rebellion in the Şatak district of the province of Van during the night of April 3rd. It began to spread throughout the entire province, reaching the city of Van on April 15th. Van, it could be said, was occupied by the Armenians. Thousands of Turks were killed in the fighting. Almost thirty thousand Turks began to flee from the city and the region to other places. On April 18th, the rebellion spread to Bitlis, encompassing the

Göç esnasında iklim şartlarından veya yol meşakkatinden ölenler bu gruba girecek mi? Hiç zannetmiyoruz. Gene, evlerinde kalsalardı ölmezlerdi denecektir. Doğrudur, ancak unutulan bir husus var. Türkiye'nin Birinci Cihan Harbinde savaştığı milletlerin arasında Ermeniler de vardır. Hem de Türkiye'de yaşayan, Türk vatandaşı Ermeniler. Aynen 1916 Mayıs'ından sonra Arap'ların da olması gibi. Herhalde Türkiye'nin Türkiye'deki Ermenilerle harp halinde olduğu inkâr edilmeyecektir.

Van'ın düşmesinden sonra Rus Çarının 18 Mayıs 1915 de Beyazıt bölgesi Rus Askeri Komutanlığı yolu ile gönderdiği "Van halkına fedakârlığı dolayısıyla teşekkürlerimi bildiriniz" telgrafının ifade ettiği mana açıktır. 13 Ağustos 1915 günü Paris'in "Le Temps" gazetesinde çıkan Aram Manukyan'la ilgili şu yazı da aynı fikri işler. "Bu savaşın başında Aram rahatını ve işini bırakıp bir kere daha silâha sarıldı ve Van'da ayaklanmış olanların başına geçti. Şimdi bu vilayeti elinde tutan Rusya, Türkiye'ye karşı savaşa bu derece parlak biçimde katılmış olan Ermeni unsurunu memnun etmek için Aram'ı oraya vali yaptı."

Sonra 9 Şubat 1916'da Soleil de Midi'de çıkan şu yazı:

"...Bize gelen teferruatlı bilgiler, özetle, M. Sazanoff'un Duma'daki beyanları, Van'da Aram Manukyan'ın başkanlığındaki 10.000 civarındaki Ermeni'nin Türk askerlerine bir ay süreyle mukavemet ettiklerini ve Rus askerleri gelmeden onları ricata mecbur ettiklerini göstermektedir.

"Sasun dağlarında 9 aydan beri 30.000 Ermeni ihtilâlci, Rus ordularının ve Ermeni gönüllü birliklerinin gelmesini bekleyerek ümitsizce çarpışıyorlar.

"Kilikya'da Kessab dağlarında binlerce Ermeni İngiliz - Fransız yardımı bekliyor..."

Sazanof'un Duma'da söylediği söz "Ermeniler bu savaşta Ruslarla birlikte Osmanlı İmparatorluğu'na karşı döğüşüyorlar" idi.

Bu bahisde daha evvel verdiğimiz bilgiler ve bu şimdi ilâve ettiklerimiz Türkiye Ermenileri'nin savaş esnasında düşman devletleri cephesinde oldukları hususunda herhangi bir tereddüde yer bırakmaz. Esasen bu hususu Sèvres'de kendileri de söyleyeceklerdir.

Osmanlı Başkomutanlığında Kurmay Başkanlığı yapmış General Bronsart'ın 24 Temmuz 1921 tarihli Deutsche Allgemeine Zeitung Gazetesinde çıkan bir yazısında da şu cümleler var:

"Ermenilerin bulundukları her yerde ele geçen sayısız basılı bildirilerin tahrik edici broşürlerin, silâh - cephane, patlayıcı maddeler ve diğerlerinin ispat ettiği gibi isyan, uzun zamandan beri hazırlanmış, Rusya tarafından kurulmuş, kuvvetlendirilmiş ve finanse olmuştu. Yüksek devlet memurlarına ve subaylarına tavsiye edilmiş olan bir Ermeni suikasti İstanbul'da, zamanında haber alınmıştı."

"Eli silâh tutan müslümanların hepsi, Türk Ordusunda bulunduğu için Ermeniler tarafından savunmasız kalan halk arasında korkunç bir katliam yapmak kolaydı. Çünkü Ermeniler cephede Ruslar tarafından bağlanmış olan Doğu Ordasunun yanlarına ve gerilerine sarkmakla yetinmeyerek, bu bölgedeki müslüman halkı silip süpürüyordu. Tanık olduğum Ermenilerin zulümleri, Türklerin yaptığı iddia edilen zulümlerden çok daha kötü idi."

Bir de tamamen Türk aleyhtarı bir kitaptan bir iki cümle alalım. Hassan Arfa şunları yazar:

"1914 Sarıkamış bozgununda Rus orduları Türkiye'yi işgal edince, Kafkas ve Türk Ermenilerinden oluşan Ermeni gönüllü taburları önden geldiler. Bunlardan birisi kana susamış Antranik namında biri tarafından kumanda ediliyordu... Bu Ermeniler, Kürtler tarafından öldürülmüş hemşerilerinin intikamını almak maksadıyla, her türlü vahşeti yaptılar. 1915 ile 1918 arasında Türkiye'nin doğu vilayetlerinde 600.000'den fazla Kürdü katlettiler."

Ermenilerin göç ettirilmesi düşman cephesine mensup oluşları sebebiyledir. Sivil olmaları durumu değiştirmiyor. İkinci Cihan Harbinde Hiroşima'da, Nagazaki'de ölenler de sivil halktı. Londra muharebelerinde, Londra'da ölenler de sivil halktı. Birinci Cihan Harbinde, Fransa'da, Belçika'da, Hollanda'da ölenler de sivil halktı.

entire region.

Following the rebellion and take-over of Van, as if it were enemy territory, the Armenians continued their occupation of the area, carrying out massacres and causing tremendous destruction. The Russian forces immediately took advantage of this situation. Within a month, they themselves occupied first Van, then Malazgirt and later Bitlis. As a result of the Armenian rebellions and the support of the Armenian gangs, every Russian military operation achieved its goal. In short, the regions mentioned came under Russian occupation as a result of Armenian cooperation. The Russians now turned their attention to Azerbaijan.

These are the events which have been referred to as 'the Armenian genocide' and used as propaganda. In such a situation, what action could a state have taken against those who had instigated uprisings and rebellions, had carried out massacres and finally, in collaboration with the enemy forces, had occupied the country of their fellow-citizens? Surrounded as it was by enemies, its territories having become a veritable battlefield, what action could a state in this position have taken against its minority groups who were engaged in rebellions and massacres and were intercepting the army's rear auxiliary forces, thus impeding its defence system? These minorities were not even aware of "whose benefit they were working for". What state could have surrendered itself to these treacherous and murderous gangs?

Countermeasures

The Armenian rebellions in the regions of Bitlis, Van, Muş, Erzurum, Beyazit, Zeitun and Sivas, and their collaboration with the Russian forces compelled the Ottoman government to take certain countermeasures. The basic idea underlying these measures was related entirely to the "self-defence" and "survival" of a state. Taking into consideration reports and information received from various sources, the plight of the military detachments, and, finally, events such as the rebellions, massacres and collaboration with the enemy, the government issued a decree which went into effect on April 24, 1915. The following measures were taken

a) Armenians between the ages of sixteen and fifty-five were forbidden to enter or leave the country.

b) Armenians would henceforth conduct all correspondence in Turkish

c) Armenian children would attend state schools; no new Armenian schools could be opened.

d) Local newspapers printed in the Armenian language would be closed down.

Taking note of the developing situation, the threat to the security of the armed forces, as well as the integrity of the country, the supreme military command issued a proposal to the Ministry of the Interior on May 26, 1915. It stated that "Armenians should be moved from the districts they inhabited in eastern Anatolia, from Zeitun and the other places in which they were grouped and should be resttled to the south of Diyarbakir, in the Euphrates valley and in areas around Urfa and Süleymaniye." This compulsory resettlement was implemented out of necessity. Had it not taken place, the uprisings, rebellions and massacres which were spreading into central Anatolia would have severely taxed the resources of the armies on the front, involving them in the country's internal problems and would have allowed the enemy almost complete freedom of movement.

Resettlement was not a new occurrence in Ottoman history. Indeed, all nations may for various reasons enforce resttlement upon their own subjects as well as on others living

Sivil halkın nasıl öldürüldüğüne dair bazı başka misalleri de yukarıda verdik. Türkiye'nin yaptığı bunları öldürmek değil, göç ettirmekti. O günün imkânlarına göre daha mükemmeli temin edilemediği için yol meşakkatine tahammül edememiş olduklarından ölenlerin Türkler tarafından katledildiğini kabul etmeye imkân yoktur.

Benzer bir misal verelim. İstiklâl mücadelesi sırasında Fransızlar Maraş'ı tahliye ediyorlar. Fransızlarla birlikte 5.000 Ermeni de Maraş'tan ayrılıyor. Günlerden 10 Şubat 1920'dir. Yürüyüş 14 Şubat'a kadar sürüyor. "Bilanço: aralarında Binbaşı Marty de olmak üzere 7'si subay 200 ölü, 200 yaralı, 11 ağır yaralı Maraş'ta bırakılmıştı; ayakları donan 150 kişi, geri çekilme sırasında ölen 2.000 - 3.000 Ermeni."

Şimdi bu Ermenileri, Fransızlar mı katletti?

Evet geriye sadece yolda, müdafaasız durumda öldürülenler kalıyor. Bunların mesuliyeti, korunamadıkları için yahut öldürülmelerine göz yumulduğu için hükümetindir. Hükümet bunların mesullerini, tespit edebildiği ölçüde tutuklamış ve örfi idare mahkemesine vermiştir. Bir haylisi de idam edilmiştir.

Böyle müdafaasız şekilde öldürülerek hayatını kaybeden kaç kişi vardır? Bunun o tarihlerde dahi tespitine imkân olamamıştır. Bugün tespiti ise hiç mümkün değildir.

Ölü rakamı olarak verilen istatistikler daima harbin ilânından mütarekeye kadar, yukarıda belirttiğimiz sebeplerin cümlesinden ölmüş olanların toplamıdır. Halen 2 milyona çıkarılmış olan rakam bu toplamdır. Toynbee, mavi kitabında yaptığı hesaplarla ölen Ermenilerin 600.000 olabileceğini yazmaktaydı. Hesap tarzı da harpten evvelki Ermeni nüfusundan, göç ettirmeden sonra sağ kalanları düşerek ölü rakamına varmaktı. O zaman elde mevcut bilgilere kıyasen, bu hesabı bugün çok daha rahatlıkla yapabiliriz.

Milletler Cemiyeti Göçmenler Komitesinin, Birinci Cihan Harbi süresince Türkiye'den Rusya'ya göç eden Ermenileri 400.000 - 420.000 olarak göstermiş olduğunu, bunun Dr. Fridtjob Nansen'in raporunda kayıtlı bulunduğunu anlıyoruz. Bu rakam harbin sonunda Rusya'da yaşayan, Türkiye'den göçme Ermenilerdir. Rusya ile Moskova Anlaşması 16 Mart 1921'de imzalanıp Doğu Cephesi kapatıldığı cihetle bu göçmenlerin 16 Mart'tan önce Rusya'ya geçmiş olanlar olduğu anlaşılır.

İstanbul Patriği 1921 yılında, İngilizlere verdiği bir istatistikte, o tarihte, Sevres Anlaşmasından önceki Osmanlı hudutları içinde bulunan Ermenileri, göç ettirilmiş olanlardan yerlerine dönmüş olanlar da dahil 625.000 olarak göstermiştir.

Rusya'ya göç etmiş olanlarla birlikte 1.045.000 rakamına varırız.

Türkiye'nin 1914'deki Ermeni nüfusu 1.300.000 civarında olduğuna göre, savaş içinde ölen Ermenilerin toplamı 300.000'i bulamaz.

Başka türlü bir hesap daha yapabiliriz. Toynbee'nin yukarıda temas ettiğimiz dökümandaki hesabında 5 Nisan 1916 tarihinde, Zor, Şam ve Halep bölgelerinde 500.000 sağ göçmenin birikmiş olduğu kayıtlıdır. Göç ameliyesi 1916 Ekim'ine kadar sürdüğüne ve bütün göç ettirilenler de bu 3 bölgeye gönderilmediğine göre, bu rakamın 1916 sonuna kadar hayli artacağı tabiidir.

Göçe tabi tutulanların sayısının 702.900 olduğunu kaydettik. 5 Nisan 1916 tarihinde sağ olan göçmenler o üç bölgedekilerden ibaret olsa ve o tarihten sonra göç ettirilenlerin tamamı da ölse, göçlerde ölenlerin adedi 200.000 olur. Bu söylediğimiz ihtimalin tahakkukuna, yani 5 Nisan 1916'da, Şam, Halep, Zor bölgesi dışına göç ettirilenlerin cümlesi ile, o tarihten sonra göç ettirilecek olanların cümlesinin de ölmesi mümkün olamayacağına göre, bu hesaba göre göçler sırasında ölenlerin adedinin herhalde 100.000'in çok altında olacağı anlaşılır. Bu da asıl zayiatın göç ameliyesi dışında, silâhlı çatışmalarda olduğunu gösterse gerekir.

Bir üçüncü hesap yolu Cumhuriyet Türkiye'sinden hareket etmektir.

Cumhuriyet Türkiye'sinde ilk nüfus sayımı 1927'de yapıldı. O tarihte ülkede mevcut Ermeni sayısı 123.602 idi.

within their borders, and they may at any time take the necessary legal action. Resettlement was a practice introduced in the Byzantine period. In 1828 during the war with Russia, the Ottoman Empire also had recourse to such a measure to prevent Catholic and Orthodox Armenians in the border areas from continually crossing to Russia and assisting the Russians by spying and other activities. One group of these Armenians was resettled in the central areas of Anatolia; another group was deported when the Armenian Patriarch refused to act as guarantor on their behalf. Deportation was not out of the question at that time. Some time later, the Sultan issued a pardon, allowing the deportees to return to their former homes.

The proposal issued by the commander-in-chief of the armed forces passed into law. (The text of this law and other changes may be found in the relevant sections of this book.) It should be pointed out that this legislative measure, both in its scope and implementation, bears no relation to what even today is referred to as the 'deportation law'. Not a single Armenian was deported. Deportation means the expulsion for various reasons from within the borders of a country of a person who has resided there for a length of time, whether he be a citizen of that country or not. It was not the Armenians who introduced the term 'deportation'. It first appeared in 1918 in the course of an extraordinary parliamentary investigation and in a special court of justice set up at the end of the occupation of Istanbul with the purpose of humiliating the Union and Progress Party (Ittihat ve Terrakki Party) in the eyes of the world and the Turkish people, denouncing its members as traitors and throwing the blame on them for dragging Turkey into the war. In short, the term 'deportation' was introduced and applied by the enemies of the Union and Progress Party and by governments under British influence after the occupation of Istanbul. For the Armenians, the term became a propaganda theme; unfortunatley even today it is still used by almost everyone in reference to the Armenians.

The propaganda related to the 'Armenian question' followed a new track on account of the compulsory resettlement of the Armenians and the subsequent claims of killings or deaths from various causes. Taking these in conjunction with the 'genocide' theme in particular, the propagandists initially quoted a death toll of 500,000. Today this figure has risen to two million. Who knows what the figure will be in the future?

Armenian Propaganda Through Statistics

In the propaganda related to the 'Armenian question' and especially during the years 1955 to 1985, when the theme of 'Armenian genocide', was constantly being bandied about everywhere in a campaign of psychological pressure, a second theme appeared, which was aimed at making the claims of 'genocide' more realistic and acceptable. This was the theme of 'the number of Armenians killed as a result of genocide'. Both themes complement each other, one constituting a source of evidence for the other. For years, they have been exploited in this way, and today they are still being exploited.

Actually, it was only after world public opinion showed strong reaction and aversion towards the genocide of the Jews after the Second World War that the 'genocide' theme was suggested in relation to the 'Armenian question'. Prior to that, it had been used only in isolation under various pretexts; gradually the propagandists tried to make the terms 'racialism' and 'genocide' synonymous. The reason for the increase in the figures quoted every year up to the present stems from the view that propaganda supported by statistics is more convincing.

One of our leading statesman, Kâmuran Gürün, makes the

— Fransa'nın 1931 sayımında, 29.227'si yabancı, 5.114 Türkiye doğumlu, fakat Fransız tabiiyetinde, yani cem'an 35.000 civarında Ermeni tespit edilmiştir. Bunların hepsinin Türkiye'den geldiği aşikârdır.

— Kanada kayıtları 1912 ile 1924 arasında Türkiye'den 1244 Ermeni geldiğini gösteriyor (İmre Ferenczi, International Migration, Vol I, New York 1929, P.891)

— Aynı tarihlerde hepsi de Türkiye'den olmak üzere Amerika'ya 34.136 Ermeni göç ettiğini görüyoruz. (Robert Mirak, Armenian Emigration to the U.S. to 1915)

— 1928'de Yunanistan'a göç etmiş Ermeni sayısı 42.200 olarak görülüyor. (Milletler Cemiyeti A. 33 - 1927)

— Bulgar istatistikleri 1920 yılında 10.848, 1926 yılında 25.402 Gregoryen Ermeni kaydediyor. (Annuaire statistique du Royaume de Bulgarie 1931, P. 35). Aradaki 15.000 Ermeni'nin Türkiye'den göç ettiği anlaşılıyor.

— Gene Milletler Cemiyeti istatistiklerinde 2.500 Ermeni'nin Kıbrıs'a gittiğini anlıyoruz.

— Arap ülkelerine ve İran'a göç etmiş Ermenileri Hovannisian şöyle gösteriyor. (The Ebb and Flow of the Armenian Minority in the Arab Middle East, Middle East Journal, Vol 28, No 1, Winter 1974, P. 20).

Suriye	100.000
Lübnan	50.000
Ürdün	10.000
Mısır	40.000
Irak	25.000
İran	50.000

— Bunlara Rusya'ya göç etmiş 420.000 Ermeni'yi de ilâve ederek toplarsak 824.560, yani yuvarlak rakam 825.000'e varırız. Başka Avrupa ülkelerine gidenleri, kayıpları ve unutulanları da 50.000 sayarsak 875.000 rakamına ulaşırız. Türkiye'deki 123.000'le birlikte 998.000 eder. Türkiye'nin 1914 Ermeni nüfusu olan 1.300.000'den bu rakamı düşünce 302.000 kalır.

Binaenaleyh hangi hesabı yaparsak yapalım Türkiye Ermenilerinin Birinci Cihan Harbi içinde her türlü sebepten zayiat (harp halinde bir toplum olduğu için bu tabiri kullanıyoruz) miktarı 300.000'i geçmez. Bu zayiatın göç ettirme sırasında gene her türlü sebepten mütevvellid ölümlere isabet edecek miktarı tabiatıyla daha az ve bunlar arasında, katledildikleri kabul edilebilecek olanların ise çok daha az olacağı aşikârdır.

Katil katildir, mazur görülmez. Biz Ermenilerin Türkleri katletmiş olmalarını nasıl mazur görmüyorsak, Türklerin Ermenileri katletmelerini de mazur görmemekteyiz. Ancak, bu katledilen Ermeniler, hükümetin emri üzerine katledilmiş değildirler. Yakalanabilen suçlular yukarıda belirttiğimiz gibi mahkemeye verilmiş ve idam dahil mahkûm edilerek cezaları infaz olunmuştur.

Gönül arzu ederdi ki, Türkleri katleden Ermeniler de bu şekilde cezalandırılsınlar. Halbuki onlar, Ermeni kitaplarında Milli Kahraman olarak gösterilmektedirler. Talât Paşa'yı katleden Tellirian ile dünyaca meşhur kompozitör Haçaturyan aynı önemde iki kişi olarak kitaplara geçmektedir. Biz buna Haçaturyan hesabına üzülmekteyiz. Haçaturyan ne düşünür tabii bilemeyiz.

Bu bahsi bitirmeden belirtilmesi gereken bir husus daha vardır.

Birinci Cihan Harbinde Ermeni katliamı konusunu dünyaya yayan ve inandırmaya çalışanların başında İngilizler gelir. Propaganda bahsinde bahsettiğimiz meşhur Mastermann bürosu, özellikle Amerika kamuoyunu kazanmak ve ayrıca İslâm dünyasını Türkiye aleyhine çevirmek için çeşitli yerlerde atıf yapmış olduğumuz mavi kitabı çıkararak bir katliam masalı yaratmıştı. Toynbee, sonraları bu kendisine gönderilen bilgileri tevsik etmeye çok uğraşmış ama başarı sağlayamamıştır.

Aynı şekilde bu konuyu kendine dert edinen birisi daha var-

point adequately clear in the section quoted below from his important, well-researched book, *The Armenian File* which was published in 1983. On pages 223 to 227, Gürün discusses the subject, giving evidence. It should be pointed out that the expression 'moving of population' *('göç ettirme')*, which Gürün uses in his discussion, must be taken as meaning 'resettlement' *('iskân ettirme')*, as explained above. This is essential in the light of the legal significance, the Ottoman state system, and the boundaries of the state at that date. There was no question of deporting people. Gürün takes basically the same approach; he used the expression 'moving of population', we believe, in order to make comprehensible the linguistic and conceptual changes which the Turkish language has undergone. Gürün also uses the expression 'resettlement' *('yer değiştirme')*, but he never uses the term 'deportation' *('tehcir')*. Gürün states that a subject constantly exploited as anti-Turkish propaganda is the massacre of as many as 2,000,000 Armenians during the resettlement. The death toll was initially given in 1915 as 300,000; with each passing year, this figure increased until in the 1980's it had reached two million. With the passing years it may be normal for the population of a society to increase; however, but for people who died at a particular date to multiply with the passing years is a phenomenon unique to this situation.

> **We are not going to dwell on who said what or gave what figure on which date. During the resettlement, people died of various causes. Some died as a result of epidemics, some as a result of the climatic conditions and some as a result of the hardships suffered during the journey. Others died because of attacks, inadequate protection by the guards or the illegal actions of certain officials. Furthermore, large numbers died while fighting against the Turks as volunteers in the Russian army. Many also died during the gang attacks and uprisings which began in 1914 even before the war and continued after the resettlement decision throughout 1916.**

Who among those who died can be pointed to as "having been murdered"? Certainly not the ones who were killed while fighting, nor those who died of malnutrition, or of typhus, typhoid fever, cholera and smallpox, which were widespread at the time in Turkey. It cannot be claimed that they would not have died if they had stayed in their homes, because the epidemics had spread to the areas they lived in, taking hundreds and thousands of lives. The number of people who died in Turkey at the fronts during the First World War is 550 - 600,000. The rest, more than 2,000,000 people, died of epidemics and malnutrition, or in the attacks of Armenian and Greek gangs, even though they were not soldiers. Therefore, this group must also be excluded.

Should we include in this group those who died because of the climatic conditions and the hardships of the journey during the resettlement? We do not think so. Again, it will be claimed that they would not have died if they had stayed in their homes. That is true, but there is a point which should be remembered. Among the nations Turkey fought during the First World War were Armenians. And these were Armenians living in Turkey, Armenians who were Turkish citizens, as were the Arabs after May, 1916. Certainly it cannot be denied that Turkey was at war with the Armenians of Turkey.

The meaning of the telegram sent after the fall of Van on May 18, 1915 by the Russian Tsar to the Russian Army Command of the region of Beyazit is quite clear. It reads: "I would like to thank the inhabitants of Van for the sacrifices they have made." The article published on August 13, 1915 in the newspaper *Le Temps* in Paris about Aram Manukian is in similar vein: "At the beginning of this war, Aram left behind a

dır, o da Dr. Johannes Lepsius'dür. Bugün Ermeniler Lepsiüs'un yazdıklarını, mavi kitabın propaganda bürosundan çıktığı bilindiğinden, daha da kıymetli telâkki etmektedirler.

Dr. Lepsius kimdir, gayesi nedir, bunu anlatmakta fayda görüyoruz. Bu maksatla Frank G. Weber'e müracaat edeceğiz.

"Osmanlı İmparatorluğundaki diğer Ermenilerin de Van asilerini taklit etmesinden korkan Enver, bütün Ermeni okulları ile gazetelerini kapamak kararını aldı. Wangenheim bu konuda verilen emirleri Almanya'nın davası bakımından zararlı gördü... Ermenilerin durumunu kolaylaştırmak için Almanların gayret gösterdiğini belirtecek her türlü bilginin toplanmasını Konsoloslarından istedi. Bu bilgiler hem Alman, hemde İtilaf devletleri kamuoylarını etkilemek için bir beyaz kitap halinde neşredilecekti. (Alman Arşivleri Band 37, No. A. 20525)."

Bu husus Dr. Johannes Lepsius'da kuvvetli bir sözcü buldu. Meşhur bir arkeoloğun oğlu ve kendisi de bir seyyah ve yakın doğu konularında yazar olan Lepsius, birçok Evangelik Protestan Cemiyeti tarafından Ermenistan'a gidip, katliam hikâyelerini ilk elden öğrenmekle görevlendirilmişti. Wangenheim, profesörün gelmesini istemiyordu. Türk'lerin kendilerine böyle sıkıntılar çıkardıkları için Almanları itham edeceğini ve herhalde Lepsius'un gayretleri sebebiyle tek bir Ermeni'nin bile akibetinin değişmeyeceğini düşünüyordu. Ancak Lepsius, gayesinin Türkleri tazyik etmek değil, fakat Patrikhaneyi devlete daha sadakat göstermeye çalışmak olduğu hususunda Alman Hariciyesini ikna etti. Bunu sebep göstererek İstanbul'a gitti. Patrik kendisini sevinçle karşıladı, fakat Talat, Anadolu içine gitmesine izin vermedi. Lepsius Wangenheim'i mektup yağmuruna tuttu. Bu arada Sefirin zayıf tarafı olan argüman üzerinde durdu: Ermenilerin tasfiyesi, harpten sonra Almanya'nın Türkiye'deki nüfuzunun artışını ciddi ve belki de tamir edilmez şekilde zorlaştırabilecekti.

"Lepsius, Almanya'ya dönünce, kendisini Ermeni katliamını Alman halkına duyurmaya vakfetti. Yazdıkları çok kere güncel ve objektif değildi. Bunların çoğu Türkiye başşehrindeki Ermeni muhbirlerden geliyordu, çok büyük bir kaynağı da 1915 Temmuz'unda İstanbul'dayken kendisine Amerikan Sefiri Morgenthau tarafından verilip kendisinin tadil ettiği hususlardı. Morgenthau kendisine Amerikan Konsoloslarından gelmiş bir kısım raporları göstermiş ve Ermenilerin Türkiye'den çıkarılıp Batı Amerika'ya yerleştirilmesi fikrini açmıştı. Lepsius bu fikre sarıldı... Lepsius Alman Şansölyesine, eğer Almanya, Türkiye Ermenileri nezdinde popülarite kazanabilirse harpten sonra Rusya Ermenistan'ı daha kolaylıkla Alman himayesi altına girer fikrini sattı."

İşte Dr. Lepsius bu kişidir. Anadolu'ya ayağını basmış, orada bir tek Ermeni ile konuşmuş değildir. Topladığı bütün bilgi Patrikhaneden öğrendiği hususlar ve bir ölçüde de Amerikan Sefiri Morgenthau'nun kendisine gösterdiği raporlardır. Bu raporların da kulaktan dolma olduğunu "Mütareke ve Suçlu Avı" kısmında göreceğiz.

Dr. Lepsius'ü de, Protestan Misyonerlere aynı cepheye koymak ve yazdıklarına da aynı değeri vermek zarureti vardır.

Rus İstilâsı ve Ermeniler

1915 yılında Rusya, Anadolu'nun Doğu ve Güneydoğu bölgesindeki ilk istila çenberini oluşturmaya çalışmış Kars-Sarıkamış-Van-Bitlis-Muş çenberinde durmuştu. Bu yılın Eylül ayında, Çar Rus Orduları Başkumandanlığını üstlenmiş, amcası Büyük Dük Nikola Nikolayeviç'i Kafkas Kral Naibi olarak atayarak, Kafkas cephesi Komutanlığına getirmişti. Büyük Dükün görevi, Çarlığın Kafkasya-İran ve Anadolu üzerindeki Rus istilâsını tamamlamak, Rusya'nın adı geçen bölgelerdeki jeopolitik beklentilerini gerçekleştirmekti. 1915 yılının sonlarına doğru Kafkas Cephesi komutanının emrinde 300 bini savaşan kuvvet olarak, 800 bine ulaşan bir güç oluşturulmuştu. Anadolu'nun savunması için bu gücün karşısındaki Türk Silahlı Kuvvetleri ise ancak atmış bin kişi bulabiliyordu. Ge-

comfortable life and business and once again took up arms as leader of the rebels in Van. Russia, who now controls this province, appointed Aram as governor to please the Armenians who had played their part so brilliantly in the war against Turkey."

An article published on February 9, 1916 in the *Soleil du Midi* stated: "According to detailed information we are receiving, especially the declarations issued by M.Sazanoff at the Duma, around 10,000 Armenians, under the leadership of Aram Manukian have resisted the Turkish troops in Van for a month and have succeeded in putting them to flight before the arrival of the Russian armies.... In the mountains of Sassun, 30,000 Armenian revolutionaries have been fighting hopelessly for nine months, while waiting for the arrival of the Russian armies as well as of the troops of Armenian volunteers... In Cilicia, in the mountains of Kessab, thousands of Armenians are also awaiting the arrival of the French and the British..." Sazanoff had made the following statement in the Duma: "In this war the Armenians are fighting with the Russians against the Ottoman Empire."

The details we have given in this chapter leave no doubt that during the war the Armenians of Turkey joined the enemy in fighting against their own country. As a matter of fact, they themselves stated as much during the Sévres talks.

General Bronsart, who was Chief of Staff to the Ottoman Commander-in-Chief, wrote as follows in an article in the July 24, 1921 issue of the newspaper *Deutsche Allgemeine Zeitung:*

> **As demonstrated by the innumerable declarations, provocative pamphlets, weapons, ammunition, explosives, etc., found in areas inhabited by the Armenians, the rebellion had been prepared over a long time, organized, strengthened and financed by Russia. Information was received on time in Istanbul about an high-ranking state officials and officers**
>
> **Since all the Moslems capable of bearing arms were in the Turkish Army, it was easy to organize a terrible massacre by the Armenians against defenceless people, because the Armenians were not only attacking the sides and rear of the Eastern Army paralyzed at the front by the Russians, but were attacking the Moslem folk in the region as well. The Armenian atrocities which I have witnessed were far worse than the so-called Turkish brutality.**

Let us quote now a few statements from an anti-Turkish book. Hassan Arfa writes:

> **When the Russian armies invaded Turkey after the Sarıkamış disaster of 1914, their columns were preceded by battalions of irregular Armenian volunteers, both from the Caucasus and from Turkey. One of these was commanded by a certain Antranik, a blood thirsty adventurer... These Armenian volunteers, in order to avenge their compatriots who had been massacred by the Kurds, committed all kinds of excesses, killing more than 600,000 Kurds between 1915 and 1918 in the eastern provinces of Turkey.**

The Armenians were resettled because they had joined the ranks of the enemy. The fact that they were civilians does not change the situation. Those who were killed in Hiroshima and Nagazaki during the Second World War were civilians. Those who were killed during the First World War in France, Belgium and Holland were also civilians, as were those who died in London during the raids over London. We have cited above some examples of how the civilians were killed. Turkey did not kill them, but relocated them. As it was impossible to provide them with better conditions under the circumstances, it cannot

libolu zaferinden sonra boşta kalan üç Osmanlı ordusundan ancak biri, Doğunun savunması için tahsis edilmiş bu orduda hemen hemen bütün istilalar tamamlandıktan sonra ancak cepheye yetişebilmişti.

1916 yılının Ocak ayından başlayarak Temmuz ayının sonuna kadar Ruslar, sırasıyla: Köprüköy-Hasankale-Erzurum'u; Rize-Sürmene-Trabzon'u ve Mamahatun-Bayburt-Gümüşhane-Erzincan'ı işgal etmek suretiyle bu bölgelerdeki jeopolitik beklentilerinin önemli bir kesimini ele geçirmişler, diğer İskenderun-Adana stratejik alanlarını da kontrol altına almışlardı. Ayrıca Doğu ve Güneydoğuda işgal ettikleri bütün yerler daha güneylerde Bağdat-Basra-Musul hattını da ilk fırsatta kontrol edebilecek imkânları hazırlıyordu. Ruslar, İran'da da önemli yerleri işgal etmiş bulunuyorlar, Kafkasların ise tek hâkimi durumuna gelmiş oluyorlardı.

Ermeni konusu açısından durumun değerlendirilmesi, tarihin en büyük gerçeklerinden birini ortaya koyması bakımından dikkati çekicidir. Önce, Rus genişleme hatlarıyla — yukarıda açıklanan Ermeni terör örgütlerinin daha savaşın başında harekete geçtikleri isyan — ihtilâl ve terör hatları arasındaki paralelliği, hatta çakışmayı gözden uzak tutmamak gerekmektedir. Bu benzerlik sebepsiz değildir. Ve Rusya'nın jeopolitik emelleriyle orantılıdır.

Ermenilerin yıllarca arzu ettikleri, uğrunda mücadeleler ve savaşlar verdikleri ve büyük ümitler bağladıkları durum gerçekleşmiş, kurtuluş anı gelmişti. Rusya, kendi deyimleriyle "Ermenistan'ı (?)" işgal etmiş, egemenliği altına almıştı. Bu arada Rusya toprakları içerisinde bulunan "Ermenistan" sayılan ve İran topraklarına dahil gene "Ermenistan" saydıkları yerlerde de artık bir tek devlet egemendi. Uğrunda çalıştıkları, istilâları sağladıkları Çarlık Rusyası, şimdi bütün bu alanları Ermenilere açacak, Ermenilerin Osmanlı İmparatorluğunda görmedikleri hürriyetlerini (?) verecek, bağımsızlıklarını (?) sağlayacaktı. Bu ümitlerin ve beklentilerin Rusya için ne anlama geldiğini ve genelde "Ermeni konusu" ve "Ermeni sorunu"nun Rusya bakımından değerlendirilmesini aşağıda sunacağımız iki belge çok iyi açıklamaktadır.

Belge 1
No. 450 *27 Haziran 1916*

Kimden: Rus Hariciye Nazırı Sazanof'dan
Kime : Kafkasya'da Çar Vekili Nikola Nikolayeviç'e.

Büyük Ermenistan'ın hemen tamamiyle askeri birliklerimiz tarafından işgal edilmesi ve burasının Rus İmparatorluğu'nun sınırları içine sokulması zamanının da yaklaşmış olması, ortaya, bu bölgenin idare tarzı sorununu çıkarmış bulunmaktadır. Gerçi, henüz savaş sona ermeden, zaptettiğimiz bölgelerdeki müstakbel iç siyasetimizin gerçek yönünü tayin ve tespit etmek zamansız sayılabilirse de, fakat bu hususta temel ilke olabilecek bazı genel esasları daha şimdiden işaretlememiz bana faydalı gibi görünüyor. Zira "Savaş Hukuku Gereğince İşgal Edilen Osmanlı Bölgelerinin İdare Tarzı Hakkında Geçici Talimatname Projesi" de düzenlenip hazırlanmış olup, yakında yürürlüğe konacaktır.

Yakın gelecekteki görevlerimizin en güç ve karmaşık yönü, Ermeni sorununun çözümlenip düzenlenmesinde ortaya çıkıyor. Çünkü; daha önceleri Osmanlı idaresi zamanında, Ermeni ıslahatının yürütülmesi için girişilen milletlerarası faaliyetlerde en önemli rolün Rusya'nın payına düşmüş olması; şimdi de Ermenilerden bir kısmının (Küçük Ermenistan'da kalanların) diğer devletlerin idaresi altına girmiş bulunmaları nedeniyle, bu sorun — bütünüyle ele alınınca — bir dereceye kadar Rus iç siyasetinin sınırları dışına taşmaktadır. Bizim tarafa geçen Ermeni vilâyetlerinin yakın gelecekteki idare tarzlarını düzenlerken, biz bu iki önemli noktayı göz önünde tutmaktan vazgeçemeyiz. Binaenaleyh aşağıdaki hususları zatı haşmetpenahilerinin gözleri önüne sermeye cesaret ediyorum:

Bilindiği üzere Ermeni sorununu çözümlemek için bizde iki fikir akımı vardır. Bunlardan birincisi: 1913 yılında bize teklif edilen tarzda Rusya'nın himayesi altında Ermenilere tam bir muhtariyet

be accepted that those who died because they were unable to withstand the hardships of the journey were killed by the Turks.

Let us give a similar example. During the struggle for independence, the French evacuated Maraş, and 5,000 Armenians left Maraş with the French. The date was February 10, 1920. The journey lasted until February 14. "The result: 200 dead, among whom were seven officers including Major Marty, 200 wounded and eleven seriously wounded were abandoned in Maraş; 150 people had their legs frozen; 2-3000 Armenians died during the retreat."

Did the French massacre those Armenians?

There remain only those who were killed en route, defenceless. The responsibility lies here with the government because it was unable to protect these individuals or because officials condoned the killings. The government arrested those who were responsible for this, as far as it was able to determine the culprits and sent them to the martial law court. Quite a few of them were executed.

How many defenceless individuals were killed? At that time it was extremely difficult to establish the numbers; today it is completely impossible.

The statistics given as the death toll today are invariably the total of individuals who died for all the reasons stated above, from the declaration of war until the armistice. Today's figure, which has been increased to 2,000,000 is this total. In his blue book, Toynbee writes that the number of Armenians who died might be 600,000. He calculated this number by subtracting the number of Armenians who were alive after the resettlement from the Armenian population before the war. Today we are able to do this calculation more easily, by a comparison with the documents existing then.

Dr. F.Nansen's report states that according to the League of Nations Emigrants' Committee, the number of Armenians who emigrated during the First World War from Turkey to Russia was between 400,000 and 420,000. This figure is the number of Armenians who emigrated from Turkey and who were living in Russia at the end of the war. It is apparent that these emigrants went to Russia before March 16, 1921, when the Moscow Treaty with Russia was signed and the Eastern Front was closed.

In 1921, the Istanbul Patriarch, in the statistics gave to the British, showed the number of Armenians living within the Ottoman borders before the Treaty of Sévres, including those who returned after they had been resettled, as 625,000. If those who emigrated to Russia are included, the figure totals 1,045,000. As the Armenian population in Turkey in 1914 was approximately 1,300,000, the total number of Armenians who died during the war cannot be more than 300,000.

Another method of calculation is possible. In Toynbee's calculation in the document mentioned above, it is stated that on April 5, 1916 the number of settlers who had survived and were clustered in the regions of Zor, Damascus and Aleppo was 500,000. It is natural that this figure should have increased considerably by the end of 1916, because the resettlement process continued until October, 1916 and because not all those who had been resettled were sent to these three regions.

We stated that the number of those who were resettled was 702,900. Even the settlers still alive on April 5, 1916 were from these three regions, and even if all those who were resettled after this date died, the number of those who died during resettlement would be 20,000. As verification of this hypothesis, since it is not possible that all the people resettled in places other than the Damascus, Aleppo and Zor areas on April 5, 1916 and all those that were to be resettled after that date could have died, it is apparent that, based on this

vermek; ikincisi de: Bu görüşe karşı çıkarak, Ermenilerin siyasî önemini sıfıra indirmek ve onların yerine Müslümanları koymak.

Bana öyle geliyor ki, bu sorunun öyle veya böyle çözümlenmesi, gerek iç, gerekse dış siyasetimiz bakımından Rusya'nın çıkarlarına uygun düşmez.

Ermenilere geniş bir muhtariyet verilmesi görüşünü ele alırsak; o zaman unutulmamalıdır ki, şimdi Rusya tarafından zaptedilen Büyük Ermenistan'daki Ermeni halkı hiçbir vakit çoğunluğu elde edememiştir. Evvelce Ermeniler bu bölgede nüfusun ancak dörtte birini teşkin ederken, Türklerin savaş esnasında Ermeniler hakkında uyguladıkları ciddi tedbirlerden sonra bu oran, bizzat, Ermenilerin kendi ifadelerine dayanılarak söylenebilir ki, daha da düşmüştür. Bu şartlar altında bir (Ermeni Muhtariyeti)nin kurulması, azınlığın çoğunluğu idare etmesi gibi, bir haksızlık doğuracaktır.

Öte yandan, Ermeni halkının Müslüman ahaliye kurban edilmesi ve iki toplum arasında ortaya çıkacak çatışmalarda hükümet kuvvetlerinin Müslümanların tarafını tutması görüşünü kabul etmek de olmaz. Zira bu tutum, Ermenileri Osmanlı idaresinde olduğundan daha kötü bir duruma düşürerek onların sınırları dışındaki soydaşlarına kıskanarak bakmaları sonucunu verir. Bu çözüm tarzı ayrıca Rusya'yı pısırık ve beceriksiz bir hale de sokar. Çünkü daha önceleri Ermenistan'da ıslahat yapılmasını isteyen devletlerin arasında en büyük ve inatçı çabayı gösteren Rusya olmuştu.

İşte bu düşüncelerden dolayı bizim için en olumlu ve çıkar yol, Osmanlı ülkesinden ele geçirilen arazinin yeniden düzenlenmesinde kanun ve adaleti bilhassa sert bir surette uygulanması; bölgedeki bütün halklara ırk ve din farkı gözetilmeksizin eşit muamele yapılması; onları birbiri aleyhine düşürmemek ve birinin zararına olarak diğerine yardım göstermemek olduğunu sanıyorum. Bu suretle Ermenilere, belirli bir çerçeve içinde, eğitim ve ibadet özgürlüğü; dillerinden yararlanma hakkı, köy ve kasabalardaki idarelerde, halk mevcudunun % 5'i oranında, temsil yetkisi vermek mümkündür.

Hıristiyan olmayıp toplumlara da, mahallî şartların müsaadesine ve onların kültür ve uygarlık seviyelerine göre, aynı ilkeleri kabul etmek gerekiyor. Nitekim yukarıda sözü edilen geçici talimatname projesi de Köy Meclisleri'nde ve Köy İdareleri'nde kendi toplumlarını temsil için, bunlara bazı kontenjanlar ayırmak suretiyle, bu görüşü teyit ve tasvip etmektedir.

Mahalli arazi mülkiyeti ve kolonizasyon hususunda da aynı suretle kanun ve adalet kuralları uygulanıp yürütülmelidir.

Yukarıda sözü edilen ilkelerin gerçekleşmesi, benim derin inancıma göre, bölge halkının mahallî hükümete sevgi ve saygısını çekecek iç ve dış tahrik hastalıklarından ortalığı temizleyecek ve bölge sakinleri için öylesine yeni hayat şartları vücuda getirecektir ki, bu halk eski Osmanlı idaresi dönemini üzüntüsüzce anacaktır.

Belge 2
No. 2083 - Mektup *16 Temmuz 1916*

Kimden: "Kafkasya'da Çar Vekili Nikola Nikolayeviç'den
Kime : Hariciye Nazırı Sazanof'a.

Sergey Dimitroyeviç;

27 Haziran 1916 gün ve 450 sayılı mektupla bana yaptığınız müracaata karşılıktır:

Savaş hukuku gereğince işgal ettiğimiz Osmanlı bölgelerini Rus İmparatorluğu sınırları içine alma sorununun çözümlenmesinde temel olacak ilkelerin bugünden tespit edilmesinin pek ziyade arzuya şayan olduğu yolundaki görüşünüze katılmakta ve Ermeni Meselesinin halli konusunda belirttiğiniz güçlü ve karmaşıklığı da içtenlikle onaylamaktayım.

Benim derin inancıma göre, Rusya'nın bugünkü sınırları içinde katiyyen bir (Ermeni Sorunu) yoktur. Ve böyle bir şeyin anılması bile gereksizdir. Çünkü Rus uyruğu altında bulunan Ermeniler; tıpkı Müslümanlar, Gürcüler ve Ruslar gibi eşit haklara sahip Rus va-

calculation, the number of deaths during resettlement was well below 100,000. This would also indicate that most of the casualties occurred during armed confrontations unconnected with resettlement process.

A third method of calculation could be based on the Armenian population within the Republic of Turkey, which, according to the first census held in 1927, was 123,602.

In the 1931 census in France, it was established that there were 29,227 Armenians who were foreign nationals and 5,114 born in Turkey, but French citizens. In other words, there were in all approximately 35,000 Armenians. It is obvious that all of them had come from Turkey.

The Canadian records show that 1,244 Armenians had come from Turkey between 1912 and 1914 (Imre Ferenczi, *International Migration*, Vol. I, New York, 1929, p. 891).

In the same period 34,136 Armenians emigrated to the United States, all of them from Turkey (Robert Mirak, *Armenian Emigration, to the U.S. to 1915*).

In 1928 the number of Armenians who emigrated to Greece was 42,000 (League of Nations, A. 33-1927).

The Bulgarian statistics record that in 1920 there were 10,848 Gregorian Armenians, and that in 1926 the figure was 25,402 (Annuaire Statistique du Royaume de Bulgarie, 1931, p. 35.) It would appear that the increase of 15,000 Armenians was caused by those who had come from Turkey.

Again according to the statistics of the League of Nations, 2,500 Armenians went to Cyprus.

Hovannisian gives the number of Armenians who emigrated to the Arab countries and Iran in the following list in 'The Ebb and Flow of the Armenian Minority in the Arab Middle East', *Middle East Journal*, Vol. 28, No. 1 (Winter 1974), p. 20).

Armenian Minorities in the Arab Middle East

Country	Population
Syria	100,000
Lebanon	50,000
Jordan	10,000
Egypt	40,000
Iraq	25,000
Iran	50,000

When we add to these figures the 420,000 Armenians who emigrated to Russia, we arrive at 824,560 or 825,000 if we round it off. If we count those who went to other European countries, together with the missing and the forgotten as 50,000, the figure comes to 875,000. If we add to this the Armenian population in Turkey in 1927 of 123,000, the figure becomes 998,000. When we subtract this number from 1,300,000 which was the Armenian population in 1914, we obtain the figure of 302,000.

Therefore, no matter which method of calculation is used, the number of casualties (we use this term because this is a society at war) among the Armenians of Turkey, for whatever reason, does not exceed 300,000. It is obvious that among these casualties, the number of deaths which, for all the reasons discussed, occurred during the resettlement will be less than this figure, and the number of people who can be considered as having been murdered will be much less.

A murderer is a murderer; no excuse can be given. Just as we do not condone the fact that Armenians massacred Turks, we do not condone the fact that Turks massacred Armenians. However, it was not on the orders of the government that these Armenian were massacred. As stated above, the culprits who could be arrested were sent to court, were given sentences, including the death sentence, and these sentences were carried out.

tandaşlarından sayılmaktadır.

Benim idareme verilmiş olan Kafkasya'daki hükümet, mahallî toplumların eşit haklardan faydalanma özgürlüklerinin şiddetle savunulması gerektiği inancı içindedir. Hatta bu bölge halkları arasındaki uzlaşmaz iddiaların gittikçe güç kazanmasında, mahallî hükümet memurlarının şimdiye kadar – bilmeyerek – izledikleri davranış? tarzının büyük etkileri olduğunu da gizlemeyeceğim. Fakat öte yandan şuna da inanıyorum ki, toplumlar arasında yüzyıllardır süregelen sürtüşmelerin kızıştırdığı bu mücadeleler, tüm Kafkas halklarının Rus milleti gibi aynı eşit haklardan faydalanmaları ve onlar gibi Çar'ın kalbine daha yakın olmaları mahallî hükümetçe sağlanabildiği takdirde, tamamiyle dinip durulacaktır.

Binaenaleyh bu esaslar içinde muhakkak bir (Ermeni Sorunu) bulmak isteniliyorsa, bunu, ancak Rus İmparatorluğu'nun Genel Savaş öncesi sınırları dışında, yani bu defa Osmanlı ülkesinden kopardığımız bölgeler içinde aramak gerekir.

Tarafınızdan bu konulara dair ileri sürülen mütalâalara gelince: Benim görüş ve düşüncelerimin de sizinkilere tamamen uygun olduğunu görmekle mutluyum.

Hiç şüphe edilemez ki, Osmanlı Asyası'ndan bu defa ele geçirilen bölgelerin düzenlenmesi işinde, gayet ciddi ve kesin bir tutumla kanun yolu izlenerek, bu bölgelerde sakin bütün etnik gruplar hakkında tamamiyle tarafsız kalmak gerekir.

Tabiî, Rusya'nın himayesi altında bir (Muhdar Ermenistan) kurulması sorununa değinmek – şimdilik – doğru değildir. Çünkü böyle bir davranış, benim açımdan, Genel Savaşın doğurduğu öteki sorunların barış ve sükûn içinde çözümlenmesi işini karıştırır. Fakat şu hususlarda sizinle aynı görüşteyim ki, Ermenilere din ve eğitim konularında bağımsızlık; kiliselerine ait malların idaresinde ve dillerini kullanma bahsinde de Özgürlük verilmesi lâzımdır; ancak bütün resmî kurumlarda Rus dilinin üstünlüğü şartıyla.

Öte yandan mahallî halkların şehir, köy ve belediye idarelerinde, yüzde belirli bir oran dahilinde temsilleri için, seçim serbestliği verilmesinden de yanayım. Hıristiyan olmayan toplumlara da, mahallî şartlara ve bunların uygarlık seviyelerine uygun olarak, aynı ilkelerin uygulanması gerekir.

Arazi mülkiyeti ve kolonizasyon sorununun düzenlenmesinde ileri sürdüğünüz kanunî ve tarafsız hareket tarzını bende uygun buluyorum. Bu hususta sizinle aynı görüşü paylaştığıma bir delil olmak üzere, Osmanlı ülkesinden ele geçirilen bölgelerde kendi başına arazi ve mesken zaptı gibi her türlü davranışı yasaklamak için verdiğim 19 Mart 1916 gün ve 131 sayılı emirnamenin bir suretini ekli olarak size gönderiyorum.

Sonuç olarak şurasını da söylemeden geçemeyeceğim ki; gerek orduyu, gerekse Kafkas bölgesini ciddî bir surette tehdit etmekte olan yiyecek darlığını ve bunun ileride ortaya çıkaracağı tehlikeleri önlemek üzere şimdiden tedbirler alınması zorunluğundan dolayı, Ermeni firari ve mültecilerinin memleketlerine geri gönderilmesini düşünmek mecburiyetindeyim. Böylece, bu firari ve mültecilere, eski yurtlarına yerleşerek üretici bir duruma gelme fırsatı verilmiş olacağı gibi, Kafkasya da bunları beslemek yükünden kurtulmuş olacaktır. Ayrıca bunların Türkiye Ermenistan'ında verimli bir hayata girmeleri, buradaki ordumuzun beslenmesi sorununu da hafifletecektir.

Size derin saygılar besleyen Nikolay."

Rusya'nın, Anadolu topraklarında ve kaynaklarında jeopolitik hedeflerinin ve beklentilerinin önemli amaçlarından biri de, bu alanlarda "Slav ırkını" yetiştirmek ve geliştirmekti. Bunun açık anlamı, işgal altına alınan bölgelere Rusların yerleştirilmesi ve iskânı idi. Bir kısım topraklar ise Kazaklara ayrılmıştı. "Rusya'ya, Rus yerleştirilecek yeni ülkeler, yeni topraklar katmak" Çarlığın temel görüşleri içerisinde yer alıyordu. Bu sebeple Ermenilerin beklentilerinin gerçekleşmesine esasen imkân yoktur. Rus, ordularının Erzurum'a girmelerinden hemen sonra yayınlanan Başkumandanlık emrinde "Ermeniler, Erzurum'da yerleşme hakkına sahip değillerdir" diyordu.

We would have wished that the Armenians who massacred the Turks had also been punished, but, they are portrayed in Armenian books as national heroes. Tehlirian, who assassinated Talat Pasha, has been described in some books as great a man as Hachaturian the world-famous composer. We regret this, at least on Hachaturian's account. What he thinks, of course, we have no way of knowing.

One more point deserves mention before this subject is concluded. The British led the way in spreading rumours of Armenian massacres throughout the world in shaping public opinion during the First World Later, Toynbee made great efforts to substantiate the information sent to him, but was unable to do so.

Another person who dealt extensively with this subject is Dr. Johannes Lepsius. Today the Armenians attach even more importance to Lepsius' work, since they are aware that the account in the Blue Book could be distrusted on account of its propagandist aims.

We think it important to examine Lepsius' background and aims. For this reason, we shall refer to Frank O. Weber:

> **Lest other Armenians of the Ottoman Empire attempt to imitate the insurrectionaries of Van, Enver decided to suppress all Armenian schools and newspapers. Wangenheim regretted these orders as both morally and materially deleterious to Germany's cause ... Nevertheless, the Ambassador instructed his consuls to collect any kind of information that would show that the Germans had tried to alleviate the lot of the Armenians. These notices were to be published in a White Book in the hope of impressing Entente and German public opinion (German Archives Band 37, No. A 20525).**

The last found a powerful voice in Dr. Johannes Lepsius. The son of a famous archaelogist and himself a noted traveller and writer on the Near East, Lepsius was delegated by various Protestant Evangelical societies to enter Armenia and verify the atrocity stories at first hand. Wangenheim did not want the professor to come. He was as certain that the Turks would charge the Germans some sort of retribution for causing them this embarrassment as that not a single Armenian life would be spared because of Lepsius' endeavours. But Lepsius convinced the Wilhelmstrasse that his intention was not to put pressure on the Turks but instead to argue the patriarchal entourage into greater loyalty toward the Ottoman regime. Alleging this as his reason, he got as far as Constantinople, where the Armenian Patriarch acclaimed him, but Talat refused him permission to travel into the interior. He had badgered Wangenheim unmercifully with letters, and the Ambassador described his reaction to Lepsius' proposals as something between amusement and contempt. Yet Lepsius emphasized an argument to which the Ambassador was always open: the liquidation of the Armenians would seriously and perhaps irreparably diminish the prospects of ascendancy in Turkey after the war.

When Lepsius returned to Germany, he devoted himself to keeping the German public unsparingly informed about the Armenian massacres. Though the German newspapers were not as chary of this news as might have seemed desirable in the interest of the Turkish alliance, the professor still preferred to make his disclosures in the journals of Basel and Zürich. What he wrote was not always up to date or unbiased. Much of it came from Armenian informants in the Turkish capital, and a large source, reworked with many variations, was given him by Ambassador Morgenthau at the time of his visit to Constantinople in July, 1915. Morgenthau showed him a collection of American consular reports detailing the atrocities

10 Ağustos 1916 tarihinde Petrograd'da yayınlanan "REÇ" adlı gazetede; "Geçende Duma'da görüşülmüş olan Türkiye (doğu ve güneydoğu bölgelerinde) işgal edilen yerlerde Rus muhacirlerin iskânı projesi kuvvetle uygulanmaktadır. Bu sorun Muhaceret yönetimi ile askeri makamlar arasında şiddetli tartışmalara sebep olmuştur. Yalnız hudud çevrelerinde değil, daha uzak ovalarda özellikle verimli Muş ovasında uygulamanın yapılması üzerinde incelemeler yapılmaktadır... Bu proje ile birlikte Kafkas kuzeyinde iyi sonuçlar alındığı için Türkiye'de de Kazakların iskânı projesi de vardır. Bu projeyi ileri sürenler, Rus Ermenilerini, Türkiye Ermenilerinden ayıracak, Ruslarla iskân edilmiş oldukça geniş ve verimli bir bölge tesis etmek istemektedirler.

Ermeni mültecileri yavaş yavaş yerlerine dönerek tarlalarını ekmeye başlıyorlar. Bunlar genellikle kendi kasabaları harap olduğu için en az zarar görmüş kasabalara yerleşiyorlar. Karışıklığa meydan vermemek için Büyük Dük Nikola, geri dönmüş mülteci Ermenilerin Rus yönetimi kurulur kurulmaz buraları terk etmelerini isteyen kesin ve şiddetli bir emirname yayınlamıştır..." şeklinde yazılar yer almaktadır.

Bu örnek, jeopolitik beklentilerle Ermeni konusu üzerindeki gerçek çelişkileri ve Ermenilerin kimler için araç haline getirildiğini gösterecek binlerce belgelerden yalnız biraç tanesidir.

Rusya'da İhtilâl Bolşevikler - Ermeniler

Rusya'da 1917 yılında Bolşevik ihtilâli başlamış ve başarı kazanarak, Çarlık devrilmişti. Artık yeni bir rejim ve yeni bir düzen kurulmaya çalışılıyordu. Bolşevikler, Rus halkına ve dünyaya "önce barış" sonra "ekmek ve hürriyet" vaad ediyorlardı. İktidarı ele geçirmelerinden hemen sonra Almanya ve Osmanlı İmparatorluğu ile barışı hazırlayacak ve silahların bırakılmasını sağlayacak Mütareke görüşmelerine başladılar. Brest-Litovsk görüşmeleri devam ederken, Ruslar, Anadolu'da işgal ettikleri yerlerden çekilmeye başladılar. 13 Ocak 1917 tarihinde Lenin ve Stalin'in imzasını taşıyan ve ünlü "13 Numaralı Dekre" adıyla anılan bildiri yayınlandı. Bu bildiri 1917 yılından itibaren Türk-Sovyet anlaşmasına ve diğer Doğu hududlarını belirleyen andlaşmalara kadar Bolşevik politikalarının esasını teşkil edecekti. Ayrıca, Sovyetlerin jeopolitik beklentilerinin de hiç değişmediğini kanıtlıyordu.

"İşçi ve köylü hükümeti Rusya'da ve Türkiye'de Ermenilerin istedikleri takdirde bağımsızlıklarına kadar kendi yönetimlerini seçme haklarını destekler, Komiserler Meclisi bu hakkın gerçekleşmesi için ancak hür bir referandumun sağlam güvencelerle sağlanmasıyla olacağına inanır. Bu inançlar şunlardır..." şeklinde başlayan "bildiri" aşağıdaki maddeleri kapsar:

(1) Türk Ermenistan'ı (?) — Doğu Anadolu'dan — askeri birliklerin çekilmesiyle birlikte bir Ermeni Milis teşkilâtının kurularak bölgede can ve mal güvenliğinin sağlanması,

(2) Yakın bölgelere sığınmış Ermeni göçmenlerin yerlerine dönmeleri,

(3) Savaşın başından beri Türk hükümetlerince sürülmüş (?) olan Ermenilerin yerlerine dönmesi,

(4) Demokratik ilkelere göre seçilmiş milletvekillerinden kurulmuş geçici bir Ermeni hükümetinin oluşturulması. (Bunun şartları Türkiye ile barış görüşmeleri sırasında ileri sürelecektir)

(5) Bu esasların gerçekleştirilmesi için Kafkas işleri komiseri Şomiyan'ın Ermenilere yardım etmesi,

(6) Ermeni topraklarından yabancı birliklerin çıkarılması..."

Bolşevik ihtilâli cephelerde bulunan Rusya ordularında önemli durumlar meydana getirmişti. Rus birliklerinde bulunan erlerin büyük çoğunluğu kaçmış veya dağılmıştı. Bir kısım birliklerde ise üst-ast düzeni alt-üst olmuş, erler ve çavuşlar birlikleri yönetenler haline gelmişti. Bu ordular süratle cepheden çekilmekte, işgal ettikleri yerleri boşaltmaktaydı. İşgal edilen yerlerde doğan boşlukları ise silahlandırıp, donattıkları Ermeni çetelerine veya ayakta kalabilen Ermeni taburlarına bırakıyorlardı. Bu çetelerden önemli

and suggested that the Armenians be removed from the Ottoman Empire and resettled in the American West. Lepsius took up that idea enthusiastically...

Lepsius pointed out to the Chancellor that if Germany made herself popular in Turkish Armenia, the Russian Armenians would be more likely to put themselves under German protection after the war.

Lepsius had not set foot in Anatolia, nor had he talked to one single Armenian there. All the information he gathered consisted of what he learned from the Patriarchate and to some extent the reports which the American Ambassador Morgenthau showed him. It is necessary to put Dr. Lepsius in the same category as the Protestant missionaries and to evaluate his writings in this light.

Russian Occupation and The Armenians

In 1915 Russia, with the eastern and south-eastern regions of Anatolia as its first goal, occupied the area encompassing Kars, Sarıkamış, Van, Bitlis and Muş. In September of the same year, the Tsar became Commander-in-Chief of the Russian forces and appointed Grand-Duke Nicholas Nicholaievich as regent in the Caucasus as well as commander of the Caucasian front. The Grand-Duke was charged with the task of carrying through the Russian occupation of the Caucasus, Iran and Anatolia, thus fulfilling Russian geopolitical aspirations in these areas. The 300,000 troops under the command of the Grand-Duke brought the total Russian strength towards the end of 1915 up to 800,000. In contrast, the Turkish Armed Forces fighting to defend Anatolia were only 60,000 strong. Following the victory of Gelibolu, only one of the three Ottoman armies available could be deployed in the East, but it failed to arrive in time to prevent the almost entire occupation of the area.

Between January and the end of July, 1916, the Russians succeeded in occupying first Köprüköy, Hasankale and Erzurum, then Rize, Sürmene and Trabzon, and, finally, Mamahatun, Bayburt, Gümüşhane and Erzincan, thus realizing for the most part their geopolitical goals in these regions. They also gained control over the other strategic areas of Iskenderun and Adana. Furthermore, they were making preparations to extend their control at the earliest opportunity farther south to the Baghdat-Basra-Mosul line. The Russians had also occupied important areas in Iran and had established complete ascendancy in the Caucasus.

In an assessment of the situation from the standpoint of the Armenian question, one important historical fact cannot be ignored: It is no coincidence that the lives along which the Armenian terrorist organizations embarked even at the beginning of the war on mutiny, rebellion and terror ran parallel to or were even identical with the Russian lines of expansion.

What the Armenians for years had wished for, hoped for, struggled and fought for had at last been accomplished, the moment of liberation had come. Russia had occupied 'Armenia', as she called it and had established her sovereignty over it. The areas within both Russian and Iranian territory, which were referred to as 'Armenia', were not under the sovereignty of a single state. Tsarist Russia would now open up to the Armenians all those areas which she had struggled for and occupied; she would bestow upon them 'freedom' which they had not previously experienced under the Ottoman Empire, and she would grant them 'independence'. Two documents, the text of which we will present in full, show very clearly what significance these hopes and expectations had for Russia and also how Russia viewed the 'Armenian question' in general.

sayılacak bir kısmının komutanları ise Ruslardı. Veya Rus subayları sözde Milis kuvvetlerinin kurmay başkanlığını, birlik komutanlıklarını yapıyorlardı. Bildiri, açıklanın şartlar içerisinde yayınlanmıştı. Bildirinin amaçları da belliydi. Dağılmış Rus ordularının yerine yeni Bolşevik kuvvetlerin konulacağı zamana kadar Ermeni Milislerle durumu idare etmek, Kafkas bölgesindeki boşlukları doldurmak, Ermenileri yeniden kazanmaktı.

Mütareke dönemine kadar Türkiye'nin doğu hududları kesinlikle belli değildi. İki Ermeni kolordusu, Kars'ı ve Sarıkamış'ı işgalleri altında tutmakta ve sürekli olarak, hem Anadolu içlerindeki terör örgütleriyle hem de Kafkasya ve Türklerin çoğunlukta bulunduğu bölgelerde çete hareketleriyle Türk katliamlarına devam etmekteydiler. Doğudaki Ermeni terörü, mücadelesi, savaşları, katliamları ve zulmü Milli Mücadele hareketinin başlamasında en önemli etkenlerden biri olmuştur.

Taşnaklar, bugünkü Sovyet Ermenistan Cumhuriyeti topraklarında, bir Ermeni hükümeti kurmuşlardı. Bolşeviklerle mücadele halindeydiler. Diğer Ermeni terör örgütleri ise bir kısmı Bolşevik ihtilâlcilerle birlikte Rusya'da yeni rejimin kuruluşuna hizmet ediyorlar, bir kısmı da Anadolu'da terörü devam ettiriyorlardı.

Açıklanan bildirinin, yıllar sonra ortaya çıkacak Sovyet isteklerinin ve Türkiye Cumhuriyeti üzerinde her fırsatta oynanmak istenen oyunlar gösterdiği gibi ister Çarlık, ister Bolşevik olsun, Rusya'nın Anadolu toprakları üzerinde jeopolitik beklentilerinde bir değişiklik olmamıştı. Konumuz bakımından belki de en önemli gerçeklerden biri Ermeniler hakkında herhangi bir değişikliğin söz konusu olamayacağıdır. Ermeni konusu her zaman Ruslar için bir savaş niteliğinden öteye gidememiştir. Gidemeyecektir. İşte bu gerçeği, Ermeniler anlamamışlardır.

İngilizlerde Görüş Değişikliği

Rusya'daki rejimin değişmesi, yapılan bütün andlaşmaların Bolşevikler tarafından geçersiz sayılıp, açıklanması, kısaca Türkiye'nin taksiminde ortaklardan birinin artık andlaşmadan ayrılmış bulunması, Amerika'nın savaşa ve Avrupa'daki gelişmelere önemli ölçüde katılması, bütün olumsuzluklara rağmen Türk gücünün yıkılmamış hatta hiçbir alanda kesin mağlubiyete uğratılmamış olması, Almanya'nın ise askeri gücüne karşılık mağlubiyeti büyük bir teslimiyet içerisinde bekler hale gelmesi gibi birçok fakat geleceğin dünyası bakımından önemli olan şartlar karşısında İngiltere'nin Osmanlı İmparatorluğuna karşı görüşlerinde önemli değişikliklerin doğmasına sebep olmuştur.

5 Ocak 1918 tarihinde Loyd Corc, Türkiye hakkında şu görüşleri açıklamaktadır. "Biz Türkiye'yi, hükümet merkezinden veya ırk bakımından üstün olduğu Türklerin çoğunlukta bulunduğu Küçük Asya ve Trakya'nın zengin ve ünlü topraklarından mahrum etmek için savaşmıyoruz. Biz Akdenizle - Karadeniz arasındaki ulaştırmanın uluslararası bir duruma getirilmesi ve tarafsızlaştırılması ile birlikte Hükümet Merkezi, İstanbul'un, Türk İmparatorluğu'nun ve Türk ırkının öz yurdunun korunmasına itiraz etmiyoruz. Bizce Arabistan, Ermenistan, Mezopotamya (Irak), Suriye ve Palestin'in ayrı milli durumlarının tanınmasını istemekte hakları olduğunu açıklıyoruz..." diyordu. Ve açıkladığı yerlerdeki egemenliklerin nasıl kurulacağı hakkında tartışmanın gereksizliğine değinerek "Rusya'nın çökmüş bulunmasının bütün şartları değiştirmiş olduğundan, daha önce yapılmış andlaşmalar üzerinde müttefiklerin tartışmalarına bir engel kalmadığını" bildiriyordu.

İngilizlerin doğan boşluktan yararlanmak istedikleri açıktı. Ancak, artık Ermeni konusu, Irak gibi, Arabistan gibi, Suriye gibi müttefikler arasında tartışılması mümkün bir konuydu. Doğal olarak İngiliz beklentileri ölçüsünde geçerliydi.

Genelde bu görüşler - Fransız ve İtalyan çıkarlarıyla çelişkili alanlarda İngiltere'nin tutum ve davranışlarını belirtiyordu. Bu durum Lozan andlaşmasına kadar devam edecekti. Ermeniler ise, Bolşevik Rusya'dan sonuç alamayacaklarını anlayınca tekrar batıya İngiltere'ye döneceklerdi.

Document 1
No. 450 *27 June, 1916*

From : Sazanoff, Russian Minister of Foreign Affairs
To : Nicholas Nicholaievich, the Tsar's regent in the Caucasus.

The almost entire occupation of Armenia Major by our military forces and the imminent annexation of the region by the Russian Empire raise the question of its administration. Granted, it may be considered premature for the actual direction of our future domestic policies in the conquered areas to be determined before the war has ended. However, it seems to me important that even at this juncture we should outline in broad terms certain basic principles with regard to this matter, since "Interim Regulations Regarding the Administration of the Occupied Ottoman Regions in Accordance with Military Law" will be drawn up and shortly put into effect.

The most difficult and complex part of our task in the near future lies in bringing about a solution to the Armenian question. The reason is that while previously, during the period of Ottoman administration, Russia had the most important part to play in international efforts to the Armenian reforms; how, at the present time, part of Armenia (mainly these parts included in Armenia minor) have come under the protection of other states, with the result that this problem, transcends the bounds of Russian domestic politics. When establishing in the near future the administrative systems for the Armenian provinces which are now within our borders, we must constantly bear in mind these two important points. I therefore venture to present to Your Excellence the following matters:

As you know, there are two trends of thought in Russia with regard to the solution of the Armenian problem. The first is to grant the Armenians complete autonomy under Russian protection, in the manner proposed to us in 1913. The second, in opposition to this is to reduce to zero the political importance of the Armenians and to replace them by Moslems.

It seems to me that neither of these solutions would serve Russian interests as regards either our domestic or foreign policies.

When considering the view that broad autonomy be granted to the Armenians, it must be borne in mind that the Armenians in Armenia Major, now in Russian hands, have never been in the majority. Previously they formed one quarter of the total population in the region; based on evidence given by the Armenians themselves, I can personally say that this ratio has become even smaller, following their harsh treatment at the hands of the Turks during the war. Under these conditions, the establishment of an autonomous Armenia would lead to injustice in the form of minority rule.

On the other hand, it would also be unacceptable for the Armenians to be sacrificed to the Moslem inhabitants of the region and for government forces to take the side of the Moslems in the clashes which would certainly break out between the two communities. Such a policy would place the Armenians in a much worse plight than when under Ottoman rule; and would result in then looking with envy at their fellow-Armenians beyond their borders. Such a solution, furthermore, would put Russia in a weak and awkward situation, for previously of all the countries that had demanded reforms in Armenia, it was Russia that made the greatest and most determined effort.

Consequently, it is my belief that the surest and most advantageous policy for us is, above all, the strict enforcement of law and justice during the reorganization of the territory seized from the Ottoman state and equal treatment of all the

30 Ekim 1918 Tarihinde
Mondros Mütarekesi İmzalandı

Bu ateşkes anlaşmasıyla, Osmanlı İmparatorluğu için Birinci Dünya Savaşı sona eriyor, bu devlet için silahlı ve ateşli mücadele aracı artık bir kere daha kullanılmayacak biçimde tarihe karışıyordu. Müttefik devletler İmparatorluğun egemenlik haklarının bütününü ele geçirecek tutum ve davranışlarına hemen başladılar. İstanbul fiilen işgal edildi. Osmanlı Silahlı Kuvvetlerinin terhisini, donanmasının gözetim altına alınmasını sağladılar. Ulaştırma, haberleşme sistemlerine el koydular. Türkiye'nin bütün mali ve ekonomik kaynaklarını ele geçirmeye çalıştılar. Savaşın başlamasından itibaren devam eden ablukayı yalnız kendi iradeleri içerisinde açmaya yöneldiler. Ve Yunanistan'ın, savaş sırasındaki isteklerini karşılamaya başladılar. Bütün bunlardan ayrı olarak bu devletler Türkiye'nin kendileri için önemli jeopolitik hedef ve beklentilerini teşkil eden ve aynı zamanda daha önce yapılan taksim andlaşmalarında parsellenmiş bulunan alanların ve bölgelerin, istedikleri noktalarını işgal etme fırsatını da ele geçirdiler.

Bu ateşkesle başlayan evrede Ermeni konusu üç yönden gelişmeye çalıştı. Birinci, Doğu ve Kuzeydoğu Anadolu'da ve Kafkaslar Güneyinde Ermeni silahlı kuvvetlerinin Türk ve müslümanlara karşı yaptığı katliamlar, göç ettirmeler, yerleştikleri köy ve kasabaların tahribi şeklinde görüldü aynı zamanda Türk kuvvetleriyle savaş durumundaydılar. Bölgede yapılan savaşlar bilinen sonuçlarıyla; Türk zaferleri, Türkiye'nin doğu hududlarının belirlenmesi ve Sovyetler Birliği içinde bir Ermenistan Cumhuriyetinin kurulması suretiyle gelişti. Ermeni çetelerinin bu dönemde ve açıklanan bölgelerde yaptıkları zulüm, vahşet ve cinayetler başlı başına bir *"katliam"* ve bir *"Türk - müslüman soykırımını"*nı oluşturdu.

İkinci gelişme, Avrupa ve özellikle İngiltere - Fransa kamuoylarının ve politikacılarının üzerinde Ermeni propagandasının yoğunluğu biçiminde oldu. Ermeni terör örgütleri temsilcileri, sun'i Ermeni Cumhuriyeti temsilcileri şeklinde sanki bir devleti temsil ediyorlarmış gibi Avrupa'da başvurmadıkları siyasi kişi ve yetkili bırakmadılar. Bu dönemde bütün Avrupa devletleri Ermeni terör örgütlerine karşı mesafeli bir tutum ve davranış içerisine girmişti. A.B.D.'leri ise Ermeni konusunda her bakımdan sıcak, destekleyici davranıyor, yukarıda açıklanan genel politikalarına paralel ilişkilerin kendi denetimi altında kurulmasını istiyordu. Bu politika, günümüzde de aynen devam edecekti.

Üçüncü gelişme ise, Anadolu'nun Güney ve Güneydoğusunda cereyan etmekteydi. Suriye'den - Güneye doğru hareket halinde bulunan Fransız kuvvetlerine buralarda yerleşmiş veya Osmanlı ülkesi hududları içerisindeyken bu yerlere iskân edilmiş Ermeniler, Fransız kuvvetlerinin önünde Anadolu topraklarına Adana - Maraş - Urfa'ya doğru ilerliyor, arkalarında gördükleri destek ve güçten de yararlanarak açıklanan hatlar üzerinde Ermeni terörünü bu kez resmi Fransız üniformaları içerisinde devam ettiriyorlardı. Bu gelişmede dünya tarihine örneklik teşkil edecek önemli durumlarda ortaya çıkıyordu. Daha önce, başka yerlere iskân edilmek için Maraş'dan - Adana'dan ayrılan Ermeniler silahlı Fransız kuvvetlerinin peşinden bu yerlere giriyor, ayrılırken sattıkları arsa - larla ve evlerini mahkemelere başvurmak suretiyle geri alıyorlardı. Türk yargı organları gelen ve başvuran her Ermeni'nin başvurusunu inceliyor, tapuları varsa onları iade ediyor, zilyetlik suretiyle o mülklerde yaşamışlarsa haklarını satışları da iptal ederek geri veriyordu. Bütün bunlara rağmen, Ermeniler müslüman halkı en şiddetli şekilde cezalandırmaya çalışıyor, öldürüyor, ırz ve namuslarına saldırıyordu.

Mondros Mütarekesinde, Müttefik devletlerin hesaba katmadıkları bir durum vardı. *"Türk Milli Gücü"*. Kısa zamanda bu gücün oluşturduğu, Milli Mücadele ve Türk İstiklâl Savaşı dönemi başladı. Bu mücadelenin başlamasında önemli rollerden birini de Ermenilerin Doğuda ve Güneydoğuda yaptıkları katliamlar ve diğer faaliyetler teşkil ediyordu. Türk İstiklâl Savaşının sonunda düş-

people in the region, irrespective of race or creed; we should do nothing to incite one group against the other, nor should we show discrimination in giving one group benefits to the detriment of the other. Thus, within a definite framework, the Armenians can be granted freedom of worship and education, the right to use their own language and to have proportional representation in local government.

The same principles should also be applied to the non-Christian communities, as far as local conditions and their level of culture and civilization permit. As a matter of fact, the interim regulations referred to above corroborate and support this view by allotting non-Christians a quota of seats on the village councils and administrative committees to represent their communities.

In matters concerning local land, property and colonization, the legal and judicial codes should be applied and enforced in similar manner.

It is my profound belief that the implementation of these principles will create among the people of the region love and respect for local government, will free them from the plague of domestic or foreign provocation, and will bring about new living conditions, that will remove all painful memories of the former Ottoman administration.

Document 2
No. 2083 - Letter *16 July, 1916*

From : Nicholas Nicholaievich, the Tsar's regent in the Caucasus.
To : Sazanoff, Minister of foreign Affairs.

Sergey Dimitrievich;

I write in reply to your letter, no. 450, dated 27 June, 1916. I share your view that it is most desirable that we determine at this point the principles which will serve as a basis for solving the problem of annexation of the Ottoman territories which we have occupied in accordance with military law. I also fully support your statement regarding the difficulties and complexities inherent in solving the Armenian question.

It is my profound belief that within the borders of present day Russia, no Armenian question exists. It is inappropriate even to think of such a thing, because the Armenians who are under Russian rule are regarded, exactly like the Muslims or Gregorians as having the same rights as Russian citizens.

The government in the Caucasus, which has been placed under my authority, is of the belief that the freedom of local communities to enjoy equal rights must be vigorously defended. I also will not conceal the fact that the increasingly uncompromising nature of the conflicting claims put forward by the people of this region is largely attributable to the way local government officials have acted up to now, albeit unwittingly, I do, on the other hand, believe that the violence which has been kindled by the intercommunal friction and clashes that have continued for centuries will completely die down and such conflicts cease if local governments can ensure that the Caucasian people enjoy the same equal rights as the Russian nation and that like it, they have close relations with the Tsar.

Therefore, if you definetely want to find an Armenian problem, you must look for it beyond the pre-World War borders of the Russian Empire in the regions seized from the Ottoman state.

Coming now to the opinions you have expressed regarding these matters, I am happy to observe that my views and ideas are entirelly in accord with yours.

In the establishment of order in the regions captured in

man yurt dışı edildi. Doğudaki zaferlerle Türkiye'nin hududları belirlendi. Ve Lozan Barış Andlaşması imzalandı. Bu dönemde de Ermeniler Avrupa ve A.B.D.'leri kamuoylarını etkilemeye büyük gayret sarfettiler. Ancak, Türk Milli Gücü'nün karşısında hiçbir sonuç alamadılar. Zamanla A.B.D.'leri de Anadolu toprakları üzerinde jeopolitik beklentilerinin Ermenilerin ve onları ileri sürerek çeşitli çıkarlar sağlamak isteyenlerin arzularına uygun olarak Anadolu'yu istila ederek gerçekleşemeyeceğini veya bu topraklarda yapılacak her hareketin bedelinin çok ağır olacağını anlamış oldu ve beklentilerini başka yollarla gerçekleştirmeye çalışmayı ön gördü.

Çağın bu ilk yirmi üç yılı içindeki gelişmeler, Ermeni terör örgütlerince hiçbir zaman tatmin edici görülmedi. Onlar için, Osmanlı İmparatorluğunun yok olmasıyla birlikte imzalanan Sevr anlaşması geçerliydi. Çünkü, tarihleri boyunca başkalarının mücadelelerinin sonunda, başkalarının kendilerine sağladığı imkânları kullanmak Ermeni terör örgütlerinin bir yerde tutum ve davranışlarının değişmez çizgisi olmuştu. Sevr'in Türk Milli Mücadelesi ve Türk İstiklâl Savaşı ile ortadan kaldırılmasını hiçbir zaman kabul edemediler. Ancak, her zaman olduğu gibi bir hususu da dikkatlerden daima kaçırdılar. Anadolu tarihini inceleyenlerin görebilecekleri gibi hiçbir güç Anadolu'ya, anlaşmalarla sahip olamamıştı. Bu topraklar için kan dökenler, ter dökenler bir yana itilerek, başka güçlerin beklentilerinin aracı olarak Anadolu'ya sahip olunamazdı.

Bu dönemin en belirgin özelliği propagandaların yaygınlığı, yoğunluğu, devletlerin uyguladığı psikolojik harekâtların çeşitliliği, esnekliği ve hemen hemen diplomasiden - savaşa kadar kullanılan bütün vasıtalarda esas rol oynamasıydı. "Savaş" teması hiç değişmedi. Ermeni temsilcileri devamlı olarak Müttefiklerin yanında, Osmanlı İmparatorluğuna karşı savaştıklarını, bu sebeple savaştan yararlanmak istediklerini açıklamışlardı. Lozan'da ise *"Ermeni Yurdu"* teması işlenmeye başladı. Bu temanın baş mimarı ve yayıcısı ise gene İngilizler oldu. Çalışmanın ilk bölümlerinde görülen belgeler bu dönemi ve 1973 senesine kadar olan durumu gözler önüne sermeye gayret eden değerlendirmelerdir.

Jeopolitiğin, Ermeni konusundaki esas rol ve özelliği, bütün incelikleriyle belirtilen dönemlerde ortaya çıkmaktaydı. 1973 - 1985 döneminde de ağırlığını hissettiren en büyük gerçeklerden biri Türkiye üzerindeki beklentilerdir. Bu beklentileri, *"Tehdidi"* ortaya çıkaranlar ve kullananlar kadar, *"Tehdidi"* kendi denetimleri altına almaya çalışan devletlerde de görülmektedir.

ERMENİ SORUNU – ERMENİ KONUSU ÜZERİNDE YAPILAN TANIMLAMALAR

"Ermeni sorunu – Ermeni konusu" üzerinde çok çeşitli tanımlamalara rastlamak mümkündür. Bu tanımlama gayretlerinin önemli bir kesimi propagandaların ortaya koyup, işlediği ve psikolojik harekât uygulamalarının kullandığı *"temaların"* tekrarı ve açıklaması şeklindedir. Bir başka tanımlama gayretlerinde, Ermeni terör örgütlerinin kendi siyasi görüş ve tutumları ağırlık taşır, bunlar görüşlerini dünya kamuoyuna ulaştırmak için çeşitli tanımlar üretirler. Kiliseler bağlı oldukları inançlar yönünden soruna yaklaşır ve yorumlar yaparlar. Devletler, jeopolitik hedef ve beklentilerine paralel ve bunların gerçekleştirilmesine katkısı oranında soruna ilgi ve sıcaklık gösterirler, soğuk ve ilgisiz davranırlar. Bu yönde uluslararası ilişkilerde kullanacakları tanımları yaparlar, o kadar ki bazen bu tanımları uluslararası örgütlere de götürürler.

"Ermeni sorunu – Ermeni konusu" üzerinde hangi tanım yapılırsa, yapılsın konunun daima siyasi niteliği ağır basar. Ve daima Türkiye-Türkler hedef teşkil eder. Açık söylenmese bile, Türkiye ve Türkler küçümsenir, eski veya yeni düşmanlıklar zımni bir tekrara tabi olur.

"Ermeni sorunu – Ermeni konusu" üzerinde yapılacak her tanımlama üç önemli engelle karşılaşır. Bu engeller, tanımın üzerinde görüş birliğini de güçleştirir, hatta başlangıçta imkânsız kılar. Bunlar, bugün dünya üzerinde birçok ülkede yaşayan, o ülkenin

Anatolia there can be no doubt the need to act in accordance with the law, sternly and decisively, and to remain absolutely impartial towards the ethnic groups inhabiting the regions.

Of course, discussion of the question of the establishment of an autonomous Armenia would be injudicious at present. It would, in my opinion, interfere with the peaceful solution of other problems that have been created by the World War. However, I am in agreement with you on the following points: the need to grant the Armenians independence in matters of religion and education, freedom to manage church property, together with freedom to use their own language, with the proviso that Russian be used in all official institutions.

I am also in favour of granting freedom to elect a certain percentage of representatives to town, village and city councils. The same principles should apply also to the non-Christian communities, in accordance with local conditions and their cultural level.

The legal and impartial procedures that you propose for dealing with the question of land, property and colonization are also, in my opinion, appropriate. As proof that I share your views on this matter, I am enclosing a copy of decree no. 131, issued by me on 19 March, 1916, forbidding every kind of illegal action, such as the independent seizure of land or dwellings in the regions taken over from the Ottoman state.

In conclusion, I must tell you the necessity of taking preventive measures from now on against the serious threat of food scarcities both in the army and the Caucasus region and against the dangers these will create in the future obliges me to consider sending back all Armenian deserters and refugees. These deserters and refugees will thus, by settling in their former home areas, be given the opportunity of becoming productive, while at the same time the Caucasus will be relieved of the burden of feeding them. Moreover, the problem of feeding the army here will also by alleviated by their returning to Turkish Armenia and starting a productive life there.

I remain,
Yours very respectfully,
Nicholas

Related to Russia's geopolitical goals and expectations in Anatolia, another of her great aims was to produce and develop a "Slav race" in that area. This clearly meant the settling of Russians in the occupied regions. Some of the land had been allocated to the Cossacks. "The annexation of new territories, new countries where Russians could be settled" was one of the Russian Empire's basic aims. For this reason, it was basically impossible for the cherished hopes of the Armenians to be realized. Immediately after their armies had occupied Erzurum, the Russians, in a decree issued by the Supreme Military Command, declared that "the Armenians had no right to settle in Erzurum."

The following excerpt is taken from the August, 1916 issue of the newspaper Rec, published in Petrograd.

> **"In the occupied areas (to the south and southeast) of Turkey, which were recently discusses at the Duma, the settlement of Russian immigrants is being vigorously carried out. This problem has been the cause of heated arguments between the directorate of immigration and the military authorities. Investigations are being conducted with regard to the settling of Russians, not just in the border areas but in more distant plains, in particular the fertile plain of Muş... There was also another project for settlement of the Cossacks, since good results had been achieved in the north of the Causasus. Those proposing**

vatandaşı sayılan, o ülkenin imkânlarına sahip, sırasında her türlü kamu hizmetinde görev alabilen, çalışan ve o ülkede doğmuş Ermenilerin hemen hepsinin ayrı ayrı görüşlere, ayrı ayrı tutum ve davranışlara sahip olmasıdır. Sorunun esası da burada yatmaktadır. Bir Fransız Ermenisi ile bir İngiliz, Lübnan, Suriye ve A.B.D.'de doğmuş, büyümüş Ermeni arasında büyük görüş ayrılıkları vardır. Bunlar o ülkelerde, o ülkelerin vatandaşları olarak beklentilere, ümitlere, amaçlara sahiptirler. Sovyet Ermenistanındaki Ermeni ile aynı görüşleri, duyguları paylaşsalar bile belirli bir ölçüye kadardır. İkinci engel, tanımlama gayretlerinin çoğunun Ermeniler dışında, siyasi nitelikleri ağırlık taşıyan bir çabalamanın sonucu olmasıdır. Üçüncü engel ise Ermeni sorunu — Ermeni konusunun, Ermeni terörü ile özleştirilmiş bulunmasıdır. Bu durum, teröre önemli bir propaganda gücü sağlarken, gerçekleri gözlerden sakladığı için tutarlılığını yitirmektedir. Ermeni sorununun — Ermeni konusunun tarihi sürecinden yararlanarak yapılan tanımlar da aynı engele takılırlar.

Günümüze kadar yapılan başlıca tanımlar şunlardır:

1. *"Ermeni sorunu - Ermeni konusu"* ulusal bir kurtuluş hareketidir ve bölgedeki halkların kurtuluş hareketlerinin bölünmez bir parçasıdır.

Dünya Ermeni Kongresi Ana Tüzüğünde de yer alan bu tanım, tamamen bir model arayışından ibarettir. Yukarıda eleştirmesi yapılmıştır. Tutarsızdır. Gerçeklere dayanmamaktadır. Yalnız Ermeni terörünü dünya kamuoyunda, bazı benzetmelerden yararlanarak, meşru göstermeye çalışma amacına yöneliktir. Gerçekte, bu sorun hiçbir ülkeyi de ilgilendirecek güce sahip değildir, yeter ki, o ülkeler böyle bir tanımı kendi çıkarlarına uygun görsünler ve Ermenileri her zaman olduğu gibi araç olarak kullanmaya kalksınlar bu takdirde tanım, o devletlerin politikalarının paralelinde oluşturulan propaganda temasından öteye gidemez.

2. *"Ermeni sorunu - Ermeni konusu"* bazı devletlerin Türkiye üzerindeki emellerinin ve amaçlarının gerçekleşmesi için Türkiye'yi yıpratmaya, güçsüzleştirmeye yönelik faaliyetlerin bir parçasıdır. Gelecekteki çıkarları bakımından güçlü bir Türkiye'yi tehdit kabul eden ülkelerde bu konuyu sürekli canlı tutmak isterler.

Bu tanımın tarihi dayanakları vardır. Gerçeklere de uymaktadır. Ancak konuyu Ermeniler açısından tanımlamamak gibi bir zafiyete de sahiptir.

3. *"Ermeni sorunu - Ermeni konusu"* Ermeni terörüdür. Ve dünyadaki terör olgusunun bir parçasıdır.

Ermeni terör örgütlerinin tutum ve davranışları, ilişkileri bakımından bu tanımlamanın gerçek yönleri bulunmaktadır. Fakat sorunu yalnız terörle bağlaması bakımından eksiktir.

4. *Ermeni sorunu - Ermeni konusu"* dünya Narkotik ve benzeri kanun dışı ve bütün insanlığı, kendi çıkarları uğruna, tehdit eden faaliyetler dizisidir. Bu faaliyetler büyük ölçüde Narkotik örgütlerinin dikkatlerini Ermeni terörü üzerine çekip çıkarlarını sağlamak ve kendilerini gizlemek şeklinde oluşmaktadır.

Bu tanımlamanın da Ermeni terör örgütlerinin ilişkileri bakımından gerçek yanı bulunabilir, ancak ne sorunu açıklayabilir ne de tarihi süreç içerisinde oluşan durumları ve gerçekleri ortaya koyabilir. En önemlisi de süreklilik niteliği taşıyan Ermeni konusunu, belirli bir zaman ve konu kesitiyle kısıtlar ki, gerçek amaçları daha çok gizler.

5. *"Ermeni sorunu - Ermeni konusu"* bir kin ve kan gütmedir. Ermenilerin geçmişte uğradıkları çeşitli insanlık dışı hareketlerden intikam almak isteklerini Ermeni terörü şeklinde ortaya koymalarıdır. Bu tanımda hiçbir gerçeği yansıtmadığı gibi tutarsızdır. Çünkü, Ermeni terör örgütleri, Ermenilerin çok büyük çoğunluğunun dışındadırlar. Ve onları baskı altında tutmaktadırlar. Türkiye ve Türk düşmanlığının gerçek payı vardır, ama sorunu tam olarak açıklayamaz.

this project wished to establish a rather broad and fertile area, which would be settled by Russians and by Russian and Turkish Armenians.

The Armenian refugees were slowly returning and beginning to cultivate their fields. Since their own towns had been completely destroyed, they are generally settled in towns which had been less badly damaged. To prevent trouble, Archduke Nicholas issued a strong, categorical statement demanding that the Armenians who had returned should leave area as soon as Russian administration was established."

This is just one of thousands of documents that reveal the real contradictions with regard to geopolitical expectations and the Armenian question, and making it quite clear for whose purposes the Armenians had been made an instrument.

Bolsheviks and Armenians

In 1917 the Bolshevik revolution succeeded in overthrowing the Tsar. A new regime and a new order were in the process of being established. The Bolsheviks were promising the Russian people and the world "First peace, then bread and freedom." Immediately after seizing power, they started armistice talks to arrange for peace with Germany and the Ottoman Empire and a ceasefire. As the Brest - Litovsk peace negotiations continued, the Russians began to withdraw from the occupied areas in Anatolia. On 13 January, 1917, the famous declaration known as "Decree No. 13 and bearing the signatures of Lenin and Stalin was published. This declaration was to form the basis of Bolshevik policies from 1917 until the Turco - Soviet agreement and other agreements defining the eastern borders. In addition, it gave proof that Soviet geopolitical expectations had not changed. The main points of "Decree No.13" were :

"The Government of the Workers and the Peasants supports the right of the Armenians in Turkey and Russia to determine their destiny as they wish until independence. The Council of Commissars is convinced that this right can be fulfilled only by ensuring first of all the conditions necessary for a referendum. These conditions are as follows :

(1) The withdrawal of armed forces from the borders of Turkish Armenia, and the formation of an Armenian militia, to protect life and property there.

(2) The return of Armenian emigrants who have taken refuge in nearby areas.

(3) The return of Armenians who have been exiled by the Turkish government since the begining of the war.

(4) The establishment of a temporary National Armenian Government formed by deputies elected in accordance with democratic principles. (the conditions of this government will be put forward during the peace talks with Turkey.)

(5) The assistance of the Armenians in the realization of these goals by Shahumian, Commissar for Caucasian Affairs.

(6) The formation of a joint committee in order that Armenian lands can be evacuated by foreign troops."

The Bolshevik revolution had a great effect on the Russian armies at the fronts. A great majority of the Russian troops fled or dispersed. In some units, the system of rank was turned upside down, corporals and sergeants leading some of the units. These armies were speedily withdrawing from the front and were evacuating the occupied areas. At the same time they were abandoning their positions in the occupied territories to Armenian gangs, fully armed and equipped, and to the Armenian battalions that still remained. A sizeable number of

6. *"Ermeni sorunu – Ermeni konusu"* Ermenilerin Türkiye üzerindeki beklentilerinin, Türkiye topraklarında "yurt sağlama" amaçlarının çeşitli şekillerde ve çeşitli bağlantılarla ortaya çıkmasıdır. Bu tanımın da psikolojik ve manevi bir gerçeği dile getirmesi bakımından önemi vardır. Ancak, bugün hiçbir Ermeni'nin vazgeçemeyeceği böyle bir arzuyu gerçekleştirecek ne birliği, ne gücü vardır. Yukarıda açıklandığı gibi birçok ülkede, o ülke vatandaşı olan Ermenilerin artık vatan saydıkları topraklarını da terkedeceklerini ve yeni yurtlar arayacaklarını kimse kesinlikle söyleyemez, Belki bu yaklaşım Ermeni terörünü açıklayabilir. Ancak, bu yaklaşım dahi terörün uygulamalarını böyle bir sonuca varmak için ortaya konduğunu açıklayamaz. Çünkü, ne tarihte ne de günümüzde hiçbir devlet teröre teslim olmamıştır. Olamaz da özellikle, Türkiye gibi milli gücü, sayılı devletlerin içerisinde en kuvvetlisi olan bu devletin teröre boyun eğeceği akıllara bile gelmez. Gelirse, bu başka bir anlam taşır.

"Ermeni sorununu – Ermeni konusunu" ve buna bağlanan *"Ermeni terörünü"* tarihi süreci içerisinde, belirli zaman kesitlerinde tanımlamak mümkündür. XVI. yüzyıldan XX. yüzyıla kadar ve yaşadığımız yüzyılda bu sorunun ne anlamlara geldiği açıklanmıştır. Ancak, bütün bunlar bugün ve 1973 -1985 yılları arasındaki Ermeni terörünü tanımlamaya yetmemektedir. Sebebi çok açıktır, şartlar değişmiştir, zaman değişmiştir, mekân değişmiştir. Ermeni terör örgütlerinin anlamadığı en önemli gerçeklerin başında bu değişen koşullar gelmektedir. Aynı şekilde, Ermeni teröründen bir fayda bir gelecek bekleyenlerin de başlıca hataları bu esasta toplanmaktadır. Doğal olarak da tanımlar hep kendileri için yapılmaktadır.

Gerçekte ise *"Ermeni sorunu – Ermeni konusu"* Ermenilerin sorunu ve konusudur. Farklı coğrafyalarda yaşamak, farklı mezheplere, dillere sahip olmak, farklı insanlarla farklı kaderleri, sevinçleri paylaşmak, Sovyetler Birliği içerisindeki Sovyet Ermenistan Cumhuriyetini tanımamak, küçümsemek gibi hususlar XIX. yüzyılın sonlarında ve XX. yüzyılın başlarında, Türk düşmanlığı üzerine bina edilmeye çalışılan *"Ermenilik şuuru"*nu artık geçersiz kılmıştır. 1960'dan itibaren başlayan çeşitli Ermeni örgütlerinin karşısında bulundukları sorun, *"Ermenilik şuurunun"* yeniden nasıl canlandırılacağı idi. Bunun için 1973 - 1985'lerde yeniden eski "Türk ve Türkiye düşmanlığına" dönülmüş veya başka bir ifadeyle ortada tek kalan *"Türk ve Türkiye düşmanlığı"* kullanılmaya başlanmıştır. Bunun sonucu olarak da Ermeni terörü yeniden ihya edilmiş, doğal olarak bu yeniden uygulamada birçok çıkar çevrelerinin, devletlerin ve örgütlerin de yardım ve destekleri sağlanabilmiştir. Bugün, *"Ermeni şuurunu"* oluşturacak, Ermeniliği devam ettirecek, diliyle, din birliğiyle, yaşadıkları ülkede ikinci derecede bir vatandaş olmaktan kurtulacak çareler *"Ermeni sorununu – Ermeni konusunu"* teşkil etmektedir. Ermeni terörü ise bunda başarısız kalmıştır.

Bu kısa açıklamayla, *"Ermeni sorunu – Ermeni konusu"*nun bir cümleyle ifadesi, *"Ermeniliği yaşatabilmektir"* şeklinde tanımlanabilir. Ermenilerin bir amaç, bir hedef ve ülkü etrafında toplanması ise sorunun başka bir yönünü teşkil eder. Nitekim, son "Anayasa (?)" bu ihtiyaçtan doğmuştur.

ERMENİ TERÖR ÖRGÜTLERİ

Ermeni Terör Örgütlerinin Ortak Özellikleri

1. Tarihi süreci içerisinde ve 1973 - 1985 yeni Ermeni terörü döneminde, Ermeni örgütlerinin amaçlarının ve bu amaçları gerçekleştirmek için izledikleri yol ve yöntemlerin incelenmesinde tamamının birer ihtilâl, isyan ve terör örgütleri olduğu görülür. 1890'larda, "Çeteler teşkil etmek, hedef kitleler olan Osmanlı toplumunun maneviyatını bozmak, Türkleri eldeki bütün imkânları kullanarak öldürmek, yok etmek, egemenlik haklarından mahrum kılmak, Ermeni azınlık topluluklarını silahlandırmak, ihtilâl, isyan ve

the leaders of these gangs were Russians, or Russian officers were acting as chief-of-staff and unit commanders of the militia forces. It was in these circumtanstances that the declaration was published. Its aims were clear : to handle the situation using the Armenian militia until such time as the dispersed Russian armies could be replaced by new Bolshevik forces, to fill the evacuated areas in the Caucasus region and to win over the Armenians again.

Up to the armistice period, the eastern borders of Turkey were not clearly defined. Two Armenian army corps were holding Kars and Sarıkamış under military occupation and were continually perpetrating massacres of the Turks, both in the central regions of Anatolia with the help of the terrorist organizations and in the Caucasus and regions where Turks were in the majority with the help of the Armenian gangs.

The situation in the East, where Armenian acts of terrorism, large - scale fighting, massacres and atrocities were being perpetrated, was one of the most important factors leading to the start of the National Struggle movement.

The Dashnaks, who had established an Armenian government in the land known today as the Soviet Armenian Republic, were in conflict with the Bolsheviks. Some of the other Armenian terrorist organizations were working hand in hand with the Bolsheviks for the establishment of a new regime in Russia; some were continuing their acts of terrorism in Anatolia. As was apparent from the declaration of January 13, 1918, from Soviet demands years later and from the schemes devised at every opportunity against the Turkish Republic, the geopolitical expectations of Russia, whether Tsarist or Bolshevik, had in no way changed as far as Anatolia was concerned. As regards the subject under discussion perhaps one of the most important facts was that there could be no question of a change with regard to the Armenians. The Russians could never see the 'Armenian question' in terms of anything other than a war. This is what the Armenians did not grasp.

Change in British Attitude

The British attitude towards the Ottoman Empire underwent an important change in the face of a number of developments of great importance for the future of the world. The regime in Russia had changed. The Bolsheviks had repudiated all agreements made; in short, one of the partners in the scheme for the partitioning of Turkey had withdrawn. The United States had joined the War and played a significant part in developments in Europe. Despite the dismal situation, Turkish power had not collapsed; in fact, the Turks had not suffered a decisive defeat in any area. Germany was largely resigned to defeat.

On January 5, 1918, Lloyd George expressed the following views regarding Turkey :

> **We are not fighting to deprive Turkey of its richest lands in Thrace, or in Anatolia, where the Turks predominate numerically and where they have governmental control. We are not opposed to internationalizing or neutralizing the transit routes between the Mediterranean and the Black Sea, nor are we against measures to protect Istanbul, the seat of Ottoman government, and to protect the heartland of the Empire, the land the Turks regard as their home. We support the Arabs, the Armenians, the Iraqis, the Syrians and the Palestinians in their demands for recognition of their independent national status."**

terör için hazırlamak, ihtilâl komiteleri, katliam grupları, katliam birlikleri kurmak, hükümet kuruluşlarını tahrip edip, yağmalamak gibi doğrudan teröre ve terörün yaygınlaşmasına" çalışan, kuruluş düzenleri bu esaslara dayanan, izledikleri yol ve yöntemlerde açıklanan doğrultuda hareket eden Taşnakların, Bolşevik ihtilâlinden sonra 1918 - 1920 yılları arasında bugünkü "Sovyet Ermenistan Cumhuriyeti" bölgesinde iktidarı ele geçirerek "Ermeni Cumhuriyetini" kurmaları, çeşitli siyasi girişimlerde bulunmaları bunların terör niteliklerini ortadan kaldırmamış, yıllar sonra 1972 yılında "Ermeni Soy Kırımı Adalet Komandoları" adlı grubu kurmalarına engel olmamıştır. Bu grubun neler yaptıkları ise bütün insanlık âlemince, terörle tarihte ve günümüze hiçbir ilgileri olmayan ancak terör örgütlerinin baskıları altında bulunan Ermenilerce bilinmektedir. Bunun gibi Marksis Hınçak Örgütü de 1973 - 1985 yeni Ermeni terör döneminin başlıca terör uygulayıcısı olan ve varlığı ancak teröre dayanan ASALA'nın kuruluşunun fikri ve manevi kaynağı olmakla kalmamış, bu grubu veya örgütü özendirmiş, desteklemiştir.

Ermeni sorunu — Ermeni konusu veya Ermeni davası hangi anlamda ele alınırsa alınsın, hangi görüşlerle açıklanmaya çalışılırsa çalışılsın, Ermeni örgütlerinde bu kavramlar terörle eşdeğerli olmuş, amaç ve beklentiler sürekli şekilde Türk ve Türkiye düşmanlığı, kan ve kin üzerine bina edilmiştir.

2. Ermeni terör örgütlerinin kuruluşları dar bir kadro ile gerçekleştirilmekte, merkezi yönetim genellikle bu kadronun denetiminde bulunmaktadır. Merkez yönetiminin ön gördüğü eylemler içerisinde belirli sayıda ve belirli görevleri yüklenmiş özel timler tarafından uygulamaya konmaktadır. Bu timler sırasında çok değişik örgüt isimleriyle kamuoylarına yansıtılmakta bu suretle Ermeni örgüt sayısının çok olduğu görüntüsünün yayılması arzu edilmektedir.

3. Bu örgütlerde, merkezi yönetimler ve bunlara bağlı çeşitli organların belirli bir fiziki alanda veya aynı coğrafyada olması gerekmemektedir. Çeşitli ülkelerde olabileceği gibi, bir ülkenin çeşitli yerlerinde de bulunabilirler. Bu durum, Ermeni örgütleri hakkında "Merkezi"lik özelliğini daha demokratik, daha yaygın bir şekle sokmayı sağlamakta ise de gerçekte bütün Ermeni terör örgütlerinde çok sıkı ve disiplinli bir merkez egemenliği esas kabul edilmektedir.

4. Örgütlerin gerek açıklanan yapıları, gerekse lider (?) kişiler arasındaki rekabetler ve çatışmalar sık ve çeşitli bölünmeleri ortak bir özellik haline getirmiştir. Bu durumdan da yararlanılmakta, bir örgüt, birden fazla kişinin liderliğinde ayrılınca sanki ayrı terör örgütleri görüntüsü verilmektedir.

5. Örgütlerde genelde bütün terör örgütlerinde ve faaliyetlerinde esas olan gizlilik başka bir ortak özelliği teşkil etmektedir. Ancak, sırasında merkezin örtüsünün devamı, korunması veya eylemin daha yaygın ve etkin propaganda aracı olarak kullanılması için özellikle alt grup veya özel tim eylemlerinde açıklığa gidilmekte, eylemler ilân edilmekte, gerçekleştikten sonra da üstlenilmektedir. Bütün bunlar propaganda amaçlarıyla hududlu ve bu amaçlara paraleldir.

6. Bütün Ermeni terör örgütlerinde, terör psikolojik harekâtın bir parçası, hatta bir aşamasıdır. Propaganda amacıyla terör uygulanabildiği gibi yalnız terör yaratmak, korku ve sindirme sağlamak için de terör eylemlerine başvurulmaktadır. ikinciler, daha çok Ermenilere ve örgüte karşı gelenlere veya örgütün emirlerine uymayanlara uygulanmaktadır.

7. Bu örgütler, halkla ilişkiler, haberleşme ve bunları gerçekleştiren araçlar hakkında geniş bilgi ve deneyimlere sahiptirler. Ayrıca, bu faaliyetleri yerine getiren kişi, kurum ve kuruluşlarla yakın temas ve ilişkiler içerisinde bulunmaktadırlar. Bu etkinlikleri, örgütlere yeterli yaşama ve yayılma zamanını hazırlamaktadır.

8. Ermeni terör örgütleri daima bir veya birden fazla devletin açık veya kapalı desteğine sahiptirler. Bu devletler örgütleri birer araç şeklinde kullandıkları gibi, kendi gizli örgütlerini ve psikolojik

Taking the view that debate about the method of establishing national sovereignty in their own territories was unnecessary, he went on to say that "no obstacle now remained to Allied discussions on the agreements previously reached, since Russia's collapse has changed the whole situation."

It was evident that the British wanted to fill the gap caused by Russia's withdrawal. The 'Armenian question' was now likely topic of discussion among the allies, as was the question of a Iraq, Saudi Arabia and Syria. Naturally, it was a legitimate subject in terms of British aspirations.

In general, these views determined Britain's approach and policies in the areas where British interests conflicted with those of France and Italy. This situation was to continue until the Treaty of Lausanne. Meanwhile, the Armenians, realizing that they could achieve nothing by seeking Bolshevik support, turned once again to the West and to Britain for assistance.

The Mudros Armistice

The truce marked the end of the First World War; never again would the Ottoman state resort to force of arms. The Allied Powers immediately adopted a course of action which would violate all Ottoman rights of sovereignty. Istanbul was under *de facto* occupation. The Turkish armed forced had been demobilized, and the Turkish fleet was held under close surveillance. Communication systems and transit routes were in the hands of the Allies; they were also trying to gain complete control of Turkey's financial and ecomomic resources. The lifting of the blockade, which had continued since the beginning of the War, could be implemented only at the discretion of the allies. Greek demands during the War were also beginning to be met. Apart from these developments, the Allies also seized the opportunity to occupy strategic points in those areas of Turkey which were of importance in terms of the geopolitical aspirations of the Allies, and which they had been granted in accordance with the terms of the secret partition agreements made earlier.

During the period immediately following the truce, there were three main lines of development with regard to the 'Armenian question'. First of all, in east and northeast Anatolia and the southern part of the Caucasus, the Armenian armed forces were at war with the Turkish forces, as evidenced by the massacres of Turks and Moslems, by their forced resttlement and by the destruction of the villages and towns in which they had resettled. The outcome of the war was a victory for the Turks, the defining of Turkey's eastern borders and the founding of the Republic of Armenia within the U.S.S.R. During this period, the atrocities and murders perpetrated in the above mentioned regions by the Armenian guerrilla bands constituted a full scale 'massacre" and 'genocide' of the Turks and Moslems.

The second development was the intensifying of Armenian propaganda directed at Europe in general, and at British and French politicians and publich opinion, in particular. No politician in Europe went uncontacted by the representatives of the Armenian terrorist organizations, posing as representatives of the Armenian Republic as if they were state representatives. During this period, all the European states had adopted a stance of aloofness towards the Armenian terrorist organizations. The United States, on the other hand, was in every way warmly supportive of the Armenian cause; they wanted independent relations to be established under their personal supervision, along the lines of the general policies outlined above. This policy was to continue unchanged to our own day.

The third development was taking place in south and

harekât kuruluşlarını örtmek için de kullanmaktadırlar.

9. Bütün Ermeni örgütleri için Türk ve Türkiye düşmanlığı, kuruluşlarının ve devamlarının manevi unsuru halindedir. Ayrıca, bu düşmanlık üzerine haklar ve çıkarları bina etmektedirler. Türkiye ile ilişkisi, teması ve bağlantıları olan ülkelerle görüntüde olan düşmanlıklar gelip geçicidir. Terörün bu ülkelere sıçraması veya bir ve birden fazla olayın bu ülkelere karşı veya bu ülke vatandaşlarını da hedef olarak almak suretiyle uygulanması tamamen "tehdit" niteliği taşır, düşmanlık unsurunu kapsamaz.

10. Tarihi süreci içerisinde Ermeni terörü üç aşama gösterir. Birincisi, terörle Ermenileri, Ermeni topluluklarını kazanmak veya kendilerine çekmek bu suretle Ermeniliği sağlamaktır. İkincisi, Ermeni olmayan kamuoylarına "gücü" ve "boyutlarını" kabul ettirmek, ilgiyi sağlamaktır. Üçüncüsü ise, siyasi gelişmeler ve uluslararası çıkar çatışmalarına Türkiye ve Türklük hakkında kullanılabilecek "düşmanlık kaynakları" hazırlamaktır. XIX. yüzyılın sonlarında "hürriyetsizliğe - yoksulluğa - haklardan eksikliğe uğratılmış azınlık" teması - XX. yüzyılın sonlarına doğru "soykırımına - katliamlara uğramış halk - millet" teması tamamen uluslararası ilişkilerde kaynak sağlama amacına yöneliktir. Ve ilk fırsatta, bu kaynaklar hiç tereddütsüz Türkiye'ye rakip devletler tarafından hatta uluslararası teşkilâtlar tarafından kullanılacaktır. Bütün terör örgütlerinin gizli kalan amaçları ve hedefleri uluslararası çatışmalardan doğacak fırsatların değerlendirilmesidir. Bu ise tarihi sürecine uygun olarak kendileri dışında gerçekleşmesini bekledikleri bir hedef hatta emeldir.

1973 - 1985

Yeni Ermeni terör döneminde, terörü özendiren, geliştiren, hazırlayan, daha geniş alanlara yayılmasını, hedeflerinin çeşitlenmesini sağlayan; terör tim ve grupları oluşturan, yeni örgütlenme çabalarına insan gücü manevi ve psikolojik destekler, temaslar ve ilişkiler ortamı hazırlayıp veren; geleneksel Taşnak ve Hınçak terör örgütleridir. Bunların yanında açıklanan dönemde isminden en çok söz ettiren ve Ermeni terörü ile eş anlamda kullanılan "Ermenistan'ın Kurtuluşu İçin Ermeni Gizli Ordusu" örgüt adının kısaltılmış şekli olan ASALA'dır.

Geleneksel terör örgütleri içlerinden çıkardıkları terör tim ve gruplarıyla, ASALA ise, bağımsız görünümü altında, terörün en acımasız ve insanlık dışı uygulamalarıyla yeni dönemin terör yaratıcıları olmuşlardır. ASALA'da manevi ve psikolojik desteği, temas ve ilişkiler ortamını Hınçak'lardan almıştır. Bu yaklaşımla denebilir ki, gerçekte geleneksel terör bütünü ile devam etmiş, 1960'larda hazırlanan ortamdan yararlanmış, fırsatları değerlendirerek bir süre daha Türk ve insanlık avına çıkmıştır.

Yeni Ermeni terörizminin ana nedenlerinden birini "Armenian National Liberation" başlıklı etüdünde, Michael M. GUNTER şu şekilde açıklamaktadır: "Şurası açıktır ki, günümüzde Ermeni terörizminin ana nedenlerinden biri, birçok devlet ve kişinin açıkça bu mücadeleyi desteklemesi ve teröristleri bu eyleme sürükleyen nedenlerin kabul edilmesi gerektiğini öne sürmesidir..." şeklinde açıklamaktadır.

Amerika'nın Massachusetts Eyaletindeki Cambirigge kentinde bulunan "Zoryan Çağdaş Ermeni Araştırmaları Enstitüsü" yöneticisi ve "Armenian Review" gazetesinin yazı işleri müdürü Gerard J. Libaridyan ise bu dönemi; "Türk devletinin ve dünyanın büyük devletlerinin altmış yıl süren barış çabalarından sonra bile, Ermenilerin duygularını kabul etme yönündeki isteksizliği yeni bir terörizm döneminin açılmasıyla sonuçlanmıştır" şeklinde anlatıyor ve meşrulaştırmaya çalışıyor.

ASALA lideri Agop Agopyan ise "...geleneksel Ermeni partilerinin sürdürdüğü politikanın başarısızlıklarının anlaşılmasından sonra" Ermeni şiddet olaylarının ortaya çıktığını iddia ediyor.

Görüldüğü gibi bütün bu görüşler, tarihi süreci içerisinde Ermeni terörünü bir yana iterek, "hakların savunulmasında barışın

southeast Anatolia. During the movement of French forces from Syria to the south of Anatolia, the Armenians who lived there, or who had been settled in these parts while they were still within the borders of the Ottoman Empire, were advancing ahead of the French towards Adana, Maraş and Urfa. Taking advantage of the support of the forces following them, they continued their acts of terrorism in these areas, this time with the help of the French. Moreover, the circumstances in which these events occured are worthy of note and will serve as an example in world history. Some time before, the Armenians who left Maraş and Adana to be resettled moved into their new areas of settlement with the French forces behind them. By applying to the courts, they were able to reclaim the lands and property they had sold on departure. Every Armenian application was examined; if their title deeds, existed, were returned to them; if they had proprietary rights over a property on which they had lived, the bill of sale was declared null and void and their rights of ownership were restored. Despite these measures, the Armenians tried to punish the Moslem people in the most violent manner, attacking, raping and killing them.

In the Mudros Armistice, the Allied Powers failed to take into account one important factor: the strength of Turkish nationalism. Before long, this had developed into the National Struggle and the Turkish War of Independence. Prime factors giving rise to this movement were the massacres and other atrocities carried out by the Armenians in the east and southeast of Anatolia. The enemies were driven out of the country at the end of the War of Independence. Following the victories in the east, the borders of Turkey were redefined, and the Treaty of Lausanne was signed. During this period the Armenian activists made great efforts to win public sympathy in Europe and the United States, but they were unsuccessful in the face of the newly asserted strength of the Turkish nation. In time, the Americans came to understand that their geopolitical aspirations with regard to Anatolia could not be realized by occupation of the area, in accordance with the desires of the Armenians and those who wanted to use them to secure various advantages for themselves. Aware that the cost of any operation in Anatolia would be extremely high, they proposed to try to realize their ambitions in other ways.

The developments during the first twenty-three years of the century were by no means gratifying to the Armenian terrorist organizations. They still regarded as valid the Treaty of Sèvres and with it the complete disintegration of the Ottoman Empire, for throughout history the exploitation of the opportunities secured for them by other people had in a way become a constant feature of the policies of the Armenian terrorist organizations. They were never able to accept the abrogation of the Treaty of Sèvres, which followed the Turkish National Struggle and War of Independence. However, as always, one point escaped their notice. As can be observed by anyone studying the history of Anatolia, it has never been possible for any power to gain possession of Anatolia by treaties and agreement. Nor has it ever been possible, to seize Anatolia by thrusting aside those who had shed their blood and sweat for these lands, in order to serve the ambitions of other powers.

The most striking characteristic of this period was the extensiveness and intensity of the propaganda activities, the variety and elasticity of the psychological pressure applied by states, and the fundamental part this played in almost all the means employed ranging from diplomacy to war. The 'war' theme has not changed. The Armenian representatives announced that they had always fought on the side of the Allies against the Ottoman Empire. That is why they wanted to benefit from the treaty at the end of the War. At Lausanne, the theme of

veya savaşın" seçimine Ermeni konusunu getirmek istiyorlar. Ancak, başlangıcından itibaren, ihtilâllerle, isyanlarla, savaşla yok etmek istedikleri Türklerin ve Türkiye'nin karşısına hangi haklarla çıktıklarını, bu hakları kimden ve nereden aldıklarını açıklamıyorlar. Ermeni terörü için bir hak ortada görülüyor, "kin - intikam - katliam - terör hakkı" bunu ise, hiç çekinmeden kullanmaya çalışıyorlar. Ermeni örgütlerinin başlangıcından itibaren bir terör örgütleri olduğu gerçeğini de görmemezlikten geliyorlar. Yeni terör dönemi ise birden fazla devletin ve birçok kişinin Türkiye üzerindeki beklentilerinden, 1960'lardan başlayarak yapılan propaganda ve gösterilerin hazırladığı ortamdan, Türkiye'nin karşı karşıya bulunduğu çeşitli sorunları istismar eden rakiplerinin tutum ve davranışlarından yararlanılarak eski bir terör döneminin yeniden ihyası anlamını taşıyor. O dönemin sonuçları ne olmuşsa, yeni Ermeni terör döneminin de aynı sonuçları paylaşacağını başlangıcından itibaren belli ediyor. Ancak, bu kez bütün bir Ermeni camiası, insanlık dünyası karşısında terörist damgasıyla çıkmanın ezikliğini, üzüntüsünü çekerek sonuçları endişeyle izliyor. Bu gerçeği ise Ermeni terör örgütleri görmek istemiyorlar veya onları bu yöne itenler göstermek istemiyorlar. Yaygın propaganda ve psikolojik harekât uygulamaları devam ediyor.

Taşnak Ermeni Terör Örgütü

"Ermeni Devrimci Federasyonu" veya Taşnak - Taşnaklar - Ermeni terör örgütü - Taşnak Partisi olarak da anıldı. Komünistlerin "Ermeni Cumhuriyetini" ele geçirmelerinden sonra A.B.D., Lübnan, İran, Fransa ve Yunanistan da "sürgündeki parti" şeklinde örgütü devam ettirmeye çalıştı. Günümüze kadar çeşitli faaliyetleriyle devam etti, yeni terör döneminin hazırlayıcısı ve özendiricisi oldu. Terör tim ve grupları oluşturdu.

1. Örgüt yapısı

a. "Büro" — Örgütün en üst organıdır? Örgüt yönetimi "Büro"nun kararları doğrultusunda gerçekleşir. Büro, görünüşte kollektif liderlik şeklindedir. Kaliforniya'dan, Fransa'dan, İran'dan birer, Lübnan'dan beş üyeden oluşur. Üyeler kendi aralarından birini başkan seçerler. Lübnan iç savaşına kadar Büro, Lübnan'daydı. İç savaş sonunda sırasıyla A.B.D. ne, Yunanistan'a, Fransa'ya taşındı. Bugün tekrar A.B.D.'lerinden olduğu sanılmaktadır. "Büro" üyeleri, yönetim esasları, kararları gizlidir. 1985 yılına kadar, İran doğumlu, Yunanistan'da yaşayan, Hrair Marukiyan'ın büronun başkanı olduğu bildirilmektedir.

b. "Merkez Komitesi" — Örgütün üst yönetim organıdır. "Büro" ile yerel gruplar ve örgütler arasındaki bağı teşkil eder. Ermenilerin nüfus bakımından önemli oldukları yerlerde kurulur. Lübnan ve Fransa'da birer "Merkez Komitesi" olmasına karşılık, A.B.D.'lerinde "Batı Kesimi Merkez Komitesi" — "Doğu Kesimi Merkez Komitesi" adı altında iki komite vardır. Pramide benzeyen bu yapının altında yerel örgütler, organlar yer alır. Bunlar, çeşitli "Ermeni Gençlik Federasyonu" — "Gençlik Örgütü" — "Erkek ve Kız Öğrenciler İzci Örgütü" — "Spor ve Kültür Örgütleri" gibi adlarla kurulmuşlardır.

c. "Merkez Komitesi"ne veya "Merkez Komitelerine" ayrıca propaganda ve yayın; Hukuk; Mali; Askeri; Eğitim ve "Ermeni göçünü denetleme komitesi" adı altında çeşitli hizmet bölümleri bağlıdır. Bunlar daha çok bilgi ve teknik hizmet birimleridir.

"Ermeni Devrimci — İhtilâlci - Federasyonu" adı, propaganda etkinlik sağlamak ve özellikle Batı kamuoyunda tepki yaratmamak amacıyla değiştirilmek istenmiş ve Taşnakların siyasi kolu şeklinde — "Ermeni Ulusal Komitesi" — adını almıştır. Çeşitli propaganda uygulamalarında sanki farklı kuruluşlarmış gibi iki isimde kullanılmaya çalışılmaktadır.

an 'Armenian homeland' began to be examined. The British were again the main architects and propagators of this theme. The documents appearing in the first section of this Introduction are an attempt to appraise and to present the situation in this period and in the years up to 1973.

The basic characteristic and role of geopolitics in the 'Armenian question' become evident in a study of the treatment of the 'question' throughout the whole of the period that stretches from 1923 to 1973. During the 1973 - 1985 period too, one of the most powerful realities was also the expectations of various states with regard to Turkey. Those who presented and exploited these as a 'threat' were just as prevalent as the states that tried to control the situation.

THE MEANING OF THE 'ARMENIAN QUESTION'

There have been many attempts at defining the 'Armenian question'. A great proportion of these definitions repeat the stock themes used in propaganda campaigns and psychological warfare. Some others are the results of the efforts of terrorist organizations to impress their viewpoints to the public at large, and as such their primary function is to reflect the political ideologies of those organizations. Religious organizations approach the question from the point of view of their own aspirations and beliefs. The various states handle the issue with an interest which varies in proportion to the advantages they hope to gain from its exploitation in the pursuit of their geopolitical objectives. In accordance with this policy they produce definitions that can be used to further their international contacts. With the same aim, whenever expedient, they bring these definitions up for discussion at international forums.

Whatever the accepted definition may be, there is no doubt that political implications carry great weight. The target is always Turkey and the Turkish nation, and, even though it may not be openly expressed on every occasion, the Turks are denigrated as people and subjected to calumny and hostile attacks. Any attempts at defining the 'Armenian question' are bound to face three important problems which make it excessively difficult, if not impossible, to come to an agreement over its meaning. The principle problem is created by the fact that the Armenians themselves, whose common aspirations and needs are believed to lie at the root of the 'question', are far from constituting a homogeneous and identifiable group. The Armenians of our day are people who were born and settled in different countries, entitled to all the rights and benefits of citizenship and with occupations in both the private and the public sectors. Hence, they all have different points of view, different attitudes and reactions. An English Armenian cannot be expected to see eye to eye with a French, Lebanese, Syrian or American Armenian. His expectations, hopes and aims would be unlike those of the others. Even if the Armenians of these countries could share similar views and emotions with, for example, a citizen of Soviet Armenia, this similarity would be limited. The second problem is that, most of the definitions proposed have been the consequences of political agitations and therefore their political significance outweighs their objective value. And, finally, as a third difficulty, we must mention the identification of the Armenian issue with Armenian terrorism. While this identification has provided terrorism with a powerful weapon of propaganda, it has deprived the concept of credibility and has reduced it to a formula for concealing reality. Definitions made to interpret the 'Armenian question' in terms of the historical developments related to the issue also face this obstacle.

2. Amacı ve hedefleri

Taşnak Ermeni terör örgütü "Ermeni davasını" (Hay Taht) Sevr anlaşmasında (?) gösterilen, komünist olmayan Ermenistan'ın kurulmasının ve Türkiye'nin Ermenilere karşı işlendiği iddia edilen suçlara karşı tazminat ödemesinin sağlanması anlamında anlamaktadır. Taşnak yayın organlarında bu amaç şu şekilde ele alınmaktadır. "Sevr anlaşması üzerinde durmaya devam edeceğiz. Bu anlaşma davamızın kilometre taşlarından biridir..." Bir başka yazıda da Taşnak amaçları "Ermenilerin kendi vatanlarında yaşama ve kendilerini yönetme hakkına sahip olmaları"dır, şeklinde özetlenmektedir. Bir başka ve yaygın hale gelmiş amaç ise üç noktada toplanmaktadır. Bunlar, (a) Soy kırımın tanınması (b) Türkiye'nin tazminat ödemesi (c) Ermeni topraklarına geri dönüşün gerçekleşmesi şeklinde özetlenmektedir.

3. Stratejileri, tutum ve davranışları

Taşnak Ermeni terör örgütü, görüntüde stratejisini "barışçı yollarla amaçlarının gerçekleştirilmesi" şeklinde ortaya koymuştur. Ancak ne süreç içerisindeki tutum ve davranışları ne de yeni Ermeni terör dönemindeki faaliyetleri bu görüntüleri ve davranışları kanıtlamaktadır. Aksine, tam bir terör örgütü olan ve uzun deneyimlerle elde edilen propaganda gücünü tam olarak kullanma eyiliminde bulunan bu örgüt, kamuoylarını yanıltmak için çeşitli "barışçı" görüntüler sergilemektedir.

"Ermeni Soy Kırımı Adalet Komandoları" terör grubunu Taşnak örgütü kurdu, daha sonra bunun adını "Ermeni Devrimci Ordusu" şekline çevirdiler. Bu grubun bütün cinayetleri ve bombalama olayları Taşnak terör örgütünce planlandı ve kararlaştırıldı. Açıklanan tutum ve davranışlar hiçbir zaman Taşnak'ların terör örgütü niteliğini yitirmediğini gösterdi. Ancak, bu terör örgütünün ASALA'dan farklı bir yanı ortaya çıktı. ASALA için Türk veya başka ülkelerin vatandaşları terör uygulamalarında veya katliamlarda farketmiyordu. Hedeflerde ayırım yapılmıyordu. Buna karşılık Taşnak Ermeni terör örgütü ve ona bağlı terör grupları hedef olarak yalnız Türkleri, Türk vatandaşlarını, Türk temsilcilerini seçiyorlardı.

1982 yılında Los Angeles'teki Türk Başkonsolosunu öldürdükten sonra Adalet Komandolarının yaptıkları açıklamada "Tek amacımız Türk diplomatları ve Türk kurumlarıdır" deniyordu. "Ermeni Devrimci Ordusu"nun 1983 yılında Lizbon'daki Türkiye Büyükelçiliğine yaptığı saldırıda da aynı durum tekrarlanıyordu. Kısaca, Taşnak Ermeni terör örgütü ile ASALA arasındaki farkı, birinin yalnız Türk hedeflerine yönelmesi, diğerinin ise Türk veya diğer milletler vatandaşlarını terör uygulamasında ayırt etmemesidir. Gerçekte, ise bu tarihi süreç içerisinde de görülen bir durumu yansıtıyordu. XIX. ve XX. yüzyılın ilk yirmi yılı içinde, Taşnaklar daha çok Batı yanlısı davranarak Batı ülkelerindeki kamuoyunu etkilemeye çalışırlarken, Hınçaklar Rusya'ya yöneliyorlardı. Terörün, iki yanı da 1973 - 1985 yılları arasında kullanılmaya başladı.

Taşnak Ermeni örgütü açıklanan elçilik baskınından sonra genel stratejisini açıklama fırsatı buldu. Bu stratejiye göre: "Bir kurtuluş hareketinin nihai amacına erişmesi için iki aşama vardır..." deniyordu. Bu aşamaları da şu şekilde formüle etmekteydi. "Birincisi destek üsleri sağlamaktır. Buna "İç propaganda" denilir. İkinci aşama ise, dışarıda tanınma yani dünyanın beğenisini kazanmadır. En azından dünya kamuoyunun davaya eğilmesi sağlanmalıdır. Bu ise, bir başka değimle gösteri eylemleri dönemidir..." İşte Taşnaklar için, Ermeni terörü açıklanan stratejinin "gösteri" eylemlerini yansıtıyordu. Cinayetler, bombalamalar, baskınlar ve bu arada ölen yaralanan, ezilen insanlar tamamen bir gösteriden ibarettir, sayılıyordu.

Taşnak Ermeni terör örgütünün niteliklerini ve özelliklerini, Taşnak Partisi tarihçisi Varanciyan şu şekilde açıklamaktadır: "Belki de hiçbir ihtilâlci parti, hatta Rusların Narodovoletz ve İtalyanların Çarbonarileri bile —ki bunlar terörist eylemlerde zengin

Below are the main definitions that have been proposed up to the present time.

1. **According to the definition given in the Constitutional Regulation of the World Armenian Congress, the 'Armenian Question', or the Armenian issue, is the outcome of a movement of national liberation, and as such it cannot be viewed in isolation from other nationalist movements pursued by the peoples of the same region. As has been noted above this definition reflects the search of Armenian terrorism for a formula that can supply it with a coherent meaning or structure. Its aim is to legitimize terrorism through the use fallacious analogies. This definition fails to reflect the truth and serves no practical purpose, since the states, the support of which the activists wish to enlist by defining their operations as a movement of liberation, become involved in the Armenian issue only when it serves their own interests and in so far as it can be exploited for their own advantages. Hence, this definition can only be used as a theme of propaganda promoted in cooperation with these states.**
2. **The 'Armenian question' has also been interpreted as being part of a large scale plan to weaken and undermine Turkey by powers with vested interests in the region and who do not want Turkey to become too strong, in case their future interests are imperilled. Consequently, they aim at keeping the issue constantly on the agenda. Although this definition has historical foundations and is not at variance with reality, yet it is not adequate as an interpretation of the problem since it avoids the Armenian dimension.**
3. **The 'Armenian question' is merely Armenian terorism, which, in turn, is a small scale manifestation of the general phenomenon of terrorism that prevails in the world. While this definition fits in with the explanation of the behaviour and attitudes of the Armenian terrorist organizations and of their relations with one another, yet it too is incomplete because it attributes the problem solely to terrorism.**
4. **The 'Armenian question' is a façade used by international crime organizations, such as those dealing in narcotics. These organizations which engage in activities that threaten to destroy humanity for the sake of gain, aim at concealing their true objectives by diverting the attention of the public to Armenian terrorism. This definition may throw some light on the contacts of Armenian terrorist groups, however, it can neither explain the question nor provide a historical perspective for understanding the events and situations related to the issue. Moreover, it confuses the meaning of the question further by narrowing the scope of the problem, and confining it within the limits of a very special situation and a short time span.**
5. **The 'Armenian question' is used as an excuse for perpetuating blood feuds and revenge. According to this definition Armenian terrorism is a means of exacting retribution and revenge for the so-called atrocities to which the Armenians were subjected in the past. This definition is also untenable, because it fails to reflect the views of the majority of the Armenian people, in whose names those acts are committed though they themselves are uninvolved in terrorism. On the contrary, these people also suffer from the pressure exerted on them by such organizations.**
6. **The 'Armenian question' is the expression of the**

deneyimlere sahiptirler ve hiçbir şeyden çekinmezlerdi— Taşnak partisi kadar çılgın türde terörist yetiştirememiştir. Yüzlerce silahşör, bomba ve hançerle intikam için yola çıkmış kişi yaratmıştır..." incelenen dönemde de aynı çılgın teröristler, Türklere ve Türk kurumlarına karşı yönelmişlerdi.

4. Viyana ve Münih Kongreleri

a. 27 Aralık 1981 tarihinde Viyana'da yapılan 22 inci Taşnak Kongresinde aşağıda özetleri verilen kararlar alındı.

- Partinin amacı, birleşik ve özgür bir Ermenistan'ın kurulmasıdır.
- Diğer Ermeni kuruluşları, siyasi komite aracılığıyla baskı yapılarak, Taşnak saflarına çekilmelidir.
- Batılı ülkelerle tam bir yakınlık kurulmalıdır.
- Sovyet Ermenistanı ile yakın ilişkilere girilmeli ve Ermeni göçü durdurulmalıdır.

b. 1984 yılı sonunda 15 ülkeden gelen parti temsilcileriyle Münih'te yapılan kongrede ise şu kararlar alınmıştır.

- Ermeni davasının tanıtılması için yeni kampanyalar başlatılmalıdır.
- Ermeni davasına siyasi çözüm sağlayacak, çeşitli barışçı ve yasal yollar denenmelidir. Örnek olarak (A.B.D. leri kongresinde ve Birleşmiş Milletler İnsan Hakları Komisyonunda girişimlerde bulunularak) Ermeni soy kırımının tanınması sağlanmalıdır.

Bu toplantı sonunda yayınlanan açıklamada ise, "Ermeni halklarının meşru hakları , Türkiye'nin soy kırımını tanımasıyla sağlanmalı, insani ekonomik ve kültürel kayıpların tazmini ve binlerce yıllık Ermeni vatanının yeniden kurulmasını savunmaya devam edeceğiz..."

Her iki kongre kararları da Taşnak Ermeni terör örgütünün, propaganda araçları olarak kullanılacak temaları belirlemesi bakımından ilginçtir.

5. Destek ve ilişkileri

Taşnak Ermeni terör örgütü, desteğini daha ziyade A.B.D.'lerinden ve Avrupa devletlerinden almaktadır. İlişkileri ise mümkün olduğu kadar diğer terör örgütleriyle temas etmemek şeklinde bir esasa bağlanmıştır. Adı geçen devletlerin çeşitli teşkilâtlarıyla ilişkileri vardır. Kilise ve Kiliseler Birliği ile "Ermeni lobileri" "Araştırma merkezleri" başlıca destek kaynaklarını teşkil etmektedir.

6. Politik gelişmeleri

1. 1970'lere kadar, Taşnak Ermeni terör örgütünde belirlenen ve uygulanan politikalarda esas "Sovyet Ermenistanı'nın kurtuluşu ve bağımsızlığı" idi. Bu sebeple, Sovyetler Birliği'ne karşı olan düşmanlıklar öncelik kazanıyor, Sovyet Ermenistanı'nı tutan veya Sovyet Ermenistanı'nı destekleyenlere karşı acımasız bir mücadele veriliyordu. New York, Holy Cross Ermeni Kilisesi'nin Başpiskoposunun Noel âyini sırasında bir Taşnak fedaisi tarafından öldürülmesinin nedeni, adı geçenin Sovyet Ermenistan'ındaki durumu onaylamasıydı.

2. 1970'lerden sonra, Ermeni Cumhuriyeti lider ve kadrolarının ölüm ve diğer sebeplerle ortadan kalkması ve dağılması, Üçüncü Dünya kurtuluş hareketlerine Taşnak terör hareketlerinin benzetilmesi gibi sebeplerle politikalarda önemli değişiklikler yapıldı. Artık, düşmanlık Türkiye'ye - Türklere yöneldi. "Faşist Türkiye" asıl düşman oldu, O'nun müttefiki Amerika'da düşman ülkeler içerisine katıldı. 1972'de Taşnakların kurduğu ve teşkilâtlandırdıkları "Ermeni Soy Kırımı Adaleti Komandoları" terör grubu da açıklanan politikalar sonucu olarak harekete geçirildi. Taşnak ve özellikle bu terör grubunun propaganda organı Aztag Şapatoryag, "Günümüzde kurtuluş mücadelelerinin de son umut ve çıkış yolu olarak terö-

Armenian aspirations and claims for land from Turkey in order to set up a national home. This definition has some validity in that it gives expression to a psychological and emotional reality that lies behind the problem. However, it is impratical, for the Armenians today possess neither the national unity nor the power to realize this aspiration which many Armenians even today would find difficult to reject. At the same time, it cannot be supposed that a great number of the Armenians who now live as the citizens of the countries where they have settled would give up their homes to seek a new place of settlement. Despite being infeasible, this interpretation of the 'Armenian question' may serve to explain some of the motives that lie behind Armenian terrorism. But, even then, it cannot explain how terroristic activities might be expected to achieve such an end. For, states are not known to capitulate with terrorism on issues that relate to their sovereignty. It is even more unrealistic to assume that a country of the stature of Turkey, the strength of whose national forces comes top among a number of states likewise renowned for their military power, would bow down before terrorism. If this were to happen we would have to look for other causes.

7. The 'Armenian question' can also be defined in historical perspective, according to its manifestation in different periods. We have attempted earlier to give a historical outline of the different attitudes to this question from the sixteenth through the twentieth century. However, the historical approach is not adequate for an understanding of the meaning of Armenian terrorism in the period between 1973 and 1985. The reason for this clearly lies in the drastic changes of our time, from political circumstances to everyday conditions. The Armenian terror organizations fail to comprehend the dynamics of these changes. This is also the mistake of those who expect to reap advantages from terrorist activities.

8. Finally, the 'Armenian question' is best understood by seeing it from another angle as the question of the Armenian people themselves, whose sense of national identity, which arose in the late nineteenth and early twentieth centuries, as an awareness sharpened by the promotion of hostility against Turkey, is fast disappearing today. Armenians as individuals living in different societies, inhabiting different geographical regions, belonging to different churches, speaking different languages, sharing the same aspirations and anxieties with different people, are no longer united by the consciousness of being 'Armenian'. Moreover, many of them disapprove of the only legitimate Armenian state, that is, Soviet Armenia and refuse to recognize it as the representative of the Armenian nation. For this reason, the primary question faced by the minority organization which began their activities in the sixties was how to revitalize the concept of the Armenian national identity. It was with this end in view that in the period 1973 - 1985 the theme of hostility against Turkey and the Turks was resumed. Consequently, Armenian terrorism was reactivated with the help of a number of states, organizations and interest groups. In fact, the question for the Armenians today is how to revive and keep their sense of identity, how to prevent themselves from becoming second class citizens and, how to assert, instead, their unity as people having a language and religion of their own. It has become manifest that

rizmdir" şeklinde "Terörü" ilan ediyordu.

3. Lizbon harekâtı, Taşnak Ermeni terör örgütünün bütün propaganda ve çabalarına rağmen tam bir başarısızlık olarak görüldü. Lizbon Türk Elçiliği'nin baskınını, terörde bir dönüm noktası şeklinde gösteren davranışlarda itibar kazanamadı. Bu olaydan sonra, "Ermeni soy kırımı adaleti komandoları" terör grubunun ismi "Ermeni Devrimci Ordusu" olarak değiştirilmek zorunda kalındıysa da gene Taşnaklara yeterli etkinlik sağlayamadı, özellikle 1984 tarihinde Taşnak canilerinden Sasunyan'ın tutuklanıp, mahkûm edilmesi Taşnak politikasına önemli bir darbe vurdu. Amerika'da doğan Ermenilerin desteğini yitirdi. "Armenian Reporter" gazetesi, Taşnak partisinin Lübnanlı, dışardan gelen Ermenilerin eline geçtiğini, terörizmi desteklemeyen büyük çoğunluk karşısında âciz kaldığını yazıyordu. Terörist kolun zayıflaması, Taşnaklar arasında ve özellikle "Büro" ve "Merkez Komiteleri" üst yönetimleri arasındaki çatışmaları artırdı. Ve örgütün üst yönetimi ikiye ayrıldı. "Büro"nun güçlü adamları, Lübnan Merkez Komitesinin temsilcileri, önde gelen yöneticileri Lübnan'da, Beyrut'ta öldürüldüler veya kayboldular. 1985 yılının sonlarına doğru artık bir Taşnak bütünlüğünden söz edilemez oldu. Taşnak terör örgütünün, bu duruma gelmesine dışardan iki büyük etken rol oynadı bunlardan birincisi Taşnak yöneticilerinin bazı devletlerin gizli servisleriyle ilişkilerinin açıklanması ve bu servislerin Ermeni kiliselerini bir elde toplama çabalarının ortaya çıkmasıydı. İkincisi ise ASALA - Taşnak mücadelesiydi. ASALA, Taşnak yöneticileri için "Ermenilerin kanını emen ve kurutan parazitler" diyordu. Taşnak Ermeni terör örgütündeki gelişmeler gerçekte yeni değildir. Her defasında bu çatışmalar, bölünmeler olmuş bir süre sonra yeniden ortaya çıkmışlardır. "Dünya Ermeni Kongrelerinde" Taşnakların ağırlığı her zaman görülmüştür, görülecektir. Politika gelişmeleri ise geçici lider çatışmaları şeklinde yorumlanabilir.

7. Yayın Organları

Ermeni terör örgütleri içerisinde propaganda konusunda büyük deneyimleri ve o nisbette destekleri bulunan Taşnak Ermeni terör örgütü, çeşitli süreli, süresiz yayınlar, satın alınan radyo programları, özel radyolar, TV ve Video filmleri gibi haberleşme ve yayın araçlarıyla sürekli olarak amaçlarını, hareketlerini, politikalarını dünya kamuoyuna duyurmak imkânını elde etmişlerdir. Birçok devlet bu bakımdan Taşnaklara özel destekler sağlamışlar ve ilgi göstermişlerdir. Taşnak yayın organları içerisinde en önemlileri A.B.D.'lerinde Ermenice yayınlanan "Hayrenik" ve "Asbarez" ile İngilizce yayınlanan "Armenian Weekly"dir.

Bu örgütün, katılanların kısıtlı sayılarına rağmen, Paris, Bükreş, Erivan, Münih gibi yerlerde 22 dünya konferansı düzenlemesi önemli bir propaganda, yayma ve yayılma olayıdır.

ASALA

"Ermenistan'ın Kurtuluşu İçin Ermeni Gizli Ordusu" ASALA.

Ermeni terörünün 1973 - 1985 yeni döneminde kendisinden en çok söz ettiren, Ermeni terör örgütü ASALA'dır. Kuruluşu, örgüt yapısı ve çalışmaları hakkında kesin bilgiler henüz yayınlanmamıştır. Çeşitli Ermeni kaynakları ve yayınları ASALA hakkında, bazı şahıslara ilgili bilgiler vermekte, çoğu kez bu örgütün veya terör grubunun yayınlarından elde edilen sonuçları açıklamaktadırlar. Bunlar ise bu terör grubunun yaymak istediği veya açıklanmasında sakınca görmediği bilgilerdir. ASALA'nın kuruluşunu, Lübnan olaylarına bağlayan, Lübnan'daki Filistin Kurtuluşu örgütlerinin faaliyetleri içerisinde gören, onlardan esinlenerek ortaya çıktığını savunan görüşler olduğu gibi birkaç Ermeni'nin bir araya gelerek yeni bir terör örgütü kurduklarını ve bu örgütün kısa zamanda dönemin en çarpıcı, en etkin terör olaylarını meydana getirdiğini yazan yayınlar da vardır. Bütün bunlar. ASALA'nın kurulu-

terrorism was unable to resolve this question. In short, the 'Armenian question' or the Armenian issue may be defined as the question of keeping the Armenians' sense of identity alive. The necessity for the Armenians to unite around a single aim or ideal constitutes another aspect of the question. It is to meet this need that the most recent 'Constitution' of the Armenian people has been prepared.

B. ARMENIAN TERROR ORGANIZATIONS

Common Features :

I. The survey of the aims and strategies of the Armenian minority organizations from a historical perspective during the phase of New Armenian Terrorism (1973-85) shows that they had all assumed the character, aims and functions of terrorist organization. Their activities were directed towards the objectives of inciting and perpetrating revolts, revolutions ad acts of terrorism.

It has already been noted above that the Dashnaks who had become organized in the 1890's, had adopted a programme based on terroristic strategies, such as forming gangs, demoralizing the target Ottoman population, killing the Turks and undermining their sovereignty, arming the Armenian minority groups in preparation for uprisings, revolts and terrorism, forming revolutionary committees and murder squads, and destroying governmental institutions. After seizing power and establishing an Armenian Republic (1918 - 1920) within a year of the Russian Revolution, in the region where Soviet Armenia is situated today, the Dashnaks engaged in diplomatic activities and tried to assert themselves as a legitimate power; nevertheless, the fundamental terroristic philosophy never disappeared and resurfaced years later in 1972 with the formation of an subsidiary group named the Justice Commandos for Armenian Genocide. The operations of this group are well-known to everyone, not least to the non-involved Armenians on whom they exert constant pressure.

Similarly, the Marxist Hunchak organization has shown that it too endorses terrorism by the protection and support it gives to ASALA, the principal terrorist organization of the period 1973 - 1985. It is noteworthy that the Hunchaks provided the inspiration and intellectual impetus for the creation of this group.

For terrorist organizations, the Armenian cause, or the Armenian issue no matter what interpretations may be placed upon it has been identified with terrorism whilst the ideals or aspirations of the Armenian people have been reduced to hostility against the Turks and Turkey, to be pursued through vindictive acts and bloodshed.

II. The Armenian terrorist organizations are, as a rule, formed by a small number of activists, who control the central administration. The operations agreed upon by the central administration are carried out by a number of teams, each entrusted with specific duties. When required for propagandist purposes, these teams are made public under a variety of names, which serves the purpose of creating an impression of large numbers and wide-spread activity.

III. Terrorist organizations need not be situated in one specific physical or geographical location. They could be dispersed in several countries, or scattered over the same country. Although this situation on the surface gives an impression of a more democratic and open structure, yet, in reality, such organizations observe a strict discipline imposed by a central organization.

şunu tam olarak açıklamaktan uzaktırlar. ASALA'nın bir örgüt olarak ortaya çıkması şartları bilinmeden ve doldurmuş olduğu boşluk yeterince açıklığa kavuşturulmadan mevcut tereddütler daha uzun zaman devam edecektir.

Her şeyden önce Ermeni terörünün yeni döneminde ilk hareketlerin Taşnak Ermeni terör örgütünün politikaları ve hedefleri gereği olduğu bilinmelidir. Taşnakların tarihi süreç içerisinde ve açıklanan dönemde tamamen batı yanlısı, Türk hedeflerini esas alan, terörü kısıtlı uygulayan bir politika izlediği ve Batı devletlerinden destek ve yardım gördüğü, hatta bunlarla işbirliğinde bulunduğu da çeşitli kanıtlarla açıklığa kavuşmuştur. Esasda bundan başka bir tutum ve davranışta bulunmalarına da yapıları, tarihi gelişimleri uygun değildir. Bu ortamda boş bulunan bir alan vardır. Marksist - İhtilâlci - Yeni nesilleri yakından ilgilendiren ve özellikle Fransa'daki tabiriyle "Yeni Ermeni direniş örgütleri" gibi cazibeli gelecek, Sovyetler ve Doğu ülkeleriyle ilgili alan boş sanılmaktadır. Gerçekte, bu alan Hınçaklar tarafından çok eski tarihlerden beri doldurulmuş bulunmaktadır. Ve 1960'tan itibaren Hınçak'larda çeşitli görüşlerle yeni terör dönemini hazırlamaktadırlar. Ancak, ortada Hınçaklar görülmemekte ve ASALA şeklinde, her şeyi ile yeni sayılmayı isteyen bir terör örgütü çıkmaktadır. Yeni Ermeni terörünün hazırlayıcı etkenleri dikkate alındığında ve özellikle Hınçakların terör örgütü olarak, amaçları, politikaları, hedefleri incelendiğinde ASALA'nın Hınçakların bir terör grubu olduğu kanısına varılabilir. Ancak, Lübnan şartları, yeni gelişmeler, bu grubu dünya kamuoyu önüne yeni bir Ermeni terör örgütü gibi çıkarmış, bu örgüt üstlendiği terör olaylarıyla tanınmıştır. Gerçekte ise değişen önemli bir durum yoktur. Tarihi süreci içerisinde iki Ermeni terör örgütü gene sahnededir. Birisi, daha belirgindir, kurduğu terör grupları ve timleriyle hareketlidir. Diğeri ise görünmemekte bütün manevi, psikolojik desteğin yanında, her türlü insan gücünü, deneyimini de tahsis ettiği bir Ermeni terör grubu örtüsü altında kalmakta, bu grup daha alt gruplar ve timlerle terörü gerçekleştirmektedir.

1. Kuruluşu ve örgüt yapısı

ASALA, 1975 yılında kuruldu. 6 - 7 üyeden oluşan kurucuları içerisinde, terör örgütünün en hareketli iki üyesinden biri olan Agop Agopyan, örgütün bilinen lideriydi. İkincisi ise cinayet eylemlerini bizzat gerçekleştiren, terör olaylarının faili bulunan ve Agop Agopyan'ın yokluğunda örgütün ayakta kalmasını sağlayan Agop Tarakçıyan'dı. İkincisi 1981'de öldü. Birinci ise çeşitli yaralanma, tedavi gibi sürelerin dışında örgütün lideri olarak kaldı. Filistin Kurtuluş Örgütlerinin elemanı olarak tanındı. Mücahit ismini taşıdı.

Örgütün yapısı geleneksel Ermeni terör örgütleri modeline uygundu.

Lübnan Merkez Komitesi, örgütün üst yönetimini üstlenmişti. Özellikle, 1980 yılında bu komite, Lübnan'da önemli bir şekil aldı. Ve "Büro" niteliğine büründü.

Merkez Komitesine bağlı, siyasi Komite - Mali Komite - Propaganda ve Yayın Komitesi - İstihbarat Komitesi - Askeri Komite gibi alt kuruluş ve organlar görevlendirildi. Askeri komite, eylem timlerinin de bağlı olduğu bir organ niteliğindeydi.

2. Amaç ve hedefleri

ASALA, 1981 yılı sonunda açıklandığı "siyasi programıyla" amaçlarını ve hedeflerini dünya kamuoyuna yayınladı. Buna göre ASALA'nın amacı: "Demokratik, sosyalist ve devrimci bir hükümetin önderliğinde birleşmiş bir Ermenistan'ın kurulmasıydı." Bu tanımlanan hükümetin neresi olduğu da açıkça anlaşılıyordu. Sovyetler Birliği ve sosyalist devletlerden her türlü yardım istenmekte ve "Sovyet Ermenistanı halkın uzun savaşı için bir üs olarak" kabul edilmekteydi.

Siyasi programda düşmanlar, iki grupta toplanıyordu. Bunlar-

IV. Another characteristic of the terrorist organization is their tendency to split into a number of smaller groups both because of their differing functions and also as a result of rivalries between their members and their leaders. One outcome of this phenomenon is that each group that breaks away forms its own affiliate organization. Hence, there is an apparent mushrooming which once again produces the impression of proliferation.

V. Secrecy forms one of the basic tenets of these organizations. However, at times, particularly through the instrumentality of the subsidiary team, disclosures are made in order to publicize the activities performed as an occasion for propaganda. This policy also serves the aim of concealing the main centre from detection, which can thus continue its activities in security. For the same reasons, the teams make announcements both before and after committing crimes and take responsibility for them.

VI. In all Armenian terrorist activities, terrorism goes hand in hand with psychological coercion. In fact, the former is a phase in the process of applying the latter. Terrorism can be used as a means of propaganda, as well as an instrument of oppression, intimidation and retribution. The second use of terrorism is reserved for those who oppose the activist organizations or disobey its commands. The majority of non-involved Armenians are subjected to such pressures.

VII. These organizations possess an immense store of expertise and experience in the fields of public relations, communications and the media. Moreover, they have close contacts with the institutions and the people who disseminate information and influence public opinion. Such expertise and contacts provide the organizations with opportunities for survival and gradual expansion.

VIII. The terrorist organizations enjoy the open or secret support of one or more states. These may use them either as an instrument to further their own interests, or as a means of covering up their secret organizations or propaganda units.

IX. Hostility against Turkey and the Turks provides the terrorist organizations with a motive for their existence and survival, as well as serving to rationalize their claims and demands. However, in countries which have close relations with Turkey, the hostile reactions apparently provoked by these organizations tend to be short-lived. Indeed, in such cases, particularly when terrorism takes as its target not only Turkey but also the country where it operates and its citizens, it has to be assumed that the activists are aiming at intimidating their opponents, rather than carrying out hostile operations against the host country.

X. In retrospect, Armenian terrorism appears to have three main objectives : 1) to compel the Armenians to join the ranks of the activists by exerting pressure on them, thus securing their support, 2) to influence world public opinion by convincing it of the might and scope of Armenian terrorism, and 3) to prepare the ground for hostility against Turkey in case of future conflicts of interests and political confrontations on the international scene.

The nineteenth century myth of an enslaved and impoverished minority deprived of its rights, and the twentieth century theme of a nation subjected to massacres and genocide have both been used in order to have access to sources of power in international relations. These sources will probably be enlisted in the service of nations who are Turkey's rivals or even by international institutions for specific ends. What, in fact, is not known among the aims of the terrorist organizations is the to which the opportunities, that arise by instigating international conflicts, will ultimately be put. This is no other than the attainment of the goal or ideal, which they expect to be

dan birincisine "yerel gericiler" deniyordu ki, ASALA karşısında yer alan veya yanında bulunmayan Ermenilerdi, Taşnak Ermeni terörü örgütüydü. İkincisi ise "Uluslararası Emperyalizmin desteklediği Türk emperyalizmi" olarak gösterilmekteydi.

ASALA, "Ermeni topraklarının (?) kurtarılması için temel yolun, devrimci şiddet eylemlerinden geçtiğini" kabul ediyor ve ilan ediyordu. Programına göre; ASALA, üstün sınıfların hegemonyasını reddedenleri destekleyecek ve uluslararası devrimci hareket içinde koalisyonlar kurulup güçlenmesine çalışılacaktı. Bunun için şiddet ve terör asıldı.

ASALA'da amaçların gerçekleştirilmesi için terör eylemlerinin özellikle Türklere veya Türk dostlarına uygulanması, resmi veya özel şahısların seçilmesi önemli değildi. "Terör bir olaydı" ve önemli olan olayın boyutuydu. Hedefler ikinci planda kalabilirdi. Bu nedenle katliamlar, büyük yankı uyandıracak öldürmeler, bombalamalar ön plâna geçiyor, çocuk, kadın, Türk veya başka bir milletten olma önemli sayılmıyordu. Ancak, her defasında öncelik Türklere ve Türkiye'ye uygulanacak terör eylemlerinden idi. Ankara - Paris Havaalanlarının, İstanbul, Kapalıçarşı'da girişilen saldırı ve katliamların Orly saldırısının sebepleri tamamen "olayın" çapı doğuracağı etki ve yankıydı.

3. Stratejileri, tutum ve davranışları

ASALA'da temel strateji, dünyadaki ilerici Ermeni hareketlerini bir noktada "Lübnan'da" toplamak, bir merkezden yönlendirmekti. Kısaca, ilerici Ermeniler ASALA çatısı altında birleşecek ve "ASALA Halk Hareketi"ni başlatacaktı. Bu suretle, Ermenilerin ilerici güçleri, birbirleriyle resmi işbirliğine girebilecek ve güçlerini birleştireceklerdi.

ASALA stratejisinin bu bölümünü 1981 yazında, dünyadaki tüm ilerici Ermenileri Lübnan'da toplantıya çağırmakla uygulamaya çalıştı. "İlerici" değimi "Sosyalist - Marksist" anlamına geliyordu.

Stratejinin ikinci bir aşaması da, bu güç birliğinin sosyalist hükümetlerin de yardımıyla terörü yayarak, savaş dönemini başlatmasıydı. Ermeni terörü, Ortadoğu'daki kurtuluş mücadelelerinin bir parçasıydı ve Türkiye'nin bütünlüğüne yönelmiş her hareketle bütünleşebilirdi. Bu stratejinin sonucu olarak ASALA — PKK işbirliği meydana geldi.

ASALA'da tutum ve davranışlar ise tam bir terörü yansıtmaktaydı. Yönetim bütün kademelerinde, terör ve uygulamada terör bu örgütün simgesi sayılıyordu. Liderler, birbirlerini öldürüyor, beyenmediklerini tasfiye ediyorlar, öldürtüyorlardı. Bunun dışında, her terör timi sanki yeni bir Ermeni örgütü gibi dünya kamuoyuna tanıtılmak isteniyor, bu yolda her türlü propaganda yapılıyordu. Cinayetleri çeşitli, ismi yeni duyulan örgütler üstleniyordu. Çalışmanın sonuna 1981 - 1982 yılında ASALA'ya bağlı ölüm - cinayet - bombalama - baskın timlerinin nasıl birer örgüt gibi ve çeşitli adlarla gösterilmeye gayret edildiğine ilişkin bir liste eklenmiştir. Okuyucu, bu listeye bakarak, bu kadar çok Ermeni örgütünün neler yapabileceğini dikkatle izleyebilecektir. Ancak, bunlar birer tim ve grup özelliklerinden öteye gitmemişler, ASALA'ya bağlı ve o'nun tarafından yönlendirilen cinayet makineleri olarak kalmışlardır.

4. Politik gelişmeler

1975 yılında kurulduğu kabul edilen ASALA'nın politik gelişmeleri iki safhada etkin bir durum aldı. 1979 yılında Paris Ermeni Konferansı sırasında sağladığı yeni güçlerle kuvvetlendi. 1981 yılında güçlendi. 1983 yılında ikiye bölündü.

1975 yılında kurulan bu terör örgütünün ilk eylemini kuruculardan Agop Tarakçıyan 16.2.1976 tarihinde Beyrut Türk Büyükelçiliği Başkâtibi Oktay Cerit'i öldürmekle gerçekleştirdi. 1979 yılına kadar, Filistinlilerin kendi aralarındaki çatışmalara karıştı, lider Agopyan yaralandı. 1979 yılında Paris'te toplanan Ermeni Konferansı sırasında, Fransa'daki Ermeni teröristlerle irtibat kuruldu.

realized through its own momentum in the course of a historical process outside their immediate sphere of influence.

Terrorist Organizations (1973 - 1985)

In the era of New Armenian Terrorism, Dashnak and Hunchak organizations function as the main centres which encourage, promote and train terrorist groups so that they can develop and expand over new areas and increase the scope of their targets. Their leadership extends to the formation of new terrorist groups and teams, providing man-power, intellectual and moral support for the newly founded organizations, and the preparation of the ground for their activities through the establishment of contacts and relations. Apart from these, ASALA, short for the Armenian Secret Army for the Liberation of Armenia, constitutes another major terrorist organization. It has succeeded in having its name mentioned more than that of any other group, and as such has become almost synonymous with Armenian terrorism. Together with the traditional organization and their offshoots, ASALA, too, is the initiator of the new era of terrorism. As has been noted above, despite its seemingly independent status, ASALA is affiliated to the Hunchaks, deriving its moral and intellectual strength from them, as well as making use of their established contacts and relations.

Seen from this angle, it may indeed be claimed that terrorism as we see it in our day is a continuation of the earlier tradition of terroristic activities, which was revived under the favourable circumstances of the sixties, and, making use of the opportunities that were created anew, once again embarked upon its mission of hostility against the Turks, engaging in criminal acts of the greatest inhumanity and cruelty.

One of the attempts at rationalizing terrorism is provided by Michael M. Gunter in his study on "Armenian National Liberation", where he claims that the peoples of many different countries in our day support the struggles of the terrorists and believe in the validity of the reasons for which they take action. Similarly, Gerard J. Libaridjian, the editior of the *Armenian Review* and director of the Zorian Institute for Contemporary Armenian Studies situated in Cambridge, Massachusetts, explains the reasons that lie behind Armenian terrorism as follows: "The reluctance of Turkey and the major world powers to recognize the exasperation of the Armenians, even after sixty years spent in attempts at establishing peace, has resulted in bringing about a new era of terrorism." Agop Agopian, the ASALA leader, on the other hand, argues that Armenian terrorist activities emerged "after it became evident that the policies pursued by the traditional parties had failed."

In the light of these statements it becomes clear that those who share such views, present the situation as if it were one that entails a choice between peaceful or violent methods of pursuing the Armenian cause; they ignore the phenomenon of Armenian terrorism as a continuing historical process. Moreover, they fail to explain from what source they derive the right to launch such violent attacks against Turkey and to instigate revolutions, revolts and warfare with the aim of destroying its unity, nor do they tell us who invests them with this right or authorizes the exercise of such acts. The terrorists claim a right to perform acts of violence — the right to cherish animosity, seek revenge and commit assasinations — and to execise this right freely. They pretend not to be aware of the fact that the Armenian activist organizations were engaged in terroristic operations right from the start. For the new era of terrorism is clearly a revival of the older and traditional phase of terrorism, reactivated as a result of preparations made in the sixties through propaganda campaigns and demonstrations, as

Ve örgüte yeni elemanlar, yeni kan geldi. Bunların içerisinde en ünlüleri Alex Yenikomşiyan ve Monte Melkonyan'dı. 1981 yılında birçok terör olaylarını bu yeni gruplar gerçekleştirdi. ASALA, bir taraftan İsviçre'yi, diğer taraftan Fransa'yı tehdit etmeye başladı. Fransa'daki "Yeni Ermeni Direniş Örgütünün" — Kanada'daki "Azad Hay" ve İngiltere'deki "Gaitzer" gruplarının ASALA'ya katıldıklarını ilan ediyordu. Terörün büyük bir etkinlik ve yaygınlıkla devam ettiği bu yıllar içinde merkez kadrosunda ihtilâflar başladı. Özellikle ASALA'nın masum insanlara da yönelmiş terör eylemleri, çeşitli kamuoylarında durumlarını sarstı. İsrail'in Lübnan'ı işgaliyle ASALA yöneticileri, Filistinlilerle birlikte Lübnan'ı terketmek zorunda kaldı. Temmuz 1983 tarihinde de ikiye bölündü.

- Agop Agopyan Grubu — Yunanistan ve Ortadoğu'ya yerleşti. Türk ve yabancı, masum kadın ve çocuk ayırımı yapmadan teröre devam etti. Orly katliam ve saldırılarını sürdürdü.
- Batı Avrupa'da ise, "ASALA devrimci hareketi" ismini aldı. Daha ılımlı ve yalnız Türk hedeflerini terörde esas alan bir diğeri Ara Toranyan'dı. Toranyan Merkezi, Paris'te olan "Ermeni saldırısını tamamen "Faşist bir saldırı" olarak niteledi.

Melkonyan ise Ermeni mücadelesinin siyasi zemini oluşturmayı amaçladığını açıklıyordu. Buna göre harekâtın iki yönü vardı. (1) Ermenileri harekete geçirmek (2) Türkiye'ye karşı harekete geçmiş diğer güçlerle işbirliğinde bulunmak. İran doğumlu Melkonyan, ikinci aşamada "ittifaklar" kurma stratejisini ileri sürüyordu. Agopyan da faaliyetlerini devam ettiriyordu.

5. Destek ve ilişkileri

ASALA'nın amaçları, izlediği politikalar gereği üç yönlü bir destek sağlamaktadır. Bunlar (1) Sovyetler - Doğu Bloku ve Sosyalist ülkeler desteği (2) Türkiye'yi dış ve iç tehdit ve terörle yıpratmayı jeopolitik beklentileri bakımından politikalarının esası sayan ülkelerin desteği Yunanistan - Suriye... (3) komünist partilerden, dolaylı olarak Hınçak Ermeni terör örgütünden ve sempatizanlarından, karşı görüşlere sahip bulunsalar da Ermeni kiliselerinden sağlanan desteklerdir.

ASALA'nın ilişkileri ise, uyguladıkları stratejiye paralel olarak Türkiye için tehdit ve terörü doğrudan veya dolaylı şekilde uygulamaya çalışan Ermeniler dışı terör örgütlerine öncelik verilmek üzere düzenlenmiştir. Bunlar 1975 - 1980 evresi içinde Filistin Kurtuluş Örgütü, Komünist partileri eylem grupları ve bazı devletlerin gizli örgütleridir. 1980 yılında Nisan ayında Sidon/Lübnan'da yapılan PKK ile ortak eylem anlaşmasıyla ASALA ilişkilerini genişletmiştir. Bu yolla ASALA - PKK arasında görüş ve eylem birliği kurulmuştur. Gerçekte ise her iki örgüt aynı amaçları paylaşmakta, benzer yapı ve görüşlerdedir. 1983 yılından sonra başlayan evrede ise ASALA ilişkileri Melkonyan'ın stratejisine uygun şekilde gelişmiş, Türkiye içinde terörün uygulanmasına ağırlık verilerek, bu stratejiyi doğrudan veya dolaylı şekilde eylemleştirecek imkân ve kabiliyette bulunan her örgütle ilişkiler kurulması esas alınmıştır. Bunların başında gene PKK ve benzeri kuruluşlar ile TKP ve diğer komünist örgütler gelmektedir.

6. Yayınları ve haberleşme araçları

- ASALA'nın en önemli ve resmi yayın organı "HAYASTAN"dır.
- Ayrıca, "Hay-Baykar" — "Armenia" — Londra'da yayınlanan "Kaytzer" adlı dergilerde yayın organlarının başında gelmektedir.
- ASALA ilk radyo yayınlarına 1981 de Beyrut'ta başlamış, "Lübnanlı Ermenilerin Sesi" adı altında günde bir saatlik yayınlar yapmıştır. Bunların dışında ilişkili olduğu ülkelerin haberleşme araçları ve kamu iletişim sistemleri de ASALA'ya yayın yönünden destek sağlamaktadırlar.

a means of manipulating the aspirations of certain countries and peoples over Turkey and taking advantage of the attitudes of rivals exploiting her political and economic difficulties. One need not doubt, however, that the era of New Armenian Terrorism will come to the same end as the former. Yet, in the meantime, the Armenian people themselves are undergoing the humiliation and anguish of being branded as terrorists in the eyes of the world and observe with anxiety the course taken by the events. This is an aspect of the situation which the terrorist organizations do not wish to see, or perhaps, one which their mentors refuse to see. In this way, regardless of the harm caused, propaganda and psyhological coercion campaigns continue to be waged on a large scale.

The Dashnak Terrorist Organization

The 'Armenian Revolutionary Federation' or "Dashnak Organization" is also known as the "Dashnak Party." In fact, after the communist take over of the Armenian Republic, the Dashnak organization continued its existence as a party in exile, mainly in Lebanon, Iran, France, Greece and the United States. This organization has remained active up to the present day and has performed a significant role in planning and promoting the new era of Armenian terrorism, as well as forming teams and groups for carrying out terroristic operations. A move was made, later in its career, to have its name changed from the Armenian Revolutionary Federation to the Armenian National Committee. The intention behind this was to achieve greater effectiveness in its propagandist activities by the removal of a name that could offend Western sensibility.

1. The Structure of The Organization

a. 'Bureau': This is the most important organ of the organization and takes the decisions that determine its administrative policies. In appearance the bureau represents collective leadership. It consists of eight members, one each from California, France and Iran and five from Lebanon. the members elect a chairman. The bureau, which was based in Lebanon until the outbreak of the Civil War, was moved from there to the United States and then to Greece and France. The regulations of the bureau and its decisions are kept secret. It is known that a person named Hrair Marukian, Persian by birth and domiciled in France, was its chairman until 1985.

b. "The Central Committee": It is the highest-level executive organ. It establishes the link between the bureau and the local groups and organizations. It is instituted in places where there is a sizable Armenian population. Lebanon and France have one central committee each, whilst the United States has two, one on the eastern and the other one on western coasts. Under the pyramid-shaped structure the local organizations and their organs take place. These are known by the names of a variety of Armenian associations and clubs, such as the Federation of Armenian Youth, the Youth Organization, the Armenian Boy and Girl Scouts Club, organizations for sport and cultural activities.

c. There are also various offices operating under the central committees, such as those in charge of propagandist activities and publicity, as well as legal, financial, military and educational matters. These offices offer purely technical service or advice. As an example of an office rendering a specific service, we can mention the Committee for Supervising Armenian Immigration.

2. Aims

The Dashnak terrorists organization defines the meaning

ERMENİ KONGRELERİ

Ermeni Sorununun — Ermeni Konusunun tarihi süreci içerisinde, Ermeni terör örgütlerinin, kiliselerin ve bazı devletlerin dolaylı şekilde özendirmeleri, talepleri veya davetleriyle çeşitli Ermeni kongrelerinin toplandığı bilinmektedir. Bunların büyük bir kısmı Taşnak veya Hınçak Ermeni terör örgütlerinin gerçekleştirdiği kongrelerdir. Belirli bir zamana bağlı kalmadan, gerek kendi üyelerini, gerekse konuyla ilgili Ermenileri, kilise temsilcilerini bir araya getiren bu toplantılarda o günün şartları, durumları ve örgütlerin imkânları, faaliyetleri üzerinde bir forum niteliği taşıyan görüşmeler yapılır, çoğu kez uygulanmayan ve hemen bölünmelere, çatışmalara sebep olan kararlar alınırdı.

1973 - 1985 yılları arasında Yeni Ermeni terörü döneminde de "Dünya Ermeni Kongreleri" veya "Dünya Ermeni Örgütleri Kongreleri" adı altında, 1979/Paris — 1983/Lozan — 1985/Sevr kentlerinde toplantılar yapıldı. Ve dünya kamuoyuna, Ermeni topluluklarına, Ermeni terör örgütleri mensuplarına çeşitli mesajlar iletilmeye çalışıldı. Rahip James Karnuziyan'ın başkanlığındaki 1985 yılında yapılan kongrede de "Ermeni Anayasası" başlığını taşıyan bir metin kabul edildi. Açıklanan dönemde yapılan kongrelerin temel amaçları "Ermeniler arasında birlik ve beraberliğin sağlanması" — "Siyasi istek ve taleplerin bir merkez tarafından yapılması" — "Ermeni terör güçlerinin bir çatı altında toplanması ve güç birliği" şeklinde ortaya konuldu. Büyük bir propaganda ve psikolojik harekât uygulamasına yönelik bu faaliyetlerin dünya kamuoyuna yansıtılması ön plana çıkarıldı. Ermenilerin de yapılan faaliyetlerden etkilenmeleri ve terörle veya diğer uygulamalarla bağlarının kurulması sağlanmaya çalışıldı. Bu kongrelerde izlenen diğer bir amaç da, ayrı ayrı, olsalarda Ermeni terör örgütlerinin stratejilerinde uyumun ve gelişmenin gerçekleşmesiydi. Bu suretle bütün terör ve uygulamalar dünya Ermeni camiasının ortak istekleri şekline sokulabilecek, güç ve gereğinde cephe birliği sağlanacaktı.

Bu kongrelerdeki ortak özellikler şunlardır:

a. Bütün kongrelerde silahlı mücadele tartışmaları ön plana geçmiştir. bu mücadeleyi uygun bulanlarla - bulmayanlar arasındaki tartışmalar zamanla Ermeni terör örgütlerinin bölünmelerine sebep olmuştur. ASALA, 1979 tarihli Paris Kongresinden sonra diğerlerine katılmamış veya sokulmamıştır.

b. Bütün kongrelerde alınan kararların uluslararası kuruluşlara gönderilmesi ve bu kararların çeşitli düzeylerde ulaslararası forumlarda ele alınıp tartışılması kararlaştırılmış ve bu imkânlar aranmıştır.

c. Ermenilerin bir çatı altında toplanması ve temsili önemli konulardan biri olmuş, ancak bunun nasıl gerçekleşeceği hususunda ortak bir görüşe varılamamış, Anayasa denilen metinde bir hazırlık dönemini ön görmüştür.

d. Kongrelerde üye sayıları giderek azalmıştır.

e. Kongrelerde görüş ayrılıkları açıkça gözlenmiş, ancak bunu giderecek somut önlemler alınamamıştır.

1979 Paris Kongresi

"I nci Dünya Ermeni Örgütleri Kongresi" Paris'te 3-6 Eylül 1979 tarihinde toplanmıştır. Bu kongreye ASALA önemli bir güçle katılmış ve kongrede etkin rol oynamıştır. Kongre, Fransa'daki Ermeni ihtilâlci (İlerici) güçler üzerinde etkili olmuş, özellikle terör örgütlerine katılma sağlanmıştır. Bu kongrenin amacı; Dünyadaki Ermenilerin bir fikir etrafında, bir bayrak altında toplanması ve örgütlenmesiyle, siyasi ortamın değerlendirilip toprak taleplerine yönelinmesi şeklinde özetlenebilir.

Kongrede önemli öneriler şunlardır:

a. Parti ve mezhep çekişmelerine son verilmeli bir "Merkez Komite" kurulmalıdır.

b. Daspora Ermenilerinin asimilasyonuna son verecek önlem-

of the Armenian cause or the *Hay Taht* as the establishment of an independent and non-communist Armenia within the boundaries designated by the abrogated Sèvres Treaty and the enforcement of the payment of compensation by Turkey in return for the crimes said to have been committed against the Armenians. Dashnak publications give expression to this objective in the words, "We will continue to insist on the implementation of the Sévres Treaty, as being one of the milestones in the pursuit of our cause." In another publication, the aims of the Dashnaks are summarized as the recognition of the right of the Armenians to live in their own lands and to govern themselves. More commonly, the aims of the Dashnaks are presented as centering around three specific demands:
a) the recognition of the Armenian claim that genocide was committed,
b) the payment of a compensation by Turkey, c) resetllement in the Armenian homelands.

3. Strategies and Policies

Although the Dashnaks have publicly declared that their strategies are directed towards the realization of their aims through peaceful means, neither the events of the past nor their activities in the new era of Armenian terrorism have proved this to be true. This 'party' which has all the characteristics of a terrorist organization, can assume, when needed, a peaceful guise and mislead the public by using propagandist tactics perfected through long years of experience. In fact, as has been said above, it was the Dashnaks who were responsible for the establishment of the Justice Commandos for Armenian Genocide whose name was later changed to the Armenian Revolutionary Army. It is, indeed, the Dashnaks who decided upon and planned the assassinations and bomb assaults carried out by this group. These activities suffice to show that the Dashnak organization never abandoned the terroristic tendencies it possessed at its inception. Nonetheless, there is a significant difference between the strategies employed by the Dashnaks and those by ASALA. ASALA makes no distinction between the Turks and other nationalities, all of who can figure indiscriminately as their targets, whereas the Dashnak organization and its affiliates take Turkish citizens or official representatives of Turkey as the sole targets of their deadly operations.

After the killing of the Turkish Consul General in Los Angeles in 1972, the Justice Commandos announced that their targets were "only Turkish diplomats and Turkish institutions." The same declaration of intention was made in connection with the assault carried out by the Armenian Revolutionary Army against the Turkish Embassy in Lisbon in 1983. The difference that exists between the strategies of the Dashnaks and ASALA may be explained by observing the historical development of the two organizations. As we have seen, the Dashnaks took a pro-Western stance in the nineteenth and the first two decades of the twentieth century and aimed at influencing public opinion in the West, whereas the Hunchaks turned towards Russia for protection and support. It is significant that, during the years 1973-1985, terrorism made use of both camps.

The strategy adopted by the Dashnaks finds its clearest expression in the announcement made in the wake of the Lisbon attack. According to this, "a national liberation movement has to go through two phases in order to attain its end: firstly, the phase of internal propaganda, when bases of support are secured; secondly, the phase of external publicity directed towards gaining the sympathy of the world and attracting attention for the cause: hence the necessity for organizing

ler alınmalıdır.

c. Eylem ve uygulamalarda ihtiyaç duyulan askeri teorisyenler-ve stratejistler sağlanmalıdır.

Bu kongrede alınan kararlar:

a. Pan Ermenizm hareketi hızlandırılacak, Ermenilik kavramı Daspora çerçevesinde politize edilecek ve dünyada bir "Ermeni gücü" yaratılacaktır.

b. Sovyet Sosyalist Cumhuriyetler Birliği'ndeki Ermenilerin, Ermeni sorunlarına yardımcı olmaları imkânları araştırılacak ve gerekli katkıların sağlanmasına çalışılacaktır.

c. Toprak istek ve talepleri doğrudan Türkiye'den yapılacaktır.

d. Ermeni kilisesi milli karektere kavuşturulacaktır.

e. Bir Ermeni Bankası kurulması çalışmaları başlamalıdır.

f. Merkez Büroları kurulmalı, yayın ve haberleşme imkânları geliştirilmelidir.

Paris Kongresi sonunda, şiddet eylemleri ve terör olayları arttı. ASALA yeni kanlar sağlayarak güçlendi. Bütünleşme çabalarında etkinlik görüldü. Silahlı eğitim faaliyetleri çeşitli merkez ve yerlerden artırıldı.

1983 Lozan Kongresi

Lozan Kongresi önemli gelişmeler sonucunda toplandı. Terör büyük boyutlara vardırılmış, dünya kamuoyu giderek Ermenileri ve teröristleri kınama durumuna gelmişti. Özellikle toplu katliam şekline varan eylemler başta Ermeniler olmak üzere bütün dost, tarafsız hatta müttefik güçleri bile tedirgin etmekteydi. Bu durumlar karşısıda "Ermeni siyasi görüşlerini birleştirmek ve tek doğrultuda hareket etmelerini sağlamak" amacıyla Lozan Kongresi toplandı. ASALA bu kongreye katılmadı. Şiddet yanlıları ise azınlıkta kaldı. Kongre sonunda Taşnaklarda ve ASALA'da bölünmeler görüldü. Alt terör tim ve grupları zaman zaman başı boş yeni örgütler şeklinde harekete giriştiler. Ve büyük bir kısmı tasfiye edildi. Tutuklandı, mahkûm edildi.

Kongrede önemli konu ve öneriler şunlardı:

a. Bir kurucu heyet oluşturulmalı, temel politikalar saptanmalı, toprak taleplerinin esasına ilişkin görüşler belirlenmeli, bu istek bir esasa bağlanmalı.

b. "Milliyetçi, demokratik düşüncede bir ulusal kurtuluş hareteki oluşturulmalı."

c. Bu kongreler, Dünya Yahudi Kongrelerine benzer ve o'nun gücünde, demokratik parlementer bir niteliğe ulaştırılmalıdır.

Bu kongrede alınan kararlar:

a. Kongrelerin demokratik, parlementer bir niteliğe ulaştırılması için gereken hazırlıklar yapılacak ve bir "Anayasa" hazırlanacaktır.

b. Kurucu heyet, hem Anayasa hazırlıklarını yapacak, hem de çeşitli siyasi görüşlerin sentezini oluşturacak çalışmalarını bu metne katacaktır.

c. Kongre çalışmaları, bir bildiri ile dünya kamuoyuna açıklanacaktır.

Bu kongre çeşitli tartışmalarla kapandı. Büyük bir keşmekeşlik görüldü. Ilımlılar kongreye hâkim oldular. Ancak önemli gelişmeler sağlayamadılar. Kongreden sonra çatışmalar devam etti, yukarıda açıklanan bölünmeler başladı.

1985 Sevr Kongresi ve "Ermeni Anayasası"

7-13 Temmuz 1985 tarihinde Sevr'de toplanan ve adına "III. Dünya Ermeni Örgütleri Kongresi" denilen, kongrede temel amaç, hazırlanan "Ermeni Anayasasının" kabulü idi. Bu suretle, Ermenileri dünya çapında temsil edecek bir "Birliğin" oluşturulmasına çalışılacaktı.

Bu kongreye Ermeni terör örgütleri resmen katılmadı. Taş-

activities that serve as demonstrations." For the Dashnaks, Armenian terrorism was but a form of demonstration conducted as part of their strategy. In other words, the assaults, bombings and raids that were carried-out and the people who were injured, killed or trampled to death in the course of these incidents, were all considered to be the necessary elements of a scenario that made up the 'demonstration'.

The Dashnak historian Varandjian described the characteristics of the Dashnak terrorist organization in the words: "Perhaps no other revolutionary party, not even the Russian Narodovoletz *(Narodnaya Volya)* or the Charbonari of the Italians, adepts though they were at terrorism and undaunted by anything that came in their way, could breed terrorists as reckless and impassioned as the Dashnaks. Hundreds of men carrying guns, daggers and bombs are up in arms." It is sobering to reflect that during the period we have studied the mission of these "reckless and impassioned" terrorists was to attack Turkish institutions and the Turks.

4. The Congresses of Vienna and Munich

1. On December 27, 1981 the following resolutions were taken in the twenty-second Dashnak Congress held in Vienna:

a) The Party's goal is to secure the establishment of a united and independent Armenia.

b) Pressure should be exerted on other Armenian organizations by the political committees to induce them to join the ranks of the Dashnaks.

c) Complete agreement with the West must be secured.

d) Close relations have to be established with the Soviet Union, and Armenian immigration must be stopped.

2. In the Munich Congress held at the end of 1984 with the participation of representatives from fifteen countries, the following resolutions were passed:

a) New campaigns must be launched to publicize the Armenian cause.

b) An attempt must be made to resolve the 'Armenian question' through legal and other peaceful measures, for example, a campaign must be conducted to bring the issue of genocide before the United States Congress and the United Nations Committee for Human Rights so as to secure its recognition.

In the declaration made at the end of the Congress, the delegates made the following announcement: "We are to continue our struggle for the recognition of the legal rights of the Armenian people and of the genocide committed by the Turks; as well as the payment of a compensation for the human, cultural and economic losses endured by our nation and the restitution of the Armenian national home which has belonged to us for thousands of years."

The resolutions taken at both the Congresses are of interest in facilitating the identification of the themes that were to be used as means of propaganda by the Dashnak terrorist organization.

5. Support and Connections

The Dashnak terrorist organization derived its support largely from the United States and Europe. It operated on the basic principle of avoiding, as far as possible, contact with the other terrorist organizations. Instead it had links with various organizations in the states mentioned, its primary source of support being the Church and the Union of Churches, as well as the Armenian lobbies and research centres.

nakların temsil niteliği uzun tartışmalara sebep oldu. ASALA bu kongrede de temsil edilmedi. Şiddetli tenkitlere maruz kaldı.

Kongrede öneriler şunlardı:

a. "Tek Ermenilik, tek amaç, tek mücadele, tek ses" bir slogan halinde önerildi ve kabul edildi.

b. Sevr'in geçerli, Lozan'ın geçersiz olduğu ileri sürüldü.

c. ASALA desteklenmemeli önerisi kabul edildi.

d. Türkiye'ye karşı sürekli savaşın devam edeceği önerildi. kabul edildi.

e. Türkiye'nin yayılımcı politikasını karşı Yunanistan'ın ve Kıbrıs Rumları'nın sürdürdükleri savaşın desteklenmesi önerildi. kabul edildi.

f. Kongrenin, "Sürgündeki Filistin Ulusal Konseyine" benzer bir nitelik taşıması önerisi, gerekli gelişmelerin izlenmesi suretiyle kabul edildi.

Kongre kararları

a. Kongre, hazırlanan ve bir Anayasa niteliği verilen "Ermeni Anayasası" metnini kabul etti.

b. Kongre, amaçlara erişebilmek için çok yönlü bir stratejinin uygulanmaya konulmasını da kabul etti. Buna göre:

aa. "Türk sömürgeciliği ile mücadele için, Ermeni ve diğer halklar arasında olduğu kadar, Ermeni ulusal kurtuluş hareketiyle Türkiye'deki ilerici —devrimci— hareketler arasında da ittifaklar kurulması" ve "Ermeni halkının mücadelesinin kaçınılmaz olarak baskı altındaki öteki halkların davasıyla bağımlı olduğu"nun bilinmesine karar verildi.

bb. "Dünya Ermeni kongresi, kendisinin herhangit bir devlet ya da güçle ilişkisinin bulunmadığını ilan ederken, Ermeni halkının mücadelesine saygı duyan ve destekleyenlerin yardımlarını kabul edeceğini"de kararlaştırdı.

c. Kongre, Lozan Andlaşmasında imzası bulunan devletlere, Birleşmiş Milletler'e, Sovyetler Birliği'ne, Sovyet Ermenistanı Cumhuriyetine, A.B.D.'lerine, Avrupa Konseyine, Bloksuzlar hareketine başvurarak, "Ermeni halkının sömürgeciliğin kaldırılmasından yararlanmayan tek halk olduğunun" bildirilmesine karar verdi. Ve bu karar uygulandı.

d. Kongre, Türkiye'nin 1915 soy kırımını kabul etmesi için zorlanmasına ve böyle bir kabul halinde topraklarının kurtarılması yolunun açılacağına inanarak, bu niyetini kullanmaya karar verdi, gerekli yerlere bildiriler dağıtıldı, başvurular yapıldı.

e. Kongre, Sovyet Ermenistanı'nda Ermeni kültürünün korunmasına yardımcı olduğu için Sovyetler Birliği'ne teşekkür eden bir kararı kabul etti.

Bu kararda, Sovyetlerin soy kırımını kabul etmiş olması ve Nisan 1985 tarihli Pravda'da bu hususta bir makale yayınlanmış bulunması övgü ile anılırken, soy kırım tasarısının kongreden geçmesini sağlayamadığı için Amerika yönetimi eleştirildi.

Ermeni Anayasası

"Üçüncü Dünya Ermeni Kongresinde" kabul edilen, Ermeni Anayasası'nın takdim konuşmasında kongre başkanı Rahip James Karnuziyan "Ermenilerin bölünmelerinden büyük sıkıntı çekildiğini" açıklayarak, bu sıkıntıların giderilmesini ve birliğin sağlanmasını gerçekleştirmek için "birleşik bir grup olmaktan başka çare bulunmadığını" Anayasa denilen metin bu amaca yönelik bütün görüşleri kapsamı içerisine aldığını belirtiyordu.

Tarafsız gözlemciler, Anayasanın uygulanması halinde, "Ermeni davası için mücadele veren her türlü kuruluşun ve örgütlerin, Ermeni Kongresinin şemsiyesi altında toplanacağını" açıklıyorlardı.

6. Political Developments

1) Up to the 1970's the "liberation and independence of Soviet Armenia" formed the basis of the policies determined and implemented by the Dashnak terrorist organization. For this reason, the Dashnaks gave priority to hostilities against the U.S.S.R. and engaged in a merciless struggle against those who supported and controlled Soviet Armenia. During Christmas worship, the Archbishop of the Holy Cross Armenian Church in New York was assassinated by a Dashnak suicide-killer. The reason given was the Archbishop's approval of the situation in Soviet Armenia.

2) After the 1970's, the breakup, due to death and other factors, of the ruling party in the Armenian Republic and the comparisons being drawn between the Third World liberation movements and the Dashnak terrorist movements led to significant changes in the Dashnak policies. Their hostility was now directed against Turkey and the Turks. "Fascist Turkey" had become the real enemy; Turkey's ally, the United States, was also counted among their enemies. The "Justice Commandos for Armenian Genocide" (JCAG), a terrorist group established in 1972 and organized by the Dashnaks, were put into action as a result of the policy changes mentioned above. The Aztag Shapatoriag, the propaganda organ of the Dashnaks and especially of the JCAG, issued a warning of "terror" when they announced that "terrorism is the last hope and the only path to follow in the liberation struggles of today."

3) Despite all the propaganda efforts by the Dashnak terrorist organization, the Lisbon operation was seen as a complete failure. The attempts to represent the attack on the Turkish Embassy in Lisbon, as a turning point in terror did not win general acceptance. Following this, they were obliged to change the name of the JCAG to "Armenian Revolutionary Army"; even so, this did not produce the desired results. In particular, the arrest and conviction in 1984 of Sasunian, one of the Dashnak murderers, proved a great setback to Dashnak policies. The Dashnaks lost the support of American-born Armenians. According to the *Armenian Reporter,* the Dashnak Party had been taken over by Lebanese Armenians from abroad, and was powerless in the face of a lagre majority who did not support terrorism. The weakening of the terrorist wing of the party led to increasing clashes of opinion at the highest level of the Executive Council and Central Committees. The highest officials in the party were split into two groups. Powerful members of the Executive Council, representatives of the Lebanese Central Committee and leading members of the party administration, were murdered in Beirut or disappeared without trace. By the end of 1985, it was impossible to speak of a united Dashnak Party. Two important external factors helped to create this situation within the Dashnak terrorist organization. The first was the revelation that the Dashnak leaders had had connections with secret service organizations in certain countries and that these were trying to establish control over the Armenian churches. The second was the struggle between ASALA and the Dashnaks. ASALA described the Dashnak leaders ad "parasites who were sucking the blood of Armenians dry." As a matter of fact, these developments within the Dashnak terrorist organization were not new. Whenever such conflicts and divisions arose in the past, the Dashnaks always re-emerged sometime later. In the World Armenian Congresses, the Dashnaks have always been, and will continue to be, a force to reckon with. As for the policy changes, they may be construed as being due to temporary conflicts in leadership.

Genel olarak Anayasada "Ermeni Kongresinin" amaçları şunlardır:

a. Dağınık halde bulunan Ermenileri birleştirmek ve bir yapı oluşturmak.
b. Kongreyi, dünyanın tanımasını sağlamak.
c. Türk işgali altındaki Ermeni topraklarını (?) kurtarmak için tüm siyasi ve diplomatik yolları kullanmak.
d. Ermenilerin vatanlarına dönüşlerini örgütlemek ve bunun için hazırlıklar yapmak.

Bu amaçların gerçekleştirilmesi için kongre, hiçbir şekilde özerkliklere gölge düşürmeyecek biçimde öteki örgütlerin katılımlarını sağlama yollarını arayacaktır. Aslında, üyeleri Ermeni asıllı olup ve yirmiden fazla üyeye sahip her grup, demokratik ilkelerle kongrede temsil hakkına sahip bulunuyorlar ve bu surette geniş taban ilkesi kabul ediliyordu.

Anayasada kongre merkezi - İsviçre'de olacaktır.

"Ermeni Ulusal Konseyi" gibi geleneksel kurumlar, Genel Kurul - Yönetim Konseyi... gibi kuruluşlar yaratılacaktır.

SONUÇLAR

1973 - 1985 yılları arasında yeniden başlatılan Ermeni terörünün "Ermeni sorunu - Ermeni konusu" bakımından ortaya koyduğu gerçekler nelerdir?

Ermeni terör örgütlerinin geçmiş dönemleri aratmayacak şekilde acımasızca uyguladıkları terörden alınacak dersler nelerdir?

Bu dönemin bıraktığı izlenimlerin, gelecekteki gelişmeler bakımından aydınlık noktaları var mıdır?

Tamamına yakını yayınlanmış Ermeni kaynaklarına, Ermeni sempatizanlarının eserlerindeki görüşlere dayanılarak hazırlanmış bu genel incelemede "Sonuçlar" başlığı altında, açıklanan hususlara cevap vermek mümkündür.

1. Geçmişte Osmanlı İmparatorluğu içerisinde bulunan Ermeni azınlıklarını, çeşitli çıkarları, emelleri ve beklentileri bakımından, hedef alıp bu toplulukları Osmanlı devletinde bir sorun - bir konu haline getiren düşünceler; bugün Sovyet Sosyalist Cumhuriyetler Birliği'ne dahil Ermeni Cumhuriyetine sahip Ermenilere ve dünyanın çeşitli ülkelerinde yaşayan Ermeni topluluklarına bir "ERMENİ DAVASI" sunmuş bulunmaktadırlar. Artık söz konusu olan "Ermeni sorunu — Ermeni konusu: değil, dünya kamuoyuna, uluslararası örgütlere, bazı devletlerin parlementolarına ve senatolarına kabul ettirilmek istenen "Ermeni davasıdır". 1973-1985 yeni Ermeni terörü dönemi, bu davanın silahlarla, cinayetlerle, katliamlarla, baskınlarda tanıtılması, kabul ettirilmesi için propaganda niteliği taşır. Daha açık bir anlatımla katliamların, cinayetlerin, baskınların ve diğer terör uygulamalarının bir tek amacı vardır, "Ermeni davası"nı tanıtmak bu davanın boyutlarını açıklamak, nerelere varabileceği hakkında korkunun ve vahşetin yaratacağı ilgiden yararlanmaktır.

2. 1973 - 1985 yeni Ermeni teröründen insanlığın, olaylarla hiçbir ilgileri olmadıkları halde dünya kamuoyu önünde adları teröriste çıkan Ermenilerin alacakları birçok dersler vardır. Ancak, terörün propaganda ve psikolojik harekât vasıtası olarak kullanılması bütün devletleri ilgilendirmesi gereken bir konudur. 1973 - 1985 dönemi bu açıdan değerlendirilmelidir. Hukuki, düzenler ve meşru zeminler üzerinde kalması gereken devletlerin, hiçbir kural tanımayan, her vasıtayı meşru kılan teröre karşı harekât alanları hem kısıtlı kalmıştır, hem de etkisiz bulunmuştur. Daha önemlisi, bazı devletler jeopolitik beklentileri açısından terörü özendirmişlerdir, desteklemişlerdir. Bir gün aynı silahın kendilerine döneceğini hesap etmemişlerdir. Denebilir ki, açıklanan yeni Ermeni terörü bu bakımdan önemli derslerle doludur.

Bir başka açıdan ise Ermeni terör örgütlerinin görünümdeki farklılıkları, aralarındaki çatışmalar, 'bölünmeler', esas ve hedef bakımından tamamen yapaydır. "Ermeni Davası"nın tanıtılmasını ön gören bir terör propaganda uygulaması, şekli, genişliği ve yay-

7. The Media

Within the Armenian terrorist organizations, the Dashnak terrorist organization was experimenting in the field of propaganda and was giving support to that extent. They had acquired the means of constantly informing world opinion of their goals, their activities and their policies thorugh the press and broadcasting media; for example, through various serials and feature films, through radio programmes which they had purchased, thorough private radios, television and video films. Quite a few countries showed interest and provided the Dashnaks with special support in this area. Among the most important Dashnak publications were *Hayrenik* and *Asbarez*, both published in Armenian in the United States, together with the *Armenian Weekly*, which was published in English.

The Dashnaks also organized twenty-two world conferences in places such as Paris, Bucharest, Erevan and Munich, although the number of participants was limited. This was a tremendous propaganda and publicity effort on their part.

The Asala Terrorist Organization

During the new phase of Armenian terrorism from 1973 to 1985, the terrorist organization most frequently mentioned was ASALA (The Armenian Secret Army for the Liberation of Armenia). No information has yet been published on its establishment, structure and activities. With regard to ASALA, various Armenian sources and publications provide information about certain individuals, and the results of terrorist activity, mostly obtained from publications issued by the organization or terrorist group. This is information which the terrorist group wishes to publish or does not object to having published. With regard to the founding of ASALA, some publications link it with the events in Lebanon; they take the view that it was established under the inspiration of the Palestinian Liberation Organization, within which it had been active. Others claim that it was founded by a small group of Armenians, who, within a short time, carried out the most sensational and effective acts of terrorism of the period. All this is very far from providing a complete explanation of how ASALA was founded. Until the conditions under which ASALA first appeared as an organization are better known and the gap it filled is more satisfactorily elucidated, present doubts will continue for a long time to come.

It is generally known that the first Armenian terrorist activities of the new period were in accordance with the policies and targets of the Dashnak terrorist organization. Throughout the course of history as well as in the period under discussion, the Dashnaks were completely pro-Western. They adopted a policy of limited terrorist activity which was directed basically against Turkish targets, and, as revealed by various sources of evidence, they obtained help and support from the Western states; in fact, they collaborated with them. Basically, their principles and historical development did not allow them to adopt a different approach. In this situation, one sphere of activity still remained. Namely that relating to the Soviet Union and the Eastern Bloc, which appealed to the younger Marxist Revolutionary generations and, particularly, to the "New Armenian Resistance Organizations", in France. In fact, this area had long since been filled by the Hunchaks. Since 1960, they, with their various points of view, had also been preparing for a new period of terror. However, the Hunchaks were not in evidence, and a terrorist organization, wishing to be regarded as completely new, appeared on the scene in the guise of ASALA. When the factors leading to the new period of Armenian

gınlığı ne olursa olsun birbirini bütünleyerek cereyan etmiştir. Ve birçok psikolojik harekât uzmanının önünde, psikolojik harekâtın çeşitli aşamalarından birinin de terör olduğu gerçeğini ortaya koymuştur.

3. Gelecekteki gelişmeler, uluslararası teşkilâtların, devletlerin parlementolarının, senatolarının başta olmak üzere uluslararası ilişkilerde jeopolitik beklentilerini "Ermeni Davası"nın kabulünde veya reddinde gören devletlerin tutumuna göre şekil alacaktır. Boyut kazanacaktır.

"Ermeni davası"nı, sunulduğu şekilde kabul eden görüşler, peşinen katliamlarla, cinayetlerle, baskınlarla yetinmeyen ve kanlı savaşları özleyen bir düzeni de arzu eder duruma geleceklerdir.

"Ermeni davası"nın, Ermeniliğin dil, din, mezhep ve kültür birliği şeklinde gelişmesi ise terörü daima red edecek, Ermeni camiasını da zaten huzursuz olan durumundan belki kurtarabilecektir... Aksi halde, bu camia da, giderek artan huzursuzlukların, çeşitli kötü niyetli bakışların altında ezilip gidecektir...

terrorism are taken into consideration and their aims and policies, especially as a Hunchak terrorist organization, are examined, the conclusion can be reached that ASALA is a terrorist offshoot of the Hunchaks. It was, above all the conditions and new developments in Lebanon that lay behind the emergence of this group, as a new terrorist organization which because known for the various acts of terrorism for which it claimed responsibility. In fact, no significant change has taken place. The two Armenian terrorist organizations once again occupy the centre of the stage against the backdrop of history. The first is more in evidence, operating through its terrorist offshoots, whilst the second operates under cover, in the guise of a terrorist group to which it has given manpower and expertise, as well as moral support. This group in turn carries out terrorist activities through subsidiary groups and teams.

1. Foundation and Organizational Structure

ASALA was founded in 1975. the leader of this terror organization is known to have been Agop Agopian, one of the two most active members of the six or seven founding members. The second was Agop Tarakdjian, who was personally involved in terrorism and other criminal activity and who ensured the continued existence of the organization in the absence of Agop Agopian. The second of these two men died in 1981, whilst the first continued as leader throughout the whole of this period, apart from the time spent under treatment for wounds received. He was well known as a *mujahid* and a member of the Palestine Liberation Organization.

The organization was structured in accordance with the general practice of the Armenian terrorist groups. The Lebanon Central Committee was the supreme executive body. In 1980 this committee took on a very important form in the Lebanon and assumed the nature of a "bureau". Subordinate to the Central Committee were bodies such as the Political Committee, the Finance Committee, the Propaganda and Information Committee, the Intelligence Committee and the Military Committee. Subordinate to the Military Committee were a number of operational teams.

2. Aims and Objectives

ASALA revealed to the world its aims and objectives in a "political programme" published at the end of 1981. According to this, the aim of ASALA was "the foundation of a united Armenia under the leadership of a democratic, socialist, revolutionary government". The identity of the government in question is quite clear from the definition. All aid was welcome from the USSR and other socialist countries, while at the same time Soviet Armenia was accepted as a base in "the long struggle of the Armenian people".

In this political programme their enemies were divided into two groups. The first of these was the Dashnak Armenian terrorist group, and all the "regional reactionaries" who opposed, or at least failed to support ASALA. The second was "Turkish imperialism, aided and abetted by international imperialism".

ASALA believed that "the only way of liberating Armenian territory was through the use of violence", and issued public announcements to this effect. According to their programme, ASALA was to support all those who rejected the domination of the ruling classes and who were willing to work towards the foundation and strengthening of coalitions within the international revolutionary movement. Violence and terror formed an essential element in this programme.

In order to realize ASALA's aims and objectives it was not essential that terrorist activities should be directed solely against Turks and the friends of Turkey, or against people in positions of power or authority. "Terror is a phenomenon" and the important point is its scope and dimension. The actual targets may be of secondary importance. Greatest stress it to be laid on murders and massacres that will arouse violent public reaction. Whether the targets are men, women or childern, Turks or non-Turks, is of little significance. Nevertheless, first importance was to be given to attacks on Turkey and the Turks. The importance of the attacks and massacres carried out in the airports of Paris and Istanbul, in the Istanbul Covered Market and the airport of Orly, lay entirely in the nature and violence of the reaction these were aimed at arousing.

3. Strategy, Attitudes and Behaviour

The essential aim of ASALA was to make the Lebanon the centre for all progressive Armenian movements throughout the world and the point from which all operations would be directed. In short, all progressive Armenian groups were to unite in the Lebanon and for the basis for an "ASALA Popular Movement". In this way, all progressive Armenians could enter into an official organization in which their individual strengths could be united.

An attempt was made in the summer of 1981 to put this section of ASALA strategy into effect by calling all progressive Armenians to a meeting in the Lebanon. By "progressive" was meant "Marxist-Leninist".

The second stage of this strategy began with the terrorist activities and open war undertaken by the organization thus founded with the help of certain socialist states. Armenian terror formed an integral part of the struggle for independence in the Middle East, uniting with other movements directed against the integrity of Turkish territory. This led inevitably to the union of ASALA and PKK.

ASALA was clearly terrorist in attitude and behaviour. In all ranks of the administration terror and the implementation of terror was regarded as an essential feature of the organization. The leaders murdered one another, liquidated those of whom they disapproved or had them done away with. Apart from this, each terrorist team was presented to world opinion as if it were a separate Armenian organization and all types of propaganda were carried on by this means. Responsibility for the crimes committed was assumed by various organizations whose names had never before been heard of. A list is to be found in an appendix at the end of this introduction showing how in 1981 and 1982 the murders, crimes, bombings and raids were carried out by a single organization but attributed to groups with a variety of different names. By examining this list the reader will find a number of operations claimed to have been carried out by a great many different Armenian groups but which actually all bear the mark of a single team and a single organization. All these so-called independent groups remained subordinate to and directed by ASALA itself.

4. Political developments

The first stage in the political development of ASALA, which is generally agreed to have been founded in 1975, was highly effective, and the organization was strengthened by new forces recruited during the Armenian Congress in Paris in 1979. It gained further strength in 1981. In 1983 it split into two factions.

The first operation carried out by ASALA was the

assassination by Agop Tarakdjian, one of the founders of the organization, of Oktay Cerit, First Secretary in the Turkish Embassy in Beyrut, on 16 February 1976. The period up to 1979 was marked by ASALA's involvement in the conflicts between the various Palestinian groups, in the course of which Agopian, one of the leaders, was wounded. Links with the Armenian terrorists in France were established during the Armenian Congress meeting in Paris in 1979, which saw the organization strengthened by the addition of new elements and fresh blood. The most famous of the new members were Alex Yenikomshian and Monte Melkian. In 1981 a number of terrorist attacks carried out by ASALA on innocent groups or individuals having severely shaken its standing in world public opinion. Following the Israeli occupation of the Lebanon the ASALA leaders were forced to leave the Lebanon along with the Palestinians. A split in the organization took place in 1983.

- The Agop Agopian Group - This was centred in Greece and the Middle East. Its terror was directed indiscriminately against Turks and non-Turks, as well as against innocent women and children. It was this group that was responsible for the attack at Orly.
- In Western Europe the movement operated under the name of the "Asala Revolutionary Movement". This followed a more moderate course of action and directed its terror solely against Turks. The leaders of this group were Monte Melkonian and Ara Toranian. Toranian was the leader of a group centred in Paris known as the "Armenian National Movement" which described the Orly attack as a purely Fascist operation.

Melkonian, who had been born in Iran, declared his intention of setting the Armenian struggle on a sound political footing. According to this the movement had two aims; to rouse the Armenians to action, and to make common cause with other groups in their struggle against Turkey. In this second stage, Melkonian was involved in establishing alliances with other groups while Agopian continued with his own type of activity.

5. Support and Alliances

ASALA received support from three main sources:

1.The Soviet Union, the Eastern block and other socialist countries.
2.Countries such as Greece and Syria whose geopolitical expectations depended on the destablization of Turkey from within and without.
3.Various communist parties, indirectly from the Hunchak Armenian terrorist organization and its sympathisers, and also from the Armenian church, in spite of its difference in outlook.

In ASALA's links with other groups first priority was given to relations with non-Armenian terror groups which threatened Turkey directly or indirectly, and whose activities ran parallel to the strategy implemented by ASALA itself. In the period between 1976 and 1980 these consisted of groups such as the Palestine Liberation Organization, activist members of the various communist parties and the secret services belonging to certain states. In 1980 ASALA widened the scope of its activities following the agreement reached with PKK at a meeting in Sidon in the Lebanon, thus establishing unity of outlook and action between ASALA and PKK. As a matter of fact, these two organizations had already displayed a marked affinity in aims, structure and beliefs. From 1983 onwards ASALA relations began to develop along the lines of the strategy laid down by Monte Melkonian. First priority was

given to terrorist activity within Turkey, and links were established with any group capable of furthering this strategy by either direct or indirect means. These groups were headed by PKK, the Turkish Communist Party and other communist organizations.

6. Publications and information media

- ASALA's most important, official organ is *Haiastan*
- Other important publications include the periodicals *Hai-Baikar, Armenia* and *Kaytzer,* published in London.
- ASALA's first radio broadcasts began in 1981 in Beyrut with a daily one-hour programme "The Voice of the Armenians in the Lebanon". Apart from these facilities are provided by the public radio corporations and mass communication media belonging to countries with which it has established contacts.

C. ARMENIAN CONGRESSES

Throughout the period covered by the "Armenian Question" or "Armenian Problem" the Armenian terror groups have been given indirect encouragement by certain churches and states, while at the same time a number of Armenian congresses have been held at their request and invitation. Most of these congresses have been organized by the Dashnak or Hunchak terror groups and attended by their own members, together with other Armenians interested in the topic and representatives of the churches. Such congresses have normally been in the nature of forums at which topics such as the actual situation and conditions together with the activities and potential capabilities of the organization were discussed, and at which a number of decisions were taken. These decisions were, however, very rarely actually applied and most often served merely to foment faction and conflict.

In the period 1973-1985, during the New Armenian Terror, congresses under such titles as "The International Armenian Groups" were held in Paris in 1979, Lausanne in 1983 and Sevres in 1985. At these congresses attempts were made to address world public opinion, as well as the various Armenian communities and members of the Armenian terror groups. At the congress held in 1985 under the chairmanship of a priest, James Karnuzian, the text of an "Armenian Constitution" was accepted. The declared aims of the congresses held during this period were "to foster unity and co-operation among Armenians", "to form a centre for the formulation of political demands and aspirations", and "to combine the various Armenian terror groups in a single organization". Priority was given to a massive propaganda and psychological campaign to inform international public opinion of their activities. Attempts were also made to interest Armenians in the work of the various groups and to involve them in terror or other operations. Another aim of these congresses was to ensure harmony and co-operation between the various separate Armenian terror groups. Thus all terror and other activities could be presented as the common policy of the international Armenian community, and the various elements brought together in a united front.

These congresses had a number of characteristics in common:

a) In all of them priority was given to discussions concerning armed struggle. Disagreements between those who supported armed struggle and those who opposed this strategy finally led to splits in the

Armenian terror groups. ASALA refused, or was not allowed, to participate in any of the congresses held after the Paris Congress of 1979.

b) It was decided that the texts of all decisions taken at these congresses should be forwarded to the various international bodies and that these decisions should be considered and discussed at various levels in the international forums. Means were also discussed by which this decision could be put into effect.

c) One of the most important topics of discussion was the union of all Armenians in a single organization, but no agreement could ever be reached on how this aim was to be achieved. The text known as the "Constitution" accepted the idea of a preparatory period.

d) The number of participants at these congresses steadily diminished.

e) No effective measures were taken to remove the differences of opinion that were very clearly revealed at these congresses.

The Paris Congress of 1979

The "First International Congress of Armenian Groups" was held in Paris on 3-6 September 1979. ASALA was very strongly represented at this congress and played a very influential role. The congress exerted a very considerable influence on the progressive Armenian groups in France, particularly in persuading them to become involved in terrorist activity. The main aim of this congress was to gather the Armenians of the world around a single idea and a single flag, and to make territorial demands on the basis of a careful evaluation of the political environment.

The most important proposals put forward at this congress were the following:

a. An end should be put to party and sectarian squabbles and a "Central Committe" established.

b. Measures should be taken to prevent the assimilation of Armenians in the diaspora.

c. Military theoreticians and tacticians should be employed in their operations.

The decisions taken were as follows:

a. Extra impetus should be given to the Pan-Armenian movement. In the diaspora the concept of Armenianism should be politicized and importance given to the organization of an international "Armenian Front".

b. An investigation should be made into the possibility of help for the Armenian cause by Armenians living in the USSR and measures should be taken to facilitate such assistance.

c. Territorial claims should be made directly to Turkey.

d. The Armenian church should be given a national character.

e. Work should be begun on the foundation of an Armenian bank.

f. Central Bureaus should be established and publication and communication facilities developed.

The Paris Congress resulted in an increase in violence and terror. ASALA was strengthened by the introduction of fresh blood. Military training was increased in a number of centres.

Başka bir deyişle, bu üç sene içinde her bir yabancıya karşılık iki Ermeni suikaste uğramıştır. Şimdiye kadar önemsenmemiş bu gerçek üzerinde durulmaya değer. Çünkü, bu olgu 1904-1906 dönemi ile sınırlı olmayıp bugün de devam etmektedir. Amacı da, hem o zaman hem de bugün, sindirme politikasıdır. Teröristler, bilinçli olarak, büyük çoğunluğu teşkil eden barışçı Ermenileri korkutmak suretiyle eylemlerine karşı duyulan tepkiyi sindirmeye çalışmaktadırlar.

24 Eylül 1933'te Amerika Ermeni Kilisesi Başpiskoposu Leon Tourian, New York'daki Ermeni katedraline bir âyin idare etmek için geldiğinde, Ermeni teröristler tarafından suikaste uğradı. Tourian kürsüye çıkmak üzereyken yüzlerce kişinin gözü önünde yolunu kesen Ermeni teröristler tarafından bıçaklanarak öldürüldü. Cemaatten hiç kimse teröristlerden birini bile tanımaya cesaret edemedi. Bir Taşnak hücresine bağlı olan 9 kişinin duruşması sırasında iddia makamında bulunan New York bölge savcısı, Kilisede bulunanlardan kimsenin suikastçıların aleyhine şahitlik yapmaya yanaşmaması hususunu şöyle açıklar:

> *"Polisler, bu esrarengiz cinayette moral bozucu bir sessizlik duvarı ile karşılaştılar. Ermeniler ya katillerle kozlarını kendi aralarında paylaşmak istiyorlar veya bildiklerini söylemenin kendi güvenlikleri açısından epey tehlikeli olduğuna inanıyorlardı"*
> (Spectator, 7 Aralık 1933)

Yukarıda bahsedilen âyine katılanlar 1904-1906 yılları arasında Ermeni teröristlerce öldürülen 105 kişiden 56'sının "muhbirler" olduğunu gösteren istatistiği belki görmemişlerdi, ama aktarılmak istenen mesajı gayet güzel bir şekilde kavramışlardı: Kendilerinden biri aleyhine konuşan herkes ölecekti.

Bu mesaj bugün de değişmemiştir. Altı ay önce ASALA, İstanbul'daki Kapalı Çarşı'ya girişilecek saldırıyı CIA'ya "bildiren" biri Amerikalı iki Ermeniyi Lübnan'da idam etti (Spectator, 7 Ocak 1984, s. 16).

Bu "korku perdesi" yüzünden bütün ülkelerde güvenlik kuvvetlerinin Ermeni teröristlerin saflarına sızmaları son derece güç olmaktadır. Çünkü tüm Ermeniler, teröristlerce "jurnalcı" olarak etiketlendiklerinde, başlarına geleceklerin bilincindedirler.

Bu durumdaki gariplik ise, bu yüzyıl içinde Ermeni teröristlerin düşmanlarından (ister Rusya, ister Osmanlı İmparatorluğu, isterse yeni Türkiye Devleti olsun) istediklerini elde edememelerine rağmen, uğruna çalıştıklarını söyledikleri kendi Ermeni toplumu arasında istedikleri terör atmosferini yaratmayı başarmalarıdır. İşte Ermeni terörizminin yegâne başarısı budur.

Bu "korku perdesi", dünyadaki Ermeni cemaatlerinin (Türk Ermenileri dışında) Ermeni teröristlerinin faaliyetlerine karşı tamamen sessiz kalmasını açıklamasına rağmen, Batı Avrupa ve ABD'deki birçok seçkin Ermeni'nin, sık sık, bir terörist saldırıdan sonraki kamuoyu tepkisinin akabinde teröristleri destekler nitelikte beyanatlar vermesini açıklayamamaktadır. Buna örnek olarak ABD'de çıkan etnik bir gazete olan *Armenian Weekly*'nin editörü Kevork Donabedian'ın *Christian Science Monitor*'da yayınlanan makalesini verebiliriz:

> *"Bir Ermeni olarak ben asla terörizmi tasvib etmem, ancak bunun arkasında bir mantık olmalıdır. Belki de terörizm işe yarayacaktır. Yahudilerin işine yaramıştır. Onların İsrail'i var."*
> (Monitor, 18 Kasım 1980)

Bu davranış, her suikastten sonra Ermeni akademisyenleri, sözcüleri ve dinî liderlerinin tekrarladığı "Tabii ki terörizmi tasvib etmiyoruz, ancak Ermenilere Türkler tarafından yapılan tarihî haksızlığın bu gençler üzerinde yarattığı derin bunalımı da anlamalıyız" anlayışının tipik bir örneğidir. Bu tavrın "Tabii ki terörü

subsequent treatment accorded to the terrorists. The 1896 occupiers of the Ottoman Bank were shipped out of Istanbul in style on the yacht of the British a ambassador; whereas, the terrorists who took over the Paris consulate, were given a French trial and inappropriately light prison sentences. In both instances the only tangible result, was a brief flurry of attention by the press.

Given the total failure of one hundred years of senseless violence to achieve its avowed aim of the creation of an independent Armenia, what if any are its successes? To answer this query we must broaden our examination to include the topic of Armenian terrorism, when its objects are terrorist actions against Armenians. A recent study focusing on the years between 1904 and 1906 provides the following statistics on the victims of Armenian political assassination in that era:

> *"In this three-year period there were 105 political assassinations: of which 56 were against Armenian informers; 32 were for political reasons against both Russian and Turkish officials and officers; 7 or 8 were against blackmailers; 5 against usurors; and, 2 or 3 were incidental, with unspecified causes. These figures were for the Eastern Armenian regions of Tiflis and Baku, as well as or Van and its vicinity in the Ottoman Empire."* **(Libaridian 1983)**

In other words, during this brief three-year period, there were *two* Armenian victims assassinated by Armenian terrorists, for every *one* non-Armenian. This hitherto almost totally neglected fact deserves our attention, for it was not a phenomenon limited to 1904 1906, but rather one which still exists today. Its purpose, then as now, was nothing more or less than intimidation. The conscious attempt to frighten the overwhelming majority of peaceful Armenians into silence as regards the activities of the terrorists.

On September 24, 1933, the then primate of the Armenian Church of America, Archbishop Leon Tourian was assassinated by Armenian terrorists as he prepared to celebrate mass in the Armenian Cathedral of New York City. As he walked up the aisle in plain sight of several hundred waiting parishioners, a group of men blocked his path, knives flashed, and he fell dead on the floor. Not one individual in the crowd was able to identify a single one of the assailants. The New York district attorney who prosecuted the subsequent trial of the nine man Dashnak cell responsible for the assassination, had the following to say in regard to the failure of a single Armenian present in the Church to testify against the assailants:

> *"The detectives faced a wall of reticence which did not auger well for a solution of the mysterious killing. Either these Armenians wished to settle the feuds in their own way by murderous counterplots; or they were too much in fear for their own safety to disclose what they knew.* **(Spectator, December 7, 1983)**

While those Armenians in attendance may have been unaware of the statistic quoted above, that 56 of the 105 individuals assassinated by Armenian terrorists between 1904-1906 were murdered as "informers", the message which the terrorists intended to convey had clearly gotten through to them. Anyone who speaks up against one of their members will die.

Nor has this message changed today. Only six months ago, ASALA executed two Armenians (one of them an American) in Lebanon who were charged with having served as C.I.A. "informants" in regard to the planned atack on the Istanbul

desteklemeyiz" diye başlayıp arkasından, Türklerin 1914-15'de Ermenilere "katliam ve soykırım" uyguladıklarını iddia eden davranıştan çok az farkı vardır. Bu ifade, konuşmacının Amerikan veya Fransız Ermenisi olması ile çok az değişir. Amaç hep aynıdır: teröristlerin hareketlerini atalarının bir haksızlığa uğradığı temeline dayandırarak haklı gösterme çabası. Aslında teröristlerin hareketlerini bilfiil onaylamış olmaktadır. Asıl söylenen şudur: "Ben elime silah almak istemem ama alanlar "Ermeni davasına' büyük hizmette bulunmaktadırlar."

Belki bu suçlama biraz ağır görülebilir. Ancak şimdi bu birkaç teröriste Ermeni Cemaatı tarafından, nasıl davranıldığı veya davranılmakta olduğunu gösteren epey ayrıntılı bir durum çalışmasına değinmek istiyorum.

Bu tartışmada genelde benim "I. Dünya Savaşı sonrası dönem" ve 1973'de başlayan "Bugünkü dönem" diye adlandıracağım iki terörizm dönemi üzerinde durulacaktır.

I. Dünya Savaşı'nın sonunda Ermeni Devrimci Federasyonu veya Taşnaklar, Jön Türk Hükümetinin eski üyelerini takip edip öldürmek için "Nemesis" adlı bir örgüt kurdular. Bu örgütün ilk kurbanı 15 Mart 1921'de Berlin'de bir caddede yürürken vurularak öldürülen eski İçişleri Bakanı Talât Paşa idi. Olayın faili Soghomon Tehlirian adlı bir Ermeni idi. Bundan dokuz ay sonra eski Osmanlı Dışişleri Bakanı Sait Halim Paşa Roma'da Arshavir Shirakian adlı bir Ermeni tarafından katledildi. Dört ay sonra da Shirakian Aram Yerganian adlı bir suç ortağı ile beraber yeni bir suikast daha düzenlendi. Bu seferki kurbanları 17 Nisan 1922'de Berlin'de vurulan eski Jön Türk yetkililerinden Bahattin Şakir Bey ve Cemal Azmi Bey idi. Bundan birkaç ay sonra Cemal Paşa iki Ermeni tarafından Tiflis'te öldürüldü. (Walker, 1980, s. 344) Ve suikastler devam etti.

Burada bizim için önemli olan bu cinayetlerin kendisi değil, dün ve bugün Ermeni toplumunun bu olaylara gösterdiği tepkidir. Talât Paşa'nın katili Tehlirian cinayet suçundan Berlin'de tutuklandı. Tehlirian'ın tutuklanmasından sonra birkaç gün içinde Berlin'de "Tehlirian Savunma Fonu" oluşturuldu. Bu fon dünyadaki ve özellikle Amerika'daki Ermenilerin büyük desteği ile hızla büyüdü. Bu para ile sağlanan savunma sonucu Tehlirian iki günlük göstermelik bir duruşmada beraat etti. 1960 yılında San Fransisko'da ölümüne kadar geçen kırk yıllık süre zarfında Tehlirian "Ermeni Milli Kahramanı" payesini taşıdı. Öyle ki, 1968'de James Nazer "The First Genocide of Twentieth Century" (Yirminci Yüzyılın İlk Soykırımı) adlı kitabında Tehlirian'ın fotoğrafının altına bu "ünvanı koymuştur. (Nazer, 1968). Yazar Tehlirian'dan başka, iki Nemesis üyesi Shirakian ve Yerganian'a da "Ermeni Milli Kahramanı" payesini vermişti.

Şimdi de Ermeni terörizminin "Bugünkü Dönemine gelerek, Türkiye'nin Los Angeles Başkonsolosu Kemal Arıkan'ı vuran Hampig Sasunyan ve Lizbon'daki Türk Elçiliğini basan 5 Ermeni teröriste yapılan muamele ile, ataları olan Nemesis üyelerine yapılan muameleyi karşılaştıralım.

28 Ocak 1982'de Türkiye'nin Los Angeles Başkonsolosu Kemal Arıkan'ı öldüren Hampig Sasunyan, doğum yeri olan Lübnan'dan Los Angeles'e yeni göç etmiş olan 20 yaşındaki bir Ermeni göçmeni idi. Sasunyan yargılanarak Şubat 1984'te mahkum oldu. Sasunyan'ın yakalanmasından hemen sonra tüm dünyada, özelikle Kuzey Amerika'da "Sasunyan Savunma Fonları" kuruldu. Ermeni basınında çıkan bir makale bu konudaki çalışmaları şöyle özetledi:

> *"Son yirmiiki ay içinde onbinlerce Ermeni ilgi ve kaygılarını gösterdi. Los Angeles ve ülkenin diğer şehirlerindeki Ermenilerle, Kanada, Fransa, Lübnan, İngiltere, Yunanistan, Suriye, İsrail, Suudi Arabistan, İran, Güney Afrika, Arjantin, Avustralya, İtalya, İsviçre, İspanya ve Mısır'daki Ermeniler, Sasunyan'ı desteklemek amacıyla gösteriler düzenledi.*
> *Bu sel gibi gelen bağışlar, kişisel ve toplu destek mesajları halkın zamanla kendi kaderlerini belirleyebile-*

Kapalı Çarşı, some months earlier. (Spectator, ***January 7,1984: p. 16).***

The result is a 'curtain of fear' which makes it extremely difficult for law enforcement authorities of all nations to permeate the ranks of Armenian terrorists. For Armenians know full well what their fate will be if they are labeled as "informers" by the terrorists.

The irony of this situation is, that while Armenian terrorists have throughout the past one hundred years consistently failed to obtain their goals vis-â-vis their enemies, be they the Russian or Ottoman empires or the government of the Republic of Turkey, they have succeeded in creating the desired climate of terror among their fellow Armenians, the very community they claim to be working on behalf of. This is the sole success of a century of Armenian terrorism.

While this 'curtain of fear' may well account for the almost total silence of any voices within the Armenian communities of the world (with the exception of the Turkish Armenians), to openly speak out against the activities of Armenian terrorists, it does not account for the fact that many prominent Armenians in Western Europe and the United States of America have frequently used the flurry of press interest occasioned by the latest terrorist attack, to make statements which at least tacitly support such activities. As an example of this attitude we may cite the statement of Mr. Kevork Donabedian, the editor of the ***Armenian Weekly,*** **an ethnic newspaper published in the United States, which was reported in an article in the** ***Christian Science Monitor:***

> *"As an Armenian, I never condone terrorism, but there must be a reason behind this. Maybe the terrorism will work. It worked for the Jews. They have Israel."*
> **(Monitor,** *November 18, 1980)*

This attitude which may be typified as the "of course we don't condone terrorism, ***but*** **we must understand the deep sense of frustration experienced by these young men as a result of the great historical injustice done to the Armenians by the Turks etc. etc.", is repeated in the wake of every assassination, by a variety of Armenian academicians, spokesmen, and religious leaders. What it amounts to, is nothing more than a token distancing of oneself from the actual event with the almost ritual "of course we don't condone terrorism", followed by a repetion of the same catalogue of charges concerning allegations of "massacres" and "genocide" against the Ottoman Empire of 1914-1915. Be the spokesman an Armenian American, or a French-Armenian, the littany seldom varies. As for the intent, it never varies. It is the justification of the actions of the terrorists, on the grounds that their ancestors were the victims of an historical injustice. Albeit** ***de facto,*** **this represents nothing less than an acceptance of the actions of the terrorists. What such individuals are really saying is: "while I wouldn't want to hold the gun myself, those who do are performing a useful service on behalf of the 'Armenian Cause'."**

Lest this indictment sound too harsh, I should now like to turn to a rather detailed 'case study' of the manner in which those few terrorists who have been apprehended, have been treated, and are being treated by the Armenian community as a whole.

This dissussion will focus on an examination of two periods of terrorism, that which I will term the 'Post World War I Round' and, the 'Current Round', which began in 1973 and continues until the present.

Following the end of World War I, the Armenian Revolutionary Federation, or the Dashnaks as they are more commonly known, formed, a network, known as 'Nemisis'

Ermeni Terörizmi
Zehir ve Panzehir Olarak Tarih

Armenian Terrorism
History as Poison and Antidode

Assoc.Prof.Dr. Justın McCARTHY

Ermeni Terörizmi
Zehir ve Panzehir Olarak Tarih

Tarihçiler genellikle bugünkü terörizmin tartışmalarına pek katkıda bulunmazlar. Özellikle Ortadoğu tarihçileri Ermeni terörizmi ile ilgili herhangi bir yorumdan kaçınmakta ve daha az geri tepme ihtimali olan konulara eğilmektedirler. Ancak Ermeni terörizmi konusunda tarih gözardı edilemez. Çünkü, Ermeni terörünün sebebi ve yegâne çözümü tarihte yatar. Ermeni terörizminin kökü, saptırılmış bir tarihi görüşe dayanır ki, Ermeni terörizminin yenilmesi için bu görüşün yıkılması şarttır. Ben bu durumda, terörizmle mücadelede pek kullanılmayan bir yöntem önereceğim: Tarihin incelenmesi.

Bir insanı terörist yapan birçok etken vardır; belki bunlardan pek azı teröristin inandığı dava ile ilgilidir. Buradaki birçok kişi, teröristlerin psikolojik ve ekonomik gerçeklerini benden çok daha iyi bilmektedir. Yine de her teröristin, ölmek ve öldürmek için bir felsefe ve davaya ihtiyacı vardır. Burada tarih önemli rol oynar, çünkü, terörist sık sık halkının mutlu olduğu ideal bir geçmişe bakar, tarihi kin ve nefretle doludur. Viet Minh, Mau, IRA veya büyük emperyalist güçlere saldıran diğer teröristler gerçek veya hayali taihi acıların öcünü almaya çalışırlar. Ancak birçok terörist için tarih, kendi gerekçelerinin ufak bir kısmıdır. Bu gerekçenin asıl ağırlığı ise halkını zincirden kurtarıp, onların kendileri ve topraklarını bağımsızca yönetmelerini sağlama isteğidir. Bugün yalnızca Ermeni teröristlerinin kendilerini haklı göstermek için tek dayanakları tarihtir. Çünkü, kurtarılacak kimse yoktur. Ermeni teröristlerinin gayesi geçmişte yapıldığına inandıkları hataların öcünü almaktır.

Ermeni terörizmini haklı gösterecek bir neden bulunduğu söylenemez. Sovyetler Birliği gibi Ermeni terörüne destek sağlayan bazı ülkelerin Türkiye ve NATO'yu zayıflatmak açısından bazı çıkarları olabilir; ama Ermeniler bu terörden hiçbir kazanç elde edemez. Bölgenin bir zamanlar kendi vatanları olduğunu iddia etmeleri de dayanaksızdır. Bugün Sovyetler Birliği'nin dışında yaşayan Ermenilerin sayısı üç milyondan azdır; bunların da çok az kısmı yeni yaratılan bir Ermenistan'a göç edebilir. Aynı bölgede ise onbir milyonun üzerinde Müslüman ve Türk yaşamaktadır. Bu durumda Ermeniler, nüfusun ancak % 10'unu teşkil edebilirler. Onbir milyon Müslümanı yok edecek bir büyük savaş dışında Anadolu'da Ermeni devleti bir hayaldir.

Ermeni teröristlerin kendi halklarını baskıdan veya politik bir boyunduruktan kurtarıp onlara daha iyi bir hayat veya özgürlük sağlamak için savaştıkları da iddia edilemez. Çünkü kimse Türkiye'deki Ermenilerin politik bir baskı altında olduğuna ciddi bir şekilde inanmamaktadır. Zaten, teröristler de Türkiye'de Ermeni va-

Armenian Terrorism
History as Poison and Antidode

Historians do not usually contribute to discussions of present-day terrorism. Middle East historians have especially avoided comment on Armenian terrorism, preferring topics more remote and less likely to shoot back. However, in considering Armenian violence, history cannot be ignored, for history is both the cause of Armenian terrorism and its only cure. Armenian terrorism is rooted in a false view of history and only by correcting that view will Armenian terrorism be defeated. I therefore wish to suggest a method not usually used to combat terrorism – the study of history.

There are many reasons that someone becomes a terrorist; perhaps few of them have to do with the cause in which the terrorist believes. Many here know the real psychological and economic motivations of terrorists better than I.

Nevertheless, each terrorist needs *a raison d'être* **– a philosophy and a cause for which he can kill and die. History usually plays a part in this, both because terrorists often look back to an idyllic past in which all was well with their people and because terrorists harbor historical grudges and hatreds. Whether they be the Viet Minh, the Mau Mau, the I.R.A. or others, terrorists who attack imperial powers usually remember real or imagined historical injuries and vow vengeance. But with most terrorists history is the smaller part of their justification. The greater part is their desire to free their people from bondage, so that their people can rule themselves and their land. Today's Armenian terrorists are unique in that history is their only real justification. There are no people to liberate. The aim of Armenian terrorists is vengeance for what they believe are pas wrongs.**

There cannot be said to be a practical justification for Armenian terrorism. Some who provide assistance to Armenian terror, such as the Soviet Union, wish to disrupt Turkey and NATO and they gain from Armenian violence, but the Armenians themselves do not, and can not gain. They can never reasonably claim the area that once was their homeland. Today, less than three million Armenians live outside the Soviet Union, and of these only a small percentage would ever migrate to a newly-created Armenia. More than eleven million Moslems, Turkish citizens, now live in the same area. Armenians could at best hope to be 10% of the population. Short of a major war that would kill the eleven million Moslems, an Armenian state in Anatolia is impossible.

tandaşlarının isteyerek Türkiye Cumhuriyeti'nin bir parçası olmalarından dolayı onları "gerçek Ermeni" saymamaktadırlar. Eğer, Ermeni teröristleri gerçekten kardeşlerini politik baskıdan kurtarmak isteselerdi, saldırılarını Türkiye'ye değil, Rusya'ya yöneltirlerdi.

Kısaca, Ermeni terörizminin gerçekleşebilir bir politik amacı olmadığı gayet açıktır. Erzurum'a veya Harput'a "geri dönmek" gibi soyut politik laflar ve velveleden arındırılınca, Ermeni terörizmi bir intikam isteğinin ürünüdür.

Ermeniler, Türklerin insanoğlunun yapabileceği tüm vahşet de dahil olmak üzere çok ve çeşitli cürüm işlediklerini iddia etmektedirler; ancak iki konu çok önemlidir: "Türklerin Birinci Dünya Savaşı sırasında 1,5 milyona yakın Ermeniye uyguladıkları söylenen soykırım."

Bunlar tarihî iddialardır. Bunların doğruluğu yalnızca Ermeniler tarafından değil, Batı Avrupa ve Amerika vatandaşlarının çoğu tarafından sorgusuz sualsiz kabul edilmiştir. Bu nedenle birçok masum diplomatın ve insanın katli Ermeni olmayan toplumlarda son derece az bir manevî tepki uyandırmıştır. Çünkü, bu tarihî iddialar yüzünden bunlar cinayet değil haklı bir intikam olarak telakki edilmektedir.

Ermeni terörizmi ile, teröristleri yakalayıp büyükelçilik binalarında bomba kontrolü yaparak mücadele etmek şüphesiz gereklidir. Ancak bu, hastalığın aslını bulmadan, belirtileri tedavi etmeye benzer. Çünkü, çocuklara atalarının düşmanlarından nefret etmek öğretildikçe terörizmin tohumları yaşamaya devam edecektir. Sonuçta bu hastalığın tedavisi için gerçek tarihin incelenmesi şarttır.

Burada Osmanlı Ermenilerinin tarihini ayrıntılı şekilde inceleyecek kadar vaktimiz yok. Zaten Ermeni tarihinin büyük bir kısmıda bilinmemektedir. Buradaki en önemli sorunlardan biri bağımsız tarihçilerin uzun müddet Ermeni sorununu incelemekten kaçınmalarıdır. Çünkü, Ermenileri incelemek yarardan çok zarar getirmektedir. Ben de kabul etmeliyim ki benim niyetim de Ermenileri incelemek değildi. Bir nüfusbilimci olarak, Osmanlı İmparatorluğu tarihinin 300 yıldır çeşitli şekilde yazılmasına rağmen, İmparatorluk'ta kimlerin yaşadığı konusunda pek bilgi bulunmaması çok ilgimi çekti. Osmanlı devletinde yaşayan milletlerin nüfusunun ne kadarının Anadoluda yaşadığı ve Osmanlı İmparatorluğu'nu çökerten savaşlar sonunda bu Anadolu çocuklarına ne olduğunu araştırmaya başladım. İlk başta, Ermenilerden çok daha fazla Anadolu Müslümanının öldüğünü anlayınca, Ermeniler hakkında genellikle kabul edilen şeylerde yanlışlar olduğunu farkettim. Bu soykırıma benzemiyordu.

Araştırmalarım sonunda elde ettiğim bulgular Türkler ile Ermeniler hakkındaki alışılmış iddiaların doğru olmadığını ispatlamaktadır. Bulguların çoğu Osmanlı nüfus kayıt programına göre toplanan nüfus istatistiklerine dayanmaktadır. Bunlar demografik yönden tutarlı ve sağlam veriler olup, kendi istihbaratı için Ermeni sayısını bilmesi gereken bir idarece tespit edilmişti. Bunlar hiçbir şekilde politika veya propaganda amacıyla toplanmış değildi. Çünkü, bunların toplanmış olduğu I. Dünya savaşı öncesinde, Osmanlı hükûmeti bunların bir Ermeni sorunu tezinde kullanılacağını bilemezdi. Yani bunlar tüm dünya ülkelerinin yaptığı tipte nüfus istatistiklerinden başka bir şey değildi. Bu istatistikler 70 yıldan uzun bir süredir mevcut olmasına rağmen bunlardan hiçbir şekilde faydalanılmamıştır. Politikacılar, teröristler ve Ermeni tarihçileri bu doğru veriler yerine kendi tahminlerini kullanmayı tercih etmişlerdir. Tabiî ki, tahminlerin milyonlarca Ermeninin öldürülmüş ya da Ermenistan'dan sürülmüş olduğu savını desteklemektedir. Fakat gerçek istatistikler çok daha değişik bir görüntü çizmektedir.

19. yüzyıl haritalarında gösterilen ve gerçekleri bilecek durumda olmayan Avrupalı politikacıların sık sık öne sürdüğü "Ermenistan"a rağmen, Osmanlı İmparatorluğu içinde bir Ermenistan yoktu.

"Türk Ermenistanı" olduğu iddia edilen bölge Altı Vilayet ola-

Armenian terrorists also cannot be said to be fighting for a better life or freedom from oppression for their people or even to free their brothers from an oppressive political yoke. No one seriously believes that the Armenians in Turkey are politically persecuted and any case, the terrorists write of the Armenian citizens of Turkey as "not real Armenians," because they are willingly part of the Turkish Republic. If Armenian terrorists really wished to free their brothers from political bondage, they would be directing their attacks toward Russia, not Turkey.

Thus it is obvious that Armenian terrorism does not have a realizeable political goal. Stripped of abstract political rhetoric and ingenious clamorings for a "return" to Erzurum or Harput, Armenian terrorism is purely a product of the desire for revenge.

The crimes for which the Armenians blame the Turks are numerous and varied, including all the villanies attributable to man, but two claims are of paramount importance – Turkish refusal to accept an Armenian state in Eastern Anatolia and the supposed Turkish genocide of 1.5 million or more Armenians during and after World War I.

These are historical claims. They are unquestioningly accepted as true not only by Armenians, but by the majority of citizens of Western Europe and America. They are also the reason that Armenian terrorism, including the murder of absolutely innocent diplomats and others, has caused so little moral outrage non-Armenians. Because of these historical claims, Armenian terrorism is viewed as justifiable vengeance, not murder.

Treating Armenian terrorism by hunting down terrorists and checking for bombs at embassy doors is necessary, but it is also treating the symptoms while the disease remains. As long as children are taught to hate their ancestors' enemies, the seeds of terrorism will live on. The foundation of Armenian terrorism is bad history. In the end, only good history will cure the disease.

There is no time here to consider in detail the history of the Ottoman Armenians. Much of the history of the Armenians is, in any case, not known. One of the tragedies of scholarship on the Middle East is that independent historians hava long avoided the Armenian Question. Studying the Armenians potentially brought with it little praise and much loss. I must admit that my own intention was not to study Armenians. As a demographer I was fascinated by the fact that histories of the Ottoman Empire had been written for 300 years, but no one had an accurate idea of who actually had lived in the Empire. I began studying the population of Ottoman Anatolia to find how many Anatolians were in each of the *millets* and what had actually happened to the Anatolians in the course of the wars that ended the Ottoman Empire. I first discovered that something was wrong with the accepted wistom on the Armenians when I found that many more Anatolian Moslems had died than Armenians. That did not seem to be genocide.

My researches have since demonstrated a number of facts that disprove the usual contentions concernings Turks and Armenians. The facts were drawn from statistics on Armenian population which were compiled by the Ottomans as part of their population registration program. They were demographically consistent, accurate data, collected by a government that needed to know. Armenian numbers for its own intelligence. In no way were they politically or propagandistically motivated, and when they were collected, before the war, the Ottoman government did not expect that they would ever be used in arguments over an Armenian problem. They were, in short, the type of population statistics gathered by every government in the world. However, although the statistics have been available for 70 years, they have

Osmanlı Arşivi
Karton 97, Kısım 35, Zarf 50, Evrak 306

Makam-ı Seraskerî
Mektûbi Kalemi

Dördüncü Ordu-yu Hümayun Müşiriyyet-i celilesine 7 Mayıs sene 1310 tarihinde yazılan şifreli telgrafnâmenin suretidir.

Erkân-ı harbiye geçen sene Muş sancağında harekât-ı fazayıhkâranede bulunan erbâb-ı isâetin bu sene dahi mevsim-i beharın hulûlü hasebiyle tecâvüzâta mugayir-i rızâ-yı âli ahval vukûuna meydan verilmemek üzere kaza kaymakamları refakatinde gezdirilecek asâkir-i zaptıyeye zahîr olarak müfreze-i askeriyye terfîkı lüzûmu Bitlis vilâyetinin iş'ârına atfen Dahiliye Nezaretinden bildirilmekle bu bâbdaki mütâlâa-i devletlerinin iş'ârı.

Vakıf Arşivi
Yıldız Ermeni Meselesi, Cilt 14, Belge No. 1

Seraskerlik Makamı
Yazı İşleri

Şifre-Telgraf

19 Mayıs 1894

Kimden: Seraskerlik Makamından[1]
Kime: Dördüncü Ordu Müşiriyyetine[2] / Erzincan
Konu: Muş Sancağında[3] saldırılarda ve devlet düzenine karşı hareketlerde bulunmaları beklenen teröristlere engel olmak için ilçe kaymakamlıkları emrine askeri birlikler verilmesi.

"Kurmay Başkanlığı[4]

Geçen yıl Muş Sancağında terör hareketlerinde bulunan teröristlerin bu yıl da bahar mevsiminin gelmesiyle saldırılarda ve devlet düzenine karşı hareketlerde bulunmalarına engel olmak üzere ilçe kaymakamlıkları emrinde gezici güvenlik kuvvetlerine yardımcı olmak üzere askeri birlikler verilmesi gereği Bitlis Vilâyetinin isteğine dayanarak İç İşleri Bakanlığından bildirilmekle, bu konudaki görüşünüzün açıklanması..."

1- **Serasker — Seraskerlik Makamı:** Osmanlı İmparatorluğu'nda, silahlı kuvvetlerinin örgütlendirilmesinde, savunma hizmetleriyle orduların yönetimi ve Kara Kuvvetleri Komutanlığı görev ve yetkisi bir şahsın sorumluluğuna verilirdi. 1826 yılına kadar bu şahsa "Serdar-ı Ekrem", 1826-1908 yılları arasında ise "Serasker" denildi. Devlet teşkilatında Padişah ve Sadrazamdan sonra gelen "Seraskerin" açıklanan hizmet ve görevlerinin toplandığı yere de "Seraskerlik Makamı" denilirdi.

2- **Ordu Müşiri — Ordu Müşiriyyeti:** Osmanlı Kara Kuvvetleri, Birinci Meşrutiyet döneminden başlayarak yedi ordu şeklinde örgütlenmişti. Ordu kumandanları "Müşir" rütbesine sahiptiler. Bugünkü deyimiyle "Mareşal" rütbesine sahip komutanın ordusuna "Ordu Müşiriyeti" denilirdi.

3- **Muş Sancağı:** Doğu Anadolu'da, yukarı Murat-Van Bölgesi'nde, çok eski bir tarihe sahip yerleşim birimidir. Tanzimat dönemine kadar Van eyaletine bazen de Bitlis hanlığına bağlı olan bu yer, Tanzimattan sonra — Cumhuriyet dönemine kadar "Müstakil Sancak" olarak idari örgütlenmede yerini aldı. Cumhuriyetle Vilayet oldu. Müstakil Sancaklar, siyasi, iktisadi, askeri bakımdan merkeze bağlı, idari bakımdan ise müstakil birimlerdi.

4- **Erkân-ı Harbiye — Kurmay Başkanlığı:** Osmanlı İmparatorluğu'nda silahlı kuvvetler örgütlenmesinde ayrı bir Kurmay Başkanlığı yoktu. "Erkân-ı Harbiye Reisi" denilen "Genel Kurmay Başkanı" — Seraskerlik makamı içinde yer alan ve Seraskerin Kurmay görevini gören bir şahıstı. Rütbesi orgeneral veya korgeneral olurdu.

Carton 97, Section 35, Envelope 50, Document 306
(Armenian Question, Vol. 14, Document No. 1)

Department of General Staff
Correspondence Office

Coded telegram

19th May, 1894

From — Office of the General Staff
To — Fourth Army Command
Subject — Prevention of terrorist activities in Mush

In the message received from the Ministry of Interior the following comments were made:

"According to the information furnished by the message received from the governorship of Bitlis, it is deemed necessary that military detachments be sent to support the security forces accompanying the district governors in order to prevent, with the advent of spring, attacks and incidents which would not be met with Imperial assent, perpetuated by the rebels who had also been involved in terrorist activities in the sanjak of Mush last year."

With respect to the above comments your High Command is requested to give its own views.

Osmanlı Arşivi Karton 97, Kısım 35, Zarf 50, Evrak 306

ارزنجانده دردنجی اردو قوماندانلغنه جلیله سنه ولوله ۱۵ مارت تاریخلی
[illegible] تلغرافنامه عالیلرینه جوابدر

ج ۱۰ مارت تاریخلی [illegible] حیوانات البسه مقابله ارباب استحقاق وجودی متحد ابیر ... اوکبیلری دردست واستیصاللریله دفع [illegible] و [illegible] قوه
[illegible] نه کفایت ایده جکی کبی [illegible] نه کفایتسزلکی تنبیه ایدرسه درحال حیوانات محللرده عسکر [illegible] تشدید [illegible] قابل اوله بیلیر [illegible]
وکالتی ایله جریان ایدرسه مخارج حیوانات محرر اولمغله وهم [illegible] استعاره [illegible] رفاقته تزییق [illegible] استعاره اولنمقده [illegible]
تزییقه لزوم قالمامق [illegible] نه هر حالده اجرای ایجابانه دایر [illegible] داودیلیدر

Makam-ı Seraskerî Mektûbi Kalemi

Erzincan'da Dördüncü Ordu-yu Hümayun Müşiriyyet-i Celîlesinden vârid olan 15 Mayıs sene 1310 tarihli şifreli telgrafnâmenin halli sûretidir.

C. 7/10 Mayıs sene 1310 Muş havalisince ba'zı erbâb-ı isâetin vücûdu muhtemel ise de o gibilerin derdest ve istîsâlleriyle def' K Y L (Çözülmemiş şifre) ve mazarratlarına kuvve-i zabtıyyenin kifayet edeceği gibi zabtıyyenin kifayetsizliği tebeyyün eder ise derhal civar mahallerden asâkir-i nizamiye yetiştirilmesi kabil olduğu Sekizinci Fırka Kumandanlığı Vekâleti ile cereyan eden muhabere cevabında muharrer olmağla ve sûret-i iş'âra nazaran kaza kaymakamlıkları refakatine terfîkı Bitlis vilâyetinden iş'âr olunan müfreze-i askeriyyenin terfîkına lüzûm kalmıyacağı anlaşılmağla yine her halde icrâ-yi îcabı vâbeste-i re'y-i âlî-i dâverîleridir.

Seraskerlik Makamı Yazı İşleri

Şifre-Telgraf

27 Mayıs 1894

Kimden: Erzincan'da/Dördüncü Ordu Müşiriyyetinden
Kime: Seraskerlik Makamına
Konu: İlçe kaymakamlıkları emrine askeri birlik verilmesine gerek olmadığı

"C. 19 Mayıs 1894 tarihli şifre telgrafa

Muş bölgesinde bazı teröristlerin ortaya çıkması beklenmekte ise de bunların ele geçirilmesi, tutuklanması ve etkisiz duruma getirilmesi için güvenlik kuvvetlerinin yeterli olacağı gibi güvenlik kuvvetlerinin yetersizliğinin anlaşılması durumunda; derhal çevre yerlerden askeri birliklerinde yetiştirilmesinin mümkün bulunduğu Sekizinci Tümen Kumandanlığı Vekâletiyle yapılan yazışmalardan anlaşıldığında ilçe kaymakamlıkları emrine askeri birliklerin verilmesine gerek kalmayacağı ancak yine ve herhalde uygulamanın Yüce Emirlerinize bağlı bulunduğu..."

Department of General Staff
Correspondence Office

Coded Telegram

27th May, 1894

From — Fourth Army Command at Erzincan
To — Office of the General Staff
Subject — Terrorist activities in Mush territory.

Re. — Your telegram dated 19th May, 1894.

Through an exchange with the Eighth Division deputy Command we have been notified that "although the emergence of a rebellious activity is likely in the Mush region, the security forces would be able to outpower the rebels and render them non-detrimental to peace and order.

In case of an ineffective performance on the part of the security forces servicemen in the vicinity would immediately be deployed to the trouble spot."

Under these circumstances it is evident that, the military support demanded by the governorship of Bitlis, and referred to in your telegram, will not be necessary. Nevertheless the final decision rests with the Supreme Command.

٤

[illegible] ١٥ [illegible]

[illegible]

تفليس ولايتنه داخل [illegible] سنجاقلرينك هر طرفنى [illegible]

[illegible]

[illegible]

[illegible]

[illegible]

[illegible]

[illegible]

Makam-ı Seraskerî Mektûbi Kalemi

Dördüncü Ordu-yu Hümayun Müşiriyet-i Celîlesinden mevrûd fi 15 Mayıs sene 310 tarihli telgrafnâme sûretidir.

Bitlis vilâyeti dahilinde vâkı' Genç sancağının her tarafı kuvve-i askeriyyeden hâli ve mevcûd zaptıyesi de te'mîn-i âsayişe kat'iyyen gayr-i kâfi olduğundan ve aşayirin ise oradan ve Talori cihetinden mürûru zamanı geldiğinden mugayir-i marzî-i âlî ahval vukûuna meydan verilmemek üzere takviye-i âsâyiş zımnında iki bölük asâkir-i şahânenin sevkı lüzûmu vilâyet-i müşarünileyhanın iş'ârını müeyyid olan mahallî kumandanlığın iş'âratından anlaşılmış ve sûret-i iş'âr muvâfık-ı hâl ve maslahat bulunmuş olduğundan îcabı istîzan olunmak.

Seraskerlik Makamı Yazı İşleri

Telgraf

27 Mayıs 1894

Kimden: Dördüncü Ordu Müşiriyyetinden
Kime: Seraskerlik Makamına
Konu: Genç Sancağına[1] iki bölük askerin gönderilmesi gereği

"Bitlis Vilayetine bağlı Genç Sancağının her tarafı askeri kuvvetlerden yoksun ve mevcud güvenlik kuvvetleride asayişi sağlamağa kesinlikle yeterli olmadığından ve aşiretlerin ise Sancak bölgesinden Talori[2] bölgesine geçme zamanı geldiğinden devlet düzenini bozucu olayların meydana çıkmasını önlemek üzere güvenliği güçlendirmek amacıyla iki bölük kuvvetindeki askeri birliğin gönderilmesi adı geçen Vilâyet tarafından istendiği Bölge Komutanlığının yazılarından anlaşılmış ve açıklanan istek, duruma ve hizmetin özelliğine uygun bulunmuş olduğundan gerekli müsadenin verilmesi..."

Department of General Staff
Correspondence Office

Telegram

27th May, 1894

From — Fourth Army Command
To — Office of the General Staff
Subject — Dispatching two military companies to the sanjak of Gench.

The request of the governorship of Bitlis that "due to the remote location of the sanjak of Gench in the vilayet of Bitlis from a strategic point of view, and the insufficient nature of the present security forces, and since the time is ripe for a safe passage of tribes through there and the Talori region, two military companies ought to be sent with the purpose of giving support to the maintenance of security and preventing for incidents occurring against the Imperial assent", has been reiterated by the Territorial Command.

The request has our support and Imperial consent ought to be sought for its materialisation.

1- **Genç Sancağı:** Doğu Anadolu bölgesinde, yukarı Fırat bölümünde yer alır. Bugün Genç İlçesinin bulunduğu bölgedir.

2- **Talori — Talori Bölgesi:** Bitlis ve Genç Sancağı arasında, Muş'un güneyinde bulunan, dağlık bölge, bölge merkezi Talori ve çevresindeki köylerden oluşmaktaydı.

Osmanlı Arşivi Karton 97, Kısım 35, Zarf 50, Evrak 306

[illegible] ١٦ [illegible] تاریخ

[illegible]

[illegible] ١٥ مایس [illegible] ایکی

[illegible]

قطعه عسکریه نك [illegible] اشعار [illegible]

Makam-ı Seraskerî
Mektûbi Kalemi

Erzincan'da Dördüncü Ordu-yu Hümayun müşiri Zeki Paşa hazretlerinden mevrûd fi 23 Mayıs sene 310 tarihli şifreli telgrafnâmenin hallî sûretidir.

Erkân-ı Harbiye C. 16 Mayıs sene 310 Talori cihetine sevkıne lüzûm görünen iki bölüğün otuzikinci alayın Muş'da bulunan dördüncü taburundan tefrîk ve i'zâm lâzım gelmekle arz ve istîzan-ı keyfiyyet olunur.

Seraskerlik Makamı
Yazı İşleri

Şifre-Telgraf

4 Haziran 1894

Kimden: Erzincan Dördüncü Ordu Müşiri Zeki Paşa Hazretlerinden
Kime: Seraskerlik Makamına
Konu: Talori Bölgesine gönderilmesine gerek görülen birliğin yer ve numarası

"Kurmay Başkanlığı
C. 28 Mayıs 1894

Talori Bölgesine gönderilmesine gerek görülen iki bölüğün Otuzikinci Alayın Muş'da bulunan taburundan alınıp, görevlendirilmesinin düşünüldüğü arz ve müsadenin verilmesi bildirilir..."

Department of General Staff
Correspondence Office

Coded Telegram

4th June, 1894

From – His Highness Zeki Pasha Commander-in-Chief of the Fourth Army at Erzincan
To – Office of the General Staff
Subject – Dispatching military detachments to the Talori Zone.

Re. – Your telegram of 28th May, 1894.

It has been deemed suitable to form the two companies which are to be dispatched to the Talori Zone from the battalion of the Thirty-second Regiment stationed at Mush.

The matter is now at your discretion, awaitings His Majesty's Imperial consideration and consent.

Osmanlı Arşivi Karton 97, Kısım 35, Zarf 50, Evrak 306

ارزنجانده دردنجی اوردوی همایون مشیریت جلیله سندن وارد اولان ۲۱ مایس ۳۱۴ تاریخلو شفره‌لی تلغرافنامه‌نك حل صورتیدر

موشده بولنان

۱۰ مایس ۳۱۴ تاریخلی جهتنده بولنان ارمنیلرك منع افساداتی ضمننده اوتوزایکنجی آلایك ۳ و ۴۸ ردیف ...
دردنجی ... بورنده ایکی بلوکك تفریقه سوقی لزومی ۲۲ مایس ۳۱۴ تاریخلو و شفره‌لو تلغرافنامه عاجزی ایله عرض
واستیذان اولنمشیدی هنوز اراده جوابیه‌سی شرف ورود ایتمدی اشبو تلغرافنامه عالی سپهسالاریلرنده کمال اهمیتله تعقیب
اولنانه اراده سنیه حضرت ملوکانه حکم جلیله توفیقاً مرتب حرکته حاضر اولان مذکور ایکی بلوکك سریع ایله
موقع مذکوره سوقه اولنرق بر مظوقه امر و فرمانه همایونه مقتضای حالك اجراسی سکزنجی فرقه قوماندانلغی وکالتنه
تبلیغ اولندیغی معروضدر

Makam-ı Seraskerî
Mektûbi Kalemi

Erzincan'da Dördüncü Ordu-yu Hümayun müşiriyyet-i celîlesinden mevrûd fî 31 Mayıs sene 310 tarihli şifreli telgrafnâme halli sûretidir.

C. 30 Mayıs sene 310. Talori cihetinde bulunan Ermenilerin men'i ifsâdatı zımnında otuzikinci alayın Muş'da bulunan dördüncü taburundan iki bölüğün tefrîk-ı sevkı lüzûmu ve fi 23 Mayıs sene 310 tarihli ve şifreli telgrafnâme-i âcizî ile arz ve istîzan olunmuş idi. Henüz irâde-i cevâbiyyesi şeref-vürûd etmedi. İşbu telgrafnâme-i âlî-i sipehsâlârîlerinde kemâl-i ehemmiyyetle telekkî olunan irade-i seniyye-i hazret-i mülûkâne hükm-ü celiline tevfikan müretteb harekete hazır olan mezkûr iki bölüğün seyr-i serî' ile mevkı'-i mezkûre sevk olunarak bermantûk-ı emr ü fermân-ı hümâyun mukteza-yı hâlin icrâsı sekizinci fırka kumandanlığı vekâletine teblîğ olduğu ma'rûzdur.

Seraskerlik Makamı
Yazı İşleri

Şifre-Telgraf

12 Haziran 1894

Kimden: Erzincan'da Dördüncü Ordu Müşiriyyetinden
Kime: Seraskerlik Makamına
Konu: Talori Bölgesinde Ermenilerin bozgunculuk[1] hareketlerini engellemek amacıyla iki bölüğün gönderilmesi

"C. 11 Haziran 1894

Talori Bölgesinde bulunan Ermenilerin bozgunculuk hareketlerini önlemek amacıyla Otuzikinci Alayın Muş'da bulunan dördüncü taburundan iki bölüğün ayrılarak gönderilmesi gereği 4 Haziran 1894 tarihli şifre telgrafımızla bildirilmiş ve müsade istenmişdi. Henüz Yüce Padişah Hazretlerinin[2] cevabi buyrukları alınmadı.

Cevap konusu telgrafınızda büyük önem verilen ve Yüce Padişah Hazretlerinin buyrukları doğrultusunda[3] düzenlenen, harekete hazır iki bölüğün acele açıklanan bölgeye gönderilerek, Padişah buyruğunun ve durumun gereklerinin yerine getirilmesinin Sekizinci Tümen Kumandanlığı Vekâletine bildirildiği arz olunur.."

1- **İfsadat — Fesat:** Bugünkü deyimle bozgunculuk, anarşi
2- **İrade-i Cevabiyyesi Şeref Sudur:** Padişah Hazretlerinin iradesi Belgelerde "Yüce Padişah Hazretlerinin buyrukları"
3- **Emrü fermân-ı Hümayun:** Yüce Padişah Hazretlerinin buyrukları doğrultusunda.

Department of General Staff
Correspondence Office

Coded Telegram

12th June, 1894

From – Fourth Army Command in Erzurum
To – Office of the General Staff
Subject – Dispatching military detachments to the Talori Zone.

Re.– a) Your telegram of 4th June, 1894
b) Your telegram of 11th June, 1894

With the aim of preventing provocative operations by the Armenians around the Talori Zone, it has been deemed suitable that two companies from the fourth battalion of the thirty second regiment stationed at Mush, ought to be dispatched to the trouble spot. The case was submitted for approval through our telegram (re.-a). Imperial assent has not yet emerged.

As indicated in your telegram (re.-b), and in compliance with the Imperial orders of His Majesty, the creation of the two companies and the preparations for their deployment were considered to be supremely important. We would like to inform you that the Deputy Commandership of the Eighth Division Corps has been notified, concerning the dispatching of the said companies to the aforementioned zone and the realisation of His Majesty's Imperial orders.

Osmanlı Arşivi Karton 97, Kısım 35, Zarf 50, Evrak 306

Makam-ı Seraskerî
Mektûbi Kalemi

Dördüncü Ordu-yu Hümayun müşiriyyet-i celîlesinden vârid olan fi 23 Haziran sene 310 tarihli telgrafnâmenin halli suretidir.

Erkân-ı Harbiye. Cevap fi 20 Haziran sene 310 Talori için mürettep iki bölük asâkir-i şâhânenin fi 11 Haziran sene 310 tarihinde mahall-i mezkûra sevk edilmiş olduğu ve ol havalide îka'ı mefsedete tasaddî eyledikleri iş'âr buyurulan eşhas hakkında dahi irade-i mübelliğa-i cenâb-ı mülûkâne hükm-i münifine tevfîkan iktizâ-yı halin icrası mahallî kumandanlığına tebliğ edildiği ma'rûzdur.

Seraskerlik Makamı
Yazı İşleri

Telgraf

5 Temmuz 1894

Kimden: Dördüncü Ordu Müşiriyyetinden
Kime: Seraskerlik Makamına
Konu: Talori Bölgesine iki bölük askerin gönderildiği

"Kurmay Başkanlığı
C. 2 Temmuz 1894

Talori bölgesi için hazırlanan iki bölük askeri kuvvetin 23 Haziran 1894 tarihinde gönderilmiş olduğu ve o bölgede terörist hareketlere giriştikleri bildirilen şahıslar hakkında Yüce Padişah Hazretlerinin buyrukları doğrultusunda ve durumun gerektirdiği şekilde hareket edilmesi hususunun mahalli kumandanlığa bildirildiği arz olunur..."

Department of General Staff
Correspondence Office

Telegram

5th July, 1894

From – Fourth Army Command
To – Office of the General Staff
Subject – Two military companies dispatched to Talori.

Re. – Your telegram of 2nd July, 1894.

The two companies created for the Talori region have already been dispatched on 23rd June, 1894. Furthermore the local command was also notified of the urgency to carry out His Majesty's Imperial orders concerning the persons who are engaged in terrorist activities.

ارزنجانده دردنجی اردوی همایون مشیری زکی بك حضرتلرینه مورود

١٣ حزیران ٣٢١ تاریخلو شفرلی تلغرافنامه‌نك حلی صورتیدر

ج ١٠ حزیران ٣٢١ کیجه‌سی تالوری اشقیاسیله اوجوارده‌کی عشایر بینده حدوثی ملحوظ اولان منازعه و مصادمه‌نك

منعی ایچون باراده سنیه ملوکانه ارضرومده‌کی قوه جنودیه‌دن برر بلوك عسکر شاهانه سوق اولنمه [اولنمشه] و موقتاً بولنمالری

خبرویرلمز اساس و اهمیت اولمدیغی تنبیه ایدرك مذکور بلوکلر بیکیجه‌سی کیری الدیرلمشیدی کنجه‌یه کیری الدیرلدیکی

بتلیس ولایتنه اشعار اولنان قوه عسکریه بو بلوکلردر بوسنه ده موقع مذکور اشقیانك مسلحاً طولاشمقده بعضاً کونا

حرکات مفسدتکارانه‌لری حس اولندقده ١٢٢ حزیران ٣٢١ تاریخلو تلغرافنامه عاجزیده عرض اولندیغی وجهله موشده‌کی

بلوکلرده تالوری جهتنه ایکی بلوك عسکر شاهانه سوق ایدلمش [ایدلمسی] و کیری الدیرلمشدر شوقدرکه موشه ایچون [illegible] اولدیغی

بر بلوك عسکر شاهانه اوراده آسایشی محافظه ایچون کفایت ایتمکده ایدی تالوری جوارینده و دیگر قطعات عسکریه‌ده

قوت افراد و سوقی جائز کوریلمه‌مسی حسبیله بوندن ایکی بلوکله تقویه و سوقی موقع مذکورك قوتی تکمیل ایتمه و بو وجهله

بالاستفاده موشه ایکی [illegible] بعضاً کونا مخالف حرکاتی ملحوظ بولنمه اولدیغندن سوق اولنان مذکور

ایکی بلوکك موشده بیکده تباعدی محذوردن سالم اولمامسی حسبیله کیجه‌قدر اعزام اولنمامشدر مذکور بلوکلر

شیمدی تالورینك موشه جوار اولان محللرنده بولندیریلیور تالوری اشقیاسی نیت و جرأت فساد بو وجهله عسکر شاهانه سوقنه

مجبوریت حاصل ایده‌جك درجه‌لره وارد [illegible] سبب هر سنه تالوری ایچنده [illegible] و [illegible] ایچلرینه کیدن

بکرانلی عشیرتنك [illegible] خلاف حقیقت شکایات و افادات افعالکارانه‌لرینه بتلیس ولایتنجه [illegible]

منع ایدلمیور [illegible] عشیرت مرقومه‌نك هر سنه مذکور یایلالره تالوری ایچنده عزیمت و عودتی [illegible] مفسدانه حرکتی

کسر ایتمکده ایدی بو خانه‌ده ولایتجه ایجاب [illegible] عشیرت مرقومه‌نك تالوری ایچنده کماکان السابق [illegible]

عزیمت و عودتی اسبابی تأمین ایدیورسه سایه حضرت پادشاهیده موقع مذکور اشقیانك بو کبی نیات و حرکات [illegible] اصلاح

[illegible] سابقه [illegible] حقیقتدر صورت معروضه نظراً ایجاب [illegible] سپهداریلریدر

Makam-ı Seraskerî
Mektûbi Kalemi

Erzincan'da Dördüncü Ordu-yu Hümayun müşiri Zeki Paşa hazretlerinden mevrûd fi 13 Temmuz sene 310 tarihli şifreli telgrafnâmenin halli sûretidir.

C. 10 Temmuz sene 310. Geçen sene Talori Ermenileriyle o civardaki aşâyir beyninde hudûsu melhûz olan münazaa ve müsademenin men'i için bâ-irâde-i seniyye-i mülûkâne Erzurum'daki kuvve-i cünûdiyyeden bir tabur asakir-i şâhâne sevk olunmuş ve müahharan bu ihtimalin haber Y V Z (Çözülmemiş şifre) esas ve ehemmiyet olmadığı tebeyyün ederek mezkûr tabur yine geçen sene geri aldırılmıştı. Genç'den geri aldırıldığı Bitlis vilâyetinden iş'âr olunan kuvve-i askeriyye bu taburdur. Bu sene de mevkı'-i mezkûr Ermenilerinin müsellahan dolaşmak gibi ba'zı gûna harekât-ı mefsedetkârâneleri hissolunarak fi 23 Haziran sene 310 tarihli telgrafnâme-i âcizi ile de arz olunduğu vecihle Muş'daki taburdan Talori cihetine iki bölük asâkir-i şâhâne sevk edilmiş ve geri aldırılmamıştır. Şu kadar var ki Muş için müretteb olan bir tabur asâkir-i şâhâne oranın âsayişini muhafazaya ancak kifayet etmekte idi. Talori'ye civâriyeti ve diğer kıtaât-ı askeriyyeden kuvvet ifrâz ve sevkı câiz görülememesi hasebiyle bundan iki bölüğün tefrik ve sevkı mevkı'-i mezkûrun kuvvetini tekmil etmiş ve bu fırsatdan bi'l-istifâde Muş Ermeni fesedesinin de ba'zı gûna fenalığa cür'etleri melhûz bulunmuş olduğundan sevk olunan mezkûr iki bölüğün Muş'dan pek de tebâüdü mahzûrdan sâlim olamamasına mebni bi'z-zarûre Genc'e kadar i'zâm olunamamıştır. Mezkûr bölükler şimdi Talori'nin Muş'a civar olan mahallerinde bulunduruluyor. Talori Ermenileri niyet ve cür'et-i fesadı böyle asâkir-i şâhâne sevkine

Seraskerlik Makamı
Yazı İşleri

Şifre-Telgraf

25 Temmuz 1894

Kimden: Erzincan'da Dördüncü Ordu Müşiri Zeki Paşa Hazretlerinden
Kime: Seraskerlik Makamına
Konu: Talori Bölgesinde Ermeni Terör ve bozgunculuğuna karşı alınan önlemler

C.22 Temmuz 1894

Geçen yıl Ermenilerle o çevrede bulunan aşiretler arasında çıkması beklenen anlaşmazlık ve çatışmaların önlenmesi için Yüce Padişahın buyrukları doğrultusunda Erzurum'daki kuvvetlerden bir tabur asker bölgeye gönderilmiş ve daha sonra bu haberlerin doğru olmadığı, esas ve öneminin bulunmadığının anlaşılması üzerine tabur yine geçen yıl içerisinde geri aldırılmıştı.

Genç'den çekildiği Bitlis Vilayetine bildirilen askeri birlik bu taburdur.

Bu yıl adı geçen bölgede Ermenilerin silâhlı dolaşarak bazı terör ve bozgunculuk hareketlerine kalkıştıkları anlaşılarak 5 Temmuz 1894 tarihli telgrafımızda arz olunduğu şekilde Muş'taki taburdan Talori bölgesine iki bölük kuvvetinde askeri birlik gönderilmiş ve geri aldırılmamıştır.

Ancak Muş için görevlendirilmiş olan bu tabur oranın asayişini korumaya yetiyordu. Talori bölgesine diğer askeri birliklerden kuvvet ayrılarak gönderilmesinin uygun bulunmaması sebebiyle Muş'dan iki bölüğün gönderilmesi bu yerin kuvvetini zayıflatmış ve bundan yararlanan Muş Ermeni bozguncularınında bazı fenalıklara girişecekleri beklendiğinden iki bölüğün Muş'dan daha çok uzaklaşmaları sakıncalı görüldü-

Department of General Staff
Correspondence Office

Coded telegram

25th July, 1894

From – His Highness Zeki Pasha Commander-in-Chief of the Fourth Army at Erzincan
To – Office of General Staff
Subject – Measures taken against Armenian terrorism in the Talori Region.

Re.– a) Our telegram of 5th July, 1894.
b) Your telegram of 22nd July, 1894.

Last year, in compliance with the Imperial orders of His Majesty, a battalion of the military force stationed at Erzurum was dispatched to the Talori region with the aim of preventing likely clashes and fights between the Armenians of the said region and the regional tribes. However, upon realising that the likelihood of any confrontation had been based on an unreliable source, the aforementioned battalion was withdrawn, also during the course of last year. As disclosed by the governorship of Bitlis, it is this very battalion which had been withdrawn from Gench.

This year, after having felt that Armenians of the said region might resort to hostile activities such as armed patrolling of the vicinity, as noted in our telegram (re.-a), two companies of the battalion at Mush were dispatched to the Talori zone and were not withdrawn.

Nevertheless, a battalion created for Mush was barely adequate for the maintenance of public order and security of the locality. Since it is in the neighbourhood of Talori, and it is deemed unsuitable to dispatch forces created from other military units, the deployment of two companies from here was quite sufficient for the

Osmanlı Arşivi Karton 97, Kısım 35, Zarf 50, Evrak 306

ارزنجانده دردنجی اردوی همایون مشیری ذکی پاشا حضرتلرینه مورود

۱۲ حزیران ۳۱۰ تاریخلو شفره تلغرافنامه‌نک صورتیدر.

ج ۱۰ حزیران ۳۱۰ گیجه‌سی تالوری اشقیاسیله اوجوارده‌کی عشایر بیننده حدوثی ملحوظ اولان منازعه و مصادمه‌نک
منعی ایچون بالاراده سنیه ملوکانه ارضرومده‌کی قوه جنودیه‌دن بر طابور عسکر شاهانه سوق اولنمه [اولنمسی] و موقعاً بو امثال
حدوثنه اساس واهمیت اولمدیغی تبیین ایدرک مذکور طابورک گیجه‌سی کبری الدیه یتشدیکی گیجه کبری الدیلیغی
بتلیس ولایتنده اشعار اولنان قوه عسکریه موجود بولنمدر بو سنه‌ده موقع مذکور اشقیاسنک مسلحاً طولاشدیغی بعضاً کونا
حرکات مفسدانه‌لری حس اولنارق ۱۲ حزیران ۳۱۰ تاریخلو تلغرافنامه عاجزی ایله‌ده عرض اولنمش وجهله موشده‌کی
طابوردن تالوری جهتنه ایکی بولوک عسکر شاهانه سوق ایدلمک [ایدلمسی] و کبری الدیه یتشمش. شوقدر وارکه موشه ایچون ده بر اولق
بر طابور عسکر شاهانه اوراسنک آسایشی محافظه‌یه انجق کفایت ایتدیکه ایدی تالوری‌یه جوارینی و دیگر قطعات عسکریه‌دن
قوت افراز وسوقی جائز کورلمدیکی جهتله بوندن ایکی بولوکک تفریقه و سوقی موقع مذکورک قوتنی تکمیل ایتمسیله و بو وجهله
بالاستفاده موشه ایکی قدره سلک ده بعضاً کونا خالفه جرأتی ملحوظ بولنمه اولدیغندن سوق اولنان مذکور
ایکی بولوکک موشده بکده تباعدی محذوریله سالم اولمامسنی بالضروره کیجه قدر اعزام اولنامشدر. مذکور بولوکلر
شیمدی تالورینک موشه جوارلری محلارنده بولندیریلیور. تالوری اشقیاسی نیت و جرأت فسادی بولنه عسکر شاهانه سوقه
مجبوریت حاصل ایده‌جک درجه‌لره وارمدیغنه سبب هرسنه تالوری اچینده‌یه کیدرک سنه‌لک و ... اجاره کیده
بکرانلی عشیرتنک قسمه مرقومه‌نک خلاف حقیقت شکایات و افادات اغفالکارانه‌لری بتلیس ولایتنجه بر قلیچ ...
منع ایدلمشدر. چونکه عشیرت مرقومه‌نک هرسنه مذکور یایلالره تالوری اچینده‌یه عزیمت وعودتی اورا اشقیا مفسدانه‌نک جرأتی
کسر ایتدکده ایدی. بو فاجعه ... الحاحه نظر دقته النه‌رق عشیرت مرقومه‌نک تالوری اچینده‌یه کما فی السابق کمال سکونتله یایلالرینه
عزیمت وعودتلری اسبابی تأمینه ایدیلورسه سایه حضرت پادشاهیده موقع مذکور اشقیانک بوکبی نیات و حرکات اشقیاکارانه‌لرینه اصلا جرأت
... سابقه ... حقیقتدر. صورت معروضه نظراً ایجاب منوط رأی عالی سپهسالاریلریدر.

Makam-ı Seraskerî
Mektûbi Kalemi

Fi 26 Temmuz sene 310 tarihinde Dördüncü Ordu-yu Hümayun müşiriyyet-i celilesine yazılan telgrafnâmenin suretidir.

C. 24 Temmuz sene 310 Talori'de içtimâ' eden Ermeni fesedesinin tasallutat-ı vâkıasından dolayı Şinik-i Şimali karyesindeki iki bölüğün mensup olduğu otuzikinci alayın dördüncü taburunun Muş'da bulunan diğer iki bölüğüyle Bitlis'de bulunan alay-ı mezkûrun ikinci taburunun kezalik iki bölüğü birleştirilerek bir buçuk tabura iblâğ ve Bitlis vilâyetinden tertîb olunacak jandarma ile Muş'da bulunan iki dağ topu dahi ilave edilerek kuvve-i mürettebe-i mezkûrenin alay-ı mezkûr kaymakamı Salih Bey kumandasiyle heman Talori'ye sevkiyle fesede-i merkumenin kahr ve tedmîrleri ve işbu müfreze îfa-yı vazife edinceye kadar Muş havalisinin âşayişini muhafaza için dahi orada bulunan süvari yirmiüçüncü alayının topluca Muş'da bulunması ve şu aralık Siirt'den Van'a hareket eden piyade yirmidokuzuncu üçüncü taburunun da berâ-i ihtiyat muvakkaten Bitlis'de tevakkuf edilmesi tensîb edildiğine dair olan telgrafnâme-i devletleri vechile îfa-yı muktezası lede'l-arz suret-i ma'rûza mûcebince îfa-yı muktezası ve Ermeni eşkiyasının cüz'î bir hareket-i tecâvüzkâriye bile mücaseretleri halinde hemen kahr ve tedmîr edilmeleri için îcabederse gerek süvari gerek piyade bir alaya kadar efrâd-ı ihtiyatıyyeye bilâ istîzan silah altına alabilmeleri zımnında taraf-ı devletlerine me'zûniyyet i'tâsı husûslarına irâde-i seniyye-i cenâb-ı hılâfet-penâhi şeref-müteallik buyurulduğu tebliğ olunur.

Seraskerlik Makamı
Yazı İşleri

Telgraf

7 Ağustos 1894

Kimden: Seraskerlik Makamından
Kime: Dördüncü Ordu Müşiriyyetine
Konu: Dördüncü Ordu Müşiriyyetine verilen yetki

"C. 5 Ağustos 1894

Talori'de toplanan Ermeni bozguncularının saldırı olayından dolayı Kuzey Şinik köyündeki iki bölüğün bağlı olduğu Otuzikinci Alayın dördüncü taburunun Muş'da bulunan diğer iki bölüğü ve Bitlis'te bulunan aynı alayın ikinci taburunun iki bölüğü ile birleştirilerek birbuçuk tabur kuvvetine tamamlanması ve Bitlis Vilayetinde düzenlenecek jandarma birliği ile Muş'da bulunan iki dağ topununda eklenerek kurulacak yeni kuvvetin adı geçen Alayın kumandanı Yarbay Salih Bey'in kumandasında derhal Talori'ye gönderilmesiyle terör ve bozgunculuğa son verilmesi ve bu görevin yerine getirilmesine kadar Muş Bölgesini korumak için orada bulunan Yirmiüçüncü Suvari Alayının topluca Muş'da bulundurulması ve bu günlerde Siirt'ten - Van'a hareket edecek olan Yirmidokuzuncu Piyade Alayı üçüncü taburunun da ihtiyatta görevlendirilip geçici olarak Bitlis'te bırakılması hususlarında izin ve onay istenildiğine ilişkin telgrafının gereği yerine getirilerek; Padişah Hazretlerine sunulmuştur:

Ermeni eşkiyasının en küçük bir saldırı hareketine cesaret etmeleri halinde,terörün ve bozgunculuğun ortadan kaldırılması için gerekirse piyade ve suvari bir alaya kadar yedek erlerden silah al-

Department of General Staff
Correspondence Office

Telegram

7th August, 1894

From — Office of the General Staff
To — Fourth Army Command
Subject — Authority granted to the Fourth Army Commandership

Re. — Your telegram of 5th August, 1894.

Due to the assaults of the Armenian separatists gathered together at Talori, your telegram (re.-above), in which Imperial authorisation was sought, is submitted for His Imperial Majesty's consideration. In this telegram it was deemed suitable that the two companies at the northern village of Shinik, two other companies of the fourth battalion statined at Mush which was a part of the Thirty-second Regiment, two more companies of the fourth battalion stationed at Bitlis which was also a part of the same regiment were to unite to constitute a force amounting to a total of one-and-a-half battalions, furthermore this force was to be aided by a gendarmerie unit created in the Vilayet of Bitlis, and by two mountain guns from Mush, and was to be finally dispatched to Talori under the command of Salih Bey, a lieutenant colonel from the aforementioned regiment. The seditionaries would thus be pacified. Furthermore until this force would accomplish its mission, the Twenty-third Cavalry Regiment, already stationed at Mush, was to remain there in order to maintain peace and order at that locality, while the third battalion of the Twenty-ninth Infantry Regiment currently en route to Van from Siirt was to be provisionally kept alert at Bitlis.

Under these circumstances I have the honour to notify you that you have been granted an authorization to mobilize a reserve force, if there

Osmanlı Arşivi Karton 97, Kısım 35, Zarf 50, Evrak 306

١٨

tına alabilmeniz hususunda yetkili kılındığınız Yüce Padişah buyruklarında olduğu bildirir..."

need be, with a maximum capacity of a cavalry or an infantry regiment to immediately pacify even the seemingly minor aggressive attempts of the Armenian insurgents.

Osmanlı Arşivi Karton 97, Kısım 35, Zarf 50, Evrak 306

Makam-ı Seraskerî Mektûbi Kalemi

Fi 2 Ağustos sene 310 tarihinde Dördüncü Ordu-yu Hümayun müşiriyyetine yazılan şifreli telgrafnâmenin suretidir.

Talori nahiyesiyle civarı Ermenilerinin Talori'de ictimâ' ile ahâli-i İslâmiyyeye tasallut ve oradaki iki bölük asâkir-i şahaneye hücum etmek fikr-i fâsidinde bulundukları mervî olduğundan Erzurum veya Harput redif alaylarından birinin taht-ı silâha alınması evvelce ve bu sûret zamana muhtaç ve ehemmiyyet-i maslahat ise izâa-i vakte gayr-i mütehammil bulunmuş olmasına binâen her türlü ihtimâlâta karşı bir tedbîr-i âcil olmak ve lede'l-hâce bu iş için müretteb kuvvete muâvenet etmek üzere Erzurum mürettebatından bulunan yirmibeşinci alayın birinci taburunun serîan Muş'a celb ve sevk ve hıtâm-ı maslahatda yine Erzurum'a iâde kılınması müahharan cevâben vârid olan iki kıt'a telgrafnâme-i devletlerinde iş'ar buyurulması üzerine keyfiyyet atebe-i ulyâ-yı mülûkâneye arz ile istîzan olundukta efrâd-ı redîfenin taht-ı silâha alınması ancak harp zamanına mahsûs olmasiyle fesede-i merkumenin kahr ve tedmîrleri için Erzurum veya Harput redîf alaylarından birinin taht-ı silâha alınmasından sarf-ı nazarla kuvve-i mürettebe-i mezkûreye muâvenet etmek üzere arz ve istîzan olunduğu vecihle yalnız zikr olunan yirmibeşinci alayın birinci taburunun serîan Muş'a celb ve sevkı hakkında taraf-ı müşîrilerine emir verilmesi ve Ermeni eşkıyasının cüz'î bir hareket-i tecâvüzkâraneye mücaseretleri halinde hemen kahr ve tedmîr edilmeleri için îcab eder ise gerek süvari gerek piyade asâkir-i şahaneden bir alaya kadar efrâd-ı ihtiyatıyyenin bilâ istîzan silâh altına alınabilmesi zımnında cânib-i devletlerine mukaddemâ me'zûniyet veril-

Seraskerlik Makamı Yazı İşleri

Şifre-Telgraf

14 Ağustos 1894

Kimden: Seraskerlik Makamı
Kime: Dördüncü Ordu Müşiriyyetine
Konu: Askeri birliklerin kullanılması hakkında Padişah buyruğu

"Talori nahiyesiyle, çevresindeki Ermenilerin Talori'de toplanarak müslüman halka saldırı ve orada bulunan iki bölük kuvvetindeki askeri birliğe hücum gibi bozguncu fikirleri, davranışlarıyla kanıtlanmış olduğundan Erzurum veya Harput Redif Alaylarından birinin silah altına alınması daha önce önerilmişse de bunun zamana bağlı ve işin öneminin ise vakit geçirmeye tahammülü kalmadığı anlaşıldığından her türlü beklentiye karşı acil bir önlem olmak ve bu iş için hazırlanmış kuvvete yardım etmek için Erzurum'da bulunan Yirmibeşinci Alayın birinci taburunun acele Muş'a gönderilmesi ve işin sonunda tekrar Erzurum'a iadesi hususlarının alınan cevabi telgraflarınızda belirtilmesi üzerine durum Yüce Padişah Hazretlerine arz ve gereken izin istendiğinde:

Redif Erlerinin[1] silah altına alınmasının ancak savaş zamanına özgü bir kural olması sebebiyle, bozguncuların etkisiz bırakılması için Erzurum veya Harput Redif Alaylarından birinin silah altına alınmasından vazgeçilerek telgraflarınızda açıklanan ve izin istenilen yönde Yirmibeşinci Alayın birinci taburunun acele Muş'a gönderilmesi hakkında Müşiriyyete emir verilmesi ve Ermeni eşkiyasının en küçük bir saldırı hareketine cesaret etmeleri halinde hemen etkisiz kılınmaları için ge-

Department of General Staff Correspondence Office

Coded telegram

14th August, 1894

From — Office of the General Staff
To — Fourth Army Command
Subject — Imperial Decree on the mobilization of the military units.

The telegrams received from your command have both been submitted to His Majesty's Imperial consideration. The first was on the mobilization of one of the reserve militia regiments, concerning the likely attempt of the Armenians of the township of Talori and its vicinity, gathering at Talori and attacking the local Muslims and the two companies stationed there. The second one was on the immediate dispatching of the first battalion of the Twenty-fifth regiment, originally of Erzurum, to Mush, and upon the completion of its mission, having it return to home base, since the above - mentioned operation was most time - consuming and under the pressing circumstances it could not be afforded.

On this matter it is His Majesty's Imperial command that, since the mobilization of the reserve militia is solely a wartime practice, the prospect of mobilizing one of the reserve militia regiments of Erzurum or Harput, for the pacification of the aforementioned separatists, is to be given up, and in order to aid the aforementioned forces, and in compliance with the above disclosures and with the authorization which is sought, the Fourth Army Command is to be requested to have solely the first battalion of the Twenty-fifth regiment dispatched to Mush. Furthermore the Fourth Army Command is to be renotified that they have been granted an authorization to mobilize a reserve force, if there need be, with a maximum capacity of a cavalry or an infantry regiment, not subject to fur-

Osmanlı Arşivi Karton 97, Kısım 35, Zarf 50, Evrak 306

***Makam-ı Seraskerî
Mektûbi Kalemi
1625***

Şeref-sadır olan irade-i seniyye-i mülûkâneyi mübelliği tezkire-i hususiyye suretidir.

Talori cebellerinde ictimâ' eden Ermeni eşkıyasının tenkili esbâbı hakkında dördüncü ordu-yı hümayun müşiriyyet-i celilesiyle cereyan eden muhaberenin tafsıliyle ve bu bâbda müretteb olan üçbuçuk nizameyi taburu mevcudlarının sekizer yüze iblağı zımnında lazım gelen efrad-ı cedide ve ihtiyatıyyenin sür'at-i celb ve cem'leri için evâmir-i muktaziye i'tası Bâb-ı âli'ye iş'âr ve kuvve-i cünûdiyye-i mezkureye Erzurum'dan iki cebel topu terfiki dahi evvelce bâ-tezkire-i resmiyye atebe-i ulyâdan istîzan kılındığından bahisle ba'de yerleri efrad-ı cedîde ile doldurulmak üzere yirmibeşinci alayın Erzurum'da bulunan üçüncü ve dördüncü taburlarından ikiyüz muallim silâh-endazın bir tedbir-i âcil olarak bi'l-ifraz Muş'a sevkı ve kuvve-i mürettebe refakatine ta'yin kılınan iki dağ topundan başka ihzar edilmiş olan iki cebel topunun da Erzurum'dan serian Muş'a irsali için dördüncü ordu-yu hümayun müşiriyyet-i celilesine me'zuniyyet i'tası istîzanını havi fi 21 Safer sene 312 tarihli tezkire-i husûsıyye-i seraskerîleri lede'l-arz manzûr-ı âli oldu. Evvel ve âhır irade ve ferman buyurulduğu vechile zikr olunan Ermeni eşkıyasının hayyen ya meyyiten behemehal elde edilmeleri mertebe-i vücûbda olarak bir takım muhaberat ile izâa-i vakt olunmak asla câiz olamıyacağı gibi çünki sevk ve i'zam olunacak kuvvetin adem-i kifayeti hasebiyle eşkıya-yi merkumeyi tenkîl edememesi halinde bu suret begayet çirkin ve netâyic ve te'sîrât-ı muzırrayı müeddî olacağı derkâr bulunduğuna mebni her türlü ihtimal pîş-i nazar-ı dikkate alınarak îcab eden kuvvetin maa zi-

**Seraskerlik Makamı
Yazı İşleri
1625**

Özel Tezkere

25 Ağustos 1894

Kimden: Saray Başkatipliğinden
Kime: Seraskerlik Makamına
Konu: Padişah buyruğu

"Talori dağlarında toplanan Ermeni eşkiyasının dağıtılıp etkisiz duruma getirilmesine ilişkin Dördüncü Ordu Müşiriyyetiyle yapılan yazışmaların ayrıntılarından, bu konuda görevlendirilmiş olan üçbuçuk taburun mevcutlarının sekizyüze çıkarılması için gerekli yeni ve yedek erlerin acele silah altına çağrılıp toplanmalarının sağlanması hususunda gerekli emirlerin verilmesinin hükümete yazılmış olduğundan ve adı geçen kuvvete Erzurum'dan iki cebel topunun ayrılarak gönderilmesi hakkında daha önce yazı ile Yüce Padişah Hazretlerinden izin istendiğinden söz edilerek; boşalan yerleri yeni erler ile doldurulmak üzere Yirmibeşinci Alayın Erzurum'da bulunan üçüncü ve dördüncü taburlarından ikiyüz usta erin acil bir önlem olarak ayrılıp Muş'a gönderilmesi ve düzenlenmiş kuvvet emrine verilen iki dağ topu birliğinden başka, hazırlanmış olan iki cebel topunun da Erzurum'dan acele Muş'a ulaştırılması için Dördüncü Ordu Müşiriyyetinden istenen iznin verilmesini kapsayan 22 Ağustos 1894 tarihli Seraskerlik başvurusu Yüce Padişah Hazretlerine sunulmuş ve tezkere kapsamından bilgileri olmuştur.

Önce ve sonra Yüce Padişahın buyruklarında yer alan hususun, Ermeni eşkiyasının etkisiz kılınmasının sağlanması olduğu, bunun bir kısım yazışmalar ve zaman kaybetmelerle asla gerçekleşemeyeceği gibi gönderilecek ve

Department of General Staff
Correspondence Office
1625

Special Statement

25th August, 1894

From – Imperial First Secratary
To – Department of General Staff
Subject – Imperial Decree

Re.– Your special statement of 24th August, 1894.

His Imperial Majesty has had access to the following documents and the special statements by the pertinent ministries:

a) A detailed report of the exchange with the Fourth Army Command concerning the pacification of the Armenian insurgents at the Talori mountains.
b) A statement written to the Sublime Porte so that an authorisation is issued, concerning the immediate summoning of a new and reserve force, which will increase the number of soldiers to eight hundred, in a force set up with this aim, and comprising army regulars totally of three-and-a-half battalions.
c) Official request, in writing, of an Imperial authorisation so that two mountain guns from Erzurum would be added to the aforementioned force.
d) Ministerial request for an authorisation to the Fourth Army Command to dispatch to Mush, as an emergency measure, totally two hundred able fusiliers from the third and fourth battalions of the twenty-fifth regiment at Erzurum, with the understanding that the missing number of soldiers would later be replaced with new ones.

Osmanlı Arşivi Karton 97, Kısım 35, Zarf 50, Evrak 306

[illegible]

yadetin tertîb ve sevkı dahi lâzimeden bulunmuş olduğundan gerek mezkûr ikiyüz silâh-endazın gerek evvelce kuvve-i mürettebeye terfik edilen iki topdan başka Erzurum'da ihzar kılınmış olan ve Muş'a sevkı fi 19 Safer sene 312 tarihli tezkıre-i resmiyye-i sipehdârîleri ile dahi istîzan olunan iki dağ topunun ve bunlardan başka daha top ve asker sevkıne lüzum görüldüğü takdirde işbu kuvvetin sevkı zımnında dördüncü ordu-yu hümayun müşiriyyet-i celilesine me'zuniyyet-i tâmme i'tası. mukteza-yı irade-i seniyye-i cenâb-ı hılâfetpenâhîden bulunmuş ve mârru'z-zikr üçbuçuk nizamiye taburu mevcudlarının sekizer yüze iblağı için iktiza eden efrâd-ı cedîde ve ihtiyatıyyenin kemal-i sür'atle celb ve cem'i husûsunun îcab eden vilâyata tekîden tebliği dahi cümle-i irade-i seniyye-i mülûkâneden olmasiyle bu vechile Bâb-ı âli'ye tebliğ ve iş'âr kılınmış olmağın ol bâbda emr ü ferman hazret-i men lehü'l-emrindir.

Fi 22 Safer sene 312 ve fi 312 ve fi Ağustos sene 310

Serkâtib-i hazret-i şahriyari bende
Süreyya

Mantûk-ı münifi dördüncü ordu müşiriyyetine tebliğ olunmuştur.

görevlendirilecek kuvvetin yetersizliği sebebiyle eşkiyayı etkisiz hale getirememesi sonunda çok çirkin ve sonuçları büyük ve zararlı etkiler doğuracağının açık bulunduğu bu sebeble her türlü ihtimal dikkate alınarak gerekenden fazla kuvvetin hazırlanması ve gönderilmesinden kaçınılmış olduğundan gerek belirtilen ikiyüz usta askerin gerek daha önce hazır kuvvete ayrılmış iki toptan başka Erzurum'da hazırlanmış ve Muş'a gönderilmesi 22 Ağustos 1894 tarihli tezkereleriyle onaylanması istenen iki cebel topunun ve bunlardan başka daha top ve asker gönderilmesine gerek görüldüğü takdirde bu kuvvetlerinde gönderilmesi hususunda Dördüncü Ordu müşiriyyetine tam yetki verildiğini Yüce Padişah buyruğu olarak bildirir, üç buçuk taburun mevcudlarının sekizyüze çıkarılması için gereken yeni ve yedek askerin büyük bir süratle silah altına çağrılıp toplanması hususunda ilgili vilayetlere yeniden tebligat yapılmasının da Yüce Padişah Buyruklarında olarak hükümete bildirilmiş bulunulduğu..."

e) For the forces thus constituted, another ministerial request for an authorisation, to the Fourth Army Command, to have two more mountain guns (to add to the already provided two) immediately dispatched to Mush from Erzurum.

As was the case with all previous Imperial orders of His Majesty, since the ultimate aim had always been the pacification of the said Armenian insurgents, wasting time through such exchanges cannot be forborne.

For, in case of an inadequacy on the part of the dispatched force, and the consequent failure to overpower the insurgents the outcome would indeed have unbearable, and harmful results. Therefore the force ought to be set up and dispatched with a sufficient capacity to face all contingencies. For the two hundred able fusiliers, and the two mountain guns (to add to the already provided two), readily available at Erzurum, and awaiting an authorisation by the ministerial official letter, of 22nd August, 1894, to be dispatched to Mush, and if there need be, for all other requisite dispatches of guns and soldiers, the Fourth Army Command has just been granted full authority by His Majesty's Imperial orders.

Furthermore, it is also His Majesty's Imperial orders that the pertinent Vilayets are to be renotified that new and reserve forces are to be summoned, and dispatched in order to increase the number of soldiers, in the aforementioned regiments, of army regulars to eight hundred. The Sublime Porte is informed, on this issue, in writing.

It is your High Office's prerogative to issue orders.

Imperial First Secretary
Süreyya

(Fourth Army Command is also notified.)

Osmanlı Arşivi Karton 97. Kısım 35. Zarf 50. Evrak 306

Makâm-î Seraskerî
Mektûbî Kalemi
1658

Mabeyn-i hümayun Başkitabet-i celilesinden mevrûd tezkire-i husûsıyye suretidir.

Erzurum'dan Muş'a sevk olunan tabur dünkü gün Muş'a vâsıl olarak Muş'daki kuvve-i mürettebe bugün ale's-seher Talori'ye hareket ettirilmiş ve Bitlis Vilâyeti'nden şimdiye kadar verilen ma'lumat zabtıye neferlerinin tahkikatından ibaret olup i'timada şayan değil ise de mukaddema keşfiyat zımnında sevk olunan müfreze-i askeriyye kumandasına me'mur zâbitden ahîren alınan jurnalde Andok dağında tecemmu' eden eşkıyanın mikdarı üçbin raddesinde olduğu ve ellerindeki eslihanın bir mikdarı Martini ve diğer bir mikdarı düveli ecnebiyye sürmeli tüfekleriyle başıbozuk tüfeklerinden ibaret bulunduğu ve Andok dağına altı saat mesafede bulunan Talori cihetlerinde tecemmu' etmiş olan fesedenin mikdarı henüz anlaşılamadığı müstebân olmuş idüği ve Muş'dan tahrîk olunan kuvve-i mürettebe yarın oralara vasıl olacağından ba'demâ daha etraflı olarak alınması tabîi olan ma'lûmatın ve kuvve-i mürettebenin mevkiin ve eşkıyanın tahakkuk edecek ahvaline göre icra edeceği harekâtın derhal arz-ı atebe-i ulyâ-yı cenâb-ı zıllüllâhi kılınacağı dördüncü ordû-yu hümayun müşiriyyet-i celilesinden vârid olan 13 Ağustos sene 310 tarihli telgrafnâmede arz ve iş'âr kılınmıştır. Eşkıyanın üçbine bâliğ olmasına meydan bırakılması ve evvelce mikdarları tahkîk olunmıyarak üçbine bâliğ olduktan sonra anlaşılabilmesi pek büyük bir gaflet ve tekâsül eseri olup âdetâ idare-i devletin haricinde bulunan bir çölde vukû' bulabilecek hâlatdan olduğundan ve halbuki bu madde devlet için hayat mes'elesi olup maâzallâhi teâla Rumeli'de muharebe-i zâileden ev-

Seraskerlik Makamı
Yazı İşleri
1658

Özel Tezkere

26 Ağustos 1894

Kimden: Saray Başkatipliğinden
Kime: Seraskerlik Makamına
Konu: Padişah Hazretlerinin askeri harekatla ilgili buyrukları

"Erzurum'dan Muş'a gönderilen taburların dün Muş'a ulaştığı, Muş'taki hazır kuvvetin bugün sabaha karşı Talori'ye hareket ettirildiği, Bitlis vilayetinden şimdiye kadar verilen bilgilerin zabtiye erlerinin[1] araştırmalarına dayandığı için güvenilir değillersede, daha önce keşif için bölgeye gönderilen askeri müfreze kumandanından alınan raporda Anduk Dağında[2] toplanan eşkiyanın sayılarının üçbin civarında olduğu ve ellerindeki silahların bir kısmının Martini[3] diğerlerinin yabancı devletlerin sürmeli tüfekleri ve av tüfekleri bulunduğunun tesbit edildiği, Anduk Dağına altı saat uzaklıktaki Talori bölgesinde toplanmış olan bozguncuların ise sayılarının henüz anlaşılamadığı, Muş'tan gönderilen hazır kuvvetin yarın oralara varacağından doğal olarak bundan sonra alınan bilgilerin, hazır kuvvetin yerinin ve eşkiyanın ortaya çıkacak durumuna göre yapılacak askeri harekatın derhal Yüce Padişah Hazretlerinin bilgilerine arz edileceği Dördüncü Ordu Müşiriyyetinden gelen 25 Ağustos 1894 tarihli telgrafda belirtilmiştir.

Eşkiyanın üç bine çıkmasına imkan verilmesi, evvelce sayılarının araştırılmayarak üç bine ulaştıktan sonra anlaşılması çok büyük bir ihmalin ve ilgisizliğin sonucu olduğu, benzeri durumların ancak devlet yönetiminin dışında bulunan bir çölde meydana gelebilecek olaylarda görülebileceği,

Department of General Staff
Correspondence Office
1658

26th August, 1894

From – Imperial First Secretary
To – Department of General Staff
Subject – His Imperial Majesty the Sultan's Orders concerning the military operations

Re.– Fourth Army Command's telegram of 25th August, 1894.

The following disclosures are to be found in the telegram (re. above) received from the Fourth Army Command:

"The battalion dispacthed from Erzurum yesterday arrived at Mush. The forces set up at Mush left for Talori this morning at dawn.

The source of information received so far from the vilayet of Bitlis is the security forces. This information is not at all reliable. However according to the latest news received from the commander of the military reconnaissance unit, earlier sent to the area, the insurgents around the Anduk mountains amount to about three thousand and they carry rifles some of which are the make (Martini), some are of foreign make bolted types, and the remaining are of bashibazouk type.

The exact number of the separatists around the Talori zone which is six hours away from the Anduk mountains is still not clear. The forces set out from Mush expect to reach there tomorrow.

The detailed information ordinarily received henceforward, and the deployment locations of our military forces, together with operations to be undertaken according to the movements of the insurgents, would immediately be rendered accessible to His Imperial Majesty the Sultan."

Osmanlı Arşivi Karton 97, Kısım 35, Zarf 50, Evrak 306

vel zuhura gelen ve netîcesi zât-ı vâlâ-yı seraskerîlerince de ma'lûm olan Otlukköy ve Bosna ve Hersek vak'aları gibi bir hadise zuhûru ile netîce-i gaflet ve bî-kaydî olarak müdahalât-ı ecnebiyyeye ve bir takım fesedenin icrâ-yı mefâsidine büyük bir meydan ve fırsat bıragılmış olacağından ve sevk olunan kuvvet eşkıyanın mikdarına nazaran gayr-i kâfi olup hudâ-neyerde mezkûr kuvvet eşkıya ile müsademede cüz'î bir bozgunluğa dûçar olacak olur ise eşkıya ve fesede şımararak bu hali gören birçok fesedenin dahi iltihakıyle daire-i fesadın kesb ü vüs'at eylemesi melhûz-ı kavî olduğundan aslâ izâa-i vakt olunmıyarak Hamidiye alaylarından îcâbı kadar alaya redif debboylarındaki eslihadan lüzûmu mikdarı tevzî' olunarak mezkûr alayların kumanda ve kanun ve nizam-ı askerî tahtında hareket edip mûcib-i şikâyet ahvâl îka' etmelerine meydan verilmemek üzere kumandalarına intihâb edeceği muktedir zâbıtan-ı askerî ta'yîn ve kendilerine bu bâbda vasâya-yı lâzime ve müekkede icrâsiyle zinhar ve zinhar şikâyeti mûcib ve adâlete mugayir bir hareketde bulunmamaları lüzûmu tenbîh ve merkez-i ordû-yu hümâyunda bulunan ümerâ-yi askeriyyeden i'timad eylediği birini tevkîl ile mezkûr alayların bi'z-zât kendisi kumandası altına alarak ve lüzûm gördüğü halde îcâbı kadar efrâd-ı redifeyi dahi cem' ve teslîh ile işbu kuvvete ilave ve bir batarya dağ topu dahi istishâb eyliyerek ve evvelce sevk olunan kuvve-i cünûdiyyeye işbu kuvvet iltihak etmedikçe eşkıya ile müsademeye girişilmeyip bulundukları yerde mütabassırane davranmaları husûsunu mezkûr evvelki kuvvetin kumandanına serîan tenbih ederek yeniden tertîb edilecek işbu kuvvet ile serîan hareket etmesi ve evvelce sevk olunan kuvvete iltihak ederek hemen eşkıyayı külliyyen ve kendilerine bir dehşet-i fevka'l-âde îras edecek ve bu misillû mefasidin bir daha tekerrürüne kat'ıyyen mâni' olacak sûretde şedîden kahr ve tedmîr etmesi ve eşkıyâ-

gerçekte bu konunun devletin varlığı meselesi sayılması gerektiği, Allah saklasın, Rumeli'de savaştan önce ortaya çıkan ve sonucu Seraskerce de bilinen Otlukköy[4] ve Bosna-Hersek[5] olayları gibi bir hadisenin başgöstermesiyle ihmal ve ilgisizliğin sonucunda yabancıların müdahalelerine ve bir takım bozguncuların anarşi ve terör uygulamalarına büyük fırsat ve yer vereceği ve gönderilen kuvvetin eşkiyanın sayısına göre yetersizliği karşısında, Allah saklasın, bu birliğin eşkiya ile çatışması durumunda en küçük bir başarısızlığın eşkiya ve bozguncuları şımartarak ve bu sonucu gören bir çok bozguncunun da bunlara katılmasıyla terör ve anarşi alanının genişlemesinin bekleneceği kesin bulunduğundan:

Asla zaman kaybedilmeden Hamidiye Alaylarından[6] gereği kadarına Redif depolarındaki[7] silahlardan dağıtılarak, bu alayların askeri kanun ve nizamlar çerçevesinde hareketlerinin sağlanması, herhangi bir şikayete yer vermemek üzere yetenekli subaylar arasından kumandanlarının atanarak kendilerine gereken uyarıların yapılarak, asla ve asla şikayeti gerektirecek ve adalete aykırı bir harekette bulunmamalarının emredilmesi, Ordu Merkezinde bulunan yüksek rütbeli subaylar arasından güvenebileceği birini yerine bırakarak açıklanan alayların kumandasını üstlenmesi ve zorunlu gördüğü durumlarda gereği kadar Redif Erlerinin de çağrılıp, silahlandırılarak bu kuvvete katması ve bir batarya dağ topunu da yanına alarak evvelce gönderilen dağ kuvvetlerini desteklemek üzere hareket etmesi ve adı geçen kuvvetlerin kumandanına kendileri birliklerine katılmadıkça eşkiya ile çatışmaya girmeyerek bulundukları yerde dikkatli davranmalarını emrederek, yeniden düzenlenecek kuvvetle eşkiyayı tamamen ve olağanüstü bir şiddet ve bozgunculara

After considering these disclosures of the said High Command His Majesty who is also concurrently the Caliph gave the following Imperial orders:

"Allowing grounds for the insurgents to reach the number three thousand, and the fact that such a figure was discovered at such a late stage could only be a pointer to inadvertency and carelessness. This is a case which could solely emerge on a desert outside the jurisdiction and administration of a state. Yet this issue is of a vitally important nature. Under these circumstances, May God forbid, it could well happen that an incident similar to the one before the war at Rumeli, with the consequent events at Otlukköy, Bosnia and Herzegovina, well-known by the High Office of your ministry, might emerge, and as a result of such an inadvertency and heedlessness foreign states might interfere and separatists would easily find opportunities to practise their insurgent activities.

The dispatched force is obviously inadequate in relation to the number of the insurgents. May God forbid, in case during the clash there emerges a certain minor instance of deterioration on the part of our own forces, the insurgents and the separatists would take advantage of the situation, and assume an arrogant posture. Moreover other insurgent parties might take heart and join the band to broaden their sphere of influence.

Due to the above mentioned reasons, His Highness Zeki Pasha, commander-in-Chief of the Fourth Army, has been granted full authority on the following issues:

1) **His Highness ought to have sufficient number of Hamidiye regiments immediately armed with sufficient number of rifles from the arsenals of the reserve militia, and deploy them under full military order and command.**
2) **To ward off any possibility of an instance giving cause for**

Osmanlı Arşivi Karton 97, Kısım 35, Zarf 50, Evrak 306

Osmanlı Arşivi
Karton 97, Kısım 35, Zarf 50, Evrak 306

Makâm-ı Seraskerî Mektûbî Kalemi

14 Ağustos sene 310 tarihinde Dördüncü Ordû-yu Hümayun müşîriyyet-i celîlesine yazılan telgrafnâme suretidir.

Erzurum'dan Muş'a sevk olunan tabur dünkü gün Muş'a vâsıl olarak Muş'daki kuvve-i mürettebe bugün ale's-seher Talori'ye hareket ettirilmiş ve Bitlis vilayetunden şimdiye kadar verilen ma'lûmat zabtıye neferlerinin tahkikatından ibaret olup i'timada şayan değil ise de mukaddema keşfiyyat zımnında sevk olunan müfreze-i askeriyye kumandasına me'mur zâbitden ahîren alınan jurnelde Andok dağında tecemmu' eden eşkıyanın mikdarı Martini ve diğer bir miktarı düvel-i ecnebiye sürmeli tüfekleriyle başıbozuk tüfeklerinden ibaret bulunduğu ve Andok dağına altı saat mesafede bulunan Talori cihetlerinde tecemmu' etmiş olan fesedenin mikdârı henüz anlaşılamadığı müsteban olmuş idüği ve Muş'dan tahrîk olunan kuvve-i mürettebe yarın oralara vâsıl olacağından ba'dema daha etraflı olarak alınması tabîi olan ma'lûmatın ve kuvve-i mürettebenin mevkiinin ve eşkıyanın tahakkuk edecek ahvaline göre icrâ edeceği harekâtın derhal arz-ı atebe-i ulyâ-yı cenâb-ı zıllüllâhi kılınacağı vârid olan 13 Ağustos sene 310 tarihli telgrafnâme-i devletlerinde arz ve iş'âr kılınmış olup eşkıyanın üçbine bâliğ olmasına meydan bırakılması ve evvelce mikdarları tahkîk olunmıyarak üç bine bâliğ olduktan sonra anlaşılabilmesi pek büyük bir gaflet ve tekâsül eseri olup âdeta idare-i devletin haricinde bulunan bir çölde vukû' bulabilecek halâtdan olduğundan ve halbuki bu madde devlet için hayat mes'elesi olup maazallahi teâla Rumeli'de muharebe-i zâileden evvel zuhûra gelen ve neticesi malûm olan Otlukköy ve Bosna ve Hersek

Vakıf Arşivi
Yıldız Ermeni Meselesi, Cilt 14, Belge No. 26

Seraskerlik Makamı Yazı İşleri

Telgraf

26 Ağustos 1894

Kimden: Seraskerlik Makamından
Kime: Dördüncü Ordu Müşüriyyetine
Konu: Padişah Hazretlerinin askeri harekatla ilgili buyruklarının bildirilmesi

"Erzurum'dan Muş'a gönderilen taburların dün Muş'a ulaştığı, Muş'taki hazır kuvvetin bugün sabaha karşı Talori'ye hareket ettirildiği, Bitlis vilayetinden şimdiye kadar verilen bilgilerin zabtiye erlerinin araştırmalarına dayandığı için güvenilir değillerse de, daha önce keşif için bölgeye gönderilen askeri müfreze kumandanından alınan raporda Anduk dağında toplanan eşkiyanın sayılarının üç bin civarında olduğu ve ellerindeki silahların bir kısmının Martini diğerlerinin yabancı devletlerin sürmeli tüfekleri ve av tüfekleri bulunduğunun tesbit edildiği, Anduk dağına altı saat uzaklıktaki Talori bölgesinde toplanmış olan bozguncuların ise sayılarının henüz anlaşılamadığı, Muş'tan gönderilen hazır kuvvetin yarın oralara varacağından doğal olarak bundan sonra alınan bilgilerin, hazır kuvvetin yerinin ve eşkiyanın ortaya çıkacak durumuna göre yapılacak askeri harekâtın derhal Yüce Padişah Hazretlerinin bilgilerine arz edileceği tarafınızdan 25 Ağustos 1894 tarihli telgrafla Yüce Makama bildirilmesi üzerine:

Eşkiyanın üç bine çıkmasına imkan verilmesinden ve evvelce sayılarının araştırılmıyarak üç bine ulaştıktan sonra anlaşılmasının çok büyük bir ihmalin ve ilgisizliğin sonucu olduğu, benzeri durumların ancak devlet yöneti-

Carton 97, Section 35, Envelope 50, Document 306
(Armenian Ouestion, Vol. 14, Document No. 26)

Department of General Staff Correspondence Office

Telegram

26th August, 1894

From – Department of General Staff
To – Fourth Army Command
Subject – Conveying His Imperial Majesty the Sultan's orders concerning the military operations

Re.– a) Your telegram of 25th August, 1894 sent to the Imperial First Secretary
b) Special Statement of the Imperial First Secretary dated 26th August, 1894, No. 1658.

Your telegram (re.-a) including the following items has been submitted to His Majesty's Imperial consideration:

"The battalion dispatched from Erzurum yesterday arrived at Mush. The forces set up at Mush left for Talori this morning at dawn.

The source of this information received so far from the vilayet of Bitlis is the security forces. This information is not at all reliable. However according to the latest news received from the commander of the military reconnasiance unit, earlier set to the area, the insurgents around the Anduk mountains amount to about three thousand and they carry rifles some of which are of the make 'Martini' some are of foreign make bolted types, and the remaining are of bashibazouk type.

The exact number of the separatists around the Talori zone, which is six hours away from the Anduk mountains, is still not clear. The forces set out from Mush expect to reach there tomorrow.

The detailed information ordinarily received hence forward, and the deployment locations of our military forces, together with operations to be undertaken

Osmanlı Arşivi Karton 97, Kısım 35, Zarf 50, Evrak 306

vak'aları gibi bir hadise zuhuriyle netice-i gaflet ve bî-kaydî olarak müdahalât-ı ecnebiyyeye ve bir takım fesedenin icra-yı mefasidine büyük bir meydan ve fırsat bırakılmış olacağından ve sevk olunan kuvvet eşkıyanın mikdarına nazaran gayr-i kâfi olup hudâ neyerde mezkûr kuvvet eşkıya ile müsademede cüz'î bir bozgunluğa dûçar olacak olursa eşkıya ve fesede şımararak bu hali gören bir çok fesedenin dahi iltihakıyle daire-i fesadın kesb-i vüs'at eylemesi melhûz-ı kavî olduğundan aslâ izâa-i vakt olunmıyarak Hamidiye alaylarından îcabı kadar alaya Redif debboylarındaki eslihadan lüzûmu mikdarı tevzî' olunarak mezkûr alayların kumanda ve kanun ve nizam-ı askerî tahtında hareket edip mûcib-i şikâyet ahvâl ika' etmelerine meydan verilmemek üzere kumandalarına intihab edeceğiniz muktedir zabıtan-ı askerî ta'yîn ve kendilerine bu bâbda vasâya-yı lâzime ve müekkede icrâsiyle zinhar ve zinhar şikâyeti mûcib ve adalete mugayir bir hareketde bulunmamaları lüzûmunu tenbîh ve merkez-i ordû-yu hümayunda bulunan ümerâ-yı askeriyyeden i'timad eylediğiniz birini tevkîl ile mezkûr alayları bizzat zât-ı devletiniz kumandanız altına alarak ve lüzûm gördüğünüz halde îcabı kadar efrad-ı redifeyi dahi cem' ve teslîh ile işbu kuvvete ilave ve bir batarya dağ topu dahi istishâb buyurarak ve evvelce sevk olunan kuvve-i cünûdiyyeye işbu kuvvet iltihak etmedikçe eşkıya ile müsademeye girişilmeyip bulundukları yerde mutabassırane davranmaları husûsunu mezkûr evvelki kuvvetin kumandanına serîan hareket etmeniz ve evvelce sevk olunan kuvvete ihtihak ederek hemen eşkıyayı külliyyen ve kendilerine bir dehşet-i fevkalâde îras edecek ve bu misillû mefasidin bir daha tekerrürüne kat'ıyyen mani' olacak suretde şedîden kahr ve tedmîr etmeniz ve eşkıya-yı merkumenin ve sairlerinin ellerindeki eslihayı toplamanız ve onbeş gün zarfında bu işe hıtam vermeniz husûsunun serîan zât-ı müşîranelerine teblîği şerefsâdır

minin dışında bulunan bir çölde meydana gelebilecek olaylarda görülebileceği, gerçekte bu konunun devletin varlığı meselesi sayılması gerektiği, Allah saklasın, Rumeli'de savaştan önce ortaya çıkan ve Otlukköy, Bosna-Hersek olayları gibi bir hadisenin başgöstermesiyle ihmal ve ilgisizliğin sonucunun yabancıların müdahalelerine ve bir takım bozguncuların anarşi ve terör uygulamalarına büyük fırsat ve yer vereceği ve gönderilen kuvvetin eşkiyanın sayısına göre yetersizliği karşısında, Allah saklasın, bu birliğin eşkiya ile çatışması durumunda en küçük bir başarısızlığın eşkiya ve bozguncuları şımartarak ve bunu gören bir çok bozguncunun da katılmasıyla terör ve anarşi alanının genişlemesinin bekleneceğinin kesin bulunması karşısında:

Asla zaman kaybedilmeden Hamidiye Alaylarından gereği kadarına Redif depolarındaki silahlardan dağıtılarak, bu alayların askeri kanun ve nizamlar çerçevesinde hareketlerinin sağlanması, herhangi bir şikayete yer vermemek üzere yetenekli subaylar arasından kumandanlarının atanarak kendilerine gereken uyarıların yapılması, asla ve asla şikayeti gerektirecek ve adalete aykırı bir harekette bulunmamalarının emredilmesi, Ordu Merkezinde bulunan yüksek rütbeli subaylardan güvendiğiniz birini vekil bırakarak adı geçen alayları kumandanız altına almanızı ve gerekli gördüğünüz durumlarda ihtiyaç kadar Redif Erlerini de toplayıp silahlandırarak ve bu kuvvete bir batarya dağ topunu da ekleyip yanınıza alarak evvelce gönderilen dağ kuvvetlerini desteklemek üzere hareket etmenizi ve belirtilen kuvvetlerin kumandanına kumanda ettiğiniz birlikler katılmadıkça eşkiya ile çatışmaya girmeyerek bulundukları yerde dikkatli davranmalarını emretmenizi ve bütün bu kuvvetleri yeniden düzenleyerek acele harekete geçmenizi eşkiyayı ta-

according to the movements of the insurgents, would immediately be rendered accesible to His Imperial Majesty the Sultan."

On the above mentioned items His Majesty's Imperial orders have been disclosed, through the special statement (re.-b) of the Imperial First Secretary. The contents of which are as follows:

"Allowing grounds for the insurgents to reach the number three thousand, and the fact that such a figure was discovered at such a late stage could only be a pointer to inadvertency and carelessness. This is a case which could solely emerge on a desert outside the juristiction and administration of a state. Yet this issue is of a vitally important nature. Under these circumstances, May God forbid, it could well happen that an incident similar to the one before the war at Rumeli, with the consequent events at Otlukköy, Bosnia and Herzegovina, might emerge, and as a result of such an inadvertency and heedlessness foreign states might interfere, and separatists would easily find opportunities to practise their insurgent activities.

The dispatched force is obviously inadequate in relation to the number of the insurgents. May God forbid, in case during the clash the number of the insurgents. May God forbid, in case during the clash there emerges a ceration minor instance of deterioration on the part of our own forces, the insurgents and the separatists would take advantage of the situation, and assume an arrogant posture. Moreover other insurgent parties might take heart and join the band to broaden their broaden their sphere of influence."

Due to the above mentioned reasons, Your High Command has been granted full authority by His Majesty's Imperial orders for the implementation of the following issues:

1) Sufficient number of Hamidiye regiments have to be armed with sufficient number of rifles from the arsenals of the reserve

Osmanlı Arşivi Karton 97, Kısım 35, Zarf 50, Evrak 306

lemenize mahal ve hâcet olmamasiyle evvelce tertîb edilen kuvvet kumandasına ta'yîn kılınan zat ile sevk ve i'zâm edilerek ve tertîb ve teslîhine me'zûn oldukları Hamidiye alaylarının dahi lüzum gördüğünüz halde sevk ve isti'mâli ihtiyarınıza bırakılarak hareket ve azîmet eylememeniz zımnında zât-ı müşirânelerine serîan ve âcilen îfâ-yı teblîgat edilmesi emr ü ferman-ı hümayun-ı hazret-i hilâfetpenahi iktizâ-yı âlisinden bulunmuş olduğu teblîğ ve iş'âr buyurulmağla hükm-i emr ü ferman-ı hümayun-ı mülûkânenin infâz ve icrâsı tavsiye olunur.

sarrıflığında ve ne de Vilayet Merkezinde bir bilgi olmadığı Musul Vilayetinden gelen 27 Ağustos 1894 tarihli telgrafların Yüce huzura sunulmuş bulunması üzerine bu durumda:

Sizin doğrudan hareket ederek bölgeye gitmenize yer ve gerek kalmadığının, daha önce düzenlenen kuvvete kumandan olarak atanan şahıs ile harekâtın sevk ve yürütmesinin, düzenleme ve silahlandırılmalarına yetkili kılındığınız Hamidiye Alaylarını dahi gerek gördüğünüz durumlarda bölgeye gönderme ve kullanma konularının seçiminize bırakıldığının bu sebeblerle hareket etmemeniz ve bölgeye gitmemeniz hususlarının acele ve acilen tarafınıza bildirilmesinin Yüce Padişah Hazretlerinin buyrukları olduğu bildirilmiştir. Buyruk doğrultusunda hareket ve uygulamanın yapılması tavsiye edilir..."

hundred soldiers) advancing in the direction of Talori for the last couple of days, has not been heard of facing any resistance; furthermore, there is mention of another telegram from the Vilayet of Mousul (re.-d) in which it is pointed out that neither from the governorship of the sanjak of Mush, nor from the vilayet centre, any indication of the figure three thousand is reconfirmed.

Under the present circumstances it is His Majesty's Imperial orders that you ought not necessarly personally assume the commandership of the forces; the aforementioned newly set up force ought to be dispatched under the direction of the previously appointed commander; dispatching, if you deem it suitable, the Hamidiye regiments, which you yourself reorganized and had them armed, is your prerogative; furthermore, you are to be notified not to depart.

It is requested that the Imperial orders of His Majesty are to be implemented.

Osmanlı Arşivi Karton 97, Kısım 35, Zarf 50, Evrak 306

[illegible]

[illegible]

Makam-ı Seraskerî
Mektubi Kalemi

Fi 15 Ağustos sene 310 tarihinde Dördüncü Ordu-yu Hümayun müşiriyyet-i celilesine yazılan telgrafnâme suretidir.

Evvelce ve akşam tebliğ olunan irade-i seniyye-i hazret-i hılâfetpanahi üzerine orduca vakı' olan icraat ve teşebbüsat derecâtının hemen bildirilmesine ve Talori'nin kangı cihet ve mevkı'de bulunduğu hakkındaki iş'arımızın dahi cevabına şiddetle intizar olunmaktadır.

Seraskerlik Makamı
Yazı İşleri

Telgraf

27 Ağustos 1894

Kimden: Seraskerlik Makamından
Kime: Dördüncü Ordu Müşiriyyetine
Konu: Harekât hakkında bilgi isteği

"Evvelce ve bu akşam bildirilen Yüce Padişah Hazretlerinin Buyrukları doğrultusunda Ordu tarafından yapılan harekât ve girişimlerin neler olduğunun acele bildirilmesinin ve Talori'nin hangi yön ve konumda bulunduğu hakkındaki isteğimizin de cevaplandırılmasının şiddetle beklendiği..."

Department of General Staff
Correspondence Dept.

Telegram

27th August 1894

From – Department of General Staff
To – Fourth Army Command
Subject – Request for information concerning operations

Due to the Imperial orders of His Majesty, received earlier and tonight, you are expected to immediately convey to us the nature of the operation and ventures undertaken by the army. Furthermore, a reply to our request on the exact location of Talori is urgently awaited.

Osmanlı Arşivi Karton 97, Kısım 35, Zarf 50, Evrak 306

[illegible]

[illegible]

Makam-ı Seraskerî Mektubi Kalemi

Fi 24 Safer sene 312 ve fi 15 Ağustos sene 310 tarihinde Mabeyn-i hümayun Başkitabet-i celîlesine yazılan tezkire-i husûsıyye suretidir.

Bâ-irade-i seniyye-i cenâb-ı hılâfetpenâhi Talori'ye sevk edilmiş olan kuvve-i cünûdiyyenin kumandasını deruhde etmek üzere bi'z-zat hareket etmesi muktezâ-yı emr ü ferman-ı hümayun-ı hazret-i hılâfetpenâhîden olan dördüncü ordû-yu hümayun müşiri Paşa hazretlerinin iş'ârat-ı vâkıaya nazaran hareket ve azimetine mahal ve hâcet kalmamasiyle hareket ve azimet etmemesi zımnında müşârun ileyhe ifâ-yı tebligat olunması şeref-sadır olan emr ü ferman-ı hümayun-ı hazret-i hılâfetpenâhi mukteză-yı âlîsinden bulunduğu demincek şeref-vârid olan fi 15 Ağustos sene 310 tarihli tezkire-i husûsıyye-i âsafanelerinde iş'ar buyurulması üzerine hükm-i emr ü ferman-ı hümâyun-ı cenâb-ı hılâfetpenâhî ba-telgrafnâme-i âcizî derhal müşarün-ileyhe teblîğ edilmiş idi. İşbu telgrafnâme-i âcizînin keşidesinden evvel çekilip şimdi alınan müşir-i müşârün ileyhin telgrafnâmesine nazaran Muş'a müteveccihen hareket eylediği anlaşılmış olup binâenaleyh bermantûk-ı emr ü irade-i cenâb-ı hılâfetpenâhı hemen merkez-i Ordû-yu hümayuna avdet eylemesi tekrar bâtelgrafnâme-i âcizî müşarün-ileyhe teblîğ kılınmış olmağla muhât-ı ılm-i ali buyurulmak üzere arz-ı ma'lûmata ibtidar kılındı. Ol bâbda.

Seraskerlik Makamı Yazı İşleri

Özel Tezkere

27 Ağustos 1894

Kimden: Seraskerlik Makamından
Kime: Saray Başkatipliğine
Konu: Dördüncü Ordu Müşiri Paşanın hareket etmemesi hakkında buyruğun tebliği

"Yüce Padişah Hazretlerinin Buyrukları doğrultusunda Talori'ye gönderilmiş olan dağ kuvvetlerinin kumandasını doğrudan üstlenmek üzere hareket etmesi emredilen Dördüncü Ordu Müşiri Paşa Hazretlerinin son olarak bildirilen olaylar karşısında hareket ve bölgeye gitmesine yer ve ihtiyaç kalmamasıyla, hareket etmemesi hususunda adı geçene tebligat yapılması doğrultusundaki Buyruk 27 Ağustos 1894 tarihli özel tezkere ile bildirilmiş ve adı geçene gereken tebligat yapılmışdı.

Bu telgrafın çekilişinden önce adı geçen Müşir Paşa tarafından gönderilen ve şimdi alınan telgrafında Muş'a doğru hareket ettiği anlaşılmış olup Yüce Padişah Hazretlerinin buyrukları gereği adı geçenin Ordu Merkezine geri dönmesi tekrar telgrafla bildirilmişdir. Bilgi edinilmesi için bu yazının yazılmasına gerek görüldü..."

Department of General Staff
Correspondence Dept.

Special statement

27th August 1894

From — Department of General Staff
To — Imperial First Secretary
Subject — Notification of the Commander-in-chief of the Fourth Army about the Imperial orders on not departing

Re.— Your special statement of 27 August 1894

Your special statement (re. above) concerning the notification of His Highness Zeki Pasha, commander-in-chief of the Fourth Army, through the Imperial orders of His Majesty the Sultan who is also currently the Caliph, not to depart to Talori, has been presently received, although His Highness was earlier asked to personally assume the commandership of the forces dispatched to the said zone.

The Imperial orders were immediately conveyed to His Highness by cable.

However, just before cabling the message, we are now informed by cable that the Pasha has already departed in the direction of Mush.

In order to have His Majesty's Imperial orders fully implemented another cable is sent to the Pasha to ask him to return to headquarters.

Osmanlı Arşivi Karton 97, Kısım 35, Zarf 50, Evrak 306

٤٥

مدینی اردوی همایونه شیفره تلغرافنامه سندن مورود ١٥ اغستوس ٣٣١ تاریخلی تلغرافنامه صورتیدر

بر منطوق امر و فرمان همایونه شمدی موشه متوجهاً حرکت اولندیغی معروضدر

Osmanlı Arşivi
Karton 97, Kısım 35, Zarf 50, Evrak 306

Vakıf Arşivi
Yıldız Ermeni Meselesi, Cilt 14, Belge No. 31

Carton 97, Section 35, Envelope 50, Document 306
(Armenian Question, Vol. 14, Document No. 31)

Makam-ı Seraskerî
Mektubi Kalemi

Dördüncü Ordu-yu Hümayun müşiriyyet-i celilesinden mevrûd fi 15 Ağustos sene 310 tarihli telgrafnâme suretidir.

Ber-mantûk-ı emr ü ferman-ı hümayun şimdi Muş'a müteveccihen hareket olunduğu ma'rûzdur.

Seraskerlik Makamı
Yazı İşleri

Telgraf

27 Ağustos 1894

Kimden: Dördüncü Ordu Müşiriyyetinden
Kime: Seraskerlik Makamına
Konu: Dördüncü Ordu Müşiri Paşa'nın Muş'a doğru hareketi

"Yüce Padişah Hazretlerinin emirleri gereğince Muş'a doğru hareket edildiği bildirilir..."

Department of General Staff
Correspondence Dept.

Telegram

27th August 1894

From — Fourth Army Command
To — Department of General Staff
Subject — Departure to Mush of the Commander-in-chief of the Fourth Army

It is to your attention that, in compliance with His Majesty's Imperial orders, I have departed to Mush.

Osmanlı Arşivi Karton 97, Kısım 35, Zarf 50, Evrak 306

Makam-ı Seraskerî
Mektubi Kalemi

Fi 16 Ağustos sene 310 tarihinde Dördüncü Ordu-yu hümayun müşiriyyetine yazılan şifreli telgrafnâme suretidir.

Talori'ye te'hîr-i azîmet-i müşîrileri hakkındaki irade-i seniyye-i cenâb-ı hılâfetpenâhî evvel ve âhır fi 15 Ağustos sene 310 tarihli iki telgrafnâme-i âcizî ile teblîğ olunmuş idi. Şimdi Mabeyn-i hümayun Başkitabet-i celilesinden şeref-varid olan tezkire-i husûsıyyede mes'uliyyet zât-ı vâlâ-yı müşirilerine ait olmak üzere bi'z-zat gidip gitmemeleri hususlarının ihtiyar-ı devletlerine bırakılması şeref-müteallik buyurulan emr ü ferman-ı hümayun-ı hazret-i hılâfetpenâhî iktizâ-yı âlisinden bulunduğu iş'ar buyurulmuş olmağla sûret-i irade-i seniyye-i mülûkâneye nazaran iktizasının ifa ve bu tarafa da ma'lûmat-ı âcile i'ta buyurulması tavsiye olunur.

Seraskerlik Makamı
Yazı İşleri

Şifre-Telgraf

28 Ağustos 1894

Kimden: Seraskerlik Makamından
Kime: Dördüncü Ordu Müşiriyyetine
Konu: Ordu Müşirinin hareketine ilişkin buyruğun tebliği

"Talori bölgesine gitmenizi geri bırakan Yüce Padişah Buyruğu 28 Ağustos 1894 tarihli iki telgrafla tebliğ olunmuşdu.

Şimdi Saray Başkatipliğinden alınan özel bir tezkerede; sorumluluğun Müşiriyetinize ait olmak üzere harekat bölgesine gidip gitmemek hususlarının tamamen isteğinize bırakılmış bulunduğunu Yüce Padişah Hazretlerinin Buyrukları olduğu bildirilmiştir. Bu doğrultuda gereğinin yapılmasının ve bu tarafa da acele bilgi verilmesi tavsiye edilir..."

Department of General Staff
Correspondence Dept.

Coded-Telegram

28th August, 1894

From – Department of General Staff
To – Fourth Army Command
Subject – Communication of orders concerning departure of the Army Commander

Re.– Your two telegrams both dated 27th August 1894

His Majesty's Imperial Orders that you are to postpone your departure to go to Talori have been conveyed to you by our telegrams (re.-above).

Now in a special statement received from the High Office of the Imperial First Secretary it has been noted that:

"According to His Majesty's Imperial Orders, assuming personal responsibility, you have been granted the license of acting through the dictates of your better judgement.

You are requested to have His Imperial Majesty's orders implemented and inform us about the outcome accordingly.

Osmanlı Arşivi Karton 97, Kısım 35, Zarf 50, Evrak 306

Osmanlı Arşivi
Karton 97, Kısım 35, Zarf 50, Evrak 306

Vakıf Arşivi
Yıldız Ermeni Meselesi, Cilt 14, Belge No. 36

Carton 97, Section 35, Envelope 50, Document 306
(Armenian Question, Vol. 14, Document No. 36)

Makam-ı Seraskerî
Mektubi Kalemi
1719

Mabeyn-ı hümayun Başkitabet-i celilesinden mevrûd tezkire-i husûsıyye sûretidir.

Talori cihetinde tecemmu' etmiş olan eşkıyanın üç bin derecesinde olmadığı Muş mutasarrıflığıyle Bitlis Vilayeti'nden iş'ar olunmasiyle evvelce mukarrer olduğu vechile dördüncü ordu müşiri Paşa hazretlerinin kuvve-i mürettebeyi kumandası altına alarak bi'z-zat hareket etmesine mahal olmadığı dün ve müşarün-ileyhin mes'uliyyet kendisine ait olmak üzere bi'z-zat gidip gitmemek hususunda muhtar bırakılması bugün şeref-sadır olan irade-i seniyye-i mülûkâne mantûk-ı münifine tevfikan taraf-ı vâlâ-yı seraskerîlerine tebliğ kılınmış idi. Âhîren Bitlis Vilâyeti'nden alınan telgrafnâmede Ermenilerin bu kerre Muş cihetindeki ekrad üzerine hücum ile tazyik ettikleri ve müsellah Ermenilerin mikdarı kesretli olmasından dolayı ekradın mukavemet edemediği ve bir karye ihrak edildiği gibi cem'iyyetleri tezayüt etmekte bulunduğu ve eşkıya arasında küçük kıt'a da bir top ve bir mahalde esliha mevcûd idüği ve tertîb olunan kuvve-i cünûdiyyenin henüz Talori cihetine gitmediğinden ekradca teheyyücat ve tehyiât vukû bulduğu bildirildiği taraf-ı samî-i sadaret-penâhiden arz ve iş'ar kılınmış ve bu halde evvelce tebliğ olunduğu üzere Hamidiye süvari alaylarından lüzumu mikdarını ve icabı kadar efrad-ı redifeyi celb ve teslîh ve bir batarya topu istishâb edip etmemek hususları kendi ihtiyarına bırakılmak üzere müşarün-ileyh hazretlerinin kuvve-i mürettebe kumandasını bi'z-zat deruhde ederek hemen şimdi hareket etmesi bu kerre şeref-sudûr buyurulan irade-i seniyye-i hazret-i hılâfet-penahî îcab-ı münifinden bulunmuş ol-

Seraskerlik Makamı
Yazı İşleri
1719

Özel-Tezkere

28 Ağustos 1894

Kimden: Saray Başkatipliğinden
Kime: Seraskerlik Makamına
Konu: Ermeni Eşkiyasının yeni faaliyetleri ve alınması gereken önlemler

"Talori bölgesinde toplanmış bulunan eşkiyanın sayılarının üçbin dolaylarında olmadığı Muş Mutasarrıflığı ile Bitlis Vilayeti'nden bildirilmesi üzerine daha önce kararlaştırılmış Dördüncü Ordu Müşiri Paşa Hazretlerinin hazırlanan kuvvetleri kumandası altına alarak hareket etmesine yer olmadığı dün ve adı geçenin sorumluluk doğrudan doğruya kendisine ait bulunmak üzere harekât bölgesine gidip gitmemekte serbest bırakılması da bugün, Yüce Padişah Hazretlerinin Buyruklarına dayanarak Seraskerlik Makamına bildirilmiş idi.

Daha sonra Bitlis Vilayeti'nden alınan telgrafda:

Ermenilerin bu kez Muş bölgesinde bulunan aşiretler üzerine hücum ederek onları baskı altında tuttukları, sayılarının çoğunlukta olması sebebiyle aşiretlerin bunlara karşı koyamadıkları ve bir köyü yaktıkları gibi topluluklarınında giderek büyümekte olduğu ve eşkiyanın küçük bir top ile silah deposuna sahip bulunduğu, düzenlenen dağ birliğinin henüz Talori bölgesine girmediğinden aşiretler arasında büyük heyecan ve hazırlıkların yapıldığının bildirildiği Sedaret Makamından Yüce Makama sunulmuş ve bu durumda:

Daha önce bildirildiği üzere Hamidiye Süvari Alaylarından ve Redif erlerinden ihtiyaç ve gereği kadar birliğin silah altına alına-

Department of General Staff
Correspondence Dept.
1719

Special Statement

28th August, 1894

From — Imperial First Secretary
To — Department of General Staff
Subject — New activities by Armenian insurgents and measures needing to be taken

Your Ministerial High Office yesterday had been informed that it was deemed unsuitable for the Commander-in-Chief of the Fourth Army, His Highness Zeki Pasha to personally assume commandership of the organized forces, since it has been conveyed by the governorships of the Sanjak of Mush and the Vilayet of Bitlis that the number of the insurgents around Talori was not around three thousand.

Furthermore, today, your Ministerial High Office was also informed that according to his Majesty's Imperial Orders, assuming personal responsibility, His Highness has been granted the license of acting through the dictates of his better judgement.

Now in a letter received from the Prime Ministry it is pointed out that according to the disclosures made in a statement sent by the Vilayet of Bitlis, Armenians assaulted and harassed the Kurds of the Mush area. Since the armed Armenians were quite numerous the Kurds could not put forth any effective resistance. A village was burnt down and, as the number of Armenians gradually multiply, and since the insurgents have a small size gun and fire-arms, and since the military units mobilized and to be deployed against them, have not yet reached the Talori region, emotions and excitement have risen high amongst the Kurds.

Under the present circumstances, in compliance with the Imperial Orders of His Majesty's, it is conveyed

٧٩

١٧١٩

باب عالی داخلیه سی کتابت جلیله سندن وارد اولان تذکره خصوصیه صورتیدر

مالوری جهتنده تجمع ایتمش اولان اشقیانک اوچ بیک درجه سنده اولدیغی موسی منور قلعه سی تلبیسی ولایتنده اشعار اولنمش اولدیغی
مقره اولدیغی وجهله درد نجی اردو مشیری پاشا حضرتلرینک قوه مرتبه سیله قوماندهسی التنده اوله رق بالذات حرکت ایتمسی لازم اولدیغی دوله
وشایان اولدیغی مسئولیته کندوسی عائد اوله جغی اوزره بالذات کیده وب کیتمامک خصوصنده مختار براغلمسی بوکونده شرف صادر اولان اراده
سنیه ملوکانه منطوق منیفنه توفیقا طرف والای سرعسکریدن تبلیغ قلنمشیدی اخیرا تلبیسی ولایتندن الناان تلغرافنامه ده اشقیانک بو کره
موسی جهتنده کی اکرادی ده بونلره هجوم ایله تضییق ایتدکلری ومسلح اشقیانک مقداری کثرتلی اولمسندن طولایی اکرادک مقاومت ایده میه جکی
ومقدما اخراج ایدیلدیکی کبی جمعیتلری تزاید ایتمکده بولندیغی واشقیادن بر سنده کوچک قطعه ده بر طوپ ویرلمده اسلحه موجود ایدیکی
وترغیب اولنان قوه جنودیه نک هنوز مالوری جهته کتمدیکندن اکرادجه تهیجات وتهییجات وقوع بولدیغی بیلدیرلمکله طرف سامی
سرعسکریدن اشعار قلنمش ودوحالده اوله جغی تبلیغ اولندیغی اوزره حمیدیه سواری الایلرینه لزومی مقدارینک ویاخود قدر کفایه
رد یفلرک جلب وتسلیح ویر بطاریه طوپ استصحابیله وبه انجامک خصوصلری کندی اختیارینه براغلمق اوزره مشار الیه حضرتلرینک
قوه مرتبه قوماندهسی بالذات ودرعهده ایدرک همان تحریک حرکتنه تحمیل بوکره شرف صدور بیورلان اراده سنیه حضرت خلافتپناهی
منیفنده بولنمش اولمغله اولبابده امر وفرمان حضرت من له الامرکدر | ٢٥ صفر سنه ٦١ | ١٦ حزیران سنه ٦١

مکتوبی حضرت سامیلری

نه

ثریا

مشار الیهه تبلیغ اولنمشدر

Makam-ı Seraskerî
Mektubi Kalemi

Fî 16 Ağustos sene 310 tarihinde Dördüncü Ordu-yu hümayun müşiriyyet-i celilesine yazılan şifre telgrafnâme suretidir.

Muş'daki üçbuçuk taburun Talori'ye tahrik edildiğine ve bunların tezyîd-i mevcûdları için ber-mantûk-ı emr ü ferman-ı hümayun efrad-ı muallime ile dört topun ve ihtiyatên dahi iki taburun Muş'a sevk edildiğine ve ifâdât-ı sâireye dair olsun fi 15 Ağustos sene 310 tarihli telgrafnâme-i devletleri mütalaa olundu bu bâbdaki tertîbat ve icrâat-ı serîa-i devletleri dirayet ve hamiyyet-i müselleme-i müşirânelerinin âsar-ı cedide-i fi'liyyesinden olmasiyle bi'l-hassa beyan-ı takdîr ve teşekkür olunur. Ve şu işin dahi dilhâh-ı âlî dairesinde hüsn-i tesviyesine muvaffakıyyet-i devletleri temenni kılınır. İşbu telgrafnâme-i devletlerinin fıkra-i âhîresinde Andok dağında tahassün etmiş olan eşkıyanın asâkir-i şâhânenin Muş'dan hareketini haber alır almaz Talori'ye firar eyledikleri gösterilerek bu hal Muş mutasarrıflığı ile Musul vilâyetinden arz-ı atebe-i ulyâ kılınmış olduğu dünkü gün tebliğ olunan ma'lûmatı müeyyid ise de Bitlis vilâyetinden Bâb-ı âli'ye gelen fi 14 Ağustos sene 310 tarihli telgrafnâmede Talori ve Kulp cihetinde fesede-i müsellaha ile eşkıyanın teehhür-i tenkillerinden nasıl cem'ıyyet-i şekâvetlerini arttırmakta oldukları ve aşayirle mukatelede bulundukları evvel ve âhır bildirilmiş olmağla beraber bunlar bu kerre de o cihetteki ekrad üzerine hücum ederek tazyik ettikleri ve müsellah Ermenilerin mikdarı kesretli olmasından ekradın mukavemet edemediği ve bir karye ihrak edildiği Muş mutasarrıflığından ba-telgrafnâme bildirildiği ve Muş'daki nizamiye binbaşılığından fırkaya gelen telgrafnâmede cem'ıyyetleri

Seraskerlik Makamı
Yazı İşleri

Şifre-Telgraf

28 Ağustos 1894

Kimden: Seraskerlik Makamından
Kime: Dördüncü Ordu Müşiriyyetine
Konu: Gelen bilgiler arasındaki çelişkilerin giderilmesi

"Muş'daki üçbuçuk taburun Talori'ye hareket ettirildiğine ve bunların mevcutlarının kuvvetlendirilmesi için Yüce Padişah Buyruğu doğrultusunda usta erler ile dört topun ve ihtiyat olarak da iki taburun Muş'a gönderildiğine ve bazı açıklamalara ilişkin 27 Ağustos 1894 tarihli telgrafınız incelendi.

Bu konudaki hazırlıkların ve seri uygulamaların yüksek yetenek ve milli onuru kanıtlanmış Müşiriyyetlerinin doğrudan doğruya üstlendiği yeni görevinin sonucu bulunmasından özellikle takdir ve teşekkür olunur. Ve bu görevin de Yüce gönlünüzce en iyi şekilde başarıyla sonuçlanması dilenir.

Açıklanan telgrafınızın son fıkrasında; Anduk Dağında toplanmış eşkiyanın, askeri kuvvetlerin Muş'tan hareketini haber alır almaz Talori'ye kaçtıkları belirtilmiş ve bu durum Muş Mutasarrıflığı ile Musul Vilayetin'den Yüce Huzura sunulmuş olduğu dün tebliğ edilen bilgiyle kanıtlanmış ise de Bitlis Vilayeti'nden Bab-ı Aliye[1] gelen 26 Ağustos 1894 tarihli telgafda Talori ve Kulp[2] bölgesinde silahlı bozguncular ile eşkiyanın etkisiz bırakılmalarının gecikmesi sonucu toplu terör hareketlerini artırmakta oldukları ve aşiretlerle çatışmalarda bulundukları, durumun çeşitli zamanlarda bildirildiği bu kezde o bölge aşiretler üzerine saldırarak

Department of General Staff
Correspondence Dept.

Coded-telegram

28th August, 1894

From – Department of General Staff
To – Fourth Army Command
Subject – Elimination of inconsistencies in incoming news

Re.– a) Your telegram of 27th August 1894
b) The telegram cabled to the sublime Porte by the Governorship of Bitlis, bearing the date 26th August, 1894

Your High Command's telegram (re.-a), pertaining to the dispatching of three-and-a-half battalions of Mush to Talori; in compliance with His Imperial Majesty's orders, in order to increase the number of soldiers in the battalions, the expediting of able soldiers and four guns and, as a reserve force, two more battalions to Mush; and other topics have all been discussed.

Your eminent personality is highly appreciated and is to be thanked for its remarkably swift and prompt performance in organization and implementation. Furthermore we wish you every success in the best handling and solving of the case presented below:

In the last paragraph of the telegram of Your High Command (re.-a) it is pointed out that:

"The insurgents using Mount Anduk as a hide-out, escaped to Talori upon being informed that the forces had set out from Mush."

Those facts affirm the information furnished by the governorships of the Sanjak of Mush and the Vilayet of Musul and submitted to His Majesty's Imperial consideration yesterday. However in the telegram cabled to the Sublime Porte by the Governorship of Bitlis (re.-b) the following

Osmanlı Arşivi Karton 97, Kısım 35, Zarf 50, Evrak 306

[illegible]

firar eyledikl'erinden ta'kîb olunmak üzere bulunduğunun müfreze-i mezkûre kumandanlığından ba-telgraf bildirilmiş olduğu ve eşkıyanın Andok dağını terk eylemeleri bir desiseye mübteni olabilmesi muhtemel olduğundan keşfiyat ve tahkikat-ı amîka icrasiyle iltizam-ı basiret olunması hususunun cevaben yazıldığı beyan ve iş'ar kılınmış ve mezkûr telgrafnâmenin sureti manzûr-ı dekayik-mevfûr-ı hazret-i hılâfet-penâhî buyurulmak üzere leffen arz ve takdîm olunmuş olmağla ol bâbda.

eteklerine varmışlarsa da eşkiyalar askeri birliklerin Muş'tan hareketini haber alır almaz Talori'ye kaçtıklarından takip edilmek üzere bulunduklarının Müfreze kumandanlığından telgrafla bildirildiği, bunun üzerine Müfreze Kumandanına eşkiyanın Anduk dağını terk etmesinin bir hileye dayanması ihtimali bulunduğundan keşif ve araştırmaların derinleştirilerek uygulanması, ileri görüşlülüğün elden bırakılmaması hususlarının cevap olarak yazıldığı bildirilmiştir.

Yüce Padişah Hazretlerinin bilgilerine sunulmak üzere telgrafın bir sureti ekde arz ve takdim kılınmıştır..."

mitting, they are expected to reach there within seven days.

Through His Majesty's Imperial Orders, half a Hamidiye cavalry regiment, in charge of securing peace and order in Mush and its vicinity, is expected to reach there within a couple of days.

According to the information received from the commandership of the unit dispatched to Talori,the units reached the outskirts of the mountain which the insurgents used as a hide-out. However, since the insurgents escaped to Talori upon learning that the military forces set out from Mush, the units are in pursuit of them.

We think that there ought to be a reason as to why the insurgents left Mount Anduk, the pertinent commandership has been notified in a reply note that the matter is to be taken up seriously and carefully investigated."

A copy of the above-mentioned telegram is enclosed to be submitted for the Imperial consideration of His Majesty.

Osmanlı Arşivi Karton 97, Kısım 35, Zarf 50, Evrak 306

٤٥

[illegible]

Makam-ı Seraskerî Mektûbî Kalemi

Dördüncü Ordû-yu Hümayun Müşiriyyet-i celîlesinden vârid olan 17 Ağustos sene 310 tarihli şifreli telgrafnâmenin halli sûretidir.

C. 16 Ağustos sene 310 İltifât-ı dâverânelerine bi'l-hassa arz-ı teşekkür ederim. Talori ve havalisindeki Ermeni fesedesinin mikdar ve hâl ve şânı hakkında Bitlis vilâyetiyle Muş ve Genç mutasarrıflıklarının nezd-i âlîce ma'lûm olan iş'ârat-ı mütevâliyesi mahall-i fesad ve şekavetden uzak ve sırf mesmûat üzerine mebnî rivâyatden ibaret olmağla bunların arasında ihtilaf olacağı tabiîdir. İşbu ihtilâfâtın şimdilik şerh ve izahı zât-ı maslâhata taallûk eder ciheti yoktur. Hakikat bugün bi'l-fi'l mahall-i mefsedet ve tahassungâh-ı eşkıya addolunan ve Andok dağı ile etrafında fesede-i merkumenin kahr ve tedmîrine me'mûr olan müfreze-i askeriyyemizin meshûdata mebnî ve taraf-ı âciziye telgraf başında her an verdikleri ma'lûmat ta'yin ediyor ki müfreze-i mezbûre şimdiye kadar vilayet-i müşarünileyha ile Muş mutasarrıflığının iş'arı vechile top ve istihkâmlara malik ve Hayan aşiret-i cesimesiyle dokuz saat kadar mukateleye muktedir öyle cesîm ve kesretli bir fesede cem'ıyyetine tesadüf etmeyip ancak şehr-i cârinin ondördüncü günü ve Andok dağı'nın cihet-i cenûbisinde Gülgüzan karyesinin civarında ve Talori'ye doğru cereyan eden Açini deresi içinde firar eden yirmi-otuz kadar eşkıya üzerine asâkir-i şahane keşif kolları tarafından ateş edilerek iki şakinin meyyiten ve yedlerindeki kâr-i kadim kaval tüfeklerin derdest edildiği ve mütebakısinin ta'kıbine şitâb olunduğu ve Andok dağınca olan keşfiyyât ve taharriyâtın hitamından sonra müfreze-i asâkir-i şahanenin Talori'ye hareketle yarın

Seraskerlik Makamı Yazı İşleri

Şifre-Telgraf

29 Ağustos 1894

Kimden: Dördüncü Ordu Müşiriyyetinden
Kime: Seraskerlik Makamına
Konu: Askeri harekât raporu

"C. 28 Ağustos 1894
Yüce övgülerinize özellikle teşekkür ederim.

Talori ve çevresindeki Ermeni bozguncularının miktarı, durum ve hareketleri hakkında Bitlis Vilayetiyle Muş ve Genç Mutasarrıflıklarının sizcede bilinen, bir düzine haberleri bozgun ve anarşi bölgesinden uzak ve sırf duyum üzerine dayandırılan söylentilerden ibarettir. Bunların arasında çelişkilerin olacağı doğaldır. Bu çelişkilerin şimdilik ayrıntılarına girilmesinin ve açıklamalar yapılmasının işin özünü ilgilendiren bir yönü yoktur.

Gerçeği, bugün doğrudan anarşi bölgesi ve eşkiyanın kalesi sayılan Anduk Dağı ile çevresinde, adı geçen bozguncuları etkisiz kılmakla görevli askeri müfrezemizin gözlemlerine dayanan ve telgraf başında her an tarafıma verdikleri bilgiler açıklıyor.

Anılan müfreze, şimdiye kadar adı geçen Vilayet ile Muş Mutasarrıflığının bildirdikleri gibi top ve istihkâmlara sahip, Hayan gibi büyük bir aşiretle dokuz saat çatışmaya girecek büyüklükte ve sayıca kalabalık bir bozguncu topluluğuna rastlanmayıp, ancak Ağustos'un Yirmialtıncı günü Anduk Dağının güneyinde Gülgüzan köyü çevresinde ve Talori yönünde akan Açin deresi içerisinde kaçan yirmi-otuz kadar eşkiya üzerine keşif kolları tarafından açılan ateş sonunda iki eşkiyanın ölü olarak, yanlarında eski kaval

Department of General Staff Correspondence Dept.

Coded Telegram

29th August, 1894

**From — Fourth Army Command
To — Department of General Staff
Subject — Military operations report**

Re.— Your telegram of 28th August, 1894

I should like to express my thanks for the praise Your High Office accorded me.

The information, furnished by the governorships of the Vilayet of Bitlis and Sanjaks of Mush and Gench, which Your High Office already had access to, concerning the number and condition of the Armenian insurgents around the Talori region and its vicinity, is bound to be inconsistent since their locality is far from the zone of insurgency and separatism and their source constitutes simply hearsay and rumours. At this stage, it can be said that this inconsistency has no direct bearing on the real core of the matter.

Today the truth of the matter is determined by the continuous information cabled to us, based on eye witness accounts of our military units in charge of outpowering the insurgents who use Mount Anduk as a shelter and a source of sedition.

Our units have not yet met any separatist group as disclosed by the governorships of the Vilayet of Bitlis and the Sanjak of Mush, having a gun and a defence line and particularly a capacity to enter into a bloody clash with the Hayan tribe, lasting about nine hours. It was only on the twenty sixth day of this month, some twenty or thirty insurgents were seen running away in the direction of the creek called Achini, flowing towards Talori and situated at the southerly direction of Mount Anduk and in the

Osmanlı Arşivi Karton 97, Kısım 35, Zarf 50, Evrak 306

٤٥

دردنجی اردوی همایونه ترتیب جدیده سنده وارد اولان ١٢ تشرین ثانی تاریخلی

شفره‌لی تلغرافنامه‌نك حل صورتیدر.

[illegible]

öbür gün vâsıl olarak bir netice-i kat'iyye istihsal eylemesi avn-ı Hak'dan me'mûl-i kavîdir. Binaenaleyh şimdiye kadar icra olunan harekât-ı askeriyye esnasında işin i'zam olunduğu derecede bir hali görülmeyip maa-hâzâ kuvve-i mürettebe-i mülûkâne fesedeyi her nerede tesadüf ederse orada avn-ı Hak'la kahr ve tedmîr etmek üzere harekete devam edip bundan böyle zuhur edecek ahvalin dahi peyderpey arz olunacağı ma'rûzdur.

tüfekleriyle ele geçirildiğini, diğerlerinin de takibine başlanıldığını ve Anduk Dağı'nda keşif ve araştırma harekatından sonra Talori'ye hareket edilerek yarın veya öbür gün oraya ulaşılacağını ve kesin sonucun Allah'ın yardımıyla beklendiğini bildirmektedir.

Bu sebeble şimdiye kadar yapılan askeri harekât sırasında işin büyütüldüğü derecede bir durumun görülmeyip buna rağmen Hazır Kuvvetin bozguncular nerede rastlarlarsa orada Allah'ın yardımıyla onları etkisiz duruma getirmek üzere harekâta devam edip, bundan sonra çıkacak olayların da zaman zaman arz olunacağı..."

periphery of the Gülgüzan village. The recomnaissance columns opened fire and two separatists were captured dead with their old style muskets. The reconnaissance columns opened hot pursuit.

The military units would set out for Talori after completing their missions of pursuit and investigation at Mount Anduk. It is expected that they would reach Talori tomorrow and the day after tomorrow and God permitting they would achieve a decisive solution.

In all the military operations undertaken no case has been encountered as serious as it has been exaggerated. Moreover, the organized military forces continue their operations of outpowering and suppressing the seditionaries with God's help, wherever they encounter them.

All the possible contingencies would continuously be made accessible to you.

Osmanlı Arşivi Karton 97, Kısım 35, Zarf 50, Evrak 306

۵۱

[illegible]

[illegible]

Makam-ı Seraskerî Mektubi Kalemi

25 Safer sene 312 ve fî 16

Ağustos sene 310 tarihinde

Mâbeyn-i Hümâyun-ı Başkitâbet-i Celîlesine yazılan tezkere-i hususiyye suretidir.

Talori civarında ictima' eden Ermeni eşkıyasının bulundukları mevki'i irâe eder suretde Dördüncü Ordu-yu Hümâyûn Müşiriyle bi'l-muhâbere tanzim ve takdimi emr ü fermân buyrulmuş olan haritanın müsâra'aten Atabe-i Ulyâ'ya takdimi muktezâ-yı irâde-i seniyye-i hilâfetpenâhîden bulunduğu şimdi şerefvârid olan 25 Safer sene 312 tarihli tezkere-i husussiyye-i dâverânelerinde tebliğ buyurulmuşdur. Talori mevki'ini irâe eder harita ber-mantûk-ı emr ü fermân-ı hümâyûn bi'l-muhâbere tanzîm ve ihzâr etdirilmiş ve bunun yarın sabah takdîmi der-dest bulunmuş olacağı halde işbu irâde-i şerefsâdır-ı hazret-i zıllullahi üzerine mezkûr haritanın hemen ve leffen arz ve takdimine müsâra'at kılınmış ve ma'a-hâzâ ol havalinin mükemmel bir krokisinin bu posta ile gönderileceği de müşiriyyet-i müşârün-ileyhanın cümle-i iş'ârından olup mezkûr krokinin vürûdunda anın dahi derhal arz-ı hâk-ı pây-ı âlî kılınacağı derkâr bulunmuş olmağla ol-bâbda.

Seraskerlik Makamı Yazı İşleri

Özel-Tezkere

28 Ağustos 1894

Kimden: Seraskerlik Makamından
Kime: Saray Başkatipliğine
Konu: Talori bölgesi haritasının hazırlanması

"Dördüncü Ordu Müşiriyyetiyle haberleşerek Talori çevresinde toplanan Ermeni eşkiyasının bulundukları yeri gösterecek şekilde hazırlanması ve sunulması emredilmiş haritanın acele Yüce Padişah Hazretlerine takdimi gerektiğine ilişkin 28 Ağustos 1894 tarihli Özel-Tezkere şimdi dairemizde tebliğ buyurulmuştur.

Talori mevkiini gösteren harita Yüce Padişah Buyrukları doğrultusunda yapılan haberleşmelerle çizilip, hazırlanmış ve yarın sabah Yüce Huzura takdimi kararlaştırılmışdı.

Yüce Buyrukları üzerine anılan harita derhal ekde arz ve takdim edilmiştir. Ayrıca o bölgenin mükemmel ve ayrıntılı bir krokisinin bugünkü posta ile gönderildiği adı geçen Müşiriyet tarafından bildirilmiş olup, ulaştığında derhal Yüce Huzura arz edilecektir..."

Department of General Staff
Correspondence Dept.

Special Statement

28th August, 1894

From – Department of General Staff
To – Secretary
Subject – Preparation of a map of the Talori region

Re.– Your special statement of 28th August, 1894

We have received His Majesty's Imperial orders concerning the immediate forwarding of the map which was drawn after the exchanges with the Commander-in-Chief of the Fourth Army, and indicating the exact location of the area around which the Armenian insurgents of the Talori region gathered.

The map of the Talori region, prepared in compliance with His Majesty's Imperial orders, and through exchanges with the Commander-in-Chief of the Fourth Army, was going to be presented tomorrow; but in accordance with His Imperial Majesty's orders, it is enclosed herewith this letter. Furthermore, the said High Command informed us that a detailed sketch of the aforementioned area is to be forwarded soon. Upon its receipt, it is to be immediately submitted for the Imperial consideration.

Osmanlı Arşivi Karton 97, Kısım 35, Zarf 50, Evrak 306

Makam-ı Seraskerî Mektûbî Kalemi

Fî 17 Ağustos 310 tarihinde Dördüncü Ordu-yu Hümâyun Müşiriyyet-i Celilesine yazılan telgrafnâmenin suretidir.

Şimdi şifahen şerefyâb-ı telakkisi olduğum emr ü irâde-i seniyye-i Cenâb-ı Hilâfetpenâhî vechile Talori maddesinin bi-lûtfihite'âlâ şu bir kaç gün içinde tamamen bildirilmesi matlûb-ı kat'î-i mülûkâne olmasıyla ber-mantûk-ı emr u fermân-ı hümâyûn bu işin rızâ-yı âlî dâire-i necât-ı bâhiresinde ve birkaç gün içinde beheme hâl ikmâline fevka'l-'âde bezl-i himmetle tezyîd-i me'ser-i memdûhiyyet buyrulması dirâyet ve hamiyyet-i müselleme-i dâverîlerine tevdî' olunur. Ve eşkıyanın ahvâl ve harekât-ı hakkında istihsâl olunacak ma'lûmât-ı sahîha ile icrâ'at-ı vâkı'aya ve'l-hâsıl işin hergün ne hâl ve renkte bulunduğuna ve kuvve-i mürettebenin ikmâl-i noksânı için sevk olunan efrâd-ı ma'lûme ile ihtiyâten yola çıkarılan taburların nereye vâsıl olduklarına ve diğer taburlar mevcutlarının tezyîdi hakkındaki teşebbüsâtın derecât-ı fi'liyyesine dâir hergün buraya ma'lumât i'tasıyla beraber vuku'ât olmadığı günlerde dahi vuku'ât olmadığının hergün saat dürtte arz-ı hâk-ı pây-ı âlî kılınmak üzere iş'ârına himmet buyrulması dahi kemâl-i ehemmiyyetle temennî kılınır efendim.

Seraskerlik Makamı Yazı İşleri

Telgraf

29 Ağustos 1894

Kimden: Seraskerlik Makamından
Kime: Dördüncü Ordu Müşiriyyetine
Konu: Padişah Hazretlerinin sözlü emirleri

"Yüce Padişah Hazretlerinden şimdi aldığım sözlü emirleri gereğince:

Talori olayının Allahın izniyle bir kaç gün içerisinde tamamen bitirilmesi arzu edilmektedir.

Görevin açıklanan sürede tamamlanmasının gerekli kıldığı olağanüstü çaba ve üstün hizmetler, sizin kanıtlanmış olan bilgilerinizden, milli onurunuzdan ve doğruluğunuzdan beklenmektedir.

Eşkiyanın durumu ve harekâtı hakkında elde edilecek gerçek bilgiler ile uygulamaların - kısaca bütün işlerin ve faaliyetlerin - her gün ne durum alıp, nasıl geliştiğini ve Hazır Kuvvetin eksikliklerinin tamamlanması için gönderilen birlikler ile ihtiyat taburlarının nereye ulaştıklarının ve diğer tabur mevcutlarının artırılması konusundaki görüşlerin aldığı durumun her gün buraya bildirilmesini, olay olmadığı günler de "Olay olmadığının" her gün saat 16'da Yüce Padişah Hazretlerine arz edilmek üzere ulaştırılmasına yardımcı olmanızı büyük bir önemle dilerim efendim..."

Department of General Staff Correspondence Dept.

Telegram

29th August, 1894

From – Department of General Staff
To – Fourth Army Command
Subject – Verbal orders by his Majesty the Sultan

In compliance with His Majesty's Imperial Orders, honourably conveyed to me by word of mouth, it is highly desirable that the Talori incidents be terminated effectively within a couple of days through God's help.

It is our sole expectation that your High Command would be able to decisively put an end to this issue through its interminable efforts, expertise and skill.

Furthermore it is also our desire that you would spare no efforts possible to have information on the following points, rendered accessible to His Imperial Majesty's consideration:

a) Correct assessment on the movements and exact location of the insurgents

b) counter operations by the military units

c) the state of the already dispatched reinforcements and auxiliaries and their exact location

d) efforts to increase the number of soldiers in other battalions.

Even on the days without any incidents, the very state of affairs ought to be conveyed to us by four o'clock so that His Majesty is accordingly advised.

Osmanlı Arşivi Karton 97, Kısım 35, Zarf 50, Evrak 306

٤٦

۲۷ محرم سنه ۳۱۲ و ۱۸ تموز سنه ۳۱۰ تاریخنده تقدیم اولنان تذکرهٔ مخصوصه صورتیدر

تالوری جوارنده اجتماع ایدن ارمنی اشقیاسی حقنده موش متصرفلغندن عرض جنبهٔ علیا قلنان معلومات ایله بو ماده‌یه دائر باب عالی‌یه وکلادن بتلیس ولایتنك تلغرافنامه‌سی بیننده کورلان تخالف اوزرینه حقیقت حالك دردنجی اردوی همایون مشیریتندن بالاستعلام اولنمسی وکیفیت ۱٦ تموز سنه ۳۱۰ تاریخلو تذکرهٔ مخصوصهٔ چاکرانه‌مله جنبهٔ علیای حضرت خلافتپناهی‌یه عرضه ابتدار قلنمش ایدی اشقیای مرقومه‌نك قهر و تدمیرلری ایچون بالارادهٔ سنیهٔ جناب خلافتپناهی سوق اولنمش اولان مفرزهٔ عسکریه‌نك مشهوداتنه و شهادتنه قدر اجرا اولنان حرکات عسکریه اثناسنده ایشك اعظم اولدیغی دردنجی بر حال کوسترلدیکنه دائر مشیریت مشار الیهادن جواباً وارد اولان تلغرافنامه‌نك صورتی نظر دقایق‌نکار جناب خلافتپناهی‌یه بیورلمق اوزره لفاً عرض و تقدیم قلنمش اولمغله اولبابده

vârid olan tezkere-i hususiyyede iş'âr buyurulmuş olmakla ber-mantûk-u emr u fermân-ı hümâyûn-ı mülûkâne eşkıyâ-yı merkumenin kemâl-i sür'atle ta'kîb olunarak bilâ-istisnâ kahr u tedmîrleri ve ber-mûceb-i irâde-i seniyye-i mülûkâne lâzım gelen mevâki'a asâkir-i şâhâne ikâmesi ve kule ve karakolhâne inşâsı muktezî mevâki'i gösterir bir kıt'a krokinin ve tersîm ettirilecek resimleriyle keşifnâmelerinin iktizâsı atabe-i ulyâya arz olunmak üzere serî'an bu tarafa irsâl buyrulması tavsiye olunur.

yerleştirilmesi, kule ve karakolların yapılması zorunlu olduğundan tarafınızla haberleşerek bu hususların gereklerinin yerine getirilmesinin Yüce Padişah Hazretlerinin Buyrukları olduğu Saray Başkatipliğince gönderilen özel tezkere ile buyurulmuştur.

Yüce Buyruk doğrultusunda büyük bir süratle adı geçen eşkiyanın takip edilerek etkisiz kılınmaları, gereken yerlere askeri birlikler yerleştirilmesi, kule ve karakol yapımı zorunlu olan yerleri gösterir bir kroki yaptırılarak, resimleriyle ve keşifnameleriyle birlikte Yüce Padişah Hazretlerine sunulmak üzere acele tarafımıza ulaştırılması..."

be notified that after an extremely swift tracking a complete overpowering of the said insurgents is deemed absolutely requisite. It is also deemed necessary that watch towers and sentry stations ought to be established and a military force ought to be deployed to appropriate areas of the region where insurgency is desired not to reappear and sedition and separatism are decisively terminated. It is also His Majesty's Imperial orders that after consulting the fourth Army Command the measures to be adopted are to be made accessible to Him."

According to the disclosures made above and in compliance with the Imperial orders of His Majesty it is urgently requested that:

a) the said insurgents are completely overpowered after an extremely swift tracking,

b) sketches, plans and photographs of the spots which are deemed appropriate for establishing watch towers and sentry stations and deploying military forces are urgently sent to us to be submitted to His Majesty's Imperial consideration.

1- **Sasun — Sason — Sasun Kazası:** Osmanlı Devlet teşkilatında yüzden fazla köyü olan, idari, yargı işleri bakımından Siirt'e bağlı, Muş'a ondört saat mesafede, dağlık, sarp bir coğrafi konumda bulunan ilçeydi. Belgelerin açıklandığı yıllarda 10.370 müslüman, 8.389 Ermeni, 970 Yezidi ve 372 diğeri olmak üzere 20.101 nüfuslu bir yerleşim birimiydi. (Bkz. Esat Uras s. 471) Birçok Ermeni isyanı bu bölgede meydana geldi. Talori, bölgenin en dağlık yeridir. "Talori olayları" da, kaynaklarda Birinci Sasun İsyanı olarak geçer.

2- **Yabancılar — Yabancılıklar:** Osmanlı İmparatorluğu'nda, Osmanlı tabiiyetinde olmayan kimseler ve özellikle Yabancı tabiiyetli (uyruklu)ler. (Fransız, İngiliz, Rus....)

Osmanlı Arşivi Karton 97, Kısım 35, Zarf 50, Evrak 306

٥٩

Makâm-ı Seraskerî
Mektûbî Kalemi

Dördüncü Ordu-yu Hümâyûn Müşiriyyet-i Celîlesinden 20 Ağustos sene 310 (1310) tarihiyle vârid olan telgrafnâme sûretidir.

Talori'ye sevk olunan müfreze-i askeriyye kumandanlığından şimdi alınan telgrafnâmede hatt-ı ric'atin te'mini için tamamiyle keşfi elzemiyyet-i kat'iyye tahtında bulunan ve eşkıyanın bidâyeten yegâne tahassungâhı olan Andok dağı'nın henüz keşf olunmayan cihetleriyle Talori istikâmetinde Gülgüzan ve Açini taraflarına keşif kolları çıkarılarak Andok dağı'ndaki eşkıyanın asâkir-i şahânenin Muş'tan hareketini haber alır almaz fi'l-hakika oradan firar ederek şimdi orada eşkıyadan eser olmadığı cebel-i mezkûrun her tarafında icrâ olunan keşfiyyâtla artık kat'iyyen anlaşıldığı ve Gülgüzan'ın cenub taraflarında en ileri çıkarılan keşif kolları tarafından tesâdüf olunan müsellah bir küçük çetenin kâmilen itlâf edildiği gibi Açini deresinde mütehassın olduğu evvelce keşf olunan eşkıya abluka edilerek kâmilen mahv edildiği ve Sasun nâm mahalde bir miktar eşkıyanın müctemi' olduğu haber alınarak bunlar için de istikşâfât-ı lâzimeye müsâra'at olunduğu iş'âr olunuyor. Müfreze-i askeriyyenin şimdiye kadar ileriye hareket etdirilmemesi Andok dağında eşkiya olup olmadığının tamamiyle keşf ve ta'yini ve ehemmiyyetine mebnî oranın te'mini maksadına mebnî olduğundan madem ki şu tarafta eşkıya olmadığı artık kat'iyyen tahakkuk etmiştir. Erzurum'dan Erzincan'dan Harput'tan çıkarılan kuvve-i ihtiyatiyye Muş'a takarrüb etmiş olduğundan hemen ileriye hareket olunarak ve artık harekât-ı askeriyyeye şân-ı âliye lâyık bir surette sür'at ve şiddet vererek Gülgüzan ve Sasun ve Talori cihetlerinde bulunan eşkıyanın dahi bir iki gün

Seraskerlik Makamına
Yazı İşleri

Telgraf

1 Eylül 1894

Kimden: Dördüncü Ordu Müşiriyyetinden
Kime: Seraskerlik Makamına
Konu: Askeri harekât raporu

"Talori'ye gönderilen askeri müfreze kumandanlığından şimdi alınan telgrafda:

Geri çekilme hattının sağlanması için tamamının keşfi kesin zorunluluk altında bulunan ve eşkiyanın başlangıçtan itibaren sığındığı tek müstahkem mevki niteliği taşıyan Anduk Dağı'nın henüz keşfi yapılmıyan yerleriyle, Talori yönünde Gülgüzan ve Açini taraflarına çıkarılan keşif kollarıyla yapılan keşifler ve adı geçen dağın her tarafında yaptırılan araştırmalar sonunda askeri birliklerin Muş'dan hareketini haber alır almaz Talori bölgesinden kaçarak Anduk Dağı'na sığınan eşkiyadan hiçbir eser olmadığının kesin olarak anlaşıldığı; Gülgüzan'ın güney taraflarında en ileri noktalara çıkarılan keşif kolları tarafından rastlanan küçük bir eşkiya çetesinin tamamen etkisiz kılındığı gibi Açin deresinde saklandıkları daha önce yapılan keşiflerle ortaya çıkan eşkiyanın da kuşatılarak tamamen etkisiz duruma getirildiği ve Sasun adlı yerde bir miktar eşkiyanın bulunduğu haber alınarak bunlar için de gereken araştırmalara başlandığı haber verilmektedir.

Bu durumda: askeri müfrezenin şimdiye kadar ileriye hareket ettirilmemesi Anduk Dağı'nda eşkiya olup olmadığının tamamıyla keşif ve tesbitine ve oranın niteliğinin önemine bağlı olarak her yönüyle güvenlik altına alınması (sağlanması) esasına dayandığından bugün ise açıklanan alanda

Department of General Staff
Correspondence Dept.

Telegram

1st September, 1894

From – Fourth Army Command
To – Department of General Staff
Subject – Military operations report

In the telegram just received from the commander of the military units dispatched to Talori, the following disclosures were made:

1) Reconnaissance columns are dispatched to the Gülgüzan and Achini regions and to the undiscovered parts of Mount Anduk which are the sole areas the insurgents take shelter in. Furthermore, in order to determine the withdrawal line of the military units, a complete reconnoitering of the Mount Anduk is of supreme importance.

2) Due to the thorough searches made at Mount Anduk, it is entirely obvious that practically no insurgents exist at the said mountain since they escaped immediately after being informed of the departure of the military units from Mush.

3) A relatively small band of armed insurgents encountered by the reconaissance columns around the southerly direction of Gülgüzan and another group using the creek of Achini as a hideout have both been effectively overpowered.

4) Upon the receipt of information that a new group of insurgents gathered around the so-called locality of Sassoon, explorations are made to determine the exact nature of their position.

In reply the following points are conveyed to the aforementioned Command:

1) The reason as to why the military units were not permitted to advance originated from the needs to determine the presence or the absence of the insurgents at Mt.Anduk and to

Osmanlı Arşivi Karton 97, Kısım 35, Zarf 50, Evrak 306

٥٩

retde sür'at ve şiddet vererek Gülgüzan ve Sasun ve Talori cihetlerinde bulunan eşkıyanın dahi bir iki gün içinde Açini eşkıyası gibi bir ferd kalmayıncaya kadar be-hemehâl mahv edilmesi cevâben yazıldığı beyân ve iş'âr olunmuş ve tebligât-ı vâkı-aya mebnî müşiriyyet-i müşârünileyhâdan ba'demâ peyderpey vuku' bulacak iş'ârâtın dahi atebe-i ulyâ-yı şevketpenâh-ı hazret-i hilâfetpenâhîye arzına müsâra'at olunacağı derkâr bulunmuş olmağla muhât-ı ilm-i âlî buyrulmak üzere arz-ı keyfiyyete ibdidâr olundu. Olbâbda.

lik altına alınması amacına bağlı bulunduğundan bu durumda o dağda madem ki, eşkiya olmadığı artık kesin şekilde gerçekleşmişdir o halde Erzurum, Erzincan ve Harput'tan çıkarılan ihtiyat kuvvetlerinin Muş'a getirtilmiş bulunduğundan hemen ileriye hareket ettirilerek askeri harekatın askerliğin şerefine uygun bir şekilde sürat ve şiddetle uygulanarak başlatıldığı ve Gülgüzan, Sasun ve Talori bölgelerinde bulunan eşkiyanın da bir iki gün içinde Açin eşkiyası gibi bir fert kalmayıncaya kadar etkisiz duruma getirileceği cevaben bildirilmişdir. Adı geçen Müşiriyyetten alınacak bilgilerin Yüce Padişah Hazretlerine sunulmak üzere arz edileceği açık olmakla Yüce Bilgilerine sunulur..."

"The reason as to why the military units were not permitted to advance originated from the needs to determine the presence or the absence of the insurgents at Mt.Anduk and to restore peace and order of the locality. Since it is absolutely clear that the area is cleansed of all the insurgents, the reserve forces, dispatched from Erzurum, Erzincan and Harput, having been drawn closer to Mush, ought to be immediately given permission to advance.

2. With a swift effectuation of the military coperations, in a manner that becomes the high honour of the Command, the insurgents around the regions of Gülgüzan, Sassoon and Talori ought to be effectively overpowered within a couple of days, bearing the Achini case in mind where all the seditionaries were entirely subdued."

All information received from the Fourth Army Command will in due course be submitted to His Majesty's Imperal consideration.

Osmanlı Arşivi Karton 97, Kısım 35, Zarf 50, Evrak 306

٦١

Makam-ı Seraskerî Mektubî Kalemi

Fî 20 Ağustos sene 310 (1310) tarihinde Dördüncü Ordu-yu Hümâyûn Müşiri Zeki Paşa Hazretlerine yazılan telgrafnâme suretidir.

Talori maddesinden dolayı Hamidiye suvari alaylarından lüzumu mikdarını ve icabı kadar efrâd-ı redifeyi celb ve teslih ve bir batarya topu istishab edip etmemek hususları yed-i ihtiyar-ı müşirilerinde bırakılmak üzere zât-ı devletlerinin kuvve-i mürettebe kumandasını bizzat deruhte ederek hemen hareket buyurmaları hakkında şerefsâdır olan irâde-i seniyye-i mülûkâne fî 16 Ağustos sene 1310 tarihli telgrafnâme-i âcizî ile tebliğ olunmuşdu. İnfâz-ı emr ü fermân-ı hümâyûna müsâra'at buyrulmuş olacağı derkâr ise de hareket-i devletleri hakkında ma'lumât verilmemekle beraber alınmakta olan telgrafnâme-i devletleri dahi merkez-i ordu-yu hümâyûndan vürûd edegelmekde bulunması mûcib-i tereddüd olmağla şayet henüz hareket buyrulmamış ise sebebinin iş'âr buyurulması muntazırdır.

Seraskerlik Makamı Yazı İşleri

Telgraf

1 Eylül 1894

Kimden: Seraskerlik Makamından
Kime: Dördüncü Ordu Müşiriyyetine
Konu: Harekât bölgesine hareket edilip, edilmediği

"Talori olayları sebebiyle Hamidiye Süvari Alaylarından ihtiyaç kadarını ve gereği kadar Redif Askerini toplayıp, bir batarya topla takviye ederek yanınıza alıp, almamak hususu seçiminize bağlı kalmak üzere hazırlanan kuvvetlerin komutasını doğrudan üstlenerek harekât bölgesine hareketinizin Yüce Padişah Buyrukları olduğu 28 Ağustos 1894 tarihli telgrafla tarafınıza bildirilmişdi.

Yüce Buyruğun yerine getirileceği açık olmakla birlikte hareketiniz hakkında bilgi verilmemekte ve gelen telgraflarınızında Ordu Merkezinden gönderilmekte bulunduğu kararsızlıklara sebeb olmaktadır. Şayet henüz hareket edilmemişse, sebebinin bildirilmesinin beklendiği..."

Department of General Staff
Correspondence Dept.

Telegram

1st September, 1894

From — Department of General Staff
To — His Highness Zeki Pasha Commander-in-Chief of the Fourth Army
Subject — Query concerning departure to the operations area

Re.— Our telegram of 28th August, 1894

Due to the Talori incidents, His Majesty's Imperial orders concerning your personal assumption of the commandership of the forces you would organize, with the proviso of taking sufficient number of soldiers from the Hamidiye Cavalry regiment, and the reserve forces, and a battery of guns according to the dictates of your better judgement, have been conveyed to you by our telegram (re.-above).

Although it is believed that His Majesty's Imperial orders would immediately be implemented, since we have not received any information on your departure and since your telegrams have all been cabled from the army head quarters, the situation remains unclear. If you have not yet departed, it is expected of you to notify us of your reasons.

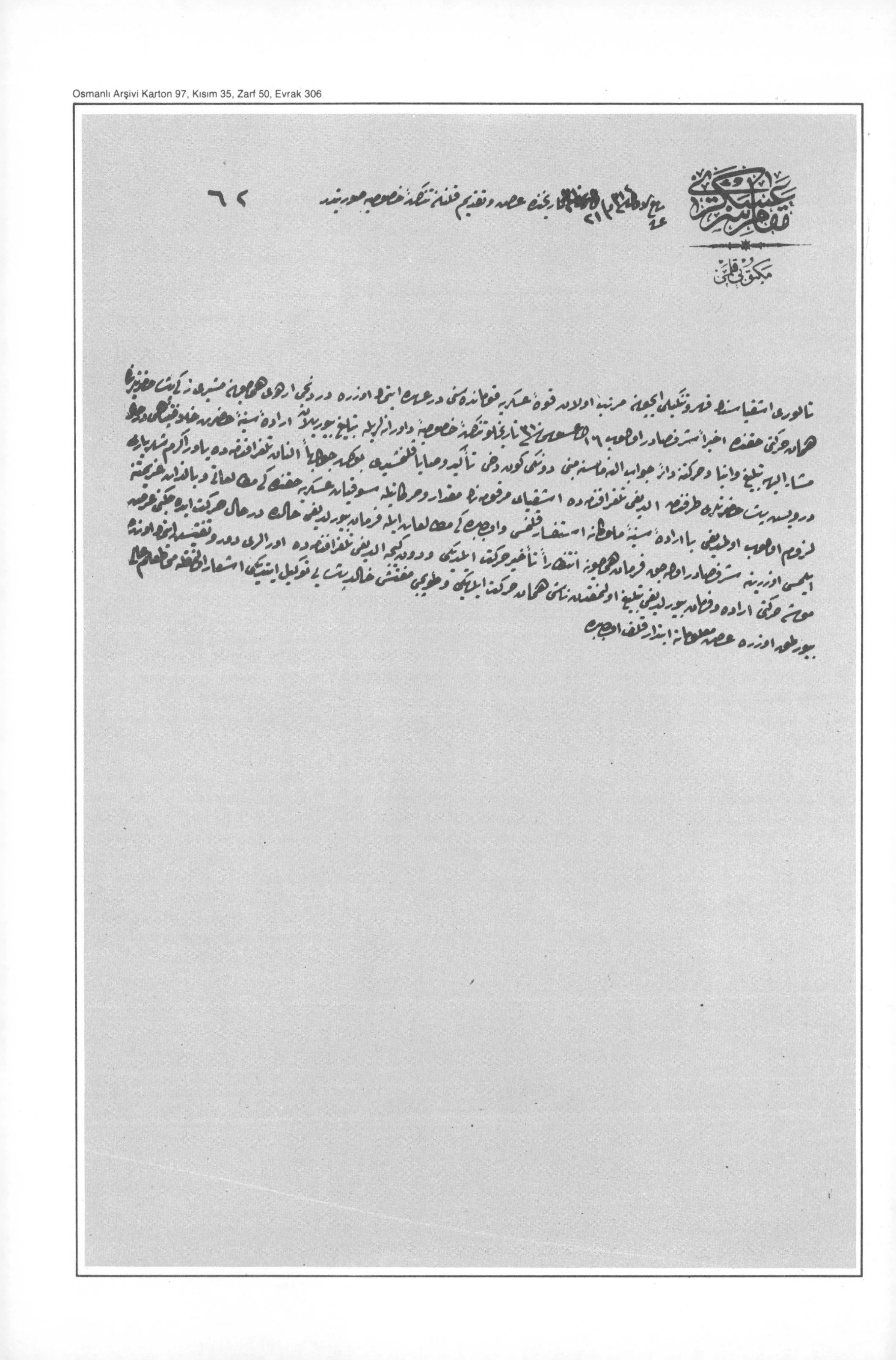

Osmanlı Arşivi Karton 97, Kısım 35, Zarf 50, Evrak 306

قائمقام سرعسکری

مکتوبی قلمی

٦٢

Makam-ı Seraskerî
Mektubî Kalemi
1909

Mâbeyn-i Hümâyûn-ı Mülûkâne Başkitâbet-i Celîlesinden şeref-mevrûd tezkere-i hususiyye suretidir.

Talori'de ictima' eden Ermeni eşkıyasının te'dîb ve terbiyesi için sevk olunan asâkir-i şâhânenin yerlerini tutup asâyişi muhâfaza eylemek üzere Dördüncü Ordu-yu Hümâyûn Müşiriyyet-i Celilesince tertîb olunarak Muş'a dahil oldukları bu hususa dâir bugün bi'l-vürûd arz-ı huzûr-ı âlî kılınan tezkere-i aliyye-i Sadâretpenâhî mütâla'asından ma'lûm-ı hümâyûn-ı mülûkane olan üç bölük Hamidiye suvarisi ber-minvâl-i muharrer zâten hıfz-ı asâyiş maksadıyla gönderilmiş olmalarıyla beraber eşkıyadan birkaçının asâkir-i şâhâne tarafından bi'l-mukâbele tenkîl edilmesi üzerine eşkiyâ-yı merkumenin dağıldıkları iş'ârât-ı mahalliyyeden anlaşılmasıyla zikr olunan Hamidiye Suvari bölüklerinin eşkıya üzerine sevkıne hâcet dahi kalmamış olduğundan bunların eşkıya üzerine sevk edilmiyerek kemâkân hıfz-ı asâyiş hizmetinde istihdam kılınmaları için müşiriyyet-i müşârünileyhâya emr i'tâsı ve mezkûr alayların Mensûbiyyet-i Kanûn-ı Askerî ahkâmına tevfikan tahlif ve kendilerine sancak i'tâ edilmiş olduğu ve bunların tensikât-ı askeriyyelerinin daha mükemmel bir hale vaz'ı çaresine de bakılacağı cihetle ba'zıları tarafından mezkûr alaylar hakkında serd edilen i'tirâzâta karşı o vech ile müdâfa'a olunması mukteza-yı irâde-i seniyye-i cenâb-ı Hilâfetpenâhiden bulunmağın olbâbda emr ü fermân hazret-i men lehü'l-emrindir.

Fî l Rebi'ül-evvel sene 312 (1312) ve fî 21 Ağustos sene 310 (1310)

Seraskerlik Makamı
Yazı İşleri
1909

Özel-Tezkere

2 Eylül 1894

Kimden : Saray Başkatipliğinden
Kime : Seraskerlik Makamına
Konu : Hamidiye Süvari Alayları

"Talori bölgesinde toplanan Ermeni eşkiyasının cezalandırılmaları ve eğitimleri için bölgeye gönderilen askeri birliklerin yerlerine asayişi sağlamak üzere Dördüncü ordu Müşiriyyetince düzenlenen üçyüz kişilik yarım suvari Alayının Muş'a ulaştıkları bugün Sedaret Makamından[1] alınan tezkereden anlaşılmıştır.

Bilindiği gibi bu üç bölük Hamidiye Süvarisi, daha önceden kararlaştırıldığı gibi asayişin korunması amacıyla gönderilmiştir. Eşkiyadan bir kaçının askeri birliklerce etkisiz duruma getirilmeleri üzerine adı geçen eşkiyanın dağılmış oldukları yerel makamların açıklamalarından anlaşılmış bulunmaktadır. Bu sebeble Hamidiye Süvari Bölüklerinin eşkiya üzerine gönderilmesine gerek kalmadığından bunların, bulundukları yerlerde asayişin korunması için görevlendirilmelerinin Dördüncü Ordu Müşiriyyetine bildirilmesi ve adı geçen Alayların bağlı bulundukları askeri kanunlar gereğince and içerek ve kendilerine sancak verilerek göreve başlatıldıkları ve bunların askeri düzenlemeler içerisinde daha mükemmel bir duruma getirileceği dikkate alınarak ve bazıları tarafından adı geçen Alaylar hakkında ileri sürülen itirazlara karşı açıklanan şekilde savunmalar yapılması Yüce Padişah Hazretlerinin Buyruklarından olduğu

Department of General Staff
Correspondence Dept.
1909

Special Statement

2nd September, 1894

From — Imperial First Secretary
To — Department of General Staff
Subject — Hamidiye Cavalry Regiments

In a special note conveyed to us by the Prime Ministry and submitted to His Imperial Majesty, it was pointed out that, three companies of the Hamidiye Cavalry force, organized by the Fourth Army High Command, and was to replace the military force dispatched to Talori with the aim of suppressing the Armenian insurgents gathered around there, and thus securing peace and order in the locality, had, in fact, reached Mush.

The said force, as disclosed, had been dispatched with the sole aim of securing public order. According to information received from the area, certain insurgents were completely overpowered and subsequently all of them were dispersed. It transpires that dispatching Hamidiye Cavalry forces against the insurgents is not at all necessary. Under these circumstances, it is requested that the Fourth Army Command be appropriately notified to give orders to have the aforementioned forces assume responsibility in safeguarding peace and order in the locality, just as before.

The organization of the said regiments was realized in compliance with the Military Law and they were granted permission to hoist up their own banners. Furthermore a better means for such military organizations will sooner or later be found. Therefore, it is His Majesty's Imperial orders that objections raised against the said regiment ought to be refuted by drawing attention to the abovementioned points.

Osmanlı Arşivi Karton 97, Kısım 35, Zarf 50, Evrak 306

مکتوبی قلمی

٦٦

١٩٠٩

Serkâtib-i Hazret-i Şehriyârî
bende
Süreyya

(Müşiriyyet-i müşarünileyhâya fî 21 Ağustos sene 310 (1310) tarihinde tebliğ olunmuştur.)

ve gereğinin bu yönde yerine getirilmesi..."

It is the prerogative of your High Office to have the orders implemented.

Imperial First Secretary
Süreyya

1- **Sedaret Makamı:** Osmanlı İmparatorluğu'nda Hükümet Başkanlığı, bugünkü deyimiyle Başbakanlık Makamı

Osmanlı Arşivi Karton 97, Kısım 35, Zarf 50, Evrak 306

٦٧

٧ ، ١ ، ٢ [illegible] تاريخنده ورودى اردوى همايونه مشيرتنه يازيلوب
شفره [illegible]

[illegible] ارمنى استقبالسنك [illegible] وتربيه‌سى ايچون سوق اولنان عساكر شاهانه‌نك [illegible] آسايشك حفظى ايله
[illegible] اوزره مشيريت جليله‌لرينه ترتيب اولنوب [illegible] وصول اولدقلرى بو خصوصه دائر [illegible] عرض حضور عالى
تذكره عليه صدارتپناهى مطالعه‌سنده معلوم همايون ملوكانه اولدقده اوچ بلوك حميديه سوارى‌سى [illegible] حفظ آسايش
مقصديله [illegible] استقباله [illegible] بر قاچنك عساكر شاهانه طرفندن بالمقابله تشكيل ايدلمسى اوزرينه استقبالى
[illegible] ذكر اولنان حميديه سوارى بلوكلرينك استقبال اوزرينه سوقنه حاجت دخى
قالمامسى اولدقنده بونلرك استقبال اوزرينه سوق ايدلمه‌لرى كما كان حفظ آسايش خصوصنده استخدام قلنملرى ايچون طرف
دولتلرينه [illegible] و مذكور اولنان منسوبينى قانون عسكرى احكامنه توفيقا تكليف [illegible] ايدلمسى
اولديغى و بونلرك تشكيلات عسكريه‌لرينك [illegible] هر حالده [illegible] طرفندن
مذكور الايلر حقنده [illegible] اراده سنيه جناب خلافتپناهيدن
ما بين همايون [illegible] تذكره خاصه [illegible] توجيه اولنور

Makam-ı Seraskerî Mektubî Kalemi

Fî 21 Ağustos sene 310 (1310) tarihinde Dördüncü Ordu-yu Hümâyûn Müşiriyyeti'ne yazılan şifreli telgrafnâme suretidir.

Talori'de ictima' eden Ermeni eşkiyasının te'dib ve terbiyesi için sevk olunan asâkir-i şâhânenin yerlerini tutup asâyişi muhâfaza eylemek üzere Müşiriyyet-i Celîlerince tertîb olunarak Muş'a vâsıl oldukları bu hususa dâir bugün bi'l-vürûd arz-ı huzûr-ı âlî kılınan tezkire-i aliyye-i Sadâretpenâhî mütâla'asından ma'lûm-ı hümâyûn-ı mülûkâne olan üç bölük Hamidiye suvarisi ber-minvâhl-i muharrer zaten hıfz-ı asâyiş maksadıyla gönderilmiş olmalarıyla beraber eşkıyadan birkaçının asâkir-i şâhâne tarafından bi'l-mukâbele tenkîl edilmesi üzerine eşkıyâ-yı merkumenin dağıldıkları iş'ârât-ı mahalliyeden anlaşılmasıyla zikr olunan Hamidiye suvari bölüklerinin eşkiyâ üzerine sevkine hâcet dahi kalmamış olduğundan bunların eşkıyâ üzerine sevk edilmiyerek kemâkân hıfz-ı asâyiş hidmetinde istihdam kılınmaları için taraf-ı devletlerine emir i'tâsı ve mezkûr alayların mensubiyeti Kanûn-i Askerî ahkâmına tevfikan tahlif ve kendilerine sancak i'tâ edilmiş olduğu ve bunların tensikat-ı askeriyyelerinin daha mükemmel bir hâle vaz'ı çaresine dahi bakılacağı cihetle ba'zıları tarafından mezkûr alaylar hakkında serd edilen i'tirâzâta karşı o vechile müdâfa'a olunması mukteza-yı irâde-i seniyye-i Cenâb-ı Hilâfetpenâhîden Mâbeyn-i Hümâyûn Başkitâbet-i Celilesinden bâ-tezkere-i hususiyye tebliğ ve iş'âr buyrulmağa hükm-i münifinin icrâsı tavsiye olunur.

Seraskerlik Makamı Yazı İşleri

Şifre-Telgraf

2 Eylül 1894

Kimden: Seraskerlik Makamından
Kime: Dördüncü Ordu Müşiriyyetine
Konu: Hamidiye Süvari Birliklerinin kullanılması ve durumları.

"Bugün Sedaret Makamından Yüce Padişah Hazretlerine sunulan tezkerede:

Talori bölgesinde toplanan Ermeni eşkiyasının etkisiz kılınmaları ve cezalandırılmaları için bölgeye gönderilen askeri birliklerin yerlerini almak ve asayişi korumak üzere Müşiriyyetinizce düzenlenen Hamidiye Suvari Alayından üç bölüğün Muş'a ulaştıkları bildirilmiştir.

Önceden kararlaştırıldığı şekilde bu birliklerin asayişin korunması amacıyla gönderilmiş olduğu, yerel makamlardan alınan bilgilere göre eşkiyadan bir kısmının askeri birliklerce etkisiz duruma getirilmeleri üzerine diğerlerinin dağılmış bulunmaları sebebiyle Hamidiye Süvari Bölüklerinin eşkiya üzerine gönderilmesine gerek kalmadığı anlaşıldığından bunların eşkiya üzerine gönderilmiyerek eskiden olduğu gibi asayişin korunması hizmetlerinde görevlendirilmeleri için tarafınıza gereken emirlerin verilmesi; adı geçen alayların bağlı bulundukları askeri kanunlara göre yemin edip ve kendilerine sancak verilmiş olduğu ve bunların askeri düzenlenmeler sırasında durumlarının daha mükemmel bir düzeye getirilme çarelerine de girişileceği bu sebeblerle bazıları tarafından adı geçen alaylar hakkında ortaya atılan itirazlara karşı açıklanan şekilde

Department of General Staff
Correspondence Dept.

Telegram

2nd September, 1894

From – Department of General Staff
To – Fourth Army Command
Subject – Deployment and status of the Hamidiye Cavalry Regiments

Re.– Special statement of the Imperial First Secretary dated Ist September, 1894

In a special statement received from the Imperial First Secretary (re.-above) the following disclosures were made:

"In a special note conveyed to us by the Prime Ministry and submitted to His Imperial Majesty, it was pointed out that, three companies of the Hamidiye Cavalry force, organized by the Fourth Army High Command, and was to replace the military force dispatched to Talori with the aim of suppressing the Armenian insurgents gathered around there, and thus securing peace and order in the locality, had, in fact, reached Mush.

The said force had been initially dispatched with the sole aim of securing public order. According to information received from the area, certain insurgents were completely overpowered and subsequently the remaining ones were dispersed. It transpires that dispatching Hamidiye Cavalry forces against the insurgents is not at all necessary. Under these circumstances, it is requested that Your High Command give orders to have the aforementioned forces assume responsibility in safeguarding peace and order in the locality, just as before.

The organization of the Hamidiye regiments was realized in compliance with the Military Law and they were granted permission to hoist up their

Osmanlı Arşivi Karton 97, Kısım 35, Zarf 50, Evrak 306

٦٧

۱۷ آغستوس نجه تاریخنده دردنجی اردوی همایون مشیریتنه یازیلان
تلغرافنامه صورتیدر

قالوریده اجتماع ایدن ارمنی اشقیاسنک تأدیب و تربیه‌سی ایچون سوق اولنان عساکر شاهانه‌نک یرلرینی طوتوب آسایشک حفظی ایچون اوزره مشیریت جلیله‌لرینجه ترتیب اولنان موش واصل اولدقلری بو خصوصه دائر بولنان بالوروده عرض حضور عالی قلنان تذکرهٔ علیهٔ صدارتپناهی مطالعه‌سنده معلوم همایون ملوکانه اولدقده اوچ بلوک حمیدیه سواریسی بر مقدار محل ذاتاً حفظ آسایش مقصدیله کوندرلمسی اولمالریله برابر اشقیادن بر قاچنک عساکر شاهانه طرفندن بالمقابله تنکیل ایدلمسی اوزرینه اشقیانک رفعته ده غائله‌لری استقامتنه محلیه دخی اکتفا اولنمسیله ذکر اولنان حمیدیه سواری بلوکلرینک اشقیا اوزرینه سوقنه حاجت دخی قالمامش اولدیغندن بونلرک اشقیا اوزرینه سوق ایدلمیوب کما کان حفظ آسایش خصوصنده استخدام قلنملری ایچون طرف دولتلرینه امر اعطاسی و مذکور اوبرلرک منسوبینی قانون عسکری احکامنه توفیقاً تخفیف و تذبذبدن مجانبت ایدلمسی اولدیغی و بونلرک تشبثات عسکریه‌لرینک ده تکمیل برحال و جاره‌سنه دخی باقیلمق حقنده طرفندن مذکور اوبرلر حقنده سوء ایدلمه قاریشق اوده مدافعه اولمسی مقتضای اراده سنیه جناب خلافتپناهیدن ما بین همایون باشکتابت جلیله‌سندن باتذکره خصوصیه تبلیغ و اشعار بیورلمغله حکم منیفنک اجراسی توجه اولنور

savunma yapılma gereği Yüce Padişah Hazretlerinin Buyruklarından olduğu Saray Başkatipliğince özel-tezkere ile bildirilmiş bulunmakla, Yüce Buyruklar doğrultusunda uygulama yapılması..."

own banners. Furthermore a better means for such military organizations will sooner or later be found. Therefore, it is His Majesty's Imperial orders that objections raised against these regiments ought to be refuted by drawing attention to the above-mentioned points."

It is requested from your High Command that all what is necessary is done in compliance with the above disclosures made by the Imperial First Secretary.

Osmanlı Arşivi Karton 97, Kısım 35, Zarf 50, Evrak 306

٦٤

دردنجی اردو مشیریت جلیله‌سنه وارده ۲۲ اغستوس ۳۳۱

تاریخلی تلغرافنامه صورتیدر.

ج. ۲۰ اغستوس ۳۳۱ . اتلاف ایدیلدیکی جهتله دیکر اسیرلرک مقداری
ایله بونلرک اثنای تدمیرده نه کبی وقته بولندقلری و بونلرده نه کبی
سلاح اولدیغی موسقوفلره ذخیره [illegible] یاتسارده اثنا تلغرافنامه‌ده
ایضاح ایدلمسی و بوجهته اشتغال اولنمیدی دیو تاکید قلنمسی
الزمجوابه اوزرینه توصیه عرض ساعتده [illegible] حضوره

Makam-ı Seraskerî
Mektubî Kalemi

Dördüncü Ordu Müşiriyyet-i Celilesinden mevrûd fî 22 Ağustos sene 310 (1310) tarihli telgraf suretidir.

C. 20 Ağustos sene 310 (1310). İtlâf edilen çete ile diğer Ermenilerin mikdarı ile bunların esnâ-yı tedmîrde ne gibi harekette bulundukları ve yedlerinde hangi silahlar olduğu Muş Kumandanı Ferik Edhem Paşa'dan alınan telgrafnâmelerde izah edilmemiş ve bu cihetler istîzan olunmuşdu. Dün te'kîd kılındı. Alınacak cevap üzerine tafsîlen arzına müsâra'at olunacağı ma'rûzdur.

Seraskerlik Makamı
Yazı İşleri

Telgraf

3 Eylül 1894

Kimden: Dördüncü Ordu Müşiriyyetinden
Kime: Seraskerlik Makamına
Konu: Ermeni eşkiyasının aded ve silahları

"C. 1 Eylül 1894

Etkisiz kılınan çete ile diğer Ermenilerin sayıları ve bunların ne gibi hareketlerde bulundukları, yanlarındaki silahlar hakkında Muş Kumandanı Korgeneral Edhem Paşa'dan alınan telgraflarda açıklama yapılmamış ve bu hususlar sorulmuştur. Dün yeniden soruldu. Alınacak cevap üzerine ayrıntılarıyla sunulacaktır, arz..."

Department of General Staff
Correspondence Dept.

Telegram

3rd September, 1894

From – Fourth Army Command
To – Department of General Staff
Subject – Numbers and weapons of Armenian insurgents

Re.– Your telegram of
1st September, 1894

Since in the telegram received from Ethem Pasha, General of the Division stationed at Mush, no disclosures were made concerning the constitution of the small gang of brigands and the number of the Armenians in the area, type of resistance manifesting itself on the point of complete suppression, and the make of the arms possessed by the brigands; further information was sought.

Yesterday an attempt was made in this direction. According to the reply received, detailed disclosures will be made. Gracefully submitted to your High Office's attention.

Osmanlı Arşivi Karton 97, Kısım 35, Zarf 50, Evrak 306

sarrıf ve Dördüncü Ordu-yu Hümâyûn Müşiriyyet-i celîlesine ma'lumât verilmiş olmağla muhât-ı ilm-i âlî buyrulmak üzere arz-ı ma'lûmâta ibtidâr kılındı.

gereken emirlerin verilmesi için Onaltıncı Tugay Kumandanlığı Vekâletine emir verilmiş bulunduğu bildirilmiştir. İlgili Mutasarrıf ve Dördüncü Ordu Müşiriyyetine bilgi verilmiştir. Yüce Bilgilerinize sunulur.."

Armenians were to be transferred to Bitlis and that they ought to be always on alert and report immediately all eventualities.

In fact, it was conveyed to us that, upon the disclosures made by the governorship of Bitlis and their request that the commander of the military unit stationed there be given orders accordingly, the sixteenth Brigade Deputy Commandership was notified to issue orders to have the said unit commander take all the precautions against possible emergencies and eventualities.

Both the Fourth Army Command and the governorship of the sanjak of Mush have been appropriately advised.

Gracefully submitted to His Majesty's Imperial consideration.

Osmanlı Arşivi Karton 97, Kısım 35, Zarf 50, Evrak 306

٧٠

موشده دوبلی اردوی همایونده مشیر جنابلرندن موروده ٢٦ ... تاریخلی شفره‌لی تلغرافنامه‌نك صورتیدر

اسایشه محلیه‌جه محافظه ایتمك اوزره باراده سنیه موشه سوق اولنان یارم حمیدیه سواری الاینك امرالیلری انده بر قسمی
فوق العاده ایله موشه حرکت و مواصلت ایلدیکی عرض اولنمش ایدی مذکور الای بسهاوده کوندریلدی موشده جابجا التنده
بولنان اداره‌سی نظامیه سواریسی کبی ایدلمکده درکار بوراده وکرك تالوریده ط ١ اولنان قوهٔ نظامیه پاد
شاهانه‌ده آسایشك محافظه‌سنه کافی اولدیغندن مذکور حمیدیه سواری الاینك بوراده بکلدلسنه لزوم و احتیاج قالمامش
بولنان یرلرینه اعاده‌سی اوراجه سهولتی موجب اولدیغندن اراده سنیه‌نك برآمد اولمسی استعجالاً عرض اولنور

Makam-ı Seraskerî Mektubî Kalemi

Muş'da Dördüncü Ordu-yu Hümâyûn Müşiriyyet-i celîlesinden mevrûd fî 26 Ağustos sene 310 (1310) tarihli şifreli telgrafnâme halli suretidir.

Asâyiş-i mahallîyyeyi muhafaza etmek üzere bâ-irâde-i seniyye Muş'a sevk olunan yarım Hamidiye Suvari alayının emir aldığı anda bir sür'at-i fevka'l-'âde ile Muş'a hareket ve muvasalat eylediği arz olunmuş idi. Mezkur alay beş on günden beri Muş'da çadır altında bulunanların idaresi nizamiye suvarisi gibi edilmektedir. Gerek burada ve gerek Talori'de (çözülmemiş şifre) olunan kuvve-i nizamiye sâye-i şâhânede asâyişin muhafazasına kâfî olduğundan mezkûr Hamidiye Suvari alayının burada bekletilmesine lüzum ve ihtiyaç kalmamıştır. Bunların yerlerine i'âdesi oraca suhûleti mûcib olacağından irâde-i seniyyesinin biran evvel istihsâli arz olunur.

Seraskerlik Makamı Yazı İşleri

Şifre-Telgraf

7 Eylül 1894

Kimden: Dördüncü Ordu Müşiriyyetinden
Kime: Seraskerlik Makamına
Konu: Hamidiye Süvari Alayına gerek Kalmadığı

"Yerel asayişi korumak üzere Yüce Padişah Hazretlerinin Buyrukları gereğince Muş'a gönderilen yarım Hamidiye Süvari Alayı, emir aldığı anda olağanüstü bir süratle Muş'a hareket ederek, görevine başladığı arz olunmuştur.

Adı geçen Alay onbeşgünden beri Muş'da çadırlarda bulunmakta ve askeri birlikler gibi yönetilmektedir.

Gerek burada ve gerek Talori bölgesinde askeri birlikler asayişin korunmasında yeterli olduğundan, Hamidiye Süvari Alayının burada bekletilmesine gerek ve ihtiyaç kalmamıştır.

Bunların yerlerine iadesi, oraca da kolaylıklara sebeb olacağından Yüce Padişah müsadesinin acele alınarak gönderilmesi arz olunur.."

Department of General Staff
Correspondence Dept.

Coded telegram

7th September, 1894

From – Fourth Army Command
To – Department of General Staff
Subject – Hamidiye Cavalry Regiment no longer needed

It was already communicated to you that, in compliance with the Imperial orders of His Majesty, the half Hamidiye Cavalry Regiment, which was to be dispatched to Mush with the aim of safeguarding local peace and order, had, in fact, reached Mush, after setting out from here with extraordinary promptness upon being accordingly ordered.

The said regiment, for the past fortnight had been staying under tents and receiving the treatment of regular cavalry.

The regular forces stationed here and at Talori are both regarded sufficient in safeguarding peace and order. Therefore the aforementioned Hamidiye Cavalry regiment need no longer be stationed here. Since sending them back would facilitate the situation there, it is humbly submitted to your attention that the Imperial Decree regarding this very topic ought soon to be issued.

Osmanlı Arşivi Karton 97, Kısım 35, Zarf 50, Evrak 306

٧٢

بتلیسده سکزنجی فرقه قوماندانی وکیلی میرلوا صالح پاشادن مورود ۲۰ تشرین ثانی تاریخلی تلغرافنامه‌نك صورتیدر

گیجه بوقدن بتلیس والیسی طرفندن بوکونده النان تلغرافنامه‌ده تالوری اشقیاسی سایهٔ فتوحاتوایهٔ حضرت پادشاهیده طرف طرف تعقیب و تنکیل ایدلمکده اولدیغی کبی اشقیادن مقابله‌لرده عسکر شاهانه‌یه سلاح اتانلر ایکی جه ایله اشقیایه ریاست ایدن مقدم مشهور مراد نام خبیثه‌ده عونه‌سیله برابر هیات دروست ایدلدیکی و اشقیانك مرقوم وادیدن غرهٔ ۲۲ ده طرفنه فرار دوقعی محفوظ اولدیغندن اقتضاسنك احتیاطا لوزم کلدیکنه اشعاری وکیفیتنك ایجاب ایدنلره تبلیغ قلنمسی اولدیغی عرض اولنور

Makam-ı Seraskerî Mektubî Kalemi

Bitlis'de Sekizinci Fırka Kumandan vekili Mirliva Salih Paşa'dan mevrûd 27 Ağustos sene 310 (1310) tarihli telgrafnâmenin halli suretidir.

Genç'de bulunan Bitlis Vâlisi tarafından bugün alınan telgrafnâmede Talori eşkıyası sâyi-i kudretvâye-i Hazret-i Pâdişâhîde taraf ta'kîb ve tenkîf edilmekde olduğu gibi eşkıyâ mağaralardan asâkir-i şâhâneye silah atan iki çete ile eşkıyaya riyâset eden müfsid-i meşhur Marah nâm habis de avenesiyle beraber hayyen der-dest edildiği ve eşkıyâ-yı merkûmeden (çözülmemiş şifre) tarafına firar vukû'ı melhûz olduğundan iktizasının ihtiyaten lazım gelenlere iş'ârı ve keyfiyet icab edenlere tebliğ kılınmış olduğu arz olunur.

Seraskerlik Makamı Yazı İşleri

Şifre-Telgraf

8 Eylül 1894

Kimden: Bitlis'de Sekizinci Tümen Kumandan Vekili Tuğgeneral Salih Paşa'dan
Kime: Seraskerlik Makamına
Konu: Talori bölgesindeki eşkiyanın takip ve etkisiz kılındığı, reisleri Marah'ın yakalandığı

"Genç'de bulunan Bitlis Valisi tarafından bugün alınan telgrafda:

Talori bölgesinde bulunan eşkiyanın Yüce Padişah Hazretlerinin kudreti sayesinde her tarafta takip edilerek etkisiz duruma getirilmekte olduğu gibi mağaralardan askeri birliklere ateş açan iki çete ile eşkiyaya reislik eden ünlü anarşist Marah adındaki hainde arkadaşlarıyla birlikte sağ olarak yakalandığı, yakalanamayan eşkiyanın (çözülememiş şifre)... tarafına kaçması beklendiğinden gereken önlemlerin alınması için ilgililere durumun bildirildiği arz olunur..."

Department of General Staff
Correspondence Dept.

Coded-telegram

8th September, 1894

From — Brigadier - General Salih Pasha Deputy Commander of Eighth Division Stationed at Bitlis
To — Department of General Staff
Subject — Pursuit and neutralization of insurgents in the Talori region. Capture of their leaders at Marah

In a telegram received today from the governor of Bitlis who is at the moment in Gench, it was communicated that the insurgents of Talori were entirely suppressed after hot pursuit everywhere, thanks to allmighty power of His Imperial Majesty. Furthermore two gangs which fired at the military forces from their hideout in the caves and the notorious seditionary leader, Marah and his followers were captured alive Moreover the authorities concerned were warned to take necessary measures against a certain group of insurgents that might have fled in the mean time.

It is gracefully submitted to your attention that the situation is made known to the relevant bodies.

Osmanlı Arşivi Karton 97, Kısım 35, Zarf 50, Evrak 306

٨٠

تا لوری وقلب جهتلرنده کی فسده مسلحه تقسیم قوت ایله تفلیس ولایتی داخلنده عساکر شاهانه دن خالی بولنان قوه

محلرده حرکات شقاوتکارانه‌یه تصدی و خصوصیله موسیه اوده سنده م بوزنجیاته ومشارکت ایده جکلری

استخبار اولندیغی ولایت مذکوره والیلکنه ده کشیده اولنوب طرف سامی حضرت ناظریلرینه ده عرض وتقدیم

قلنان بر تلغرافنامه ده بیلدیریلمسه وفسده مرقومه نک اجرای شقاوتلرینه میدان ویرلمیه جک صورتده اتخاذ

تدابیر اولنمسی اولنوب انجق بوکی احوالک کله‌جک ایلک بهارده تکرار ایتمامسی ایچون ده ایجاب ایدنلره تنظیم

مفرزه‌لر اقامه‌سی و قره غوللر انشاسی لازم ده بولندیغندن الحکومت اقتضاسنک استحصالی حق

دردنجی اردوی همایون مشیریت جلیله‌سنه اوامر و تبلیغات مؤکده اعطا وابلاغ قلنمسی مقتضای اراده سنیه جناب

خلافتپناهیلری بیورلمق اولبابده امر و فرمان حضرت من له الامرکدر

hazî iktizasında olup sâlifü'z-zikr yarım Hamidiye suvari alayının teslih ve cem'i tarihi dahi bir ayı geçmiş olduğundan bu alayın zâbitân ve efrâdına behemehâl ikişer maaş verilerek mahalline i'âde ve esnâ-yı avdetlerinde haklarında irâe-i hüsn-ü mu'âmele edilmesi dahî cümle-i irâde-i seniyye-i cenâb-ı Hilâfetpenâhîden bulunmuş olmağla ber-mantûk-ı emr ü fermân-ı hümâyûn iktizasının icrâsı tavsiye olunur.

lerini en iyi şekilde yapmaya çalışmalarını beklediklerini buyurmuşlardır.

Hamidiye Süvari Alaylarının silah altına alınmaları durumunda subay ve erlerine maaş ödenmesi kararı gereğince adı geçen yarım Hamidiye Süvari Alayının silahlandırılması ve toplanması da bir ayı geçmiş bulunduğundan bu alayın subay ve erlerine her halde ikişer maaş verilerek yerlerine gönderilmesi ve dönüşlerinde çok iyi muamele edilmesi de Yüce Padişah Hazretlerinin buyruklarındandır. Gereğinin bu doğrultuda yapılması tavsiye olunur..."

ought to be conveyed to both the officers and soldiers of the said half regiment as a sign of Imperial appreciation and trust that they would carry out their assigned mission with the same valour and firmness.

Since there is a resolution on the payment of salaries to the officers and soldiers of the Hamidiye Cavalry Regiment in case of their mobilisation, it is the Imperial orders of His Majesty who is also concurrently the Caliph that both the officers and soldiers of this regiment are paid two months' salary – they have been already assembled and armed for more than a month-and sent back to their headquarters, and accorded a warm reception.

It is recommended that all what is requisite ought to be done in order to have the Imperial orders executed.

Osmanlı Arşivi Karton 97, Kısım 35, Zarf 50, Evrak 306

Makam-ı Seraskerî Mektubi Kalemi

Fî 8 Ra (Rebi'ul-evvel) sene 312 (1312) ve fî 28 Ağustos sene 310 (1310) tarihinde takdim olunan tezkere-i hususiyye suretidir.

Talori eşkiyasının reis-i şekâveti olan Marah nâm şahıs ile on nefer avenesi Talori'nin Harinik karyesinde vâki' kayanın böğründeki mağara derumunda tahassun ederek asâkir-i şâhâneye teşhir-i silah etmeleriyle bi'l-mukâbele tazyik olunarak sâye-i pâdişâhîde ber-mantûk-ı emr ü ferman-ı hümâyûn cümlesi hayyen der'dest edildiği ve yedlerinde beş aded Rusya sürmelisi iki çakmaklı tüfenkle cephâneleri ve ma'mûlât-ı mahalliyyeden tunçtan ma'mûl otuzbir kapsüllü bir el humbarası ve bir kılıç ile bir çanta derunında yazma defter ve matbu' bir kitap bulunduğu müfreze kumandanlığından bâ-jurnal bildirildiği ve Merkûm Marah ile rüfekâsının muhakemeleri icra olunmak üzere serî'an Muş'a i'zâmı cevaben tavsiye kılınmış idüği Muş'da Dördüncü ordu-yu-Hümâyûn Müşirinden alınan telgrafnâmede iş'âr olunmuş olmağla muhât-ı ilm-i âli buyurulmak üere arz-ı ma'lumâta ibtidar kılındı.

Seraskerlik Makamı Yazı İşleri

Özel-Tezkere

9 Eylül 1894

Kimden: Seraskerlik Makamından
Kime: Saray Başkatipliğine
Konu: Ermeni eşkiyası reisi anarşist Marah'ın yakalanması

"Talori bölgesinde bulunan eşkiyanın anarşist reisi Marah adındaki şahıs ile on arkadaşının Talorinin Harinik köyü[1] yakınındaki kaya içindeki mağarada saklandıkları yerden askeri birliklere ateş açmaları sonucunda çıkan çatışmada sağ olarak ele geçirildikleri ve yanlarında beş aded Rusya Sürmelisi[2] iki aded Çakmaklı tüfekle[3] cephaneleri ve yerli yapım tunçtan otuzbir kapsüllü bir el bombası, bir kılıç ile bir çanta içerisinde yazma defter ve basılı bir kitap bulunduğu müfreze kumandanlığından yazı ile bildirildiği ve adı geçen Marah ile arkadaşlarının yargılamaları yapılmak üzere acele Muş'a gönderilmelerinin cevap olarak emredilmiş olduğu Muş'da Dördüncü Ordu Kumandanı Müşirinden alınan telgrafla haber verilmiştir. Yüce bilgilerinize sunulur..."

1- **Harinik Köyü:** Muş Ovasının Güneyinde Talori suyu ile Batman suyu arasındaki dağlık bölgedeki köylerden biridir.
2- **Rus Sürmelisi:** Rus yapısı, piyade tüfeği, atış mesafesi 200-300 metre.
3- **Çakmaklı Tüfek:** Yakın mesafe muharebe tüfeği. Mekanizması olmayan, namludan doldurma eski tüfeklerdir.

Department of General Staff
Correspondence Dept.

Special Statement

9 th September 1894

From — Department of General Staff
To — Imperial First Secretary
Subject — Capture of the anarchist Marah leader of the Armenian insurgents

In the telegram received from the Fourth Army Command, it was communicated that Marah, the leader of the insurgent brigands at Talori, and his ten followers had opened fire at the military forces from their hideout which is a cave in the middle of the rocky zone of the village of Harinik belonging to Talori; and that after an exchange of fire, all the brigands were captured alive; and that as conveyed by the Platoon Command the brigands were carrying fire Russian make bolted rifles, two flint guns and their cartridges, a local make hand grenade of bronze with thirty-one capsules, a sabre, a bag containing manuscripts and a printed book; and that the Command was notified to have Marah and his followers transferred immediately to Mush to stand trial there.

Gracefully conveyed to be submitted to His Majesty's Imperial consideration.

Osmanlı Arşivi Karton 97, Kısım 35, Zarf 50, Evrak 306

٧٧

١٨ نیسان ٣٣٤ و ٨ رجب ٣٣٦ تاریخ تقدیم اولنان
تذکرهٔ خصوصیه جوابیدر.

[illegible] اردو قوماندانی مشیر [illegible] پاشا حضرتلرینک بوگون علی الصباح
موصلدن [illegible] عزیمت ایلدیکی وارد اولان تلغرافنامه‌دن آکلاشلمشدر
کیفیت علم عالیلری ایچون عرض معلومات ایدرم افندم

Makam-ı Seraskerî
Mektubî Kalemi

Fî 30 Ağustos sene 310 (1310) tarihinde Dördüncü Ordu-yu Hümâyûn Müşiriyyet-i âlîsine yazılan telgrafnâmenin suretidir.

Talori eşkiyasının reisi olan Marah nâm şahsın on nefer avenesiyle derdest olunduğuna ve sâireye dâir olan 27 Ağustos sene 310 (1310) tarihli telgrafnâme-i devletleri üzerine keyfiyet atabe-i ulyâya lede'l-arz eşkiyâ-yı merkumenin hayyen derdest edilmesi asâkir-i şâhânenin müdâfaa-i nefs için silah isti'mâl ettiğine ve bunları hayyen elde etmek için birçok askerin telef edildiğine delâlet eden ahvâlden bulunduğu bermantûk-ı emr ü fermân-ı mülûkâne Mâbeyn-i Hümâyûn Başkitâbet-i Celîlesinden bâ-tezkere-i hususiyye iş'âr buyrulmuş olmağla tebliğ olunur.

Seraskerlik Makamı
Yazı İşleri

Telgraf

11 Eylül 1894

Kimden: Seraskerlik Makamından
Kime: Dördüncü Ordu Müşiriyyetine
Konu: Padişah Buyruğunun tebliği

"Talori bölgesindeki eşkiyanın reisi olan Marah adlı şahsın on arkadaşıyla birlikte ele geçirildiği ve diğer bilgileri kapsayan 8 Eylül 1894 tarihli telgrafınız Yüce Padişah Hazretlerine sunulmuştur.

(Adı geçen eşkiyanın sağ olarak ele geçirilmesi; askeri birliklerin kendilerini korumak için silah kullandıklarına ve bunları sağ olarak ele geçirmek için bir çok askerin yok edildiğine en açık olaylardan ve delillerdendir.) Şeklindeki Yüce Padişah Hazretlerinin görüş ve Buyruklarını tebliğ ederim..."

Department of General Staff
Correspondence Dept.

Telegram

11th September, 1894

From – Department of General Staff
To – Fourth Army Command
Subject – Communication of the Sultan's order

Re.– Your telegram of 8th September, 1894

Your telegram (re.-above) concerning the capturing alive of Marah, the leader of the insurgent brigands at Talori, and his followers, and also including other information, has been submitted to His Majesty's Imperial consideration.

Furthermore, in a special statement of the Imperial First Secretary, the Imperial Views and orders of His Majesty were communicated to us to the effect that it was evident during the operation of capturing alive the said insurgents, the military forces had resorted to using firearms in defence, and as a result numerous casualties must have been recorded.

Herewith gracefully conveyed to your attention.

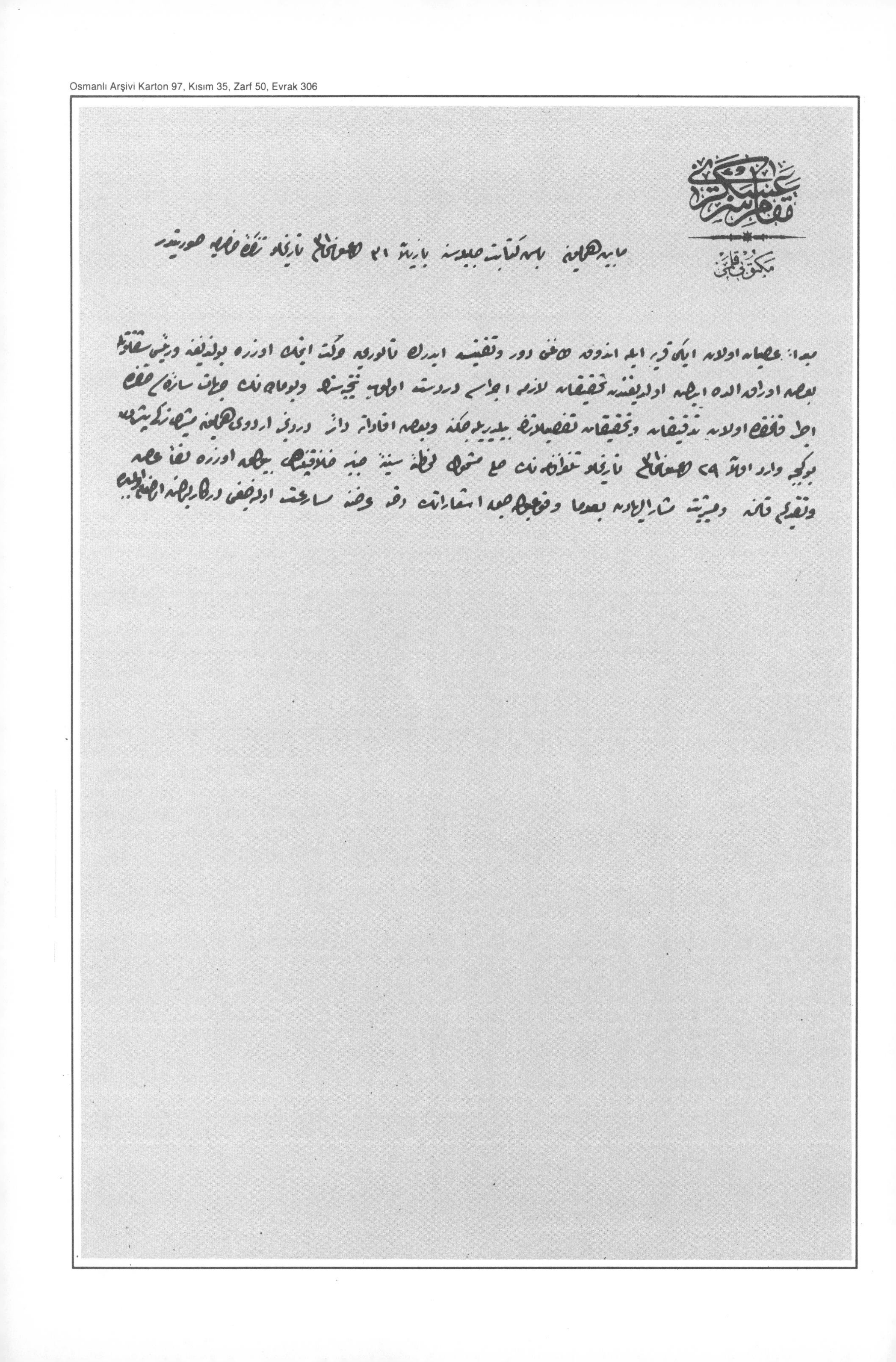

Osmanlı Arşivi Karton 97, Kısım 35, Zarf 50, Evrak 306

قائممقام سرعسكرى

مكتوبى قلمى

[illegible]

[illegible]

Makam-ı Seraskerî
Mektubî Kalemi

Mâbeyn-i Hümâyûn Başkitâbet-i Celîlesine yazılan 31 Ağustos sene 310 (1310) tarihli tezkere- i hususiyye suretidir.

Mebde-i isyân olan iki karye ile Andok dağını devr ü teftîş ederek Talori'ye hareket etmek üzere bulunduğuna ve reîs-i şekâvetle ba'zı evrak elde edilmiş olduğundan tahkîkât-ı lâzime icrâsı derdest olup neticesinin ve bu maddenin cihât-ı sâiresi hakkında icrâ kılınmakda olan tedkîkât ve tahkikat tafsilâtının bildirileceğine ve ba'zı ifadâtâ dâir Dördüncü ordu-yu Hümâyûn Müşiri Zeki Paşa'dan bu gece vârid olan 29 Ağustos sene 310 (1310) tarihli telgrafnâmenin halli meşmûl-i lihaza-i seniyye-i cenâb-ı hilâfetpenâhî buyrulmak üzere leffen arz ve takdîm kılınan ve Müşiriyyet-i müşârün-ileyhâdan ba'demâ vukû' bulacak iş'ârâtın dahi arzına müsâra'at olunacağı derkâr bulunmuş olmağla olbâbda.

Seraskerlik Makamı
Yazı İşleri

Özel- Tezkere

12 Eylül 1894

Kimden: Seraskerlik Makamından
Kime: Saray Başkatipliğine
Konu: Dördüncü Ordu Müşiri Zeki Paşa Hazretlerinden alınan bilgilerin sunulması

"İsyanın çıkış yeri olan iki köy ile Anduk Dağını teftiş ederek Talori'ye hareket etmek üzere olduğuna ve eşkiya reisi ile bazı evrakın elde edilmesi üzerine gereken soruşturmanın başlatıldığını ve sonucun bu olayın çeşitli yönlerinin araştırılmasından sonra ayrıntılarıyla bildirileceğine ve diğer açıklamalara ilişkin Dördüncü Ordu Müşiri Zeki Paşa'dan bu gece alınan 10 Eylül 1894 tarihli telgraf Yüce Padişah Hazretlerine sunulmak üzere ekde takdim edildi anılan Müşiriyetten bundan sonra gelecek bilgilerin de arz olunacağı açıkdır..."

Department of General Staff
Correspondence Dept.

Special Statement

12th September 1894

From — Department of General Staff
To — Imperial First Secretary
Subject — Submission of information received from Zeki Pasha, Commander-in-Chief of the Fourth Army

In a telegram dated 10th September 1894, received last night from Zeki Pasha, Commander-in-Chief of the Fourth Army it was communicated that he was about to depart to Talori after having inspected the two villages and Mount Anduk which were the spots that sparked off the uprising; and since the leader of the insurgents was captured alive and certain documents were confiscated, after the appropriate investigations all the evaluations would be presented; and moreover the detailed results of any further investigations pertaining to the issue would also be disclosed.

Herewith enclosed to be submitted to His Majesty's Imperial consideration. Furthermore all future information originating from the aforementioned Command would also immediately be conveyed.

Osmanlı Arşivi Karton 97, Kısım 35, Zarf 50, Evrak 306

٨١

[illegible]

Makam-ı Seraskerî
Mektubî Kalemi

Dördüncü Ordu-yu Hümâyûn Müşiriyyet-i Celilesinden vârid olan 31 Ağustos sene 310 (1310) tarihli telgrafnâmenin suretidir.

C. 28 Ağustos sene 310 (1310). Ermeni eşkiyasının kahr ve tedmîrleri emrindeki şiddet ve sür'atin derecesi dünkü telgrafla arz olunmuştu. Bu hal bu havâli Ermenilerinin tekrar fesad ve şekâvet hudûsu imkânını bütün bütün ortadan kaldırmıştır. Bitlis Vâlisinin istihbara müstenid olarak Muş ovasında ve Kulp cihetlerinde isyân vukû'una dâir olan iş'ârâtı nefsü'l-emre muvâfık değildir. Muş ovasında asâyişin berkemâl olduğu ve orada bulunan Ermenilerde öyle bir hâl mahsûs olmadığı vukû' bulan isti'lâm üzerine Muş Mutasarrıflığından bâ-mazbata beyân edildiği gibi Kulp kazasında da böyle bir hareket olmadığı müfreze kumandanlığı tarafından üçgün evvel oralara gönderilmiş olan keşif kumandanının jürnalinden müstebân oluyor. Karakolhâneler inşası olan keşif kumandanının jürnalinden müstebân oluyor. Karakolhâneler inşası bahsine gelince Talori havzası Muş'un cihet-i garbîyesinde bulunan Kopik(?) silsilesine müteferrik olup bu dağ ise Teşrin-ievvel'den tâ Nisan'a kadar karla mestûr kaldığından bu müddet zarfında havza-i mezkûrenin Muş'la olan irtibatı munkatı' oluyor, binâen-aleyh gerek Talori ve gerek civarında asâkir-i şâhâne ikame edilse mevsim-i cünûd-ı cenâb-ı mülûkâne (çözülmemiş şifre) mahsur kalır. Ber-vech-i ma'rûz sâye-i hazret-i Pâdişâhîde bu kere icrâ kılınan harekât-ı te'dibiyye diğer erbâb-ı mefsedete bile ibret-i mü'essire olacak derecede sür'atli ve şiddetli bu havâlide artık tekrar isyan vukû'una ihtimâl verilemez. Ma'-mâ-fih Muş için müretteb bulunan bir tabur piyâde ve

Seraskerlik Makamı
Yazı İşleri

Telgraf

12 Eylül 1894

Kimden: Dördüncü Ordu Müşiriyyetinden
Kime: Seraskerlik Makamına
Konu: Ermeni isyan ve anarşisinin önlenmesi için düşünülen önlemler

"C. 9 Eylül 1894

Ermeni eşkiyasının etkisiz duruma getirilmesi için verilen emirlerin uygulanmasındaki sürat ve şiddet ve sonuç dünkü telgrafla arz olunmuşdu. Bu durum, bölgedeki Ermenilerin tekrar bozgunculuk, isyan ve anarşi çıkarmaları imkanını tamamen ortadan kaldırmıştır.

Bitlis Valisinin bazı haberlere dayanarak Muş ovasında ve Kulp bölgesinde isyan çıkacağına ilişkin açıklamaları bugünkü duruma ve gerçeklere uygun değildir. Muş ovasında asayişin kurulup, devam ettiği ve orada bulunan Ermenilerinde böyle özel bir tutum ve davranışa sahip bulunmadıkları yapılan soruşturma üzerine Muş Mutasarrıflığından alınan yazıda açıklandığı gibi Kulp ilçesinde de böyle bir hareketin olmadığı Müfreze Kumandanlığı tarafından üç gün önce oraya gönderilmiş Müfreze Kumandanından aldığı belgeden anlaşılmaktadır.

Karakolların yapımına gelince: Talori Havzası, Muş'un batısında kalan dağ silsilesine bitişik olup, bu dağlar ise Ekim'den-Nisan ayına kadar kar altında kaldığından bu süre içerisinde açıklanan havzanın Muş'la bağlantısı tamamen kesilmektedir. Bu sebeble gerek Talori ve gerek çevresine askeri birliklerin yerleştirilmesi halinde kışın bu birlikler karla kuşatılmış kalırlar.

Department of General Staff
Correspondence Dept.

Telegram

12th September, 1894

From – Fourth Army Command
To – Department of General Staff
Subject – Measures being considered concerning the prevention of Armenian rebellion and anarchy

Re.– Your telegram of 9th September, 1894

The degree of effectiveness and swiftness displayed in the operations pertaining to the complete suppression of Armenian insurgents was communicated to you in our telegram yesterday. Under these circumstances the possibility of further attempts at separatism and insurgency has been entirely relieved. In this context the disclosures made by the governorship of Bitlis, based on the information they received, to the effect that an uprising would occur around the plain of Mush and the region of Kulp are not true.

As it is communicated to us by the governorship of the Sanjak of Mush, the local Armenians have not adopted such a remonstrative stance and peace and order prevails on the plain of Mush. Furthermore as it is understood through the information furnished by the leader of the reconnaissance column dispatched to the area three days ago on a mission of the Platoon Command there a similar atmosphere of peace and order also prevails in the administrative division of Kulp.

As for the establishment of patrol stations it is known that the Talori basin is distinct from the chain of mountains called Kopik, stretching in a westerly direction of Mush. These mountains are always covered with snow throughout the period extending from October till April.

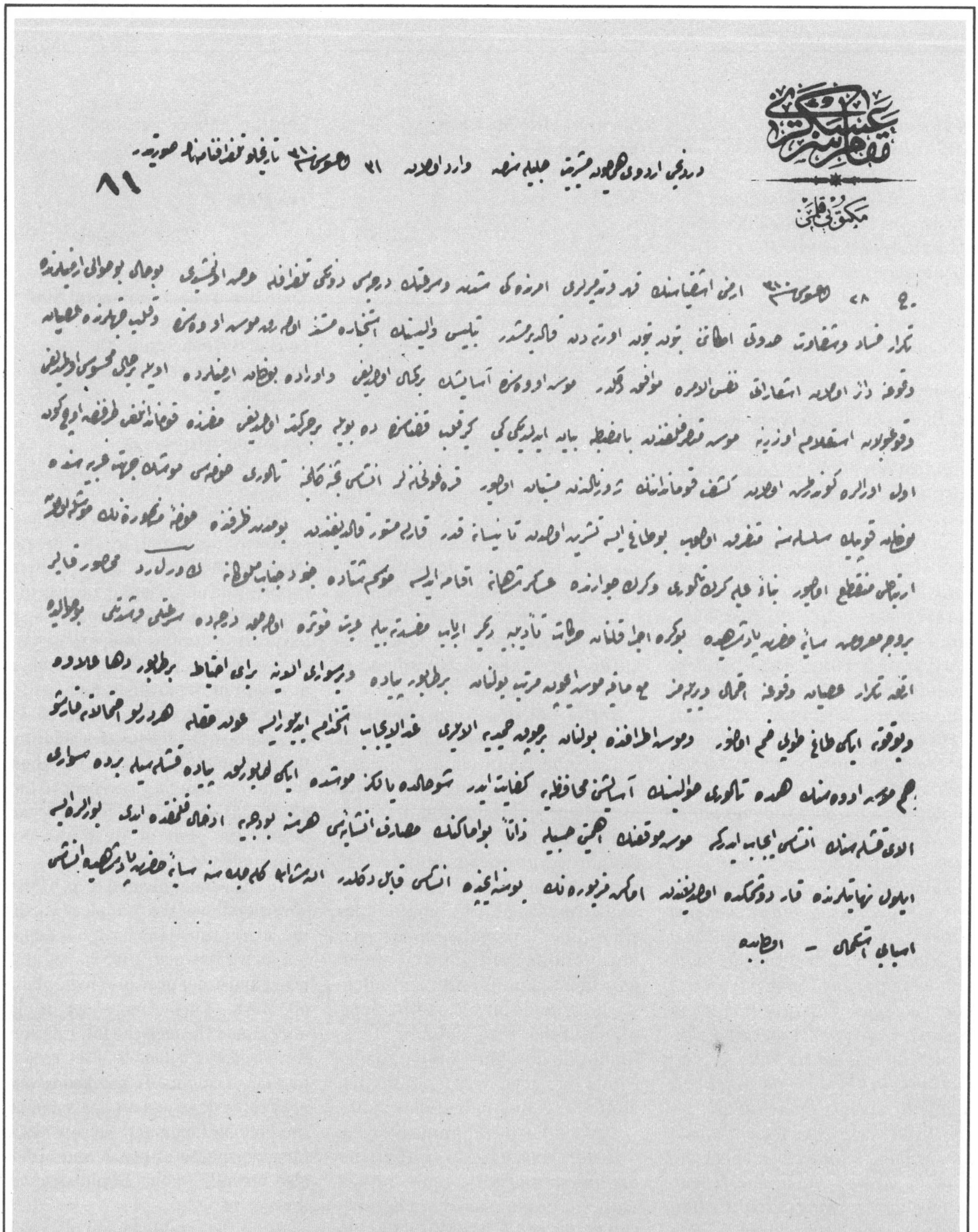

قائممقام عسکریه

مکتوبی قلمی

٨١

درسعادتده اردوی همایونه مرتبهٔ جلیله سنه وارد اولان ۲۱ اغستوس سنه ۳۳۳ تاریخلو تلغرافنامه صورتیدر

۵۰ ۲۸ اغستوس سنه ۳۳۳ ایکی اشقیاسندن قره ویردیلری اعزه‌کی ششه و سرقندن درسم دوکی تلغرافله وجه المشیری بوحاله بو حواللی ایچلرنده
تکرار فساد و شقاوت حدوثی احتمالی بونده بوده اوزرنده فاکر ایتمشدر تبلیس ولایتیله اتحاده متفق اولارق موسه اووه‌سی وقلیب قرالرنده عصیانه
وقوعه ذات اولمامه اشعارلقه نفس الامره موافقه دکلدر موسه اووه‌سی آسایشندن برکای اولدیغی داوراده بوحالده ایچلرده اوبه جهتی محسوس اولدیغی
وقوعبولمه استعلام اوزرینه موسه قومندانلغنده بامضبطه بیان ایدلدیکی کبی کرفیه قضاسنده ده بوبله برحرکت اولدیغی مقدمه قومانداننک طرفنده اویله کوبده
اولد اوراره کونه‌رلمه اولمدیه کشف قومانداننه ترویکنه منیاده اولدیه قره قوملخانلر انکلیس تجاکلی تاکوری حوضه‌سی موشدن جهتی قربیه سنده
بوخالده قومیله سلسله‌سی متفرقه اولمامه بوحالده ایسه تشریه اولمدیه تانیساته قدر قاریه مستور قالدیغنده بومدده طرفنده حوضه مکوره‌لندن موشتکالمده
ارتباطی منقطع اولمیور بناءً علیه کردن تکوینی وکرلی جوارنده عسکر تشهانه اقامه ایلیس موکم شاده جود جناب مولاه لاوردلارد محصور قالیر
بروجه معروض سیاسی مضرنه یادر تهیده بوکره اجرا قلنانه حرکاته تادیبه دیکر ایلابه مفسده‌یله جبث قوتده اولمجه درجه‌ده سرعتلی و تشدیدی بوحالده
انقه تکرار عصیانه وقوعه احتمالی ویریلمز موحافظ موسه اجوبه مرتبه بولنانه برطابور پیاده و برسواری الدینه برای احتیاط برطابور دها علاوه
وبوقوتده ایکی طابور طوبی خم اولمور دموسه طرافنده بولنانه برجوقه جدیده الدیکی عدالوجاب اتخاذ ایدیورایسه عودت مقله هر دربو حتمالاتی قایتو
بحم موسه اووه‌سنه هده تاکوری حولیسنده آسایش محافظه‌یه کفایت ایدر شوحالده یالکز موشده ایکی طابورلیه پیاده قشله‌سیله برده سواری
الای قشله‌سنه انکلیس ایجابه ایدیکه موسه موقعنده اهمیت جهیله ذاتاً بولماکلنه مصارف انشائیه هرسنه بودجه‌یه ادخال قلنمقده ایدی بونلرده
ایلول نهایتلرنده قار دوشمکده اولدیغندنه اماکه فریوره‌نله بوسنه‌ایچنده انکلیس قابل دکلدر ان شاء الله کلم حلبه‌سنه سیاسی مضرنه یادر تکلیه انشاسی

اسباب اتخاذی - اوطابده

bir suvari alayına berây-ı ihtiyat bir tabur daha ilâve ve bu kuvvete iki dağ topu zam olunur ve Muş tarafında bulunan birçok Hamidiye alayları inde'l-icâb istihdâm edilir ise avn-i Hak'la her türlü ihtimâlâta karşı hem Muş ovasının hem de Talori havâlisinin asâyişini muhâfazaya kifâyet eder. Şu halde yalnız Muş'da iki taburluk piyâde kışlasıyla bir de suvari alay kışlasının inşâsı icab eder ki Muş mevkiinin ehemmiyeti hesabiyle zâten bu emâkinin masârıf-ı inşâ'iyyesi her sene büdceye idhâl kılınmakda idi. Buralara ise Eylül nihâyetlerinde kar düşmekde olduğundan emâkin-i mezbûrenin bu sene içinde inşâsı kâbil değildir. İnşâallah gelecek sene sâye-i hazret-i Pâdişâhîde inşâsı esbâbı istikmâl. Olbâbda.

Bu sebeblerde; Yüce Padişah Hazretlerinin sayesinde, bu kez uygulanan cezalandırma ve etkisiz kılma harekâtı anarşist ve teröristler için etkin bir örnek olacak şekilde süratle ve şiddetle gerçekleştirilmiştir ki, bu bölgede artık tekrar isyan çıkarma ihtimalini tamamen ortadan kaldırmıştır.

Gerçekte Muş için hazırlanmış bir tabur piyade ve bir süvari alayına ihtiyat olmak üzere bir tabur eklenmesi ve bu kuvvetin iki dağ topu ile güçlendirilmesi ve gereğinde birçok Hamidiye Alaylarında hizmete alınması, Allah'ın izniyle, her türlü ihtimale karşı hem Muş ovasının, hem de Talori bölgesinin asayişinin korunmasına yeter.

Bu durumda: yalnız Muş'da iki taburluk piyade kışlasıyla bir de süvari kışlasının yapılması gerekir ki, gerçekte Muş bölgesinin önemi sebebiyle zaten her yıl bütçeye bu inşaatların karşılıkları konmaktadır.

Buralara Eylül sonlarında kar yağmaya başladığından, açıklanan inşaatların bu yıl içerisinde yapımı mümkün değildir. İnşallah gelecek yıl inşaat imkanları sağlanır ve tamamlanır..."

Naturally within this span of time the Talori is cut off from Mush. Under these circumstances, even if military forces were stationed at Talori and around its vicinity they would be stranded in the area throughout winter.

As it is known the suppressive operation undertaken presently under the sustenance and support of His Imperial Majesty was so effectively realised and with such swiftness that it would serve as a deferent for the other potential insurgents. An uprising in this region would hardly ever occur.

Nevertheless, if as a reinforcement a battalion is added to the infantry battalion and the cavalry regiment designed for Mush, and if two more mountain guns are provided and if the Hamidiye regiments stationed around the Mush area are granted permission to join in, in case of an emergency, God willing, against all eventualities, the peace and order at both the plain of Mush and the Talori region would be maintained.

At the moment, it is only requisite that two separate barracks ought to be built in Mush one for two infantry battalions and the other for a cavalry regiment. Due to the importance of the Mush area, an allocation of money which would meet the building expenses of these barracks, was always included in the budget every year. Yet, since there is heavy snow fall in the area towards the end of September, building the aforementioned barracks during the course of this year could not be completed. God willing, let us hope that building them would be realised in the following year under the guidance and support of His Imperial Majesty.

Humbly submitted to your High Office's attention.

Osmanlı Arşivi Karton 97, Kısım 35, Zarf 50, Evrak 306

٨٧

مكتوبي قلمي

مابين همايونه باش كتابت جليله سنه يازيلان ١٠ [?] تاريخلو تلغرافنامه نك صورتيدر

تالوری وقلب جوارنده‌كي قصبه‌ء سعرد تقسيم قوت ايله بتليس ولايتي داخلنده عساكر شاهانه‌يه قبال بولندقلري
محلده حركات شقاوتكارانه‌يه تصدي وخصوصيله موسى اوده سنده‌ده بو ترتيبات مشاركت ايده جكلري اخبار
اولنديغي ولايت مذكوره واليلكنه كشيده اولنان طرف صدارتپناهي‌يه وجه وتقديم قلنمش بر تلغرافده بيلديرلمه
وقصبه‌ء مرقومه نك اجراي شقاوته ميدان ويريله جك صورتده اتخاذ تدابير اولنمسي اولنان اشبو بوكبي احوالك كلية
ايله برابر تكرر ايتمامسي ايچون ايجاب ايدن نقاط مقرره‌ده اقامه‌سي وقره غول اقامه‌سي لازم دن بولنديغندن
اكا كوره اقتضاسنك اشعاري حقنده وروده اوردوي همايون مشيرت جليله‌سنه تبليغات وقوع اجراسي مقتضاي اراده‌ء
سنيه‌ء جناب خلافتپناهي بولنمش اولديغي ربيع دست تقديم اولنان ٧ ربيع الاول ٣١٤ تاريخلو و ٢٧٢ نمرولو تذكره
خصوصيه داورانك اشعار بيورلمش اوزرينه اوردوي همايون ظل اللهي مطبوعه منيفي مشيرت شاريلها تبليغ قلنمشيدي
سايه‌ء سطوتواية جناب ملوكانه ده ارمني اشقياسنك قدم وتدبير اولنان امرينك الزام اولنمه اوله‌رق سرعت وشدت ايله اوحوالك
تكرار فساد وشقاوته صدورنه امكان اورتده ينه قالديرلمقله برابر ولايت شاريلهانك اشعاراتي مواجهه‌ء نفس الامر
اولميوب موسى اوده سنده اسلحه بركيكاك اولديغي كبي قلب وقصبه‌لرده حركت شقاوتكارانه‌ده اثر بولنديغنه
وآتيده منع تكرر فساد ايچون اتخاذي تنسيب اولنان تدابيره دائر مشيرت شاريلهادن بوكره جواباً ورود ايدن
تلغرافنامه نك صورتي مشتمل لحاظه سنيه حضرت ظل اللهي بيورلمق اوزره لفاً عرض وتقديم قلنمش واشبو تلغرافده
مواقعه موقعنك تزييد قوت حقنده دريان اولنان مطالعه اوزرينه ارطه جبه عموميه دائره‌سي تنظيم اولنان
مملكتك وضعيه كيفيتي استيذان اولنديغي ومعاصي حلولنه ده افشاسي لزوم كورلمه‌يه‌رق امكانه وجوده كتورلمه‌سيله
اشغاله چاليشيلديغي دركار بولنمغله اولبابده

Makam-ı Seraskerî Mektubî Kalemi

Mâbeyn-i Hümâyûn Başkitâbet-i Celilesine yazılan 1 Eylül sene 310 (1310) tarihli tezkere-i hususiyyenin suretidir.

Talori ve Kulp cihetlerindeki fesede-i müsellaha taksim-i kuvvet ile Bitlis Vilâyeti dâhilinde asâkir-i şâhâneden hâlî buldukları mahallerde harekât-ı şekâvetkârâneye tasaddî ve hususiyle Muş ovasında da bu tertibâta müşâreket edecekleri istihbâr olunduğu vilâyet-i mezkûre vâliliğinden keşîde olunup taraf-ı Sadârtpenâhîden arz ve takdîm kılınan bir telgrafnâmede bildirilmiş ve fesede-i merkumenin icrâ-yı şekâvetlerine meydan verilmiyecek surette ittihâz-ı tedâbir olunmuş olup ancak bu gibi ahvâlin gelecek ilkbaharda tekerrür etmemesi için icâb eden nukâta müfrezeler ikâmesi ve karakollar inşâsı lâzimeden bulunduğundan ona göre iktizâsının iş'ârı zımnında Dördüncü Ordu-yu Hümâyûn Müşiriyyet-i Celilesine tebligât-ı mü'ekkide icrâsı muktezâ-yı irâde-i seniyye-i cenâb-ı hilâfetpenâhîden bulunmuş olduğu resîde-i dest-i tekrîm olan 7 Rebi'ul-evvel sene 312 (1312) tarihli ve 2132 numaralı tezkere-i hususiyye-i dâverânelerinde iş'âr buyrulması üzerine emr ü fermân-ı hümayûn-ı zıllullâhî mantûk-ı münîfı müşiriyyet-i müşârün-ileyhâya tebliğ kılınmış idi sâye-i satvetvâye-i cenâb-ı mülûkânede Ermeni eşkıyasının kahr ve tedmîrleri emrinde iltizâm olunmuş olan sür'at ve şiddet ol havâlide tekrar fesad ve şekâvet hudûsı imkânını ortadan kaldırmakla beraber vilâyet-i müşârün-ileyhânın iş'ârâtı muvâfık-ı nefsü'l-emr olmayub Muş ovasında asâyiş ber-kemâl olduğu gibi Kulp kazasında dahi hareket-i şekâvetkâra neden eser bulunmadığına ve âtîde men'-i tekerrür-ü fesâd için ittihâzı tensîb olunan tedâbire dâir müşi-

Seraskerlik Makamı Yazı İşleri

Özel-Tezkere

13 Eylül 1894

Kimden: Seraskerlik Makamından
Kime: Saray Başkatipliğine
Konu: Dördüncü Ordu Müşiriyetinin olaylar hakkında görüşleri

"Talori ve Kulp bölgelerinde ki silahlı bozguncuların kuvvetlerini ayırarak Bitlis Vilayeti içinde, askeri birliklerin bulunmadığı yerlerde anarşi ve terör eylemlerine kalkışacaklarının ve özellikle Muş Ovasında bu gibi hareketlere girişeceklerinin haber alındığı adı geçen Vilayet Valiliğinden gönderilip Sedaret Makamına arz ve takdim kılınan telgrafda değinilen hususlara ve anılan bozguncuların anarşi ve terör eylemlerine yer verilemeyecek şekilde alınması gereken önlemlerin neler olduğu yolunda ve gelecek ilk baharda bu gibi olayların tekrar etmemesi için gereken yerlere müfrezeler yerleştirilmesi ve karakollar yapımının zorunlu olduğuna göre bu uygulamaların gerektirdiği ihtiyaçlar konusunda Dördüncü Ordu Müşiriyetine Yüce Padişah Hazretleri Buyruğunun ikinci kez tebliği hakkında 8 Eylül 1894 tarihli Özel - Tezkereniz adı geçen Müşiriyete tebliğ edilmişdir.

Ülkede Ermeni eşkiyasının etkisiz kılınması için verilen emrin yerine getirildiği, büyük bir sürat ve şiddetle o bölgede tekrar isyan, anarşi ve terörün çıkma imkanının ortadan kaldırıldığı bu sebeblerle adı geçen Vilayetçe verilen haberlerin bugünkü gerçeği ve durumu yansıtmadığı, Muş Ovasında asayişin kurulmuş ve devam ettiğini, Kulp ilçesinde anarşi ve terörden eser kalmadığını ve

Department of General Staff
Correspondence Dept.

Special Statement

13th September, 1894

From – Department of General Staff
To – Imperial First Secretary
Subject – Opinions of the Office of the Commander-in-Chief of the Fourth Army concerning events

Re.– Your special statement bearing the date, 8th September 1894 and the number 2132.

As pointed out in your special statement (re.-bove), "in the telegram of the Governorship of Bitlis, submitted to His Imperial Majesty, which was, in fact, a supplement to the note received from the Prime Ministry, it was communicated that information was received to the effect that armed separatists around the regions of Talori and Kulp, having been divided into groups, would resort to seditious operations at such areas in the Vilayet of Bitlis where no military forces were to be found, i.e. particularly on the plain of Mush.

Subsequent to this disclosure, it was also communicated that there emerged His Majesty's Imperial orders to the effect that, although necessary measures have been taken against all the insurgent activities of the said separatists, it was nevertheless evident, to appropriate spots military units ought to be deployed so that similar seditious activities would not recur in the following spring; and furthermore, for the actual realization of such measures to be taken the Fourth Army Command ought to be renotified."

Upon notifying the said Command of His Majesty's Imperial orders the following reply was received:

"The suppressive operation

٨٧

مکتوبی قلمی

مابین همایونه باب عالیدن کتابت جلیله‌سنه یازیلان [illegible] تاریخلو تلغرافنامه‌نک صورتیدر

تالوری وقعه‌سی [illegible] سعی تقسیم قوت ایله بتلیس ولایتی داخلنده عسکر شاهانه‌یه [illegible] بولندقلری
محلده حرکات شقاوتکارانه‌یه تصدی و خصوصیله موش اووه‌سنده‌ده بو ترتیباته مشارکت ایده‌جکلری اخبار
اولندیغی ولایت مذکوره والیلکندن کشیده اولنان تلغرافنامه [illegible] وقتیله تقدیم قلنمش بر تلغرافده بیلدیرلمه
دفعه‌ده مرقومه‌نک اجرای شقاوته میدان ویرلمه‌مسی [illegible] صورتیله اتخاذ تدابیر اولنمسی [illegible] بو کبی احوالک
ایلروده تکرر ایتمسی ایچون ایجاب ایدن نقاطه مفرزه‌لر اقامه‌سی وقوه عسکریه [illegible] لازم ده‌نه بولندیغنه
اکا کوره اقتضاسنک اشعاری حقنده دردنجی اوردوی همایون مشیریت جلیله‌سنه تبلیغات [illegible] اجراسی مقتضای اراده
سنیه‌ٔ جناب خلافتپناهیدن بولنمش اولدیغی [illegible] تقدیم اولنان ۷ ربیع الاول ۳۱۲ تاریخلو و ۲۲۷ نمرولو تذکره
خصوصیله داورانلرک [illegible] اوزرینه اوردوی همایون [illegible] مشیریت شارالیهایه تبلیغ قلنمشیدی
[illegible] جناب [illegible] امر [illegible] الزام اولنمه [illegible] شدته [illegible]
تکرار فساد و شقاوت حدوثی امکانی [illegible] ولایت شارالیهانک اشعاراتی [illegible]
[illegible] اووه‌سنده [illegible] اولدیغی کبی [illegible] حرکت شقاوتکارانه‌ده [illegible] بولندیغنه
[illegible] تکرار فساد ایتمک [illegible] اولنمق تدابیره دائر مشیریت شارالیهایه بولکه جواباً ورود ایده
[illegible] صورت [illegible] حافظ سنیه [illegible] ظل اللهی [illegible] اوزره [illegible] وتقدیم قلنمه [illegible]
موش موقعنک تزیید قوتی حقنده [illegible] اوزرینه [illegible] دائره‌سنده تسلیم اولنمه
[illegible] کیفیت استیذان اولندیغی [illegible] ده اقتضا [illegible] امکان [illegible]
[illegible] اولنمه [illegible]

riyyet-i müşârû-ileyhâdan bu kere cevâben vürûd eden telgrafnâmenin sûret-i meşmûl-i lihâza-i seniyye-i hazret-i zıllullâhî buyrulmak üzere leffen arz ve takdîm kılınmış ve işbu telgrafnâmede Muş mevki'inin tezyid-i kuvveti hakkında dermeyân olunan mütâla'a üzerine Erkân-ı Harbiyye-i Umûmiyye Dâiresinden tanzîm olunacak mazbatanın arzıyle keyfiyetin istîzân olunacağı ve mevsimi hulülinede inşâsına lüzum gösterilen emâkinin vücûda getirilmesi esbâbının istikmâline çalışılacağı derkâr bulunmuş olmağla olbâbda.

gelecekte bozguncuların yeniden ortaya çıkmasının önlenilmesi için gereken tedbirlere ilişkin Müşiriyet telgraf sureti Yüce Padişah Hazretlerine sunulmak üzere ekde arz ve takdim kılınmıştır.

Müşiriyetten gelen bu cevabi telgrafda, Muş'taki kuvvetlerin artırılması konusunda ileri sürülen görüşler Genelkurmay Dairesince düzenlenecek raporun arzı ile gereken onayın isteneceği ve Muş bölgesinde yapımına gerek duyulan binaların gerçekleştirilmesi imkanlarının hazırlanacağı açık bulunmakla arz olunur..."

undertaken against the Armenians, under the sustenance and support of His Imperial Majesty was so effectively realised and with such swiftness that an uprising in this region would hardly ever occur. In this respect, the disclosures made by the governorship of Bitlis do not reflect the true state of affairs in the region. Peace and order prevail in the plain of mush and no single act of insurgency is to be found at the administrative division of Kulp."

The copy of the telegram, received from the said Command concerning the measures which are deemed appropriate to be taken so as to halt all attempts at insurgency, is enclosed to be submitted to His Majesty's Imperial consideration.

In the aforementioned telegram, your views are sought on the project to be devised by the Office of the General Staff, in line with the disclosure made about increasing the forces at the region of Mush, and on providing all the prerequisite material for the buildings which are deemed necessary to be built.

Osmanlı Arşivi Karton 97, Kısım 35, Zarf 50, Evrak 306

٨٧

şikenânesine ve her hâle karşı kâfi ve ma'-mâ-fih mezkûr yarım alayın yerine suvari yirmiüçüncü alayı mevcud olup zikrolunan yarım alayın i'âdesince bir mahzûr olmadığı beyaniyle ber-mantûk-ı emr ü fermân-ı hümâyûn icâbında yine silah altına alınmak üzere mahallerine i'âdesi istîzân olunmuş ve sûret-i iş'âra nazaran Muş mürettebât-ı askeriyyesi her türlü ihtimâle karşı muhâfaza-i âsâyişe kâfî olmakla beraber sâlifü'l-arz yarım Hamidiye alayının yerine de yirmiüçüncü suvari alayının mevcud idüği anlaşılmakta bulunmuş olmasıyla şu halde ber-mantûk-ı emr ü fermân-ı hümâyûn mezkûr Hamidiye alayının iki aylık ma'aşlarının tasviyesiyle mahallerine i'adeleri Müşiriyyet-i müşârün-ileyhâya der-dest-i tebliğ bulunmağın olbâbda.

Fî 13 Rebi'ul-evvel sene 312 (1312) ve fî 1 Eylül sene 310 (1310)

na alınmak üzere adı geçen alayın yerlerine iadeleri için izin istenmişdir. Bu açıklamalar karşısında ve Muş'daki askeri kuvvetin her duruma karşı yeterliliğinin ve yarım Hamidiye Süvari Alayının yerine de Yirmiüçüncü Süvari Alayının mevcut olduğu anlaşılmış bulunmasıyla Yüce Buyrukları doğrultusunda adı geçen alayın iki aylık maaşlarının verilerek yerlerine geri gönderilmeleri Müşiriyyete tebliğ edilmiştir..."

context His Majesty's Imperial orders have been communicated to the aforementioned Command (re.-b) with the wishes for the longevity of his powerful life and with the dedication of our loyalty and affection.

According to the telegram received on this occasion from the Fourth Army Command, upon being told the good tidings of His Majesty's Imperial orders, the officers and the soldiers of the said half Hamidiye Regiment all prayed for the longevity of His Imperial Majesty's life with sincere loyalty and esteem. As was ordered their salaries were also paid.

In the meantime, although the military units at Mush are adequate to check all threats to peace and since the Twenty-third cavalry regiment would replace the aforementioned regiment, it could well be sent back to headquarters and permission was sought in this direction, nevertheless with the provise that it would be remobilised in case of an emergency as demanded by the Imperial orders.

According to the disclosures made, although the military units at Mush are adequate to maintain peace and order against all eventualities, since it is made known that the said half Hamidiye Regiment would be replaced by the Twentythird cavalry regiment, the Fourth Army Command was notified to have the Hamidiye Regiment sent back to headguarters, as demanded by the Imperial orders, after paying them two months' salaries.

Gracefully submitted to your consideration.

٨٤

موشده دردنجی اردوی همایون مشیریتنه یازیلان ۲ تشرین ثانی تاریخلو شفره تلغرافنامه‌نك صورتیدر

ارباب حمیت ۲۰ تشرین ثانیده موشده جلب وجمع ایدیلان یارم حمیدیه سواری الاینك یرینه محافظهٔ اسلامیه ایچون برقوهٔ کافیهٔ عسکریه اتمام اولنمقده ایسه‌ده محلنه اعاده اولنمسی دسترعاتی حقنده شرفصادر اولان ارادهٔ سنیهٔ ملوکانه منطوقنه تطبیقاً اوله‌جق خصوص دولتلرینه تبلیغ اولنمشدی معلومه رتبه‌سنده عسکریه‌سنك ارمنیلرك وقایه اسلامیه شکایتلرینه و هر احواله قارشو تام اوله‌رق کبی مذکور حمیدیه الاینك یرینه ده سواری بلکی ایکی آلای موجود بولندیغی ارتق بونك اعاده‌سیله برمحذور اولمدیغی جهتله اشعار دولتلرینه اکمال اولنمشدر بناءً مذکور حمیدیه الاینك سالف الذکر ارادهٔ سنیهٔ مبلغه منطوقنه توفیقاً محلنه اعاده اولنمسی تبلیغ اولنور

Makâm-ı Seraskerî Mektûbî Kalemi

Muş'da Dördüncü Ordu-yu Hümâyûn Müşiriyyetine yazılan 3 Eylül 310 tarihli şifreli telgrafnâmenin suretidir.

Erkân-ı Harbiyye C. 30 Ağustos sene 310 (1310)

Muş'da celb ve cem' edilen yarım Hamidiye Suvari alayının yerine muhâfaza-i asâyiş için bir kuvve-i kâfiye-i askeriyye ikame olundukdan sonra mahallerine i'âde olunması ve müteferri'âtı hakkında şerefsâdır olan irâde-i seniyye-i mülûkâne mantûk-ı münîfi evvelce taraf-ı devletlerine teblig olunmuşdu. Muş mürettebât-ı askeriyyesinin Ermenilerin harekât-ı asâyiş-şikenânesine ve her ahvâle karşı kâfî olduğu gibi mezkûr Hamidiye alayının yerine de suvari yirmiüçüncü alayı mevcud bulunduğundan artık bunun i'âdesine bir mahzur olmadığı cümle-i iş'âr-ı devletlerinden anlaşılmasına binâ'en mezkur Hamidiye alayının sâlifü'z-zikr irâde-i seniyye-i mübelliga mantûk-ı münîfine tevfîkan mahalline i'âde olunması tebliğ olunur.

Seraskerlik Makamı Yazı İşleri

Şifre Telgraf

15 Eylül 1894

Kimden: Seraskerlik Makamından
Kime: Muş'da, Dördüncü Ordu Müşiriyyetine
Konu: Hamidiye Süvari Alayının yerlerine iadesi

"C. Genelkurmay 11 Eylül 1894

Muş'dan getirtilip, toplanan yarım Hamidiye Süvari Alayının yerine asayişi korumak için yeterli güçde bir askeri kuvvet konulduktan sonra yerlerine iadesi ve bazı ayrıntılar hakkında Yüce Padişah Hazretlerinin Buyrukları daha önce bildirilmişdi.

Açıklamalarınızdan anlaşıldığına göre: Muş'daki askeri kuvvetin Ermenilerin asayişi bozacak hareketlerine ve herhangi bir olaya karşı yeterli olduğu gibi adı geçen Hamidiye Alayının yerine de Yirmiüçüncü Süvari Alayının bulunduğu bu sebeble Hamidiye Alayının belirtilen "Buyruk" gereğince yerlerine iadesi tebliğ olunur..."

Department of General Staff
Correspondence Dept.

Coded telegram

15th September, 1894

From – Department of General Staff
To – Fourth Army Command
Subject – Sending back the half Hamidiye Cavalry Regiment stationed at Mush

Re.– Your telegram of 11th September, 1894

It was earlier communicated to your High Office in a detailed manner, the Imperial orders of His Majesty, concerning sending back the half Hamidiye Cavalry Regiment assembled in Mush, after having it replaced by a military force adequate enough to safeguard local peace and order.

As disclosed in your telegram (re.-above) since the military units in Mush are considered sufficient enough to check all Armenian attempts at insurgency and separatism and all other seditious operations, and since it is deemed appropriate to have the said Hamidiye Regiment replaced by the Twentythird Cavalry Regiment, you are hereby notified that the aforementioned Hamidiye Regiment ought to be sent back in compliance with His Majesty's Imperial orders.

Osmanlı Arşivi Karton 97, Kısım 35, Zarf 50, Evrak 306

dok dağındaki cem'iyetden kollar teşkil ederek civarında bulunan Bekran ve Bârkan aşiretleri üzerine taraf taraf hücum ile katl-i nüfûs ve nehb-i emvâle cüret ve bununla da kâni' olmıyarak Bekrân rü'esâsından Ömer Ağa'nın birâderzâdesi Hacı'nın karnını barutla doldurarak ihrâk ve Gülgüzân karyesinde sâkin üç dört İslâm hânesi muhadderâtının ırzlarını bir sâret-i hâinânede paymâl etdikten sonra bî-çâreleri yürekler dayanamıyacak sûretde itlâf ve erkeklerin boynuna haç takıp gezdirmiş ve diğer ba'zı İslâmların gözlerini çıkarıp kulaklarını kesmek ve dinu devlete şütûm-ı galîza ile şetm etmek ve yaşasın kralımız Murad diye bir ağızdan bağırmak suretiyle bütün bütün irtikâb-ı fezâhat eylemişlerdir. Kemâl-i sür'atle tertîb ve sevk olunan müfreze-i askeriyye bu sırada yetişerek tafsîlâtı zîrde arz olunacak harekât ile eşkıyanın kısm-ı a'zamını ve mâddet-ül-asl-ı fesâd olan Hamparsun ile avenesini bir mağara derununda der-dest ve avn-i Hakk'la sâye-i muvaffakiyetvâye-i Hazret-i Şehriyârîde isyan ve şekaveti ol sûretle mahv u izâle etmişdir ki ba'demâ buralarda böyle bir hareket vukû'ına ihtimâl verilemez. Der-dest edilen eşkıyanın ifâde-i evveliyeleri zabt olunmuş ve cümlesi Muş Hükûmetine teslim edilmişlerdir. Ber-vech-i ma'rûz ihtilâl eden eşkıyaya Muş ve Diyarbekir ve Van papaslarının dahi teşvîkleri olduğu ve bâhusûs Kızılkilise papası Mıgırdıç'ın gerek Damadyan'ı ve gerek bu Hamparsun'ı mezkûr Ermeniler içine i'zâm ve delâlet eylediği reviş-i istintâkdan anlaşılmağla celb ettirilerek li-ecli'l-muhâkeme Muş Hükûmetine teslim edilmişdir. Harekât-ı askeriyyenin sûret-i icrâsı bahsine gelince müfreze-i askeriyye 13 Ağustos sene 310 (1310)'da Muş'dan hareket ve Andok dağının şarkî eteklerindeki inişlerinde vâki' Şinik Zimal karyelerine muvâsalat eylemiş işbu dağdaki cem'iyyet-i fesâdiye müfreze-i ma'ruzanın satvet-i kahirânesine tâb âver olamıyacağını derk ile he-

ilçesine iki saat uzaklıktaki yaylada Vilikan aşireti üzerine saldırarak bunlardan bir kaç kişiyi öldürüp, büyük miktar da mal ve eşyalarını ele geçirmişlerdir. Fakat o sırada Muş'a varmak üzere bulunan dağ birliklerinin yok edici gücünden çekinerek Muş'a saldırmaya cesaret edememişlerdir.

Bu durum karşısında Anduk Dağındaki topluluk aralarında kollar meydana getirerek çevrede bulunan Bekran[5] ve Bârkan[6] aşiretleri üzerine çeşitli yönlerden saldırarak bu aşiretlerin insanlarını öldürmeye ve mallarını yağmalamaya başlamışlar, bununla da kalmayarak Bekran aşireti ileri gelenlerinden Ömer Ağanın kardeşinin oğlu Hacının karnına barut doldurarak yakmışlar ve Güligüzan köyünde bulunan üç-dört müslüman evinin kızlarının ırzlarına haince bir şekilde geçtikten sonra, zavallıları yürekler dayanamıyacak bir surette öldürmüşlerdir. Erkeklerin boyunlarına haç takıp gezdirmişler ve diğer müslümanların gözlerini oymuşlar, kulaklarını kesip, din ve devlete ağza alınmıyacak küfürler ederek "Yaşasın kralımız Murat" diye hep bir ağızdan bağırarak devlete karşı olduklarını ve isyanlarını açıkça ortaya koymuşlardır.

Büyük bir süratle düzenlenen ve gönderilen askeri birlikler bu sırada yetişerek aşağıda ayrıntıları bildirilen harekât ile eşkiyaların büyük bir kısmını ve isyanın hazırlayıcısı ve başlarından Hamparsun ile arkadaşlarını bir mağara içerisinde yakalayarak isyanı bastırmışlar ve bozgunculuğa son vermişlerdir. Bundan sonra buralarda böyle bir hareket çıkması beklenemez.

Ele geçirilen eşkiya ve asiler ilk sorgulamaları yapıldıktan sonra Muş idari makamlarına teslim edilmişlerdir.

İsyanda bulunan eşkiyaya ve asilere Muş, Diyarbekir ve Van papazlarının yardım ettiği, kışkırtmalarda bulundukları özellik-

appear on their way and subsequently attack Mush with the aim of extracting arms and equipmert from the arsenal of the reserve militia and thus broaden the scope and sphere of the uprising.

Some five or six hundred insurgents attacked the Vilikan tribe, living on the plain, two hours away from Mush and lying southerly on the Korlink, chain of mountains, and stole goods and cattle. They even killed a few tribesmen. Nevertheless they did not have sufficient courage to attack Mush for the fear of the invincible power of the military forces, then approaching the town. Consequently the Mount Anduk insurgents, by dividing themselves into groups, resorted to attacks in various directions at the Bekran and Barkan tribes which were them staying in the area, killed certain tribesmen and plundered goods and property. Not satisfied with their notorious achievement, they stuffed gunpowder into the belly of Hadji, the nephew of Ömer Agha, one of the tribe leaders of Bekran and burned him; they raped some three or four Mulim women in the village of Güligüzan and subsequently tore them virtually to pieces; furthermore they forced some Muslim men walk through the village bearing crosses, while other Muslims suffered more serious inflictions such as having their eyes plucked or ears cut. Finally they reached a climactic point in their malignancy when they blasphemeously denounced the Muslim religion and the state, and shouted altogether "Long live our king Murat".

The military units which were so swiftly assembled together and deployed aganist them came just at the right moment and through an operation, details of which would be disclosed below, captured most most insurgents especially the leader Hamparsun and his followers, hiding themselves in a cave. In fact, through God's help and His Imperial Majesty's support, attempts at uprising and insurgency are eliminated in such a manner that ventures of simi lar

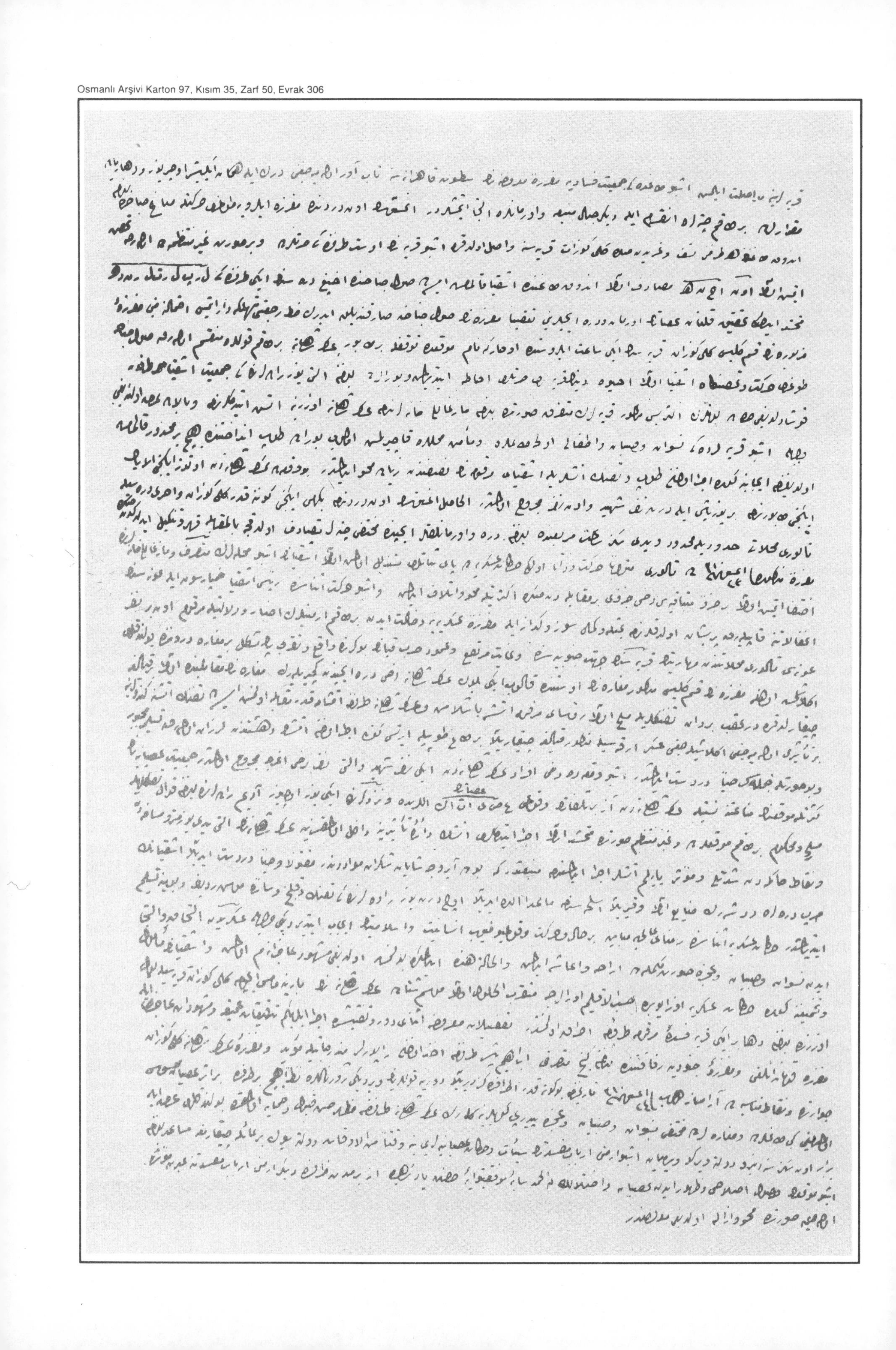

Osmanlı Arşivi Karton 97, Kısım 35, Zarf 50, Evrak 306

men ikişer üçeryüz ve daha ziyâde mıkdarlarda birtakım çetelere inkısâm ile diğer cibâl-i meni'a ve ormanlara iltica etmişledir. Ağustos'un ondördünde müfreze ileriye doğru hareketle sağ cenahda bulunan Andok dağının her tarafını keşf ve taharriden sonra Güligüzan karyesine vâsıl oldukda işbu karyenin üst tarafındaki sırtlarda ve bir sûret-i gayr-ı muntazamada olarak tahassun etmiş olan (şifre...) müsâdif olan Andok dağında eşkıyâ kalmamış ise de sol cenâhında Ahpig (?) deresinin iki tarafındaki (şifre...) mütehaşşid idüği tahkik kılınan usâtın orman ve dere içlerini ta'kîben müfrezenin sol cenâhına sarkıntılık ederek hatt-ı ric'atı tehlikedâr etmesi ihtimâline mebnî müfreze-i mezbûrenin kısm-ı küllîsi Güligüzân karyesinin iki sâ'at ilerisinde Oharki nâm mevki'de tevakkufla tabur asâkir-i şâhâne birtakım kollara munkasım olarak sol cenâha doğru hareket ve tahassungâh-ı eşkıyâ olan Ahive ve Yenk karyeleri sırtları ihâta etdirilmiş ve buralarda bulunan altıyüz raddelerindeki cem'iyet-i eşkıyâ her tarafdan kuşatıldığı sırada bunların ekserisi mezkûr karyelerin müteferrik suretde bulunan mazgallı hânelerinden asâkir-i şâhâne üzerine ateş ettiklerinden bâlâda arz olunduğu vechile işbu karyelerdeki nisvân ve sıbyân ve etfâli evvelce dağlara ve me'men mahallere kaçırılmış olup burada top endâhtında hiçbir mahzûr kalmamış olduğundan icâbına göre icrâ olunan top ve tüfenk ateşleriyle eşkıyâ-yı merkûmenin nısfından ziyâde mahv edilmişdir. Bu vak'ada asâkir-i şâhâneden Otuzikinci alayın ikinci taburundan bir yüzbaşı ile dört nefer şehid ve on nefer mecruh olmuşdur. El-hâsıl Ağustos'un ondördünden yirmiikinci gününe kadar Güligüzan ve Ahri deresiyle Talori mahallâtı hududuyla mahdûd ve yedi sekiz sâ'at murabba'ında bulunan dere ve ormanlıklar içinde muhtefî çetelere tesâdüf oldukca bi'l-mukâbele kahr ve tenkîl edildikden sonra müfreze-i mezkûre 23 Ağustos 310 (1310) 'da Talori'yi

le Kızılkilise papazı Mığırdıç'ın gerek Damadyanı ve gerek Hamparsunu açıklanan yere gönderdiği yapılan soruşturmadan anlaşılmış ve tutukanarak Muş'a teslim edilmiştir.

Asker harekâtın uygulanma şekline gelince:

Askeri birlikler 25 Ağustos 1894 tarihinde Muş'dan hareket ederek, Anduk Dağının eteklerinde bulunan Şinik ve Zimal köylerine ulaşmışlardır. Dağdaki asiler topluluğu, askeri kuvvetlerin ezici gücüne karşı koyamayacaklarını anlayarak, ikişer-üç yüzer ve daha fazla sayıda bir takım çete gruplarına ayrılarak dağılmışlar ve dağdaki orman içlerine sığınmışladır.

Ağustos ayının ondördünde askeri birlikler ileriye doğru hareketle, sağ yanında bulunan Anduk Dağının her tarafında keşif ve araştırmalar yaptıktan sonra Güligüzan köyüne varmışlardır. Bu köyün üst tarafındaki sırtlarda dağınık bir şekilde asilerin barındığı köylerin karşısında bulunan Anduk Dağında eşkiya kalmamış ise de, sol yanında bulunan Ahpig deresinin iki tarafında isyancıların toplandıkları öğrenilmişdir. İsyancıların orman ve dere içlerine gizlenerek askeri birliklerin sol kanadını çevirmek ve geri çekilme hatlarını tehlikeye sokmak ihtimaline karşı birliğin büyük kısmı Güligüzan köyünün iki saat ilerisindeki Oharki denilen yere yürümüş ve oradan bir kaç kola ayrılıp, sol tarafa doğru ilerliyerek eşkiyanın ve işyancıların barındıkları Ahi ve Yenk köylerinin sırtlarını kuşatmışlardır. Buralarda bulunan altıyüz kadar asi, her taraftan kuşatıldıklarını anlayınca adı geçen köylerin evlerinin dağınık durumundan yararlanarak buralara girmişler ve evlerin mazgallarından askeri birliklere ateş açmaya başlamışlardır. Yukarıda açıklandığı üzere bu köylerde kadın ve çocuklar daha önce asiler tarafından dağlara ve güvenli yerlere kaçırılmış olduğu

nature could not even be conceived.

The captured insurgents, after having their first interrogation recorded, all transferred to Mush and fere handed over to the government officials there.

Through interrogations it is understood that priests from Mush, Diyarbekir and Van provoked the insurgent brigands; since particularly Mıgırdıch, the priest of Kızılkilise had influenced both Damadian and Hamparsun, he was brought and handed over to government authorities at Mush to stand trial there.

Coming to the details of the military operations: first of all the military units departed from Mush on 25th August 1894 and reached the villages of Shinik and Shimal on the skirts of Mount Anduk. When the insurgent brigands realized that they would not be able to withstand the invincible power of the military forces, they dispersed in different directions after forming groups of brigands with some two or three hundred members each and finally took refuge inside the dense woods of the mountain.

On the 14th August military units made advances towards Mount Anduk which was on their right hand side, and after inspecting every single nook and cranny they reached the village of Güligüzan. The insurgents who hide themselves here and there on the ridges lying above this village are not to be found in Mount Anduk, nevertheless it has learnt that they have gathered together around the banks of the creek called Ahpig. The insurgents, taking the route through the woods and the creek, stretched as far as the left wing of the military unit. This might have endangered its line of retreat, and in order to forestall such a possibility, a large part of the unit formed subdivisions at a spot called Oharki, two hours away from the village of Gülgüzan. Thus making advanes on the left hand side the ridges of the villages called Ahi and Yenk, where the insurgents had taken refuge, was surrounded. About

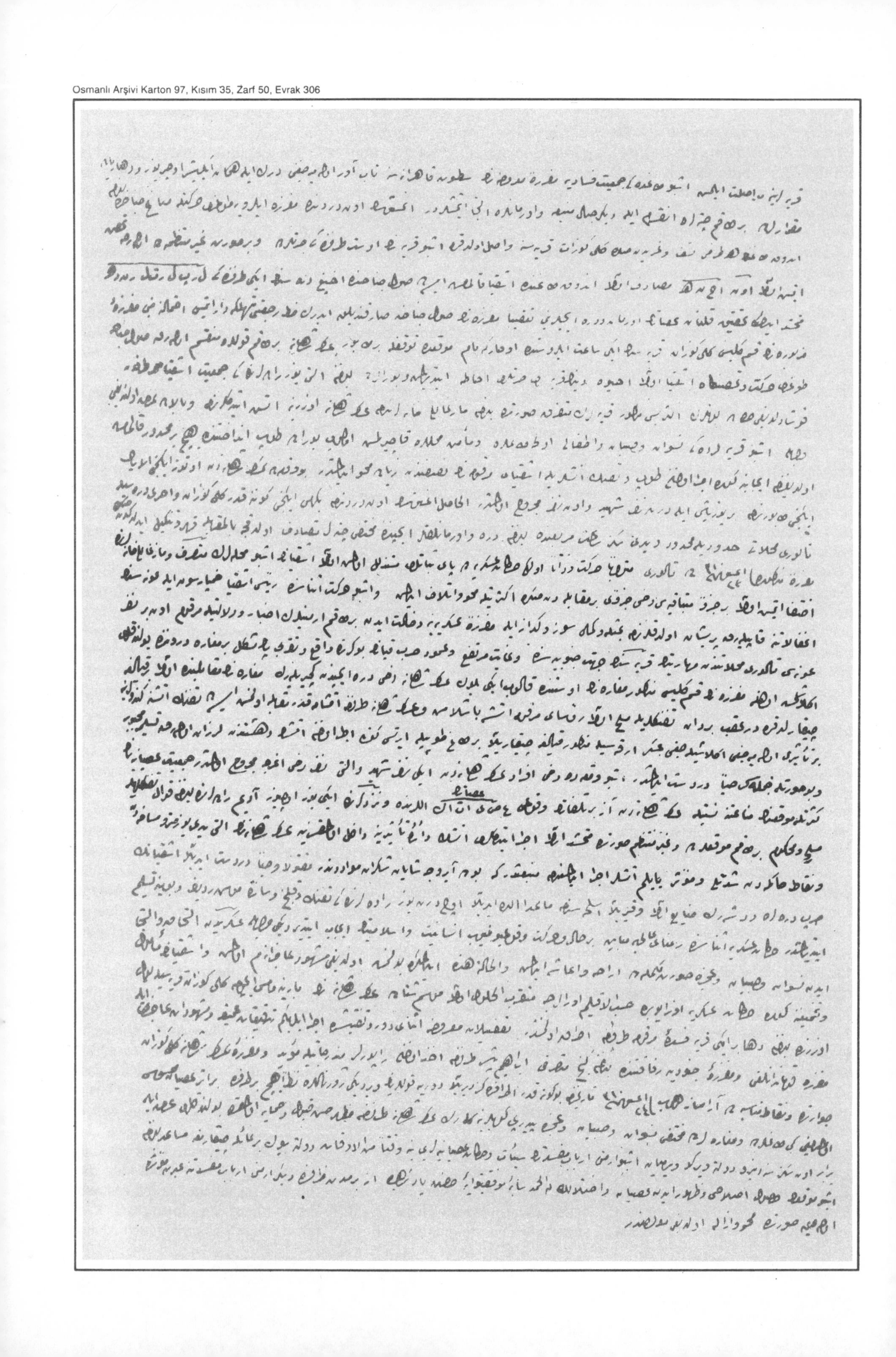

Osmanlı Arşivi Karton 97, Kısım 35, Żarf 50, Evrak 306

Makâm-ı Seraskerî Mektûbî Kalemi

Muş'da Dördüncü Ordu-yu Hümâyûn Müşiriyyetine yazılan 5 Eylül sene 310 (1310) tarihli şifreli telgrafnâmenin suretidir.

Talori cihetindeki eşkıyânın bir daha emsâlinin zuhûruna kat'iyyen meydan kalmıyacak sûretde kahr u tedmîriyle bu hadise-i fesadiyyenin şu birkaç gün zarfında ortadan kaldırılması hakkında evvel ve âhir şerefsâdır olan irâde-i seniyye-i hilâfetpenâhî taraf-ı safderîlerine tebliğ olunmuşdu. İrâdât-ı sâdire-i mülûkânenin tamamiyle hüsn-i infâzına bezl-i vüfur-ı makderet buyrulmakda olduğu meczûm ise de tedâbir-i müttehazenin âsâr-ı fi'liyyesine dâir vürûd etmekde olan telgrafnâmelerinde izâhât-ı kâf'iyye olmayub emr ü ferman-ı hümâyûn ise eşkıyâyı merkûmenin fırsat-ı firar bulmaksızın mahv u itlâfıyla bu misillu hâdisâtın men'-i tekerrürü merkezinde bulunduğundan bu hâdisenin bidâyetinden beru hayyen ve meyyiten ne mıkdar şakî tutulmuşdur ve büsbütün mahv edildikleri beyân olunan çeteler kaç şakîden ibâret ayrıca tutulan ve itlâf edilenlerin silahları hangi nevi'dendir ve kâmilen elde edilmişmidir ve mıkdarları nedir. Buralarının ve'el-hâsıl bu meseledeki tedâbir-i müttehaza-i müşîranelerinin envâ'-ü derecâtıyla asâr-ı fi'liyyesi neden ibâret bulunduğunun arz-ı atabe-i ulyâ kılınmak üzere muvazzahan ve serî'an iş'âr ve bundan böyleki vuku'ât ile icrâ'ât-ı devletlerinin âsâr-ı fi'liyyesi hakkında dahî hergün bu tarafa ma'lûmât i'tâ buyrulması mütemennâdır efendim.

Seraskerlik Makamı Yazı İşleri

Şifre-Telgraf

17 Eylül 1894

Kimden: Seraskerlik Makamından
Kime: Muş'da, Dördüncü Ordu Müşiriyyetine
Konu: Alınan sonuçların ve önlemlerin acele bildirilmesi

"Talori bölgesindeki eşkiyanın, bir daha bu örnekde bir hareketin oluşmasına yer vermeyecek şekilde, etkisiz duruma getirilmesiyle bu isyan ve bozgunculuk olaylarının bir kaç gün içerisinde ortadan kaldırılması hakkında Yüce Padişah Hazretlerinin Buyrukları tarafınıza bildirilmişdi.

En iyi niyetler ve büyük bir ileri görüşlülükle Yüce Buyruğun uygulanmakta olduğu anlaşılmış ise de gelen telgraflarda alınan önlemlerin fiili sonuçları hakkında kesin açıklamalar yoktur.

Yüce Padişah Buyruğu ise adı geçen eşkiyanın kaçma fırsatı bulmaksızın etkisiz duruma getirilmesiyle bu gibi olayların tekrarının önlenmesi noktasında toplanmaktadır.

Bu sebeblerle:

Açıklanan olayların başlangıcından itibaren sağ veya ölü olarak ne kadar eşkiyanın ele geçirildiğinin, belirtilen çetelerin kaç kişi olduklarının, tutuklanan ve etkisiz duruma getirilen çetelerin görüş ve güçlerinin, tamamının ele geçirilip geçirilemediğinin ve miktarlarının, bölgenin ve sonuç olarak Müşiriyyetin bu mesele üzerinde aldığı önlemlerin derece ve niteliklerinin ve fiili sonuçlarının nelerden ibaret bulunduğunun Yüce Padişah Hazretlerine sunulmak üzere ayrıntılı bir şekilde ve çok acele gönderilmesini bundan sonra, benzeri olaylar ile uygulamalarınız ve sonuçları hakkında da her gün tarafımıza bilgi vermenizi rica ederiz efendim..."

Department of General Staff Correspondence Dept.

Coded telegram

17th September, 1894

From – Department of General Staff
To – Fourth Army Command
Subject – Detailed reporting of the results of the incidents at Talori

His Imperial Majesty's successive orders concerning the complete elimination of the insurgent activities within a matter of a couple of days and the complete suppression of the insurgent brigands around the Talori region, so that similar incidents would never occur, have already been communicated to your victorious High Command.

It is known that every effort has been spared in order to realise the aforementioned Imperial orders. Nevertheless, in the telegram received there were no detailed reports on the results obtained pertaining to the measures taken. Evidently His Majesty's Imperial orders were on the complete suppression of the said insurgents and on the measures adopted to halt the repetition of similar activities of insurgency. Specifically since the first emergence of the incident how many insurgents were captured dead or alive? How many brigands constituted the insurgent gangs, which are claimed to be have been competely suppressed? As for the brigands captured alive, what category do they fall in compared to the ones captured dead? How many more are likely to be captured alive? In short, detailed reports on such issues and on the measures taken by your Command and on their applicability ought to be prepared and immediately forwarded to us to be submitted to His Majesty's Imperial consideration. It is further requested that daily information on future incidents and the measures taken by your Command and their results ought to be forwarded to us.

Osmanlı Arşivi Karton 97, Kısım 35, Zarf 50, Evrak 306

dâimede kar altında bulunan ve şimdi yeniden kar yağmaya başlayan bu havâlide çadır altında bulunan asâkir-i şâhânenin mübtelâ olduğu rapor ile bildirilen dizanteri ve kanlı basur hastalıkları kesb-i tevessü etmezden mahal-i sâbıkalarına i'âdesi hakkında istihsâl buyrulacak irâde-i seniyyenin emr ü iş'ârı tekrar arz olunur.

kez olağanüstü zorunluluklar nedeniyle köylerine dönen kadın, çocuk ve silahsız ihtiyarlara rastlanmaktadır.

Bu durumda Talori ve bölgesinde Ermeni isyan ve anarşisi kökünden temizlenmiş olup askerlik açısından alınacak önlemler ise diğer telgrafımda arz olunduğu gibi büyük çoğunluğu ile mahalleleri kar altında bulunan ve şimdide yeniden kar yağmaya başlayan bu bölgede çadır altında bulunan askeri birliklerin, tutulmuş oldukları raporla belirlenen "dizanteri" ve "kanlı basur" hastalıkları yayılmadan yerlerine iadeleri hakkında alınacak Yüce Padişah Müsadesinin bildirilmesi tekrar arz olunur..."

bounded by the tribes named Siyan an Sassoon and having an area that could be covered in fourteen hours, it is concluded that all insurgent elements have been rendered absolutely out of action. Nevertheless it should be added that no harm is done to the women, children and the unarmed elderly who have earlier went up the mountains but at the moment have returned to their villages after having experienced immense hardships.

It is quite clear that Armenian insurgency has been completely eradicated in Talori and it vicinity. From now on, the only military measure to be taken, as pointed out in an earlier telegram, is sending back to headquarters the military forces, who have been staying in tents under heavy snowfall in an area which was already covered with snow, and who have fallen ill with dysentery as certified through medical reports.

The case is humbly submitted to your authority that you have the Imperial decree to be issued concerning this problem sent to us immediately.

Osmanlı Arşivi Karton 97, Kısım 35, Zarf 50, Evrak 306

موشده دردنجی اردوی همایون مشیری زکی پاشا حضرتلرندن وارد اولوب ۲ حزیران ۳۱۲ تاریخلو

۸۹

شفره‌لی تلغرافنامه‌نك حلی صورتیدر

۲۶ حزیران ۳۱۲ سنه‌سی حضرتلرینه یازلدیغی بورایه اغشوری بکلسی دردنجی بوکونه قدر محل امنیته رجال قاطبه‌سی اولجه عشیره

اولدیغی کبی عشائرك اهالی غیر مسلمه و مسلمه‌یه هجوم ایلمه‌لری تصور ایله بولنمقدن تخفیفانه واقعه دونه مشتبه اولشدر محافظه هر درلو

احتمالاته قارشو بر تدبیر احتیاطی اولمق اوزره بر موجب امر و اشعار ایجابه ابتدار و حصایا و تبلیغانه مشدید ابقا قلندیغی معروضدر

فرمان

olduğu gereğinin acele yapılarak sonucun bildirilmesi tavsiye olunur..."

units which are sent back to headquarters. It is deemed suitable that the Fourth Army Command is consulted with respect to this issue."

It is particularly requested to have His Majesty's Imperial orders carried out immediately.

Osmanlı Arşivi Karton 97, Kısım 35, Zarf 50, Evrak 306

مکتوبی قلمی

٢٤٦٠

١٨ ربیع الاول

باب عالی باشکتابت جلیله‌سنه مورود ٢٠ ربیع الاول ٣٢١ تاریخلو تذکره خصوصیه

٩١

پالوی جهتنده اتلاف ایدیلن اشقیانك و بونلرك الده ایدیلن اسلحه‌سنك مقدارلریله بو بابده تفصیلات

و پالوی حوالیسنده امنیت شقاوتك کوکلندن قلع ایدلدیکی افاده‌سنه دائر [illegible] اردو مشیری [illegible] حضرتلرینك بو کیجه جواباً

مورود تلغرافنامه‌نك مندرجاتی حاکی ١٩ ربیع الاول ٣٢١ تاریخلو تذکره خصوصیه عسکریه‌لری لدی العرض منظور عالی

اولدی اشقیای مرقومه‌نك غصب و غارت و هتك عرض و ناموس بولنده و [illegible] عرض [illegible] قلعه

اولدقلرندن ... اهالی مسلمه‌دن بعضیسنك بطرفه باروتلر بالاملاك [illegible] و سایره ایله

ایقاع ایتمه اولدقلری بالجمله حرکات ملعنتکارانه حقنده تفصیلات مکمله اعطاسی خصوصنك دخی مشیریت مشار الیها

تبلیغیله [illegible] خاکپای شاهانه‌یه عرض و اشعاری مقتضای اراده سنیه جناب [illegible] ایجاب [illegible]

[illegible]

مقام ملوکانه | ٩ ربیع الاول ٣٢١ تاریخلی [illegible]

تبلیغ اولنمشدر

Makâm-ı Seraskerî
Mektûbî Kalemi
2460

Mâbeyn-i Hümâyûn Başkitâbet-i Celîlesinden mevrûd 20 Rebi'ul-evvel 312 (1312), 8 Eylül sene 310 (1310) tarihli tezkere-i hususiyye suretidir.

Talori cihetinde itlâf edilen eşkıyânın ve bunların elde edilen eslihasının mıkdarlarıyla bu bâbda tafsîlâta ve Talori havâlisince Ermeni şekaveti kökünden mahv edildiği ifâdesine dâir Dördüncü ordu Müşiri Paşa Hazretlerinden bu kere cevâben mevrûd telgrafnâmenin münderecâtı hali 19 Rebi'ul-evvel sene 312 (1312) tarihli tezkere-i hususiyye-i seraskerîleri lede'l'arz manzûr-ı âlî oldu. Eşkıyâ-yı merkumenin gasb ve gâret ve hetk-i ırz ve nâmus yolunda ve geçende arz-ı atabe-i ulyâ kılınmış olduğu üzere ahâlî-i müslimeden ba'zısının batınlarını barutla bi'l-imlâ berhevâ etmek suretiyle ve suveri sâire ile îkâ' etmiş oldukları bi'l-cümle harekât-ı mel'anetkârâne hakkında tafsîlât-ı mükemmele i'tâsı hususunu dahî müşiriyyet-i müşârün-ileyhâya tebliğiyle alınacak cevâbın hâk-ı pây-ı şâhâneye arz ve iş'ârı muktezâ-yı irâde-i seniyye-i cenâb-ı hilâfetpenâhî olmağla olbâbda.

(Mantûk-ı âlîsi 9 Eylül sene 310 (1310) tarihde Dördüncü Ordu Müşirine tebliğ olunmuşdur.)

Seraskerlik Makamı
Yazı İşleri
2460

Özel Tezkere

21 Eylül 1894

Kimden: Saray Başkatipliğinden
Kime: Seraskerlik Makamına
Konu: Ermenilerin eylem ve harekâtları hakkında ayrıntılı bilgi istenmesi

"Talori bölgesinde etkisiz kılınan eşkiyanın ve bunlardan elde edilen silahların miktarlarıyla, bölgede Ermeni isyan ve anarşisinin tamamen ortadan kaldırıldığına ilişkin Dördüncü Ordu Müşiri (Maraşal) Paşa Hazretlerinden alınan şifreli telgraf çözülerek 20 Eylül 1894 tarihli özel tezkerenizle bildirilmiş ve Yüce Makama sunulmuşdur.

Anılan eşkiyanın gasb, yağma, ırza geçme ve namusa saldırı şeklindeki eylemleriyle geçende Yüce Makama sunulduğu üzere, müslüman halkın karınlarına barut doldurarak havaya uçurma ve benzeri şekilde lânetle anılacak harekâtları hakkında bütün ayrıntıları kapsayan bilgilerin gönderilmesi hususunun adı geçen Müşiriyetten istenerek alınacak cevabın Yüce Makama sunulmak üzere gönderilmesi Padişah Hazretlerinin Buyrukları gereği olduğu..."

Department of General Staff
Correspondence Dept.
2460

Special Statement

21th September, 1894

From – Imperial First Secretary
To – Department of General Staff
Subject – Detailed reporting of the crimes committed by the insurgents at the Talori region.

Re.– Your special statement dated 20th September, 1894

Your special statement on the number of arms recovered and the insurgents eliminated in the Talori region, and the decoded version of the telegram, cabled by the Commander-in-Chief of the Fourth Army, which was actually enclosed within the special statement, on the complete eradication of insurgents at Talori, have been submitted to His Majesty's imperial consideration.

For a detailed reporting of the crimes committed by the insurgents such as confiscation of the property of the Muslim folk, plundering, rape and as recently communicated to the Imperial Office, burning certain local folk after stuffing their bellies with gunpowder, the Fourth Army Command ought to be consulted and it is His Majesty's Imperial Orders that the information received ought to be conveyed to the Imperial Office.

(For the implementation, the Fourth Army Command was notified on 21st September, 1894)

Osmanlı Arşivi Karton 97, Kısım 35, Zarf 50, Evrak 306

٩٧

Makâm-ı Seraskerî
Mektûbî Kalemi

Muş'da Dördüncü Ordu-yu Hümâyûn Müşiri Paşa Hazretlerine yazılan 9 Eylül 310 (1310) tarihli şifreli telgrafnâme-i âlî-i hazret-i Seraskeri suretidir.

Talori cânibinde itlâf edilen eşkıyanın ve bunların elde edilen eslihasının mıkdarlarıyla bu bâbda tafsîlât ve Talori havâlisince Ermeni şekâveti kökünden mahv edildiği ifâdesine dâir vârid olan telgrafnâmeleri üzerine keyfiyyet atabe-i ulyâ-yı mülûkâneye arz olunmuşdu. Bugün Mâbeyn-i Hümâyûn Başkitâbet-i Celîlesinden vârid olan tekzere-i hususiyyede eşkıyâ-yı merkumenin gasb ve gâret ve hetk-i ırz u nâmus yolunda ve geçende arz-ı atabe-i ulyâ kılınmış olduğu üzere ahâlî-i müslimeden ba'zısının batınlarını barutla bi'l-imlâ berhevâ etmek suretiyle ve suver-i zâire ile ikâ'etmiş oldukları bi'l-cümle harekât-ı mel'anetkârâne hakkında tafsilât-ı mükemmele i'tâsı hususunun dahî savb-ı müşîrânelerine tebliğiyle alınacak cevabın hâk-ı pây-ı şâhâneye arz u iş'ârı mukteză-yı irâde-i seniyye-i cenâb-ı hilâfetpenâhîden bulunduğu iş'âr buyrulmağla arz-ı hâk-ı pây-ı âlî kılınmak üzere bermantûk-ı emr ü irâde-i seniyye-i mülûkâne bu bâbda serî'an tafsîlât-ı mükemmele i'tâ buyrulması.

Seraskerlik Makamı
Yazı İşleri

Şifre-Telgraf

21 Eylül 1894

Kimden: Seraskerlik Makamından
Kime: Dördüncü Ordu Müşiriyyetine
Konu: Ermenilerin eylem ve harekâtları hakkında bilgi istenmesi

"Talori bölgesinde etkisiz kılınan eşkiyanın ve bunlardan elde edilen silahların miktarlarıyla, bölgede Ermeni isyan ve anarşisinin tamamen ortadan kaldırıldığına ilişkin telgrafınız Yüce Padişah Hazretlerine sunulmuşdu.

Bugün Saray Başkatipliğinden gelen özel tezkerede anılan eşkiyanın gasb, yağma, ırza geçme ve namusa saldırı şeklindeki eylemleriyle geçende Yüce Makama sunulan müslüman halkın karınlarına barut doldurarak havaya uçurma ve benzeri şekilde lânetle anılacak harekâtları hakkında bütün ayrıntılı bilgilerin tam ve mükemmel bir şekilde toplanıp gönderilmesi için Müşiriyetinize gereken tebligatın yapılarak alınacak cevabın Yüce Makama sunulmak üzere gönderilmesinin Padişah Hazretlerinin Buyrukları olduğu bildirilmişdir. Buyruk doğrultusunda gereğinin en mükemmel ve ayrıntılı şekilde yerine getirilmesi..."

Department of General Staff
Correspondence Dept.

Coded-telegram

21st September, 1894

From – Department of General Staff
To – Fourth Army Command
Subject – Detailed reporting of the crimes committed by the insurgents at the Talori region.

Re.– Your telegram of 18th September, 1894

Your telegram (re.-above) on the insurgents eliminated in the Talori region, and on the number of arms recovered has been submitted to His Majesty's Imperial consideration.

In a special statement received from the Imperial First secretary we were notified it is His Majesty's Imperial orders that for a detailed reporting of the crimes committed by the insurgents such as confiscation of the property of the Muslim folk, plundering, rape and, as recently communicated to the Imperial Office, burning certain local folk after stuffing their bellies with gunpowder, the Fourth Army Command ought to be consulted and the result ought to be made known to the Imperial Office.

It is requested that Your Command furnishes detailed information on this issue.

٩٤

موشه دن دردنجی اردوی همایونم مشیری زکی پاشا حضرتلرندن وارد اولان ٩ ذی الحجه تاریخلو

و نمره لی تلغرافنامه نك صورتیدر

[illegible]

[illegible]

[illegible]

Makâm-ı Seraskerî
Mektûbî Kalemi

Erzurum'da Dördüncü Ordu-yu Hümâyûn Müşiri Zeki Paşa Hazretlerinden mevrud 14 Eylül sene 310 (1310) tarihli şifreli telgrafnâmenin halli suretidir.

9 Eylül sene 310 (1310) diğer telgrafnâme-i âciziyle arz olunduğu vechile Talori ve havâlisinde Ermeni fesedesi Güligüzan karyesinde mukim üç dört hâne İslâm muhadderâtının bir sûret-i fecî'ânede ırzlarını pâymâl ile itlâf ve zükûrunun dahi boğazlarına haç takarak katl eyledikleri harekât-ı askeriyye esnasında müfreze-i mürettebe kumandanı Miralay Tevfik Bey'le Genç Mutasarrıfı İbrahim Paşa'nın karye-i mezkûreye muvâsalatlarında icrâ eyledikleri tahkikata müstenid olarak taraf-ı âcizâneme müştereken i'tâ eyledikleri rapordan ve mu'ahharen olunan taharriyyâtda mezkûr hânelerin esasen mahv edilmiş ve ahâlî-i İslâmiyyeden hiçbirisinin ortada nam ve nişanı kalmamış olduğu anlaşılmışdır. Asâkir-i şâhânenin Muş'dan hareket etmezden evvel ve Andok dağındaki Ermeni cemiyetinin Bikran aşireti üzerine vukû' bulan hücûm ve iktihamlarında hayyen der-dest ettikleri rü'esâ-yı aşiret'den Ömer Ağa'nın birâder-zâdesi Hacı'nın karnını barutla imlâ ederek ber-hevâ ettikleri kezâlik mezkûr rapor münderecâtından ve aşîret-i mezkûre efrâdiyle sair icab edenlerden icrâ edilen tahkikat ile rehîn-i mertebe-i sübût olmuşdur. İşbu eşkıyâ-yı mel'ûnenin esasen fikirleri hem-civârları olan İslâm mahv ve telef etdikden sonra İngiltere ve düvel-i sâirenin i'ânesiyle bir emâret-i müstakille teşkilinden ibaret idüği evvelce arz olunduğu cihetle bir mağara derûnunda hayyen der-dest edilen re'îs-i fesâd ve Murad nâmını takınmış Hamparsun ile avenesinin tahkikat-ı evveliyyelerindeki ikrar ve i'tiraflarıy-

Seraskerlik Makamı
Yazı İşleri

Şifre-Telgraf

26 Eylül 1894

Kimden: Erzurum'da, Dördüncü Ordu Müşiri Zeki Paşa Hazretlerinden
Kime: Seraskerlik Makamına
Konu: Ermenilerin müslüman halka yaptıkları işkence ve eylemler

"21 Eylül 1894 tarihli telgrafımla arz olunduğu gibi Talori ve bölgesinde Ermeni bozguncularının Güligüzan köyünde üç-dört müslüman evine saldırarak burada bulunan müslüman kadınların ırzlarına geçtikten sonra yok ettikleri ve erkeklerinin boğazlarına haç takarak öldürdükleri askeri harekât sırasında Müfreze Kumandanı Albay Tevfik Beyle, Genç Mutasarrıfı ibrahim Paşanın adı geçen köye geldiklerinde yapmış oldukları soruşturmaya dayanarak bana gönderdikleri ortak rapordan ve daha sonra yapılan araştırmalarda bu evlerin tamamen yakılıp, yok edilmiş ve islam halkından hiçbirinin izi dahi kalmamış olduğundan anlaşılmıştır.

Askeri kuvvetlerin Muş'dan hareketinden önce Anduk Dağındaki Ermeni topluluğunun Bikran Aşireti üzerine saldırıları sırasında sağ olarak ele geçirdikleri aşiret reisi Ömer Ağa'nın kardeşinin oğlu Hacının karnını barutla doldurarak havaya uçurdukları açıklanan rapor kapsamında yer almakta ve adı geçen aşiret fertlerinin ifadeleriyle, gereken yerlerde yapılan araştırmalarla kanıtlanmış bulunmaktadır.

Gerçekte bu hain eşkiyanın düşüncesi: çevrelerindeki islâm halkı yok ettikten sonra İngiltere ve diğer devletlerin yardımlarıyla

Department of General Staff
Correspondence Dept.

Coded-telegram

26th September, 1894

From – Commander-in-Chief of the Fourth Army stationed at Erzurum
To – Department of General Staff
Subject – Crimes committed by the Armenian insurgents in the region of Talori.

Re.– Our telegram of 21st September, 1894

According to a joint report prepared by the unit commander Colonel Tevfik Bey and the Governor of the Sanjak of Gench, Ibrahim Pasha, after the investigations they made in the village of Güligüzan in the Talori region, the Armenian separatists pitilessly killed Muslim womanfolk of three or four households after raping them; certain menfolk suffered the same fate after being forced to bear crosses around their necks; and according to further investigations, evidently the houses in this village have been pulled down and virtually wiped out and no visible evidence of the Muslim populace could ever be traced.

Furthermore, as it is pointed out in the same report, it has been confirmed through interviews and statements that before the military units departed from Mush, the Armenian insurgents indeed attacked the Bikran tribe and captured alive Hadji, the nephew of one of the leaders of the tribe, Ömer Agha and burned him after stuffing his belly with gunpowder.

As it is also communicated earlier, from thedisclosures made during the interrogation of the Armenian separatist leader, Hamparsun, using the pseudonym Murat and his followers, captured alive while they were hiding in a cave, it has become quite clear that the real objective of

Osmanlı Arşivi Karton 97, Kısım 35, Zarf 50, Evrak 306

٩٧

ارضرومده دردنجی اوردوی همایون مشیری ذکی پاشا حضرتلرندن مورود

١٤ تشرین ثانی ٣١٠ تاریخلو شفره لی تلغرافنامه نك حل صورتیدر

la sâbitdir. Ahâlî-i İslâmiyyeye sûret-i ma'rûza üzere icrâ eyledikleri mezâlime delâlet eden husûsâtdan biri de merkum Hamparsun'un üzerinde tutulan evrâk-ı muzırra arasında Talori'li Ohannes nâmında birinin Murad'a gönderdiği mektupda oniki gündenberi muzaffer idik fakat bugün asker her tarafımızı sardı bizi kılıçtan geçiriyorlar âkıbetimiz ne olacağı ma'lûm değildir. Fıkrasındaki oniki gündenberi muzafferiz cümlesidir. Bunlar üzerine bidâyeten sevk edilip ve Andok dağı karşısında Şinik-i Zimal karyelerine ikame edilmiş olan iki bölük asâkir-i şâhâneyi sizin yeriniz Şam'dır oraya gidin bu yerler bizimdir gibi sözlerle tahkirâta ve l-'ıyâz-ı bi'l-lâh din-i mübîne alanen sebb ve şetm fezâhatına mütecâsir oldukları onsekiz senedenberi devlete vergi vermeyip içlerine hiçbir hükümet me'murunu kabul etmiyerek nâdiren giden jandarma efrâd ve zâbıtânını veyahud me'mûrîn-i mülkiyeyi tard ve hatta darb eyledikleri ve Diyarbekir ve Lice taraflarında Muş havâlisine âmed ve şüd eden ahâlî-i İslâmiyyeyi tahrîr ve iz'âc ve yalnızca gidip gelenleri itlâf eyledikleri ve buna mümâsil birçok harekât-ı mahalliyede bu ahvâle müteferri' olarak mevcud olan ma'lumât-ı resmiyyeden müstebân olmuşdur. El-hâsıl bu hâinler a'mâl-i mefsedetkârânelerine ötedenberi sa'y ve bu kere (şifre...) bir sûretde başlamış idiyseler de sâye-i kudret-vâye-i Hazret-i Pâdişâhîde bir daha baş kaldıramıyacak sûretde kahr ve te'dîb ve emsâl-i sâiresine dahi ibret-i mü'essire irâ'e edilmiş olduğu ma'rûzdur.

bağımsız bir beylik kurmak olduğu, daha önce arz olunduğu üzere bir mağara içerisinde sağ olarak yakalanan isyanın ve anarşinin başı Murad takma adlı Hamparsun'un ve arkadaşlarının ilk soruşturmalarındaki ikrar ve itiraflarıyla doğrulanmışdır.

Ermenilerin islam halka yaptıkları işkence ve zulümleri gösteren hususlardan biri de adı geçen Hamparsun'un üzerinde ele geçirilen hiyanet belgeleri arasında "Talori'li Ohannes" adındaki birinin gönderdiği mektuptaki "On iki gündenberi muzaffer idik, Fakat bugün asker her tarafımızı sardı, bizi kılıçtan geçiriyorlar, sonumuzun ne olacağı belli değildir..." bölümündeki "On iki gündenberi muzafferdik" cümlesidir. Gerçekte bunlar üzerine başlangıçta gönderilen ve Anduk Dağının karşısındaki Şinik ve Zimal köylerine yerleştirilmiş olan iki bölük kuvvetindeki askeri birliğe "...Sizin yeriniz Şam'dır, oraya gidin. Bu yerler bizimdir..." gibi kışkırtıcı sözler ve el ve kol işaretleriyle dine, devlete ve müslümanlığa yaptıkları hakaretler ve küfürlerdir.

Onsekiz yıldanberi devlete vergi vermeyen, içlerine hiçbir hükümet memuru sokmayan, ara sıra giden jandarma er ve subaylarına ve memurlara saldıran, Diyarbekir-Lice bölgelerinden Muş Bölgesine gelip giden müslüman halka hakaret eden, rahatsız eden, soyan ve öldüren ve buna benzer haince hareketlere girişen bu Ermeni eşkiyası olduğu olayların araştırılıp, soruşturulmasından, yerel yönetimlerde bu konuda mevcut olan resmi bilgi ve belgelerden açıkça anlaşılmaktadır.

Kısaca bu hainler eskiden beri anarşi ve bozgunculuk davranış ve hareketlerine devam ederken bu kez silahlı bir surette isyana kalkışmışlarsada Yüce Padişah Hazretlerinin güç ve sayesinde bir daha başkaldıramayacak şekilde ve diğerlerine örnek olacak

seditious insurgents is to annihilate the Turks living in the area and then establish an independent state through the support and backing of England and other foreign states.

Another documentary proof of the atrocities against the Muslim folk is a seditious letter sent to Murat by a Talorian named Ohannes. There is a paragraph in this letter that runs, "we were victorious for the past twelve days; but today we came under a siege and the swords of the soldiers who encircled us are unsheathed; our end cannot be predicted", and the statement "we were victorious for the past twelve days" sheds light on the whole matter.

Moreover it is evident through the official information furnished by the government authorities in the area that the insurgent brigands have resorted to agitation by telling on the two companies of a military unit stationed in the villages of Shinik and Shimal facing Mount Anduk dispatched there in the preliminary stage of the uprising, "you are originally from Damascus. Go back there. These lands belong to us." May God forbid, they debasingly blasphemed particularly against the Muslim religion and piety; practised tax evasion for the past eighteen years and did not permit any government official enter the area, if rarely a gendarmery officer or a civilian administrator managed to get there, they either drew them away or had them beaten; they insulted and harassed the Muslim folk commuting between Diyarbekir and Lice regions and the territory of Mush; they killed the those travelling alone and committed similar audacious and unlawful acts.

In conclusion; these insurgent separatists, in line with their initial objectives have been involved with an ongoing process of an uprising and now they are manifestly in action. Nevertheless thanks to the all mighty power of His Imperial Majesty they have been completely suppressed in such a manner that they would never attempt at another

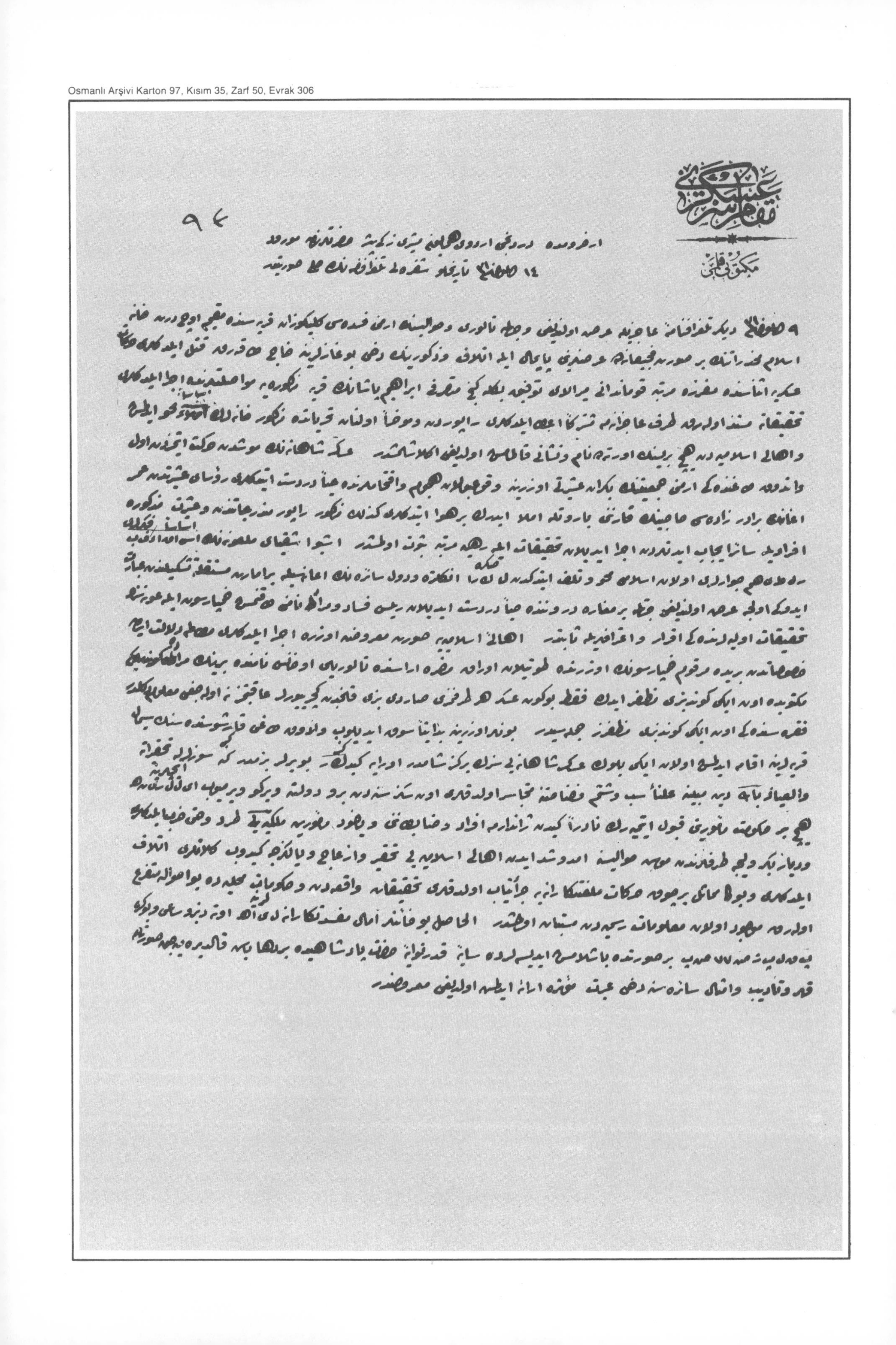

Osmanlı Arşivi Karton 97, Kısım 35, Zarf 50, Evrak 306

97

قائم مقام عسكريه

مكتوبى قلمى

[illegible]

١٤ ... ٣٣٥ ...

[illegible]

biçimde etkisiz kılınmışlardır. Arz olunur."

uprising. Furthermore they have been accorded a lesson which would be an effective deterrent to such seditious insurgents.

Osmanlı Arşivi Karton 97, Kısım 35, Zarf 50, Evrak 306

٩٧

وروده اردوی همایونده شیمدی جلیله سنه ١٨ ایلولنك ١١ تاریخنده بابلیوده تلغرافخانه صورتیدر

ارکان حربیه

موسه سنجاغنك سیك وزیبال وكلیك خامه قریه لرنده كی ارمنی مفسدلری موقعلرینی ترك ایله صاسونده وجشتو عیزیری

اره سنه فرار ایتدکلرنده طوتلدقی اوزرلرده قالمش حیواناته واشیاده فراریلردن ندامت ویرلرینه عودت ایدنلرده

عائد اولنلری كندولرینه ویرلسی وهنوز عودت ایتمیانلره نصایح لازمه ایفا وبرمدت تعقیب اولنمرده بومدت ظرفنده

مالكلری حیوانات واشیاسنك عیناً اعاده سی ومتفرعاتی حقنده كی مجلس مخصوص وكلا قراری تبلیسی ولایتنه لدی التبلیغ

قراریلرك عودتی ایچونده تشبثات لازمه ابتدا اولنمش ایسه ده بونلره عائد اولوب بکرانلی وبادکانلی عشایری نتیجه

تقسیم اولنمش ایستنبلده حیوانات ومواشینك عشایردن استرداد وتسلیمه ومنع هجرته قوه ضابطه نك عدم كفایتنه مبنی

قلب جهتنده عساکر شاهانه دن مناسب مقدارده فرقه بولندرلمسی لزومی جواباً اشعار قلندیغی بیانیله اقتضاسنك مسارعة

ایفاسی بالتذكره سامیه اراده بیورلمغله مقتضاسنك علاوه معلومه دولتلری سرعت اشعاری توصیه اولنور

Makâm-ı Seraskerî
Mektûbî Kalemi

Dördüncü Ordu-yu Hümâyûn Müşiriyyet-i celîlesine 18 Eylül sene 310 (1310) tarihinde yazılan şifreli telgrafnâme suretidir.

Erkân-ı Harbiyye.

Muş Sancağının Şinik ve Zimal ve Kelikhan karyelerindeki Ermeni mefsedeti mevki'lerini terk ile Sason ve Sayşo (?) aşiretleri arasına firar etmelerinden dolayı oralarda kalmış hayvanât ve eşyadan firârîlerden nedâmet ve yerlerine avdet edenlere ait olanların kendilerine verilmesi ve henüz avdet etmeyenlere nesâyih-i lâzime îfâ ve bir müddet ta'yin olunarak bu müddet zarfında geleceklerin hayvanât ve eşyasının aynen i'tâsı ve müteferri'âtı hakkındaki Meclis-i Mahsus-ı Vükelâ kararı Bitlis Vilâyetine lede't-Tebliğ firârîlerin avdeti için teşebbüsât-ı lâzimeye ibtidâr olunmuş ise de bunlara âit olup Bikranlı ve Bâdkânlı aşâyiri beyninde taksim olunmak istenilen hayvanât ve mevâşinin aşâyirden istirdât ve teslimine ve men-'i hicrete kuvve-i zâbıtanın adem-i kifâyetine mebnî Kulp cihetinde asâkir-i şâhâneden münâsib müfrezenin bulundurulması lüzumu cevaben iş'âr kılındığı beyâniyle iktizâsının müsâra'aten îfası bâtezkere-i sâmiye izbâr buyrulmağla muktezâsının ilâve-i mütâla'a-i devletleriyle sür'at-i iş'ârı tavsiye olunur.

Seraskerlik Makamı
Yazı İşleri

Şifre-Telgraf

30 Eylül 1894

Kimden: Seraskerlik Makamından
Kime: Dördüncü Ordu Müşiriyetine
Konu: Pişmanlık duyan ve yerlerine dönen Ermenilere Hayvan ve mallarının verilmesiyle güvenlik içinde yaşamalarının sağlanması

"Genel Kurmay:

Muş Sancağının Şinik, Zimal[1] ve Kelikhan[2] köylerindeki asi Ermenilerin yerlerini bırakarak Sason ve Şayso aşiretleri arasına kaçmaları sebebiyle oralarda kalmış hayvan ve eşyalarından pişmanlık duyarak yerlerine dönenlere ait olanların kendilerine verilmesi ve henüz dönmeyenlere gereken nasihatın yapılarak ve bir süre belirtilerek bu süre içinde gelenlere de hayvan ve mallarının aynen verilmesi ve bazı ayrıntılar hakkında "Meclis-i Mahsus-u Vükelâ"[3] kararı Bitlis Vilayetine bildirilmiş, kaçakların dönmeleri için gereken girişimlerde bulunulmuşdur.

Bitlis Vilayetinden gelen cevabda; asilere ait olan ve boşda kalan hayvanların ve malların Bikranlı[4] ve Badkânlı[5] aşiretleri arasında paylaşılmak istendiği bildirilmişdir. Açıklanan hayvan ve malların aşiretlerden alınarak teslimine, Ermenilerin bölgeden göçlerine engel olunmasına orada bulunan güvenlik kuvvetlerinin yeterli bulunmadığı anlaşıldığından, gereğinin acele yerine getirilmesi ve Sedaret yazısı hakkında görüşlerinizin süratle bildi-

Department of General Staff
Correspondence Dept.

Coded-telegram

30th September, 1894

From – Department of General Staff
To – Fourth Army Command
Subject – Giving back the personal belongings and the cattle of repentant Armenian villagers who have returned.

Office of the General Staff

The following disclosures were made in the Statement received from the Prime Ministry:

"The decision of the Council of Ministers has been conveyed to governorship of Bitlis that the personal belongings and the cattle ought to be handed over to the repentant Armenians who were initially amongst the insurgents living in the villages of Shinik, Shimal and Gülgüzan at the Sanjak of Mush and who had left their homes and joined in the tribes of Sassoon and Saiso but in the end came back; that the ones who have not yet returned ought to be accordingly advised and be granted a respite in order to reconsider the situation; and that they would be given permission to recover all their belongings and cattle if they decide to return within the period of respite.

In the reply received from the Governorship of Bitlis it is communicated that necessary steps were taken to realize the return of the fleers; that the cattle, initially owned by them, appropriated by the tribesmen of Bikranlı and Badkanlı, ought to be taken away and restored to the real owners and that it is deemed appropriate, since the security forces were not adequate to halt the migration, a unit from the military force stationed at the region of Kulp ought to be kept there. Furthermore it was requested that the orders ought to be immedi-

Osmanlı Arşivi Karton 97, Kısım 35, Zarf 50, Evrak 306

٩٧

دردنجى اردوى همايونه مشيريت جليله سنك ١٨ ايلول تاريخلى باينلوده شفره لى تلغرافنامه صورتيدر

ارکان حربیه

موش سنجاغنك سبيك ويريال وكليك خانه قريه لرنده كى ارمنى مفسدلرى موقعلرينى ترك ايله صاصونه وحيثو عشيرتلرى

آره سنه فرار ايتمش ايدلكلرى اوراده قالمش حيوانات واشيالرنده قراريلر دخى ندامت ويرلرينه عودت ايتمش ايدلر

عائد اولانلرك كندولرينه ويرلمسى وهنوز عودت ايتمينلره نصايح لازمه ايفا وبر مدت تعقيب اولندقده بو مدت ظرفنده

كلمه جكلرك حيوانات واشياسنك عيناً اعادهسى وتفرقاتى حقنده كى مجلس مخصوص وكلا قرارى تبليغ ولايته لدى التبليغ

قراريلرك عودتى ايچون تشبثات لازمه يه ابتدار اولنمش ايسه ده بونلره عائد اولوب بكرانلى وبادكانلى عشايرى نزدنده

تقسيم اولنمش ايسه ده حيوانات ومواشينك عشايردن استرداد وتسليمنه ومنع هجرته قوه ضابطه نك عدم كفايتنه مبنى

قلب جهتنده عساكر شاهانه دن مناسب مقدار بولندرلمسى لزومى جواباً اشعار قلندیغى بیاننده اقتضاسنك مسارعه

ايفاسى با تذكره ساميه ازبار بيورلمق مقتضاسنك علاوه [illegible] دولتلريله سرعت اشعارى توصيه اولنور

Makâm-ı Seraskerî
Mektûbî Kalemi

Fî 25 Eylül sene 310 (1310) tarihinde Dördüncü Ordu-yu Hümâyûn Müşiriyyetine yazılan şifreli telgrafnâmenin suretidir.

Talori mes'elesinden dolayı Erzurum ve Erzincan ve Harput mevki'lerinden evvelce celb edilmiş olan üç tabur asâkir-i şâhânenin Muş'a müteveccih tarîkler üzerinde vâki' Ralo ve Tercan ve Hınısnâm mevki'lerde şitânın hulûlüne kadar bir müddet muvakkaten ikame edildikden sonra mahal-i sâbıkalarına i'âdeleri hakkındaki iş'âr-ı devletleri üzerine keyfiyet atabe-i ulyâ-yı mülûkâneye arz ile istîzân olundukda mezkûr üç tabur asâkir-i şâhânenin bervech-i istîzân mahallerine i'âdesi ve Talori cihetlerinde her tarafa hâkim ve münâsib bir mevki' intihâbiyle derûnunda dâimî sûretde iki üç tabur asâkir-i şâhâne ikame edilmek üzere baraka şeklinde bir kışla inşâ edilmesi ve işbu kışlanın hitâm-ı inşâatiyle derûnuna asâkir-i şâhâne ikamesine değin Ermeni eşkıyasının toplanarak tekrar şekavete cür'et edememeleri için havâlî-i mezkûrede keşt-ü güzâr etmek üzere civar mevâki'den oraya bir müfreze-i askeriyye irsâl olunması hususlarına irâde-i seniyye-i cenâb-ı pâdişâhî şeref-müte'allik buyrulmağla hükm-i münifinin infâzıyla icrââtın bildirilmesi tebliğ ve tavsiye olunur.

Seraskerlik Makamı
Yazı İşleri

Şifre-Telgraf

7 Ekim 1894

Kimden: Seraskerlik Makamından
Kime: Dördüncü Ordu Müşiriyyetine
Konu: Alınacak önlemler hakkında Padişah Buyruğu

"Talori meselesi sebebiyle Erzurum, Erzincan ve Harput'dan getirtilmiş üç tabur kuvvetindeki birliğin Muş'a gelen yollar üzerinde Ralo[1] Tercan[2] ve Hınıs[3] adlı yerlerde kışın sonuna kadar geçici bir süre kaldıktan sonra eski yerlerine iadeleri konusundaki görüşünüz Yüce Padişah Hazretlerine sunulup gereken müsade istendiğinde:

Açıklanan üç taburun yerlerine iadesi ve Talori bölgesinde her tarafa hakim ve uygun bir yerin seçilerek buraya sürekli olarak iki-üç tabur kuvvetindeki askeri birliğin yerleşip, kalabilecekleri bir kışla yapılması ve birliklerin buraya yerleştirilmesine kadar Ermeni eşkiyasının toplanarak tekrar anarşi ve bozgunculuk hareketlerine girişmelerini önleyecek ve bölgede sürekli keşif görevini yapacak bir askeri müfreze hazırlanıp görevlendirilmesi hususlarının Yüce Padişah Hazretlerinin Buyrukları olduğunu bildirir, uygulamanın gerçekleştirilerek sonucun bildirilmesi tebliğ ve tavsiye olunur..."

Department of General Staff
Correspondence Dept.

Coded-telegram

7th October, 1894

From – Department of General Staff
To – Fourth Army Command
Subject – Taking measures against the insurgent incidents at the regions of Talori and Mush.

Re.–Your telegram of 25th September, 1894

Your telegram (re.-above) concerning the sending back to headquarters of the three battalions, brought over earlier from the regions of Erzurum, Erzincan and Harput, after having them stationed temporarily at Ralo, Tercan and Hınıs, situated on the routes to Mush, until the advent of winter, has been submitted to His Majesty's Imperial consideration.

His Imperial Majesty's orders concerning this issue are as follows:

"The said three battalions ought to be sent back to headquarters in the manner disclosed; barracks which would hold two or three battalions ought to be built at a commanding and an appropriate spot. In order to have the area under control, so that the Armenians do not attempt another uprising until the construction of the barracks are completed and military units stationed therein, additional forces ought to be sent in from the surrounding areas."

It is requested that His Imperial Majesty's orders to be carried out and information be furnished pertaining to the operations undertaken.

1- Ralo: Bkz. Cilt 15/Belge 38
2- Tercan: Bkz. Cilt 15/Belge 38
3- Hınıs: Bkz. Cilt 15/Belge 38

Osmanlı Arşivi Karton 97, Kısım 35, Zarf 50, Evrak 306

١٠١

[illegible]

Osmanlı Arşivi
Karton 97, Kısım 35, Zarf 50, Evrak 306.

Makâm-ı Seraskerî
Mektûbî Kalemi

Tezkere-i ma'ruza suretidir

Devletlu Efendim Hazretleri

Talori ve Muş havâlisinin asâyiş-i matlûb-i âlî dâiresine irca' olunmasına mebnî Erzurum ve Erzincan ve Harput mevki'lerinden evvelce celb edilmiş olan üç tabur asâkir-i şâhânenin hasbe'l-mevsim mevki'lerine i'âdeleri lüzûmuna dâir Dördüncü Ordu-yu Hümâyûn Müşiriyyet-i Celîlesinden evvelce vukû' bulan iş'âr üzerine keyfiyet atabe-i ulyâ-yı hazret-i Hilâfetpenâhîye arz ile istîzân olundukda mezkûr üç taburun yerine bir kuvve-i kâfiye ikâme olunmaksızın mevâki'-i sâbıkasına i'âdesi takdirinde havâli-i merkumede eşkıyânın yine harekât-ı asâyiş-şikenâne icrâsına tasaddî etmeleri melhûz olduğuna ve Bitlis Vilâyeti Vâlisi Tahsin Paşa Hazretlerinin bu bâbda atebe-i ulyâya evvel ve âhir vâki' olan ma'rûzâtı oralarda kule inşâsı gibi ve sâir türlü tedâbir-i askeriyye ittihâzı lüzumunu mü'eyyed bulunduğuna mebnî hem eşkıyâ tarafından tekrar hâlât-ı şekavetkârâne îkâ'ı misillü zuhurı bi't-tabi' câiz olmayan bir uygunsuzluğa mahal kalmamak hem de ma'rru'z-zikr üç tabur asâkir-i şâhânenin te'sirât-ı bürûdetten vikâyeleri imkânı istihsâl edilmiş olmak için asâkir-i merkumenin ikametlerine mahsus olarak bir meştâ inşâsiyle şimdilik orada bırakılması ve ba'de bunlar mevâki'-i sâbıkalarına i'âde olunmak üzere evvelemirde nerelerde ne mikdar asâkir ikamesi lâzımgeleceğinin mes'ûliyyeti kendisine râci' olmak üzere Dördüncü Ordu-yu Hümâyûn Müşiri Paşa Hazretlerinden isti'lâmiyle icâb-ı hâlin arz ve istîzân kılınması husûsuna dâir 19 Rebi'ul-evvel sene 312 tarihinde şeref-sâdır olan irâde-i seniyye-i hazret-i Hilâfetpenâhî mantûk-ı celîli Müşiriyyet-i

---

Vakıf Arşivi
Yıldız Ermeni Meselesi, Cilt 15, Belge No. 45

Seraskerlik Makamı
Yazı İşleri

Özel Tezkere sureti

6 Ekim 1894

Kimden: Seraskerlik Makamından
Kime: Saray Başkatipliğine
Konu: Taburların yerlerine iadesi

"Saygıdeğer efendim hazretleri

Talori ve Muş bölgesinde asayişin Yüce istekler doğrultusunda yeniden düzene konulmasından sonra Erzurum, Erzincan ve Harput'dan daha önce bölgeye getirtilmiş üç tabur askerin mevsim dolayisiyle yerlerine iadeleri gereğine ilişkin olarak Dördüncü Ordu Müşiriyyetinden yapılan talep üzerine konu müsade alınmak için Yüce Padişah Hazretlerine sunuldukda:

Bu üç taburun yerine yeni bir kuvvet konulmaksızın eski mevkilerine iadeleri durumunda adı geçen bölgede eşkiyanın yeniden asayişi bozucu hareketlere kalkışacaklarının beklendiğine ve Bitlis Vilâyeti Valisi Tahsin Paşa Hazretlerinin bu konuda çeşitli zamanlarda yapmış olduğu başvuruların o bölgede "Kule"[1] yapımı gibi askeri önlemlerin alınması gereğini ortaya koyduğuna göre hem eşkiyanın tekrar anarşi ve bozgunculuk gibi ortaya çıkması doğal olarak hiçbir zaman kabul edilemeyecek uygunsuzluğuna yer vermemek hem de söz konusu üç tabur askerin soğuktan korunmalarını sağlamak için anılan askerlerin konaklamalarına ayrılacak bir kışla yapılarak orada barındırılmaları ve daha sonra yerlerine iade edilmek üzere öncelikle sorumluluğu kendisine ait olmak üzere, nerelere ve ne miktar asker konmak gerekeceğinin Dördüncü Ordu Müşiriyetinden soru-

---

Carton 97, Section 35, Envelope 50, Document 306.
(Armenian Question. Vol. 15, Document No. 45)

Department of General Staff
Correspondence Dept.

Special Statement

6th October, 1894

From – Department of General Staff
To – Imperial First Secretary
Subject – Return of battalions

Re.– a) His Majesty's Imperial Orders dated 20th September, 1894
b) Our special statement of 30th September, 1894.

As is known, the Fourth Army Command has communicated that since peace and order have been restored in the regions of Talori and Mush in compliance with the wishes of His Imperial Majesty, the three battalions brought over earlier from Erzurum, Erzincan and Harput, are to be sent back to headquarters due to the winter season, and the case has been submitted to His Majesty's Imperial consideration.

His Majesty's Imperial orders concerning this issue were as follows (re.-a):

"It might be expected that the insurgents would again resort to seditious activities if the aforementioned battalions were sent back without having been replaced by an adequate military force. Tahsin Pasha, Governor of Bitlis, in all his telegrams submitted to the Imperial Office, emphasises the need to build fortifications there and to take all kinds of military measures. Under these circumstances, in order both to halt all seditious attempts at insurgency and to save the aforementioned three battalions of a military force from the ill effects of wintry weather, winter quarters ought to be built to accommodate them temporarily. Subsequently it is within the responsibility of the High Commandership of the Fourth Army

Osmanlı Arşivi Karton 97, Kısım 35, Zarf 50, Evrak 306

١٠١

müşârün-ileyhâya tebliğ ve izbâr kılınması üzerine müşir-i müşârün ileyhten cevâben vârid olan telgrafnâmede evvel ve âhir arz olunduğu vechile sâye-i kudret-vâye-i Hazret-i zıllullâhîde Muş ve Talori havalisi ermenileri bir daha baş gösteremiyecek sûretde kahr u tedmîr olunarak asâyiş-i mahallî tamamiyle i'âde edildiğine ve Bitlis Vilâyeti mürettebâtı mikdâr-ı kâfî asâkir-i şâhâne ilâvesiyle tezyîd kılınmış olduğundan başka hîn-i iktizâde Muş'a civar bulunan mevâki'i askeriyyeden seyr-i serî ile bir kuvve-i cünûdiyyenin sevki dahî taht-ı imkânda bulunduğuna binâ'en ehemmiyet-i mevki'aları der-kâr olan Erzurum ve Erzincan ve Harput mürettebâtından bulunan sâlifü'z-zikr üç tabur piyâde asâkir-i şâhânenin bu kış o havâlide perişan olmamak ve sâye-i me'âlîvâye-i Hazret-i zıllullâhîde kışlalarında ta'lim ve terbiye-i askeriyye ile iştigâl eylemek üzere mevâki'-i sâbıkalarına i'âde olunmazdan evvel tekrar bir hâl-i şekâvetkârâne zuhûruna mahal kalmamak hususunda bir tedbîr-i ihtiyâtî olmak için mezkûr taburların Muş'a müteveccih tarîkler üzerinde vâki' olup nukât-ı mutavassıtadın ma'dûd olan Ralo ve Tercan ve Hınıs nâm mevki'lerde şitânın hulûlüne kadar bir müddet muvakkaten ikâme edildikden sonra mahal-i sâbıkalarına i'âdeleri münâsib olacağı beyaniyle iktizâsı istîzân olunmuş olmasıyla keyfiyyetin bu vechile atabe-i ulyâ-yı Hazret-i Hilâfetpenâhîye arzıyla istîzânı hakkında Erkân-ı Harbiyye-i Umûmiyye Dâiresi'nden tanzim olunan mazbata 29 Rebi'ul-evvel sene 312 (1312) tarihinde arz ve takdîm kılınmışdı. Bu kere Bâb-ı Âlî'den alınan tezkere-i Sâmiyede dizanteri hastalığına dûçâr olan sâlifü'z-zikr üç tabur asâkir-i şâhâne hakkında ne yapıldığının bildirilmesi iş'âr buyrulduğu gibi Müşiriyyet-i müşârün-ileyhâdan mevrûd telgrafnâmede dahî zikr olunan taburların Muş'ca idâreleri kesb-i müşkilât eylediği ve bâ-husus tesrî'-i harekâta medâr olmak üzere

larak alınacak cevabın sunulmasına ilişkin 1 Ekim 1894 tarihli Yüce Padişah Buyruğu Müşiriyyete bildirilmişdir.

Müşiriyyet cevap olarak:

Çeşitli zamanlarda arz olunduğu şekilde Yüce Padişah Hazretlerinin gücü sayesinde Muş ve Talori bölgesindeki Ermenilerin bir daha baş kaldıramayacak biçimde etkisiz duruma getirilmeleriyle asayişin tamamiyle sağlandığını, Bitlis'deki kuvvetlerin yeterli miktarda askerle güçlendirildiğini ve zorunlu durumlarda Muş çevresinde bulunan askeri mevkilerden süratle bir dağ birliğinin gönderilmesinin imkan dahilinde bulunduğunu bu sebeble önemli konumları bilinen Erzurum, Erzincan ve Harput kuvvetlerinden olan adı geçen üç taburun bu kış o bölgede tek başına kalmasının doğru olamayacağının Yüce Makamın sayesinde kışlalarında askeri eğitim ve öğretimle uğraşmak üzere eski yerlerine iade edilmezden önce tekrar bir anarşi ve bozgunculuk olaylarına yer vermemek hususunda bir önlem olmak üzere bu taburların Muş'a giden yollar üzerinde bulunan ve geçit noktalarından sayılan Ralo-Tercan-Hınıs adlı yerlerde kışın sonuna kadar geçici bir süre konaklamalarının ve sonra yerlerine iadelerinin uygun olacağını açıklıyarak bu hususlarda müsade edilmesi talebinde bulunmuş ve durum Yüce Padişah Hazretlerine, Genel Kurmay Dairesinin 30 Eylül 1894 tarihli tutanağı ile arz edilmişdir.

Bundan sonra Hükümetten alınan tezkerede adı geçen taburlar askerlerinin dizanteri hastalığına tutulmuş olduğu bildirilerek ne yapılacağının bildirilmesi istenmiş aynı tarihlerde Müşiriyetten gelen telgrafda da söz konusu taburların Muş'da idarelerinin zorlaştığı ve özellikle harekâtın çabuklaştırılması için başlangıçta taburlar emrine verilen ve bugün de yanlarında bulunan bir çok yük

to determine the number and the location of soldiers deployed, replacing the military units which are sent back to headquarters. The Fourth Army Command is to be consulted with respect to this issue and the outcome should be submitted for Imperial consideration."

His Majesty's Immerial orders were conveyed to the Fourth Army Command and the following reply was received:

"As it is successively conveyed to you, thanks to the invincible power of His Imperial Majesty, peace and order have been restored at the regions of Mush and Talori by suppressing the local Armenians in such a manner that no insurgent activity would ever again emerge. The military force at the Vilayet of Bitlis has been reinforced through the addition of an adequate number of soldiers. Furthermore means have been found to have a force promptly brought in whenever deemed necessary, from the military units stationed around Mush. Forthermore, it is deemed more appropriate that the three battalions of infantry from the units of Erzurum, Erzincan and Harput, stationed at important regions ought to be made temporarily stay, until the advent of winter and under Imperial Protection, at the spots named Ralo, Tercan, and Hınıs which are situated on the routes to Mush, before sending them back to headquarters to resume their training and education. In this way, the aforementioned battalions would serve as a deterrent aganist all activities of insurgency,. The situation is humbly submitted to His Majesty's Imperial consideration."

The case, in the manner disclosed above is submitted to the Imperial Office with a record of proceedings prepared by the Office of the General Staff (re.-b.)

Now in a statement of the Prime Ministry received from the Sublime Porte, it is queried: "what measures are to be taken since there has emerged an epidemic of dysentery in the aforementioned three batta-

Osmanlı Arşivi Karton 97, Kısım 35, Zarf 50, Evrak 306

١٠١

mukaddemâ taburlara verilen ve hâlâ yanlarında bulundurulmakda olan bir hayli mekkârî hayvânâtının eshâbına da Bitlis Vilâyeti emvâlinden hâlâ hiçbir akçe verilemediğinden bunların da fevka'l-had sızlanmakda oldukları mahallinden bildirildiği beyaniyle mezkûr taburları idâre ve ikameleri müşkilâtı mütekaribü'l-hulûl olan mevsim-i şitâda kesb-i tezâyüd etmezden evvel bu bâbda şeref-müte'allik buyrulacak irâde-i seniyye-i mülûkânenin tebliği iş'âr olunmuş olmağla şu hâle nazaran sâlifü'l-arz taburların istîzân-ı mesbuka-i çâkerânem vechile mahallerine i'âdeleri hakkında istîzân-ı emr ü irâde-i seniyye-i Hazret-i zıllullâhîye ibtidâr olundu. Ol-bâbda emr ü fermân hazret-i men lehü'l-emrindir.

Fî 6 Rebi'ul-âhir sene 312 (1312) ve fî 24 Eylül sene 310 (1310)

Seraskeri
bende
Rıza

Şeref-sâdır olan irâde-i seniyye suretidir

Devletlu atûfetlu efendim hazretleri

İşbu tezkere-i aliyye-i Seraskerîleri manzûr-ı âlî olarak ber-vech-i arz u istîzân mezkûr üç tabur asâkir-i şâhânenin mahallerine i'âdesi ve Talori cihetlerinde her tarafa hâkim ve münâsib bir mevki' intihâbiyle derununda dâimî sûretde iki üç tabur asâkir-i şâhâne ikame edilmek üzere baraka şeklinde bir kışla inşâ edilmesi ve işbu kışlanın hitâm-ı inşâ'âtiyle derûnuna asâkir-i Şâhâne ikamesine değin Ermeni eşkıyasının toplanarak tekrar şekavete cür'et edememeleri için havâlî-i mezkûrede keşt ü güzâr etmek üzere civar mevâki'den oraya bir müfreze-i askeriyye irsâl olunması husûsuna irâde-i seniyye-i hazret-i Hilâfetpenâhî şeref-müte'allik buyrulmuş olmağla olbâbda emr ü fermân

hayvanı sahiblerinin de zor durumda kaldıkları, Bitlis Vilayetince bunlara hiçbir akçe verilmediği bildirilerek taburların idare ve konaklamalarındaki zorlukların kışın yaklaşmakta olduğu bu dönemde daha da artmadan yerlerine iadeleri konusunda Yüce Padişah Hazretlerinin Buyruklarının alınması talep edilmişdir. Emir ve Buyruk Yüce Makamındır..."

6 Ekim 1894

Yüce Padişah Buyruğu Suretidir

"Saygıdeğer Efendim Hazretleri

Seraskerlik Makamının tezkereleri Yüce Padişah Hazretleri tarafından görülerek, istenilen müsaade konusunda:

Adı geçen üç tabur askerin yerlerine iadesine ve Talori bölgesinde her tarafa hakim ve uygun bir mevki seçilerek, içerisinde sürekli olarak iki-üç tabur kuvvetindeki askeri birliğin kalabileceği, baraka şeklinde bir kışla yapılmasına ve kışlanın tamamlanmasından sonra buraya asker yerleştirilmesine bu süre içerisinde Ermeni eşkiyasının toplanarak tekrar anarşi ve bozgunculuk hareketlerine kalkışmaya cesaret edememeleri için belirtilen bölgede devamlı keşif ve güvenlik görevi yapacak bir müfrezenin çevre askeri kuvvetlerden getirilmesine ilişkin Yüce Padişah Hazretleri Buyrukları bildirilmişdir.

Saray Başkatibi
Süreyya[2]

lions." Furthermore in a telegram, dated 4th October 1894 and received from the Fourth Army Command, it is pointed out that the administration of the aforementioned battalions has proved to be difficult for Mus; that the owners of the numerous riding horses on hire in the hands of the battalions, given to them with the aim of speeding up the military activities, were not paid anything through the funds of the Vilayet of Bitlis; that the owners displayed signs of dissatisfaction with this situation; and that due to the reasons disclosed above, before the difficulties multiply with the advent of winter, concerning the administration and the upkeep of the aforementioned battalions, they urgently await to be notified of the Imperial Decree issued on this very problem.

Within the cantext of the above disclosures, we hereby submit this present statement with the aim of having an Imperial Decree issued on the sending back of the aforementioned battalions.

It is your High Office's prerogative to issue orders.

Minister of National Defence
Rıza

It is His Majesty's Imperial Decree
6th October, 1894

To the High office of the
Department of General Staff

Re.– Your special statement of 6th October, 1894

Your High Ministerial Office's special statement has been submitted for His Majesty's Imperial consideration. The Imperial Decree concerning this issue is as follows:

"The said three battalions should be sent back to headquarters; barracks which would hold two or three battalions should be built at a commanding and an appropriate spot; in order to have the area under control, so that the Armenians do not attempt at another uprising until the construction of the barracks are

1- **Kule:** Askeri tahkimatın bir parçasıdır. Tahta veya örme taş duvar şeklinde yapılır. Olayda hem gözetleme hem de savunma amacıyla yaptırılması düşünülen örme duvar şeklinde, yuvarlak ve çatısı koni biçiminde askeri yapı anlatılmak istenmektedir.

2- **Saray Başkatibi Süreyya:** (İstanbul, 1845-Ayn. yer. 1894). Sultan II. Abdülhamid'in başkâtibi. Darü'l-Maarif'de okudu. Şurâ-yı Devlet'de muşavirliği, Nafia Nezareti mektupçuluğu ve Mabeyn ikinci katipliği hizmetlerinde bulundu. 1865 yılında Halep Valisi idi. Fırka-i İslâhiye'nin faaliyetlerine yardımcı oldu. 1875'de Aydın valisi idi. Vergi emirliği görevinde bulundu. II. Abdülhamid kendisini 1884'de Mabeyn Başkatipliğine tayin etti. 1886'da vezir rütbesine yükseltildi. 1894'de ölümüne kadar Başkatiplik görevini sürdürdü.
Kendisi Başkatiplerin en liyakatlılarından idi. **Hayat-ı Osmaniye Bir Nazar** adlı bir eseri vardır.

Osmanlı Arşivi Karton 97, Kısım 35, Zarf 50, Evrak 306

١٠١

hazret-i men-lehü'l-emrindir.

Fî 6 Rebi'ul-âhir sene 312 (1312) ve fî 24 Eylül sene 310 (1310)

Serkâtib-i Hazret-i Şehriyârî
bende
Süreyya

completed and military units stationed therein, additional forces should be sent in from the surrounding areas."

It is your High Office's prerogative to have His Imperial Majesty's orders carried out.

Imperial First Secretary
Süreyya

Talori Olayları Belgeleri | Documents Concerning The Incidents in Talori

Tülây Duran

Talori olaylarına Osmanlı Devleti ve özellikle Padişah İkinci Abdülhamid büyük önem vermiştir. Olayları devletin varlığına karşı çok önemli bir isyan olarak değerlendiren Padişahın Buyrukları dönemin bütün özelliklerini, yönetimdeki merkeziyetçiliği ortaya koyacak niteliktedir. Denebilir ki, Askeri harekât Padişahın buyrukları ile yönlendirilmiş ve bu tutum ile isyanın çok kısa bir süre içerisinde bastırılması mümkün olmuştur.

İkinci Abdülhamid'in "Talori Olaylarını" değerlendirmesi Cilt 14/25 No.lu belgede şu şekilde yer almaktadır.

"...Eşkiyanın üç bine çıkmasına imkân verilmesi, evvelce sayıları araştırılmayarak üç bine ulaştıktan sonra anlaşılması çok büyük bir ihmalin ve ilgisizliğin sonucu olduğu, benzeri durumların ancak devlet yönetiminin dışında bulunan bir çölde meydana gelebilecek olaylarda görülebileceği, gerçekte bu konunun devletin varlığı meselesi sayılması gerektiği, Allah saklasın, Rumeli'de savaştan önce ortaya çıkan ve sonucu Seraskerce de bilinen Otlukköy ve Bosna-Hersek olayları gibi hadisenin başgöstermesiyle ihmal ve ilgisizliğin sonucunda yabancıların müdahalelerine ve bir takım bozguncuların anarşi ve terör uygulamalarına büyük fırsat ve yer vereceği Yüce Padişah Hazretlerinin buyruğu olduğu.."

Talori olaylarının ayrıntıları ise 16 Eylül 1894 tarihli ve cilt 15/Belge 29'da yer alan Dördüncü Ordu Kumandanı Müşir Zeki Paşa'nın raporunda görülmektedir.

Talori isyanı, sonuçları bakımından da önemlidir.

Talori olaylarıyla "Berlin Antlaşmasında" kurulan müdahale sistemi başta İngiltere olmak üzere çalıştırılmaya başlanmıştır. İngiltere öncülüğünde ve hatta baskısı altında Fransa ve Rusya olaylarla ilgili olarak harekete geçmişler, her üç devlet temsilcileri bölgede incelemelerde ve araştırmalarda bulunmuşlar, soruşturma heyetlerinde yer almışlardır. Ve "Anadolu'da Islahat" konusu gündeme gelmiş, yıllarca sürecek anlaşmazlıklar ve çatışmaların kapısı da bu suretle açılmıştır. Talori olaylarının Ermeni konusunu devletler arası bir düzeye çıkarması bakımından önemi büyüktür. Bunun yanında özellikle yabancı devletler konsoloslarının elçilerine ve merkezlerine verdikleri raporlardaki abartılmış, saptırılmış bilgiler, Avrupa basınının kendi kamuoylarına yaydıkları haberler Ermeni konusunu bir mesele olarak Avrupa'ya mal etmiştir.

Talori olaylarının sonuna ilişkin gelişmeler diğer ciltlerde yer alacakdır.

Talori olayları Osmanlı İmparatorluğu'nun yönetim ve yerel idare gibi meselelerini de ortaya çıkarmıştır. Özellikle "Ermeni Konusunda" Padişahın görüş ve tutumlarıyla, Sadrazamların ve diğer yöneticilerin düşünceleri ve davranışları arasındaki uyum veya uyumsuzluklar bu olayların ve sonuçlarının ortaya çıkmasıyla daha da belirginleşecektir. Bu konulardaki belgeler de gelecek ciltlerde yayınlanacaktır.

Özet olarak; Talori olayları Osmanlı Devletinin Ermeni konusuyla karşı karşıya kaldığı en önemli ve "devletin varlığına yönelmiş" bir mesele olarak tarihe geçmiştir. Talori olaylarındaki gerçekler en azından bir baslangıç olarak anlaşılmadıkça, Ermeni konusundaki gerçeklerine ulaşmaya imkân yoktur.

Talori Olayları Belgeleri

Vakıf Arşivinde "Yıldız Tasnifi-Ermeni Meselesi" başlığı altında kırk ayrı ciltte toplanan belge grubunun 14 ve 15. ciltleri "Talori olaylarına" ait belgelerdir. Fotoğraf/Belge şeklinde ciltlenmiş bu belgeler, Ekim 1894 tarihinde Serasker Rıza Paşa'nın, Seraskerlik Makamında bulunan ve askeri kayıtlara geçmiş olan belgelerin, Padişah İkinci Abdülhamid'e sunulan örneklerinin fotoğraflarıdır.

Belgelerin önünde yer alan çizelgenin sonunda 28 Ekim 1894 tarihli Serasker Rıza Paşa'nın şu cümleleri yer almaktadır:

"Bu kerre Yüce Padişah Hazretlerinden aldığım şifahi emirleri

anarchy, terrorism, and separatism. Propaganda activity beginning in the 1890's prepared the local populace for insurrection.

The "Incidents in Talori" have been referred to and published by authors studying the Armenian question and problems under the names of the "Sasun Rebellions" and the "First Sasun Rebellion". The reason for this was the fact that from the standpoint of its administration the center of habitation and environs of Talori were part of Sasun; furthermore, from the standpoint of geography, it displayed and was a continuation of all the topographical features of the Sasun area. Armenian authors and experts on the subject in particular considered "Sasun" the center of Armenian insurrection and revolution and thus referred to all the incidents taking place here under that heading.

In actual fact, the Armenian insurrection of 1894 took place in Talori, in the villages bound to it, and in the Talori region. "Mount Anduk" (Andok) in the vicinity became the mustering ground for Armenian insurrectionists, bands, and terrorists. This is an intractable, inaccessible region of great heights and mearly approaching it – much less undertaking military operations in it – was possible only with great difficulty. In the documents presented in this volume, all the Talori and Talori region rebellions are referred to by such names as "Armenian activities" and "Armenian separatism".

As an examination of the documents will show, the Talori incidents bear all the characteristics of a planned, organized rebellion with its own chain of command. One could even say that the Talori incidents are one of the most important of the Armenian insurrections bearing these attributes. With the exception of a few of the villages in the region, virtually all of the inhabitants of the local Armenian villages participated in the insurrection as did bands coming from elsewhere and specially-trained terrorists and foreign propagandists clandestinely brought into the region from abroad. A band of insurrectionists amounting to three thousand in number annihilated all the Turkish villages in its path or that it came across. People were murdered by means of the most horrible tortures. The grossest assaults were made upon the beliefs and sacred values held by the Muslim populace. The state and its forces were totally disregarded. After a preparatory stage lasting about four years, the incidents that broke out in May 1894 turned into a state of utter terror and anarchy that persisted locally until August and after the beginning of that month, they began spreading in various directions from the Talori region. Skirmishes with the first military unit sent to the region finally broke out on 21 August 1894 and the rebels mobilized themselves on Mount Anduk. Military forces could be amassed but with difficulty and were unable to move set out for the region until 25 August. Operations began on 27 August and came to a close in a very short time. (Military operations ceased on 3 September.) The leader of the rebels and his cohorts where captured on 9 September and the region was purged of all rebels, bands, and terrorists by the seventeenth of that month. Activities after this concentrated on measures needing to be taken to prevent further outbreaks of Armenian separatism in the region, particularly in the triangle delimited by Muş, Bitlis, and Van.

The Ottoman government – particularly Sultan Abdülhamid II – attached great importance to the incidents taking place at Talori. The orders of the sultan refer to it as an important insurrection threatening the existence of the state and as such reveal all the particulars of the period as well as its sense of centralized administration. One could say that the military action was directed by the sultan's orders and that it was

üzerine Talori olaylarının başlangıcından sonuna kadar Dördüncü Ordu Müşiriyyetiyle yapılan yazışmalar, bu konuda Yüce Huzura sunulan bilgiler ve Talori olaylarına ilişkin doğrudan veya onayları alınmak üzere yapılan başvurulara cevap olarak Yüce Padişah Hazretlerinin Buyrukları örnekleri askeri kayıtlardan çıkarılarak Yüce Huzura sunulmak üzere, çizelgeleriyle birlikte aşağıda yazılıp, arzedilmiştir..."

Vakfın, "Yıldız Tasnifi-Ermeni Meselesi" başlığı altında, Ermeni olayları, hareketleri ve bunlara karşı alınan önlemler, izlenen politikalar konularında yayınlayacağı belgeler; bir anlamda ikinci Abdülhamid'in tamamen kendisi için çeşitli resmi kaynaklardan örneklerini aldığı özel bir arşivdir. Bütün bu belgelerin asılları Osmanlı Arşivinde hem "Yıldız Tasnifinde" hem de ilgili oldukları dairelerin tasnif edilmiş fonlarında bulunmaktadır.

Belgeler tarihi sıralarına uygun olarak yayınlanmaktadır.

14. ciltte, 40 ve 15. ciltte 45 belge, bulundukları özellikleri aynen korunarak, transkripsiyonları, Türkçe işlemeleri, İngilizce çevirileriyle yayına hazırlanmıştır.

Okuyucu "Talori Olayları Belgeleri"ni incelerken birçok saptırılmış konulara da açıklık getirebilecektir. Bunlardan biri de "Hamidiye Alayları" konusudur.

İkinci Abdülhamid genelde Talori olaylarında "Redif birliklerinin" ve "Hamidiye Alaylarının" kullanılmalarını istememiştir. Son anda doğan acil ihtiyaç gereği "Hamidiye Alaylarından" bir Süvari birliğinin bölgede görev almasına müsaade etmiş, ancak bu alaylar hakkında çıkarılan çeşitli söylentileri dikkate alarak, Alayın görevini, görevi yaparken uyması gereken kuralları ve özellikle harekât alanından çok asayiş için kullanılmalarını emretmiştir. (Belge Cilt 15/19, 27, 28, 41, 42..)

Okuyucunun dikkatini çekecek önemli bir konu da dönemin yönetim özelliğidir. Herşey Padişahın buyruğuna bağlanmıştır. İki bölük askerin, bir topun, bir askeri müfrezenin Ordu Kumandanlığınca yer değiştirmesi, kullanılması dahi Padişah Buyruğuna bağlanmıştır.

Talori olaylarında başlangıçta Devlet,olayları basit bir asayiş konusu şeklinde ele almıştır. Çünkü, yerel makamlardan gelen bilgiler olayları dar bir çerçeve içerisinde göstermişlerdir. O kadar ki, Bitlis Valiliğinin, İç İşleri Bakanlığına yazdığı ve Kaymakamlar emrine birer askeri birlik verilmesi isteği kabul edilmemiştir. Gerçekte İkinci Abdülhamid olaylar karşısında askeri birliklerin kullanılmasına son anda karar vermiştir. Bunun başlıca sebebi Ermeni azınlık toplulukları da olsa halkla — askeri birlikleri karşı karşıya getirmeme düşüncesidir.

Özetlenirse, Talori olayları Belgeleri 1890'lardaki Osmanlı İmparatorluğu'nun karşı karşıya kaldığı tehdit ve tehlikelerin, boyutlarını yönetim düzenini, İkinci Abdülhamid'in olaylar karşısındaki doğru teşhislerini ve devleti koruma konusundaki ısrarlı görüşlerini ortaya koymaktadır.

Ermeni olayları hakkındaki bu açık ve gerçek belgeler ilgili kamuoylarını aydınlatacak kesinlikte ve güçtedir.

through this approach that it was possible to put down the rebellion in so short a time.

Abdülhamid II has the following to say regarding his appraisal of the "Incidents in Talori":

It is the decree of his majesty this sultan that for these insurgents to have reached three thousand in number, for their numbers not to have been previously investigated, and for them to have been discovered after they had reached three thousand are the consequence of great negligence and heedlessness; that situations similar to this could have taken place elsewhere only in deserts outside a state's control; that this subject should have in fact been regarded as a matter of state concern; that with the outbreak of such incidents as these as a consequence of negligence and heedlessness great opportunity and occasion would have been given - God forbid - for intervention on the part of foreigners and for anarchistic and terrorist acts on the part of certain separatists, as happened in the case of the Otluköy and Bosna-Hersek incidents that took place before the war in Rumelia and whose consequences are known to the chief of general staff...

The details of the Talori incidents are given in a report dated 16 September 1894 (Volume 15/Document Number 29) by Field Marshall Zeki Pasha, commander of the Fourth Army.

The Talori insurrection was also important from the standpoint of its consequences.

With the Talori incidents, efforts were begun to put into operation (particularly by Great Britain) the system of intervention set up by the Treaty of Berlin. Under the leadership — indeed pressure — of Britain, France and Russia also began taking action concerning these events. Representatives of all three countries engaged in inspections and investigations in the region and took part in committees of inquiry. Thus the "Anatolian reforms" gained currency and the door was opened for disagreements and disputes that were to last for years. The incidents in Talori were also of great importance in raising the question of the Armenians to an international level. The exaggerated and distorted information in the reports that the consuls of foreign countries submitted to their embassies and to their home offices as well as the news reports that the European press disseminated to its readership turned the Armenians into a subject that all of Europe concerned itself with.

Developments concerned with the end of the Talori incidents will be included in the later volumes of this series as well.

The events at Talori also revealed the problems that the Ottoman Empire had with matters such as government and local administration. The concordance — or lack of it — on the subject of the Armenians between the attitudes and views of the sultan on the one hand and on the other the opinions and behavior of his grand viziers and other officials became even more evident with the outbreak of these incidents and the appearance of their consequences. Documents concerned with this will also appear in later volumes.

To summarize, the Talori incidents assumed a place in history as the most important problem faced by the Ottoman state with regard to the Armenians and as a question threatening the existence of that state. Unless it is realized at the very least that the facts surrounding the Talori incidents are the beginning, there is no possibility at all of discovering the truth on the subject of the Armenians.

Documents concerning the
Incidents in Talori

In the group of documents divided into forty separate volumes in the Foundation's archives under the heading of "Yıldız Collection – the Armenian Question", the documents concerning the "Incidents in Talori" make up the fourteen and fifteenth volumes. These documents consist of bound photographs of the originals of official military correspondence in the office of chief of general staff Rıza Pasha that was presented to Sultan Abdülhamid II in October 1894.

At the beginning of the documents is a table to which is appended the following statement (dated 28 October 1894):

Upon the verbal instructions received from his majesty the sultan, copies were made, for submission to the exalted presence, from military records of all the correspondence with the office of the field marshall from the beginning of the Talori incidents to their conclusion, of the information submitted to the exalted presence, and of the commands of his majesty the sultan directly concerned with the Talori incidents or issued in response to queries made for approval and being written down below are submitted together with their tables of contents.

The documents that the Foundation will be publishing under the title of "Yıldız Collection – The Armenian Question" on the subjects of Armenian incidents and activities and the measures taken and policies pursued in response to them in a sense are a private archive that Abdülhamid II had made entirely for himself out of copies taken from a variety of official sources. The originals of all these documents are to be found in the "Yıldız Collection" in the Ottoman archives and also in the classified documents of the officies with which they are concerned.

These documents will be published in order of date.

There are forty documents in Volume 14 and forty-five in Volume 15. They have been prepared for publication together with their transcriptions into the modern alphabet, renderings into modern Turkish, and translations into English with all their features fully preserved.

A study of Documents concerning the Incidents in Talori will clarify for the reader many subjects on which there has been falsification, one of these being the matter of the Hamidiye regiments.

As a rule, Abdülhamid did not want units of the militia or the so-called Hamidiye regiments deployed in the events in Talori. He permitted one cavalry unit of the Hamidiye regiment to serve in the region, this arising from an urgent, last-minute exigency. Nevertheless, heedful of a number of rumors concerning these regiments, he specified the regiment's duties and the rules they must follow when performing those duties and he explicitly ordered that they were to be employed more to keep the peace than to engage in military action. (Documents Volume 15/19, 27, 28, 41, 42, etc.)

Another matter that will attract the reader's interest is the nature of government in this period. Everything was dependent upon the sultan's orders. The movement of two companies of soldiers, a cannon, and a military detachment from one place to another by the military commander required the orders of the sultan.

At the beginning, the Talori incidents were dealt with by the state as a simple matter of peace-keeping and the reason was that the information coming in from local authorities presented it within a very narrow framework; so narrow in fact that the written request made by the governor of Bitlis to the interior

ministry asking that a military unit be placed at the orders of each of the district heads was turned down. Indeed Abdülhamid II himself decided to deploy military units only at the very last moment in the face of events and his principal reason in this was his concern that doing so would bring the populace–Armenian minority communities though they may have been — into direct confrontation with military forces.

To summarize, Documents concerning the Incidents in Talori reveals the dimensions of the threats and dangers faced by the Ottoman Empire in the 1890's, the administrative order, the correct analyses of Abdülhamid II regarding these events, and his insistent opinions concerning the defense of the state.

These explicit and authentic documents concerning the Armenian incidents possess the conclusiveness and power to enlighten all public opinion.

Osmanlı Arşivi **Yıldız Tasnifi** **Ermeni Meselesi**	Ottoman Archives Yıldız Collection The Armenian Question

Talori Olayları	Talori Incidents

Belge	Sayfa	Tarih	Osmanlı Arşivi	Vakıf Arşivi	Armenian Question
1	81	19.5.1894	Makam-ı Seraskerî Mektûbi Kalemi Dördüncü Ordu-yu Hümayun Müşiriyyet-i celilesine 7 Mayıs sene 1310 tarihinde yazılan şifreli telgrafnâmenin suretidir.	Seraskerlik Makamı Yazı İşleri Şifre-Telgraf Kimden: Seraskerlik Makamından Kime: Dördüncü Ordu Müşiriyyetine, Erzincan Konu: Muş Sancağında teröristlere engel olmak için ilçe kaymakamlıkları emrine askeri birlikler verilmesi.	Department of General Staff Correspondence Office Coded telegram From— Office of the General Staff To— Fourth Army Command Subject— Prevention of terrorist activities in Mush
2	83	27.5.1894	Makam-ı Seraskeri Mektûbi Kalemi Erzincan'da Dördüncü Ordu-yu Hümayun Müşiriyyet-i Celîlesinden vârid olan 15 Mayıs sene 1310 tarihli şifreli telgrafnâmenin halli sûretidir.	Seraskerlik Makamı Yazı İşleri Şifre-Telgraf Kimden: Erzincan'da Dördüncü Ordu Müşiriyyetinden Kime: Seraskerlik Makamına Konu: İlçe kaymakamlıkları emrine askeri birlik verilmesine gerek olmadığı	Department of General Staff Correspondence Office Coded Telegram From— Fourth Army Command at Erzincan To— Office of the General Staff Subject— Terrorist activities in Mush territory.
3	85	27.5.1894	Makam-ı Seraskerî Mektûbi Kalemi Dördüncü Ordu-yu Hümayun Müşiriyyet-i Celîlesinden mevrûd fi 15 Mayıs sene 310 tarihli telgrafnâme sûretidir.	Seraskerlik Makamı Yazı İşleri Telgraf Kimden: Dördüncü Ordu Müşiriyyetinden Kime: Seraskerlik Makamına Konu: Genç Sancağına iki bölük askerin gönderilmesi gereği	Department of General Staff Correspondence Office Telegram From— Fourth Army Command To— Office of the General Staff Subject— Dispatching two military companies to the sanjak of Gench.
4	87	28.5.1894	Makam-ı Seraskeri Mektûbi Kalemi Dördüncü Ordu Müşiriyyetine fi 16 Mayıs sene 310 tarihinde yazılan telgrafnâme sûretidir.	Seraskerlik Makamı Yazı İşleri Telgraf Kimden: Seraskerlik Makamından Kime: Dördüncü Ordu Müşiriyyetine Konu: Gönderilecek birliğin öncelikle yer ve numarasının bildirilmesi	Department of General Staff Correspondence Office Telegram From— Office of the General Staff To— Fourth Army Command Subject— Dispatching military troops to the sanjak of Gench.
5	89	2.6.1894	Makam-ı Seraskerî Mektûbi Kalemi Dahiliye Nezaret-i Celîlesine yazılan fi 21 Mayıs sene 310 tarihli tezkire-i aliyye-i Seraskerînin sûretidir.	Seraskerlik Makamı Yazı İşleri Tezkere Kimden: Seraskerlik Makamından Kime: Dahiliye Nezaretine Konu: İlçe kaymakamlıkları emrindeki güvenlik kuvvetlerine yardımcı olmak üzere askeri birlik verilmesine gerek olmadığı	Department of General Staff Correspondence Office Letter From— Office of the General Staff To— Ministry of interior Subject— No military units are necessary to accompany the security forces under the command of the district governors.

Belge	Sayfa	Tarih	Osmanlı Arşivi	Vakıf Arşivi	Armenian Question
6	91	4.6.1894	Makam-ı Seraskerî Mektûbi Kalemi Erzincan'da Dördüncü Ordu-yu Hümayun müşiri Zeki Paşa hazretlerinden mevrûd fi 23 Mayıs sene 310 tarihli şifreli telgrafnâmenin hallî sûretidir.	Seraskerlik Makamı Yazı İşleri Şifre-Telgraf Kimden: Erzincan Dördüncü Ordu Müşiri Zeki Paşa Hazretlerinden Kime: Seraskerlik Makamına Konu: Talori Bölgesine gönderilmesine gerek görülen birliğin yer ve numarası	Department of General Staff Correspondence Office Coded Telegram From— His Highness Zeki Pasha Commander-in-Chief of the Fourth Army at Erzincan To— Office of the General Staff Subject— Dispatching military detachments to the Talori Zone.
7	93	12.6.1894	Makam-ı Seraskerî Mektûbi Kalemi Erzincan'da Dördüncü Ordu-yu Hümayun müşiriyyet-i celîlesinden mevrûd 31 Mayıs sene 310 tarihli şifreli telgrafnâme halli sûretidir.	Seraskerlik Makamı Yazı İşleri Şifre-Telgraf Kimden: Erzincan'da Dördüncü Ordu Müşiriyyetinden Kime: Seraskerlik Makamına Konu: Talori Bölgesinde Ermenilerin bozgunculuk hareketlerini engellemek amacıyla iki bölüğün gönderilmesi	Department of General Staff Correspondence Office Coded Telegram From— Fourth Army Command in Erzurum To— Office of the General Staff Subject— Dispatching military detachments of the Talori Zone.
8	95	13.6.1894	Makam-ı Seraskerî Mektûbi Kalemi Dördüncü Ordû-yu Hümayun müşiriyyet-i Celîlesine yazılan 1 Haziran sene 310 tarihli şifreli telgrafnâmenin sûretidir.	Seraskerlik Makamı Yazı İşleri Şifre-Telgraf Kimden: Seraskerlik Makamından Kime: Dördüncü Ordu Müşiriyyetine Konu: Talori Bölgesine iki bölüğün gönderilmesine Yüce Padişahın onayı	Department of General Staff Correspondence Office Coded telegram From— Office of General Staff To— Fourth Army Command Subject— Dispatching military detachments to the Talori Zone.
9	97	2.7.1894	Makam-ı Seraskerî Mektûbi Kalemi Dördüncü Ordu-yu Hümayun müşiriyyet-i Celilesine yazılan 20 Haziran sene 310 tarihli şifreli telgrafnâmenin sûretidir.	Seraskerlik Makamı Yazı İşleri Şifre-Telgraf Kimden: Seraskerlik Makamından Kime: Dördüncü Ordu Müşiriyyetine Konu: Sasun ve Kulp ilçelerinde ve Talori bölgesinde Ermeni terör hareketleri	Department of General Staff Correspondence Office Coded telegram From— Office of General Staff To— Fourth Army Command Subject— Armenian separatists in the regions of Sassoon, Kulp, and Talori
10	99	5.7.1894	Makam-ı Seraskerî Mektûbi Kalemi Dördüncü Ordu-yu Hümayun müşiriyyet-i Celîlesinden vârid olan fi 23 Haziran sene 310 tarihli telgrafnâmenin halli sûretidir.	Seraskerlik Makamı Yazı İşleri Şifre-Telgraf Kimden: Dördüncü Ordu Müşiriyyetinden Kime: Seraskerlik Makamına Konu: Talori Bölgesine iki bölük askerin gönderildiği	Department of General Staff Correspondence Office Telegram From— Fourth Army Command To— Office of the General Staff Subject— Two military companies dispatched to Talori
11	101	25.7.1894	Makam-ı Seraskerî Mektûbi Kalemi Erzincan'da Dördüncü Ordu-yu Hümayun müşiri Zeki Paşa hazretlerinden mevrûd fi 13 Temmuz sene 310 tarihli şifreli telgrafnâmenin halli sûretidir.	Seraskerlik Makamı Yazı İşleri Şifre-Telgraf Kimden: Erzincan'da Dördüncü Ordu Müşiri Zeki Paşa Hazretlerinden Kime: Seraskerlik Makamına Konu: Talori Bölgesinde Ermeni Terör ve bozgunculuğuna karşı alınan önlemler	Department of General Staff Correspondence Office Coded telegram From— His Highness Zeki Pasha Commander-in-Chief of the Fourth Army at Erzincan To— Office of General Staff Subject— Measures taken against Armenian terrorism in the Talori Region.
12	105	5.8.1894	Makam-ı Seraskerî Mektûbi Kalemi Erzincan'da Dördüncü Ordu-yu Hümayun müşiri Zeki Paşa hazretlerinden mevrûd fi 24 Temmuz sene 310 tarihli şifreli telgrafnâmenin halli sureti-dir.	Seraskerlik Makamı Yazı İşleri Şifre-Telgraf Kimden: Erzincan'da Dördüncü Ordu Müşiri Zeki Paşa Hazretlerinden Kime: Seraskerlik Makamına Konu: Talori bölgesi ve çevresinde Ermenilerin terör ve anarşik hareketlerine karşı askeri birliklerin durumu ve önlemler	Department of General Staff Correspondence Office Coded telegram From— His Highness Zeki Pasha Commander-in-Chief of the Fourth Army at Erzincan To— Office of the General Staff Subject— Armenian terrorist activities and brigandry in the Talori Zone.
13	109	6.8.1894	Makam-ı Seraskerî Mektûbi Kalemi Tezkire-i ma'rûza suretidir.	Seraskerlik Makamı Yazı İşleri Kimden: Serasker Rıza Paşadan Kime: Yüce Padişah Hazretlerine Konu: Dördüncü Ordu Müşiriyyetinden istenilen onay ve buyruğun alınmasına ilişkin sunuş yazısı	Department of General Staff Correspondence Office Covering letter From— Department of General Staff To— His Imperial Majesty the Sultan Subject— Armenian separatists in the Talori Zone.

Belge	Sayfa	Tarih	Osmanlı Arşivi	Vakıf Arşivi	Armenian Question
14	115	7.8.1894	Makam-ı Seraskerî Mektûbi Kalemi Fi 26 Temmuz sene 310 tarihinde Dördüncü Ordu-yu Hümayun müşiriyyet-i Celîlesine yazılan telgrafnâmenin suretidir.	Seraskerlik Makamı Yazı İşleri Telgraf Kimden: Seraskerlik Makamından Kime: Dördüncü Ordu Müşiriyyetine Konu: Dördüncü Ordu Müşiriyyetine verilen yetki	Department of General Staff Correspondence Office Telegram From— Office of the General Staff To— Fourth Army Command Subject— Authority granted to the Fourth Army Commandership
15	119	11.8.1894	Makam-ı Seraskerî Mektûbi Kalemi Dördüncü Ordû-yu Hümayun müşîri Zeki Paşa hazretlerinden mevrûd 30 Temmuz sene 310 tarihli şifreli telgrafnâmenin halli sûretidir.	Seraskerlik Makamı Yazı İşleri Şifre-Telgraf Kimden: Dördüncü Ordu Müşiri Zeki Paşa Hazretlerinden Kime: Seraskerlik Makamına Konu: Silahlı Ermeni Bozguncularının faaliyetleri ve yeni önlemler alınması için izin istenmesi	Department of General Staff Correspondence Office Coded telegram From— His Highness Zeki Pasha Commander-in-Chief of the Fourth Army To— Office of the General Staff Subject— Operations of the armed Armenian separatists at Talori and Van.
16	123	13.8.1894	Makam-ı Seraskerî Mektûbi Kalemi 1282 Mabeyn-i Hümayun Başkitabet-i Celîlesinden vârid olan tezkire-i husûsıyye suretidir.	Seraskerlik Makamı Yazı İşleri 1282 Özel Tezkere Kimden: Saray Başkatipliğinden Kime: Seraskerlik Makamına Konu: Dördüncü Ordu Müşiriyyetinden istenilen iznin verildiği	Department of General Staff Correspondence Office 1282 Special Statement From- His Imperial Majesty's First Secretary To— Department of General Staff Subject— Granting of Authority to the Fourth Army Commandership
17	127	14.8.1894	Makam-ı Seraskerî Mektûbi Kalemi Fi 2 Ağustos sene 310 tarihinde Dördüncü Ordu-yu Hümayun müşiriyyetine yazılan şifreli telgrafnâmenin sûretidir.	Seraskerlik Makamı Yazı İşleri Şifre-Telgraf Kimden: Seraskerlik Makamı Kime: Dördüncü Ordu Müşiriyyetine Konu: Askeri birliklerin kullanılması hakkında Padişah buyruğu	Department of General Staff Correspondence Office Coded telegram From— Office of the General Staff To— Fourth Army Command Subject— Imperial Decree on the mobilization of the military units.
18	131	16.8.1894	Makam-ı Seraskerî Mektûbi Kalemi 1325 Mabeyn-i Hümayun Başkitabet-i Celîlesinden mevrûd tezkire-i husûsıyye sûretidir.	Seraskerlik Makamı Yazı İşleri 1325 Özel Tezkere Kimden: Saray Başkatipliğinden Kime: Seraskerlik Makamına Konu: Taburların er mevcudunun artırılması	Department of General Staff Correspondence Office 1325 Special Statement From— Imperial First Secretary To— Department of General Staff Subject— Increasing the number of soldiers in the battalions.
19	133	16.8.1894	Makam-ı Seraskerî Mektûbi Kalemi Fi 4 Ağustos sene 310 tarihinde Dördüncü Ordu-yu Hümayun müşiriyyetine yazılan şifreli telgrafnâmenin sûretidir.	Seraskerlik Makamı Yazı İşleri Şifre-Telgraf Kimden: Seraskerlik Makamından Kime: Dördüncü Ordu Müşiriyyetine Konu: Tabur mevcudlarının sekizyüze çıkarılması	Department of General Staff Correspondence Office Coded telegram From— Department of General Staff To— Fourth Army Command Subject— Increasing the number of soldiers in the battalions to eight hundred.
20	135	21.8.1894	Makam-ı Seraskerî Mektûbi Kalemi Fi 9 Ağustos sene 310 tarihinde Dördüncü Ordu müşiriyyetine yazılan telgrafnâme sûretidir.	Seraskerlik Makamı Yazı İşleri Telgraf Kimden: Seraskerlik Makamından Kime: Dördüncü Ordu Müşiriyyetine Konu: Ermeni Silahlı bozguncularının aşiretlere saldırıları çatışmaların başlaması - askeri harekât emri.	Department of General Staff Correspondence Office Telegram From— Office of the General Staff To— Fourth Army Command Subject— Overpowering the insurgents at Talori.
21	137	24.8.1894	Makam-ı Seraskerî Mektûbi Kalemi Mabeyn-i Hümayun Başkitabet-i Celîlesine yazılan tezkire-i husûsıyye sûreti.	Seraskerlik Makamı Yazı İşleri Özel Tezkere Kimden: Seraskerlik Makamından Kime: Saray Başkatipliğine Konu: Talori bölgesinde dörtbin Ermeni eşkiyasının toplandığı yolundaki söylentiler, askeri kuvvetlerin durumu ve yeni birliklerin toplanması	Department of General Staff Correspondence Office Special Statement From— Department of General Staff To— Imperial First Secretary Subject— Rumours that four thousand Armenian insurgents gathered around the Talori Zone, the situation of the military forces and mobilising new units.

Belge	Sayfa	Tarih	Osmanlı Arşivi	Vakıf Arşivi	Armenian Question
22	143	25.8.1894	Makam-ı Seraskerî Mektûbi Kalemi Erzincan'da Dördüncü Ordu-yu Hümayun müşiri Zeki Paşa hazretlerinden vârid olan Fi 13 Ağustos sene 310 tarihli şifreli telgrafnâmenin halli sûretidir.	Seraskerlik Makamı Yazı İşleri Şifre-Telgraf Kimden: Erzincan'da, Dördüncü Ordu Müşiri Zeki Paşa Hazretlerinden Kime: Seraskerlik Makamına Konu: Askeri hazırlıklar ve silah altına alınacak erler hakkında vilayetlere tebligat icrası	Department of General Staff Correspondence Office Coded telegram From— His Highness Zeki Pasha Commander-in-Chief of the Fourth Army in Erzincan To— Office of the General Staff Subject— Military preparations, and notifying the Vilayets on mobilising new forces.
23	145	25.8.1894	Makam-ı Seraskerî Mektûbi Kalemi 1625 Şeref-sadır olan irade-i seniyye-i mülûkâneyi mübelliği tezkire-i hususıyye sûretidir.	Seraskerlik Makamı Yazı İşleri 1625 Özel Tezkere Kimden: Saray Başkatipliğinden Kime: Seraskerlik Makamına Konu: Padişah buyruğu	Department of General Staff Correspondence Office 1625 Special Statement From— Imperial First Secretary To— Department of General Staff Subject— Imperial Decree
24	149	25.8.1894	Makam-ı Seraskerî Mektûbi Kalemi Fi 13 Ağustos sene 310 tarihinde Dördüncü Ordu-yu Hümayun müşiriyyet-i Celîlesine yazılan telgrafnâmenin sûretidir.	Seraskerlik Makamı Yazı İşleri Telgraf Kimden: Seraskerlik Makamından Kime: Dördüncü Ordu Müşiriyyetine Konu: Padişah Buyruğunun bildirilmesi.	Department of General Staff Correspondence Office Telegram From— Department of General Staff To— Fourth Army Command Subject— Conveying the Imperial Decree
25	153	26.8.1894	Makam-ı Seraskerî Mektûbi Kalemi 1658 Mabeyn-i hümayun Başkitabet-i Celîlesinden mevrûd tezkire-i husûsıyye sûretidir.	Seraskerlik Makamı Yazı İşleri 1658 Özel Tezkere Kimden: Saray Başkatipliğinden Kime: Seraskerlik Makamına Konu: Padişah Hazŕetlerinin askeri harekatla ilgili buyrukları	Department of General Staff Correspondence Office 1658 From— Imperial First Secretary To— Department of General Staff Subject— His Imperial Majesty the Sultan's Orders concerning the military operations
26	159	26.8.1894	Makam-ı Seraskerî Mektûbi Kalemi 14 Ağustos sene 310 tarihinde Dördüncü Ordû-yu Hümayun müşîriyyet-i Celîlesine yazılan telgrafnâme sûretidir.	Seraskerlik Makamı Yazı İşleri Telgraf Kimden: Seraskerlik Makam ndan Kime: Dördüncü Ordu Müşiriyyetine Konu: Padişah Hazretlerinin askeri harekatla ilgili buyruklarının bildirilmesi	Department of General Staff Correspondence Office Telegram From— Department of General Staff To— Fourth Army Command Subject— Conveying His Imperial Majesty the Sultan's orders concerning the military operations
27	165	27.8.1894	Makam-ı Seraskerî Mektûbi Kalemi 1670 İrade-i seniyye-i mülûkâneyi mübelliğ tezkire-i husûsıyye sûreti	Seraskerlik Makamı Yazı İşleri 1670 Özel-Tezkere Kimden: Saray Başkatipliğinden Kime: Seraskerlik Makamına Konu: Yeni bilgiler karşısında Padişah Buyruğu	Department of General Staff Correspondence Office 1670 Special Statement From— Imperial First Secretary To— Department of General Staff Subject— His Imperial Majesty's Orders in the face of recent intelligence
28	169	27.8.1894	Makam-ı Seraskerî Mektûbi Kalemi Fi 15 Ağustos sene 310 tarihinde Dördüncü Ordu-yu Hümayûn müşiriyyetine yazılan şifreli telgrafnâme sûretidir.	Seraskerlik Makamı Yazı İşleri Şifre-Telgraf Kimden: Seraskerlik Makamından Kime: Dördüncü Ordu Müşiriyyetine Konu: Padişah buyruğunun tebliği	Department of General Staff Correspondence Office Coded telegram From— Department of General Staff To— Fourth Army Command Subject— Conveying His Imperial Majesty's
29	173	27.8.1894	Makam-ı Seraskerî Mektûbi Kalemi Fi 15 Ağustos sene 310 tarihinde Dördüncü Ordu-yu Hümayun müşiriyyet-i Celîlesine yazılan telgrafnâme sûretidir.	Seraskerlik Makamı Yazı İşleri Telgraf Kimden: Seraskerlik Makamından Kime: Dördüncü Ordu Müşiriyyetine Konu: Harekât hakkında bilgi isteği	Department of General Staff Correspondence Office Telegram From— Department of General Staff To— Fourth Army Command Subject— Request for information concerning operations

Belge	Sayfa	Tarih	Osmanlı Arşivi	Vakıf Arşivi	Armenian Question
30	175	27.8.1894	Makam-ı Seraskerî Mektûbi Kalemi Fi 24 Safer sene 312 ve fi 15 Ağustos sene 310 tarihinde Mabeyn-i hümayun Başkitabet-i Celîlesine yazılan tezkire-i husûsıyye sûretidir.	Seraskerlik Makamı Yazı İşleri Özel Tezkere Kimden: Seraskerlik Makamından Kime: Saray Başkatipliğine Konu: Dördüncü Ordu Müşiri Paşanın hareket etmemesi hakkında buyruğun tebliği	Department of General Staff Correspondence Office Special statement From— Department of General Staff To— Imperial First Secretary Subject— Notification of the Commander-in-Chief of the Fourth Army about the Imperial orders on not departing
31	177	27.8.1894	Makam-ı Seraskerî Mektûbi Kalemi Dördüncü Ordu-yu Hümayun müşiriyyet-i Celîlelisinden mevrûd fi 15 Ağustos sene 310 tarihli telgrafnâme sûretidir.	Seraskerlik Makamı Yazı İşleri Telgraf Kimden: Dördüncü Ordu Müşiriyyetinden Kime: Seraskerlik Makamına Konu: Dördüncü Ordu Müşiri Paşa'nın Muş'a doğru hareketi.	Department of General Staff Correspondence Office Telegram From— Fourth Army Command To— Department of General Staff Subject— Departure to Mush of the Commander-in-Chief of the Fourth Army
32	179	27.8.1894	Makam-ı Seraskerî Mektûbi Kalemi Fi 15 Ağustos sene 310 tarihinde Dördüncü Ordu-yu Hümayun müşiriyyet-i Celîlesine yazılan telgrafnâme suretidir.	Seraskerlik Makamı Yazı İşleri Telgraf Kimden: Seraskerlik Makamından Kime: Dördüncü Ordu Müşiriyyetine Konu: Dördüncü Ordu Müşiri Paşa'nın hareket etmemesi	Department of General Staff Correspondence Office Telegram From— Department of General Staff To— Fourth Army Command Subject— Commander-in-Chief of the Fourth Army to return to Headquarters
33	181	28.8.1894	Makam-ı Seraskerî Mektûbi Kalemi 1712 Mabeyn-i hümayun Başkitâbet-i celilesinden vârid olan tezkire-i husûsıye sûretidir.	Seraskerlik Makamı Yazı İşleri 1712 Özel-Tezkere Kimden: Saray Başkatipliğinden Kime: Seraskerlik Makamına Konu: Dördüncü Ordu Müşiri Paşa Hazretlerinin harekât bölgesine gidip gitmemesinin kendi isteğine bağlı olduğu	Department of General Staff Correspondence Office 1712 Special Statement From— Office of the Imperial First Secretary To— Department of General Staff Subject— Whether or not the Commander-in-Chief of the Fourth Army ought to go to the operations area
34	183	27.8.1894	Makam-ı Seraskerî Mektûbi Kalemi Dördüncü Ordu-yu Hümayun müşiriyyet-i Celîlesinden vârid olan 15 Ağustos sene 310 tarihli telgrafnâme sûretidir.	Seraskerlik Makamı Yazı İşleri Telgraf Kimden: Dördüncü Ordu Müşiriyyetinden Kime: Seraskerlik Makamına Konu: Askeri harekât raporu	Department of General Staff Correspondence Office Telegram From— Fourth Army Command To— Department of General Staff Subject— Report concerning military operations
35	187	28.8.1894	Makam-ı Seraskerî Mektûbi Kalemi Fi 16 Ağustos sene 310 tarihinde Dördüncü Ordu-yu hümayun müşiriyyetine yazılan şifreli telgrafnâme suretidir.	Seraskerlik Makamı Yazı İşleri Şifre-Telgraf Kimden: Seraskerlik Makamından Kime: Dördüncü Ordu Müşiriyyetine Konu: Ordu Müşirinin hareketine ilişkin buyruğun tebliği	Department of General Staff Correspondence Office Coded-Telegram From— Department of General Staff To— Fourth Army Command Subject— Communication of orders concerning departure of the Army Commander
36	189	28.8.1894	Makam-ı Seraskerî Mektûbi Kalemi 1719 Mabeyn-i hümayun Başkitabet-i Celîlesinden mevrûd tezkire-i husûsıyye sûretidir.	Seraskerlik Makamı Yazı İşleri 1719 Özel-Tezkere Kimden: Saray Başkatipliğinden Kime: Seraskerlik Makamına Konu: Ermeni Eşkiyasının yeni faaliyetleri ve alınması gereken önlemler	Department of General Staff Correspondence Office 1719 Special Statement From— Imperial First Secretary To— Department of General Staff Subject— New activities by Armenian insurgents and measures needing to be taken
37	193	28.8.1894	Makam-ı Seraskerî Mektûbi Kalemi Dördüncü Ordu-yu Hümayun müşiriyyet-i Celîlesine yazılan 16 Ağustos sene 310 tarihli şifreli telgrafnâmenin sûretidir.	Seraskerlik Makamı Yazı İşleri Şifre-Telgraf Kimden: Seraskerlik Makamından Kime: Dördüncü Ordu Müşiriyyetine Konu: Ermeni Eşkiyasının aşiretlere saldırısı üzerine Yeni Padişah buyruğunun tebliği	Department of General Staff Correspondence Office Coded telegram From— Department of General Staff To— Fourth Army Command Subject— A new command by the Sultan following attacks by Armenian insurgents on tribal groups

Belge	Sayfa	Tarih	Osmanlı Arşivi	Vakıf Arşivi	Armenian Question
38	197	28.8.1894	Makam-ı Seraskerî Mektûbi Kalemi Fî 16 Ağustos sene 310 tarihinde Dördüncü Ordu-yu hümayun müşiriyyet-i Celîlesine yazılan şifre telgrafnâme sûretidir.	Seraskerlik Makamı Yazı İşleri Şifre-Telgraf Kimden: Seraskerlik Makamından Kime: Dördüncü Ordu Müşiriyyetine Konu: Gelen bilgiler arasındaki çelişkilerin giderilmesi	Department of General Staff Correspondence Office Coded telegram From— Department of General Staff To— Fourth Army Command Subject— Elimination of inconsistencies in incoming news
39	201	28.8.1894	Makam-ı Seraskerî Mektûbi Kalemi Mabeyn-ı Hümayun Başkitabet-i Celîlesine yazılan 16 Ağustos sene 310 tarihli tezkere-i husûsıyye sûretidir.	Seraskerlik Makamı Yazı İşleri Tezkere Kimden: Seraskerlik Makamından Kime: Saray Başkatipliğine Konu: Askeri harekât raporunun Padişah Hazretlerine sunulması	Department of General Staff Correspondence Office Special Letter From— Department of General Staff To— Imperial First Secretary Subject— Presentation of military operations report to his Majesty the Sultan
40	205	29.8.1894	Makam-ı Seraskerî Mektûbi Kalemi Dördüncü Ordû-yu Hümayun Müşiriyyet-i Celîlesinden vârid olan 17 Ağustos sene 310 tarihli şifreli telgrafnâmenin halli sûretidir.	Seraskerlik Makamı Yazı İşleri Şifre-Telgraf Kimden: Dördüncü Ordu Müşiriyyetinden Kime: Seraskerlik Makamına Konu: Askeri harekât raporu	Department of General Staff Correspondence Office Coded telegram From— Fourth Army Command To— Department of General Staff Subject— Military operations report
1	209	28.8.1894	Makam-ı Seraskerî Mektûbi Kalemi 25 Safer sene 312 ve fî 16 Ağustos sene 310 tarihinde Mâbeyn-i Hümâyun-ı Başkitâbet-i Celîlesine yazılan tezkere-i hususıyye sûretidir.	Seraskerlik Makamı Yazı İşleri Özel-Tezkere Kimden: Seraskerlik Makamından Kime: Saray Başkatipliğine Konu: Talori bölgesi haritasının hazırlanması	Department of General Staff Correspondence Office Special Statement From— Department of General Staff To— Secretary Subject— Preparation of a map of the Talori region
2	211	29.8.1894	Makam-ı Seraskerî Mektûbi Kalemi Fî 17 Ağustos 310 tarihinde Dördüncü Ordu-yu Hümâyun Müşiriyyet-i Celîlesine yazılan telgrafnâmenin sûretidir.	Seraskerlik Makamı Yazı İşleri Telgraf Kimden: Seraskerlik Makamından Kime: Dördüncü Ordu Müşiriyyetine Konu: Padişah Hazretlerinin sözlü emirleri	Department of General Staff Correspondence Office Telegram From— Department of General Staff To— Fourth Army Command Subject— Verbal orders by his Majesty the Sultan
3	213	30.8.1894	Makam-ı Seraskerî Mektûbi Kalemi Fî 27 Safer sene 312 ve fî 18 Ağustos sene 310 tarihinde takdim olunan tezkere-i hususiyye sûretidir.	Seraskerlik Makamı Yazı İşleri Özel-Tezkere Kimden: Seraskerlik Makamından Kime: Saray Başkatipliğine Konu: Ermeni eşkiyasının hareketleri hakkında çelişkili haberlerin düzeltilmesi	Department of General Staff Correspondence Office Special Statement From— Department of General Staff To— Imperial First Secretary Subject— Correction of conflicting reports concerning Armenian insurgent activities
4	215	31.8.1894	Makam-ı Seraskerî Mektûbi Kalemi Dördüncü Ordu-yu Hümayûn Müşiriyyet-i Celîlesine yazılan fî 19 Ağustos sene 310 tarihli şifreli telgrafnâmenin sûretidir.	Seraskerlik Makamı Yazı İşleri Şifre-Telgraf Kimden: Seraskerlik Makamından Kime: Dördüncü Ordu Müşiriyyetine Konu: Ermeni eşkiyasının durumu, yeni önlemlerin alınması konusunda Padişah Buyruğu	Department of General Staff Correspondence Office Coded telegram From— Department of General Staff To— Fourth Army Command Subject— Armenian insurgency situation and the Sultan's orders concerning the taking of new measures
5	219	1.9.1894	Makam-ı Seraskerî Mektûbi Kalemi Dördüncü Ordu-yu Hümâyûn Müşiriyyet-i Celîlesinden 20 Ağustos sene 310 (1310) tarihiyle vârid olan telgrafnâme sûretidir.	Seraskerlik Makamı Yazı İşleri Telgraf Kimden: Dördüncü Ordu Müşiriyyetinden Kime: Seraskerlik Makamına Konu: Askeri harekât raporu	Department of General Staff Correspondence Office Telegram From— Fourth Army Command To— Department of General Staff Subject— Military operations report.
6	223	1.9.1894	Makam-ı Seraskerî Mektûbi Kalemi Mâbeyn-i Hümâyun Başkitâbet-i Celîlesine fî 20 Ağustos sene 1310 tarihinde yazılan tezkere-i hususıyye sûretidir.	Seraskerlik Makamı Yazı İşleri Özel-Tezkere Kimden: Seraskerlik Makamından Kime: Saray Başkatipliğine Konu: Askeri Harekât raporunun sunulması	Department of General Staff Correspondence Office Special Statement From— Department of General Staff To— Imperial First Secretary Subject— Submission of the military operations report.

Belge	Sayfa	Tarih	Osmanlı Arşivi	Vakıf Arşivi	Armenian Question
7	227	1.9.1894	Makam-ı Seraskerî Mektûbi Kalemi Fî 20 Ağustos sene 310 (1310) tarihinde Dördüncü Ordu-yu Hümâyûn Müşiri Zeki Paşa Hazretlerine yazılan telgrafnâme sûretidir.	Seraskerlik Makamı Yazı İşleri Telgraf Kimden: Seraskerlik Makamından Kime: Dördüncü Ordu Müşiriyyetine Konu: Harekât bölgesine hareket edilip, edilmediği	Department of General Staff Correspondence Office Telegram From— Department of General Staff To— His Highness Zeki Paşa Commander-in-Chief of the Fourth Army Subject— Query concerning departure to the operations area
8	229	2.9.1894	Makam-ı Seraskerî Mektûbi Kalemi Fî gurre Rebi'ul-evvel sene 312 (1312) ve fî 21 Ağustos sene 310 (1310) tarihinde arz u takdîm kılınan tezkere-i hususıyye sûretidir.	Seraskerlik Makamı Yazı İşleri Özel-Tezkere Kimden: Seraskerlik Makamından Kime: Saray Başkatipliğine Konu: Dördüncü Ordu Müşirinin hareketi	Department of General Staff Correspondence Office Special Statement From— Department of General Staff To— Imperial First Secretary Subject— Departure of the 4th Army Commander-in-Chief
9	233	2.9.1894	Makam-ı Seraskerî Mektûbi Kalemi Dördüncü Ordu-yu Hümâyûn Müşiriyyet-i Celîlesine yazılan 21 Ağustos sene 310 (1310) tarihi şifreli telgrafnâme sûretidir.	Seraskerlik Makamı Yazı İşleri Şifre Telgraf Kimden: Seraskerlik Makamından Kime: Dördüncü Ordu Müşiriyyetine Konu: Etkisiz duruma getirilen Ermeni çeteleri hakkında bilgi istenmesi	Department of General Staff Correspondence Office Coded telegram From— Department of General Staff To— Fourt Army Command Subject— Reguest for information concerning neutralized Armenian bands
10	235	2.9.1894	Makam-ı Seraskerî Mektûbi Kalemi Fî gurre Ra (Rebi'ul-evvel) sene 312 (1312) ve 21 Ağustos sene 310 (1310) tarihinde takdîm olunan tezkere-i hususıyye sûretidir.	Seraskerlik Makamı Yazı İşleri Özel-Tezkere Kimden: Seraskerlik Makamından Kime: Saray Başkatipliğine Konu: Hamidiye Süvari Alayının Muş'a ulaşmış olduğu	Department of General Staff Correspondence Office Special Statement From— Department of General Staff To— Imperial First Secretary Subject— Arrival of the Hamidiye Regiment at Mush.
11	237	2.9.1894	Makam-ı Seraskerî Mektûbi Kalemi 1909 Mâbeyn-i Hümâyûn-ı Mülûkâne Başkitâbet-i Celîlesinden şeref-mevrûd tezkere-i hususiyye sûretidir.	Seraskerlik Makamı Yazı İşleri 1909 Özel-Tezkere Kimden: Saray Başkatipliğinden Kime: Seraskerlik Makamına Konu: Hamidiye Süvari Alayları	Department of General Staff Correspondence Office 1909 Special Statement From— Imperial First Secretary To— Department of General Staff Subject— Hamidiye Cavalry Regiments
12	241	2.9.1894	Makam-ı Seraskerî Mektûbi Kalemi Fî 21 Ağustos sene 310 (1310) tarihinde Dördüncü Ordu-yu Hümâyûn Müşiriyyeti'ne yazılan şifreli telgrafnâme sûretidir.	Seraskerlik Makamı Yazı İşleri Şifre Telgraf Kimden: Seraskerlik Makamından Kime: Dördüncü Ordu Müşiriyyetine Konu: Hamidiye Süvari Birliklerinin kullanılması ve durumları.	Department of General Staff Correspondence Office Telegram From— Department of General Staff To— Fourth Army Command Subject— Deployment and status of the Hamidiye Cavalry Regiments
13	245	3.9.1894	Makam-ı Seraskerî Mektûbi Kalemi Dördüncü Ordu Müşiriyyet-i Celîlesinden mevrûd fî 22 Ağustos sene 310 (1310) tarihli telgrafnâme sûretidir.	Seraskerlik Makamı Yazı İşleri Telgraf Kimden: Dördüncü Ordu Müşiriyyetinden Kime: Seraskerlik Makamına Konu: Ermeni eşkiyasının aded ve silahları	Department of General Staff Correspondence Office Telegram From— Fourth Army Command To— Department of General Staff Subject— Numbers and weapons of Armenian insurgents
14	247	3.9.1894	Makam-ı Seraskerî Mektûbi Kalemi Fî 2 Ra (Rebi'ul-evvel) sene 312 (1312) ve fî 22 Ağustos sene 310 (1310) tarihinde takdim olunan tezkere-i hususıyye sûretidir.	Seraskerlik Makamı Yazı İşleri Özel-Tezkere Kimden: Seraskerlik Makamından Kime: Saray Başkatipliğine Konu: Dördüncü Ordu Müşiri Zeki Paşa'nın hareketi	Department of General Staff Correspondence Office Special Statement From— Department of General Staff To— Imperial First Secretary Subject— Departure of Zeki Pasha, Commander-in-Chief of the Fourth Army

Belge	Sayfa	Tarih	Osmanlı Arşivi	Vakıf Arşivi	Armenian Question
15	249	3.9.1894	Makam-ı Seraskerî Mektûbi Kalemi Dördüncü Ordu-yu Hümâyûn Müşiri Zeki Paşa Hazretlerine yazılan 22 Ağustos sene 310 (1310) tarihli şifreli telgrafnâmenin müsveddesi suretidir. Bâ telgraf tezkere-i hususıyye.	Seraskerlik Makamı Yazı İşleri Şifre Telgraf Müsvedde örneği Özel-Tezkere Kimden: Seraskerlik Makamından Kime: Saray Başkatipliğine Konu: Bitlis bölgesinde Ermeni faali-yetleri	Department of General Staff Correspondence Office Special Statement From— Department of General Staff To— Imperial First Secretary and the attention of the Fourth Army Command Subject— Armenian activities in the Bitlis region
16	253	7.9.1894	Makam-ı Seraskerî Mektûbi Kalemi Muş'da Dördüncü Ordu-yu Hümâyûn Müşiriyyet-i Celîlesinden mevrûd fî 26 Ağustos sene 310 (1310) tarihli şifreli telgrafnâme halli sûretidir.	Seraskerlik Makamı Yazı İşleri Şifre Telgraf Kimden: Dördüncü Ordu Müşiriyyetinden Kime: Seraskerlik Makamına Konu: Hamidiye Süvari Alayına gerek kalmadığı	Department of General Staff Correspondence Office Coded telegram From— Fourth Army Command To— Department of General Staff Subject— Hamidiye Cavalry Regiment no longer needed
17	255	8.9.1894	Makam-ı Seraskerî Mektûbi Kalemi Bitlis'de Sekizinci Fırka Kumandan vekili Mirliva Salih Paşa'dan mevrûd 27 Ağustos sene 310 (1310) tarihli telgrafnâmenin halli sûretidir.	Seraskerlik Makamı Yazı İşleri Şifre Telgraf Kimden: Bitlis'de Sekizinci Tümen Kumandan Vekili Tuğgeneral Salih Paşa'dan Kime: Seraskerlik Makamına Konu: Talori bölgesindeki eşkiyanın takip ve etkisiz kılındığı, reisleri Marah'ın yakalandığı	Department of General Staff Correspondence Office Coded telegram From— Brigadier-General Salih Pasha Deputy Commander of Eighth Division Stationed at Biltis To— Department of General Staff Subject— Pursuit and neutralization of insurgents in the Talori region. Capture of their leaders at Marah
18	257	8.9.1894	Makam-ı Seraskerî Mektûbi Kalemi Tezkere-i Hususiyye sûret-i Celîlesidir.	Seraskerlik Makamı Yazı İşleri Özel-Tezkere Kimden: Saray Başkatipliğinden Kime: Seraskerlik Makamına Konu: Padişah Buyruğu	Department of General Staff Correspondence Office Special Statement From— Imperial First Secretary To— Department of General Staff Subject— Order by the Sultan
19	259	8.9.1894	Makam-ı Seraskerî Mektûbi Kalemi 28 Ağustos sene 310 (1310) tarihinde Dördüncü Ordu-yu Hümâyûn Müşiriyyet-i Celîlesine yazılan telgrafnâme sûretidir.	Seraskerlik Makamı Yazı İşleri Telgraf Kimden: Seraskerlik Makamından Kime: Dördüncü Ordu Müşiriyyetine Konu: Muş'da bulunan Hamidiye Süvari Alayının geri gönderilmesi ve ödüllendirilmesı	Department of General Staff Correspondence Office Telegram From— Department of General Staff To— Fourth Army Command Subject— Sending back and rewarding the Hamidiye Cavalry Regiment stationed at Mush
20	263	9.9.1894	Makam-ı Seraskerî Mektûbi Kalemi Fî 8 Ra (Rebi'ul-evvel) sene 312 (1312) ve fî 28 Ağustos sene 310 (1310) tarihinde takdim olunan tezkere-i hususiyye suretidir.	Seraskerlik Makamı Yazı İşleri Özel-Tezkere Kimden: Seraskerlik Makamından Kime: Saray Başkatipliğine Konu: Ermeni eşkiyası reisi anarşist Marah'ın yakalanması	Department of General Staff Correspondence Office Special Statement From— Department of General Staff To— Imperial First Secretary Subject— Capture of the anarchist Marah leader of the Armenian insurgents
21	265	9.9.1894	Makam-ı Seraskerî Mektûbi Kalemi Fî 8 Ra (Rebi'ul-evvel) sene 312 (1312) ve fî 28 Ağustos sene 310 (1310) tarihinde takdîm olunan tezkere-i hususiyye suretidir.	Seraskerlik Makamı Yazı İşleri Özel-Tezkere Kimden: Seraskerlik Makamından Kime: Saray Başkatipliğine Konu: Dördüncü Ordu Müşiri Zeki Paşa'nın hareketi	Department of General Staff Correspondence Office Special Statement From— Department of General Staff To— Imperial First Secretary Subject— Departure of the Commander-in Chief of the Fourth Army Zeki Pasha
22	267	10.9.1894	Makam-ı Seraskerî Mektûmbi Kalemi 2201 Mâbeyn-i Hümâyûn Başkitâbet-i Celîlesinden mevrûd tezkere-i hususiyye suretidir.	Seraskerlik Makamı Yazı İşleri 2201 Özel-Tezkere Kimden: Saray Başkatipliğinden Kime: Seraskerlik Makamına Konu: Padişah Buyruğu	Department of General Staff Correspondence Office 2201 Special Statement From— Imperial First Secretary To— Department of General Staff Subject— Order by the Sultan

Belge	Sayfa	Tarih	Osmanlı Arşivi	Vakıf Arşivi	Armenian Question
23	269	11.9.1894	Makam-ı Seraskerî Mektûbi Kalemi Fî 30 Ağustos sene 310 (1310) tarihinde Dördüncü Ordu-yu Hümâyûn Müşiriyyet-i âlîsine yazılan telgrafnâme sûretidir.	Seraskerlik Makamı Yazı İşleri Telgraf Kimden: Seraskerlik Makamından Kime: Dördüncü Ordu Müşiriyyetine Konu: Padişah Buyruğunun tebliği	Department of General Staff Correspondence Office Telegram From— Department of General Staff To— Fourt Army Command Subject— Communication of the Sultan's order
24	271	12.9.1894	Makam-ı Seraskerî Mektûbi Kalemi Mâbeyn-i Hümâyûn Başkitâbet-i Celîlesine yazılan 31 Ağustos sene 310 (1310) tarihli tezkere-i hususiyye suretidir.	Seraskerlik Makamı Yazı İşleri Özel-Tezkere Kimden: Seraskerlik Makamından Kime: Saray Başkatipliğine Konu: Dördüncü Ordu Müşiri Zeki Paşa Hazretlerinden alınan bilgilerin sunulması	Department of General Staff Correspondence Office Special Statement From— Department of General Staff To— Imperial First Secretary Subject— Submission of information received from Zeki Pasha, Commander-in-Chief of the Fourth Army
25	273	12.9.1894	Makam-ı Seraskerî Mektûbi Kalemi Dördüncü Ordu-yu Hümâyûn Müşiriyyet-i Celîlesinden vârid olan 31 Ağustos sene 310 (1310) tarihli telgrafnâme sûretidir.	Seraskerlik Makamı Yazı İşleri Telgraf Kimden: Dördüncü Ordu Müşiriyyetinden Kime:Seraskerlik Makamına Konu: Ermeni isyan ve anarşisinin önlenmesi için düşünülen önlemler	Department of General Staff Correspondence Office Telegram From— Fourth Army Command To— Department of General Staff Subject— Measures being considered concerning the prevention of Armenian rebellion and anarchy
26	277	13.9.1894	Makam-ı Seraskerî Mektûbi Kalemi Mâbeyn-i Hümâyûn Başkitâbet-i Celîlesine yazılan 1 Eylül sene 310 (1310) tarihli tezkere-i hususiyyenin suretidir.	Seraskerlik Makamı Yazı İşleri Özel-Tezkere Kimden: Seraskerlik Makamından Kime: Saray Başkatipliğine Konu: Dördüncü Ordu Müşiriyyetinin olaylar hakkında görüşleri	Department of General Staff Correspondence Office Special Statement From— Department of General Staff To— Imperial First Secretary Subject— Opinions of the Office of the Commander-in-Chief of the Fourth Army concerning events
27	281	13.9.1894	Makam-ı Seraskerî Mektûbi Kalemi Mâbeyn-i Hümâyûn Başkitâbet-i Celîlesine yazılan tezkere-i hususiyye sureti.	Seraskerlik Makamı Yazı İşleri Özel-Tezkere Kimden: Seraskerlik Makamından Kime: Saray Başkatipliğine Konu: Muş'da bulunan Hamidiye Süvari Alayının yerlerine iadesi	Department of General Staff Correspondence Office Special Statement From— Department of General Staff To— Imperial First Secretary Subject— Return of the Hamidiye Military Regiment located in Mush to their headquarters
28	287	15.9.1894	Makam-ı Seraskerî Mektûbi Kalemi Muş'da Dördüncü Ordu-yu Hümâyûn Müşiriyyetine yazılan 3 Eylül 310 tarihli şifreli telgrafnâme sûretidir.	Seraskerlik Makamı Yazı İşleri Şifre Telgraf Kimden: Seraskerlik Makamından Kime: Muş'da, Dördüncü Ordu Müşiriyyetine Konu: Hamidiye Süvari Alayının yerlerine iadesi	Department of General Staff Correspondence Office Coded telegram From— Department of General Staff To— Fourth Army Command Subject— Sending back the half Hamidiye Cavalry Regiment stationed at Mush
29	289	16.9.1894	Makam-ı Seraskerî Mektûbi Kalemi Sureti fî 6 Eylül 310 (1310) tarihinde arz-ı hâk-i pây-i âlî kılınmışdır. Muş'da Dördüncü Ordu-yu Hümâyûn Müşiri, Zeki Paşa'nın mevrûd 4 Eylül sene 310 (1310) tarihli şifreli telgrafın halli sureti.	Seraskerlik Makamı Yazı İşleri Şifre Telgraf Kimden: Dördüncü Ordu Müşiri Zeki Paşa'dan Kime: Seraskerlik Makamına Konu: Ermeni isyanı ve askeri harekatla ilgili Ordu Kumandanının raporu	Department of General Staff Correspondence Office Coded telegram From— Zeki Pasha, Commander-in-Chief of the Fourth Army To— Ministry of national Defence Subject— Ongoing military operations to suppress the uprising at Talori and a report of the latest situation
30	303	17.9.1894	Makam-ı Seraskerî Mektûbi Kalemi Muş'da Dördüncü Ordu-yu Hümâyûn Müşiriyyetine yazılan 5 Eylül sene 310 (1310) tarihli şifreli telgrafnâme sûretidir.	Seraskerlik Makamı Yazı İşleri Şifre Telgraf Kimden: Seraskerlik Makamından Kime: Muş'da, Dördüncü Ordu Müşiriyyetine Konu: Alınan sonuçların ve önlemlerin acele bildirilmesi	Department of General Staff Correspondence Office Coded telegram From— Department of General Staff To— Fourth Army Command Subject— Detailed reporting of the results of the incidents at Talori

Belge	Sayfa	Tarih	Osmanlı Arşivi	Vakıf Arşivi	Armenian Question
31	305	17.9.1894	Makam-ı Seraskerî Mektûbi Kalemi Dördüncü Ordu-yu Hümâyûn Müşiriyyet-i Celîlesinden vârid olan 5 Eylül sene 310 (1310) tarihli şifreli telgrafnâme sûretidir.	Seraskerlik Makamı Yazı İşleri Şifre Telgraf Kimden: Dördüncü Ordu Müşiriyyetinden Kime:Seraskerlik Makamına Konu: Talori ve Muş bölgelerinde alınan önlemler ve bazı birliklerin yerlerine iadesi isteği	Department of General Staff Correspondence Office Coded telegram From— Fourth Army Command To— Department of General Staff Subject— Sending back the military units stationed at Mush
32	307	18.9.1894	Makam-ı Seraskerî Mektûbi Kalemi Dördüncü Ordu-yu Hümâyûn Müşiriyyet-i Celîlesinden mevrûd 6 Eylül sene 310 (1310) tarihli telgrafnâme sûretidir.	Seraskerlik Makamı Yazı İşleri Şifre Telgraf Kimden: Dördüncü Ordu Müşiriyyetinden Kime: Seraskerlik Makamına Konu: Askeri Harekât sonuçlarının yeniden sunulması ile askeri birliklerin yerlerine iadesi isteği	Department of General Staff Correspondence Office Telegram From— Fourth Army Command To— Department of General Staff Subject— Results of the Talori incidents
33	311	19.9.1894	Makam-ı Seraskerî Mektûbi Kalemi Muş'da Dördüncü Ordu-yu Hümâyûn Müşiri Zeki Paşa Hazretlerinden vârid olan 7 Eylül sene 310 (1310) tarihli şifreli telgrafnâmenin halli sûretidir.	Seraskerlik Makamı Yazı İşleri Şifre Telgraf Kimden: Muş'da, Dördüncü Ordu Kumandanı Maraşal Zeki Paşa Hazretlerinden Kime: Seraskerlik Makamına Konu: Bölgedeki asayişi bozan bir durumun bulunmadığı	Department of General Staff Correspondence Office Coded telegram From— Fourth Army Command stationed at Mush To— Department of General Staff Subject— End of all threats to peace and order and taking all the necessary measures against possible incidents.
34	313	20.9.1894	Makam-ı Seraskerî Mektûbi Kalemi Dördüncü Ordu-yu Hümâyûn Müşiriyyetine yazılan 7-8 Eylül 310 (1310) tarihli şifreli telgrafnâme sûretidir.	Seraskerlik Makamı Yazı İşleri Şifre Telgraf Kimden: Seraskerlik Makamından Kime: Dördüncü Ordu Müşiriyyetine Konu: Üç taburun yerlerine yeterli kuvvet konulmadıkça iade edilmemeleri	Department of General Staff Correspondence Office Coded telegram From— Ministry of National Defence To— Fourth Army Command Subject— Taking measures aganist the incidents at Talori and Mush.
35	317	21.9.1894	Makam-ı Seraskerî Mektûbi Kalemi 2460 Mâbeyn-i Hümâyûn Başkitâbet-i Celîlesinden mevrûd 20 Rebi'ul-evvel 312 (1312), 8 Eylül sene 310 (1310) tarihli tezkere-i hususiyye suretidir.	Seraskerlik Makamı Yazı İşleri 2460 Özel Tezkere Kimden: Saray Başkatipliğinden Kime: Seraskerlik Makamına Konu: Ermenilerin eylem ve harekâtları hakkında ayrıntılı bilgi istenmesi	Department of General Staff Correspondence Office 2460 Special Statement From— Imperial First Secretary To— Department of General Staff Subject— Detailed reporting of the crimes committed by the insurgents at the Talori region.
36	319	21.9.1894	Makam-ı Seraskerî Mektûbi Kalemi Muş'da Dördüncü Ordu-yu Hümâyûn Müşiri Paşa Hazretlerine yazılan 9 Eylül 310 (1310) tarihli şifreli telgrafnâme-i âlî-i hazret-i Seraskeri suretidir.	Seraskerlik Makamı Yazı İşleri Şifre Telgraf Kimden: Seraskerlik Makamından Kime: Dördüncü Ordu Müşiryyetine Konu: Ermenilerin eylem ve harekâtları hakkında bilgi istenmesi	Department of General Staff Correspondence Office Coded telegram From— Department of General Staff To— Fourth Army Command Subject— Detailed reporting of the crimes committed by the insurgents at the Talori region.
37	321	21.9.1894	Makam-ı Seraskerî Mektûbi Kalemi Muş'da Dördüncü Ordu-yu Hümâyûn Müşiri Zeki Paşa Hazretlerinden vârid olan 9 Eylül sene 310 (1310) tarihli ve şifreli telgrafnâmenin halli sûretidir.	Seraskerlik Makamı Yazı İşleri Şifre Telgraf Kimden: Muş'da, Dördüncü Ordu Müşiri Zeki Paşa Hazretlerinden Kime: Seraskerlik Makamına Konu: İsyan bölgesinde son durum	Department of General Staff Correspondence Office Coded telegram From— Zeki Pasha Commander-in-Chief of the fourth Army To— Fourth Army Command Subject— Commander-in-Chief, Zeki Pasha's, inspection tour.
38	323	25.9.1894	Makam-ı Seraskerî Mektûbi Kalemi Erzurum'da Dördüncü Ordu-yu Hümâyûn Müşiri Zeki Paşa Hazretlerinden 13 Eylül sene 310 (1310) tarihli şifreli telgrafnâmenin halli sûretidir.	Seraskerlik Makamı Yazı İşleri Şifre Telgraf Kimden: Erzurum'da, Dördüncü Ordu Müşiri Zeki Paşa Hazretlerinden Kime: Seraskerlik Makamına Konu: Üç taburun yerlerine iadesi	Department of General Staff Correspondence Office Coded telegram From— Zeki Pasha, Commander-in-Chief of the Fourth Army stationed at Erzurum To— Department of General Staff Subject— Sending back to headquarters the miliraty units stationed at the regions of Mush and Talori.

Belge	Sayfa	Tarih	Osmanlı Arşivi	Vakıf Arşivi	Armenian Question
39	325	26.9.1894	Makam-ı Seraskerî Mektûbi Kalemi Erzurum'da Dördüncü Ordu-yu Hümâyûn Müşiri Zeki Paşa Hazretlerinden mevrûd 14 Eylül sene 310 (1310) tarihli şifreli telgrafnâmenin halli sûretidir.	Seraskerlik Makamı Yazı İşleri Şifre Telgraf Kimden: Erzurum'da, Dördüncü Ordu Müşiri Zeki Paşa Hazretlerinden Kime: Seraskerlik Makamına Konu: Ermenilerin müslüman halka yaptıkları işkence ve eylemler	Department of General Staff Correspondence Office Coded telegram From— Commander-in-Chief of the Fourth Army stationed at Erzurum To— Department of General Staff Subject— Crimes committed by the Armenian insurgents in the region of Talori.
40	331	30.9.1894	Makam-ı Seraskerî Mektûbi Kalemi Dördüncü Ordû-yu Hümâyûn Müşiriyyet-i Celîlesine 18 Eylül sene 310 (1310) tarihinde yazılan şifreli telgrafnâme sûretidir.	Seraskerlik Makamı Yazı İşleri Şifre Telgraf Kimden: Seraskerlik Makamından Kime: Dördüncü Ordu Müşiriyyetine Konu: Ermenilere Hayvan ve mallarının verilmesiyle güvenlik içinde yaşamalarının sağlanması	Department of General Staff Correspondence Office Coded telegram From— Department of General Staff To— Fourth Army Command Subject— Giving back the personal belongings and the cattle of repentant Armenian villagers who have returned.
41	335	1.10.1894	Makam-ı Seraskerî Mektûbi Kalemi Dördüncü Ordu-yu Hümâyûn Müşiriyyet-i Celîlesinden mevrûd 19 Eylül sene 310 (1310) tarihli şifreli telgrafnâmenin halli sûretidir.	Seraskerlik Makamı Yazı İşleri Şifre Telgraf Kimden: Dördüncü Ordu Müşiriyyetinden Kime: Seraskerlik Makamına Konu: Muş'da toplanan Hamidiye Alayı	Department of General Staff Correspondence Office Coded telegram From— Fourth Army Command To— Department of General Staff Subject— Military units stationed at Mush.
42	337	2.10.1894	Makam-ı Seraskerî Mektûbi Kalemi Dördüncü Ordu Müşiriyyet-i Celîlesine yazılan 20 Eylül sene 310 (1310) tarihli telgrafnâme sûretidir.	Seraskerlik Makamı Yazı İşleri Telgraf Kimden: Seraskerlik Makamından Kime: Dördüncü Ordu Müşiriyyetine Konu: Hamidiye Süvarileri	Department of General Staff Correspondence Office Telegram From— Department of General Staff To— Fourth Army Command Subject— Sending back the two hundred cavalrymen stationed at Mush.
43	339	4.10.1894	Makam-ı Seraskerî Mektûbi Kalemi Erzincan'da Dördüncü Ordu-yu Hümâyûn Zeki Paşa Hazretlerinden vârid olan 22 Eylül sene 310 (1310) tarihli şifreli telgrafnâme sûretidir.	Seraskerlik Makamı Yazı İşleri Şifre Telgraf Kimden: Erzincan'da, Dördüncü Ordu Müşiri Zeki Paşa Hazretlerinden Kime: Seraskerlik Makamına Konu: Üç taburun yerlerine iadesi müsadesinin tekrar istenmesi	Department of General Staff Correspondence Office Coded telegram From— Commander-in-Chief of the Fourth Army stationed at Erzurum To— Department of General Staff Subject— Sending back to headquarters the battalions stationed at Mush.
44	341	7.10.1894	Makam-ı Seraskerî Mektûbi Kalemi Fî 25 Eylül sene 310 (1310) tarihinde Dördüncü Ordu-yu Hümâyûn Müşiriyyetine yazılan şifreli telgrafnâme sûretidir.	Seraskerlik Makamı Yazı İşleri Şifre Telgraf Kimden: Seraskerlik Makamından Kime: Dördüncü Ordu Müşiriyyetine Konu: Alıncak önlemler hakkında Padişah Buyruğu	Department of General Staff Correspondence Office Coded telegram From— Department of General Staff To— Fourth Army Command Subject— Taking measures against the insurgent incidents at the regions of Talori and Mush.
45	343	6.10.1894	Makam-ı Seraskerî Mektûbi Kalemi Tezkere-i ma'ruza suretidir.	Seraskerlik Makamı Yazı İşleri Özel Tezkere sureti Kimden: Seraskerlik Makamından Kime:Kime: Saray Başkatipliğine Konu: Taburların yerlerine iadesi	Department of General Staff Correspondence Office Special Statement From— Department of General Staff To— Imperial First Secretary Subject— Return of battalions

Vilayet de Diarb
Vilayet
Bin-gueul-dagh (3200m)
Guendj
Gunck-Kalé
Douran
Seogkus
Varto-Kalé
Baskan
Caza de Var
Gumg
Tchalbohor
Guernik
Caza de Guendj
Pakindji
Bardé
Tchanli-Kilissé (Sourp-Carabet)
Klissor
Kotchan
Terbassan
Caza
Kéravi
TCHABAKTCHOUR
Ziaret
Pont
Shari
Mourad-Sou
Couigour
Euphrate Oriental
Guendj-dagh
Kunmeïdan
Pont
Pozgof
Karouk
Garni
Caza
Sassoun-dagh (2600m)
Bassor
Dordosch-dagh
Caza de Kalb
Hassk
Caza de
Autag-dagh
Korsvak
Kandok-dagh
Col (2050m)
Caza de
Zalana
Caza
Agharoune
Karlou
Karacol
S. de Lidjé
Nerdjki
Caza
Missi
Erssai
Kolanis
Gharzan-dagh
Butman-Sou
Guéné
Saline de Meléfan
Caza de Hazo
Hazo
Métafordin
Dourgo
Miliha
Caz
Serzi
Caza de Ru
S. de
Tchahlati-Sou
Batman-Sou
Aserzou
Klaisoua
Rundwan
Sinan
vers Diarbekir
Achit-dagh
Gerister
Tigre Fl.